# Keven **Arseneault**

# LA BIBLE DES STRATEGIES
## ET PLANIFICATIONS D'ENTRAINEMENT

### Plus de 230 techniques
de musculation et cardio-training

613.711
A 201 1

D1292516

## AMPHORA

BIBLIOTHÈQUES DE LA
VILLE DE
SHERBROOKE

# SOMMAIRE

## À PROPOS DE L'AUTEUR

Keven Arseneault est un passionné de l'entraînement et de la nutrition. Ayant goûté au monde du conditionnement physique très jeune, il a vite su qu'il ferait de sa passion son métier. Il a donc évolué en travaillant d'un centre d'entraînement à un autre durant ces vingt dernières années afin de développer son expertise. Il a, entre autres, travaillé chez Hard Gym Performance, un centre de performance situé en plein cœur de Québec, où il s'est occupé de l'entraînement et de la nutrition de plusieurs sportifs de haut niveau tels que des joueurs de la Ligue canadienne de football, des joueurs de hockey de la Ligue junior majeure du Québec (ex. : Remparts de Québec, Screaming Eagles du Cap-Breton), d'hommes forts sur le circuit mondial (World's Strongest Man), de pompiers compétitionnant sur le circuit mondial de Firefit et bien plus. De plus, avec les années, il s'est spécialisé dans l'entraînement des métiers tactiques et opérationnels (pompiers, policiers, ambulanciers, garde du corps, gendarmerie royale du Canada, armée, etc.). En ce sens, il a travaillé de façon très étroite avec le service d'incendie de la ville de Québec afin d'améliorer le volet de la santé et de la prévention en mettant à profit ses champs d'expertise. En 2014, il a innové en matière de conditionnement physique en proposant un système d'entraînement reposant sur des boyaux usés récupérés à titre d'outil pour faire des exercices de musculation chez les pompiers sur leur lieu de travail. Keven a travaillé également avec la SOPFEU (pompiers forestiers) ainsi que le corps policier de la ville de Québec à qui il a apporté son expertise dans le domaine de l'entraînement et de la nutrition.

Par la suite, il est devenu copropriétaire pendant deux ans d'une salle de musculation à Québec, la succursale, à Charny, du Maxi-Forme Fitness, en plus d'être l'entraîneur-chef des cinq succursales. Puis, à l'été 2015, Keven a quitté la ville de Québec, où il a vécu durant dix ans, afin de relever de nouveaux défis dans la grande métropole de Montréal. Son bureau est actuellement situé dans la succursale du Progym de Montréal (www.progym-montreal.com), dans la plus grande salle de musculation au Canada où il gère sa propre entreprise de services en matière d'entraînement, de nutrition, de naturopathie, d'évaluation de condition physique et de conférences (www.kevenarseneault.com).

Sur le plan athlétique, Keven a évolué en tant que sprinter sur 100 mètres et 200 mètres durant tout son secondaire pour se rediriger ensuite dans le monde du culturisme. Il cumule actuellement cinq compétitions en tant que culturiste (de 2004 à 2010) sur le plan québécois et canadien et est détenteur d'une première position dans la catégorie des mi-lourds lors d'un championnat provincial testé. Durant ces années, il a pu expérimenter divers protocoles nutritionnels et d'entraînement afin de mieux comprendre les écarts entre la théorie et la pratique. C'est en expérimentant la théorie au niveau des techniques d'entraînement que Keven a conçu en 2013 son tout premier livre, *Le Recueil des techniques d'entraînement*, et sa version anglaise *The Handbook of Training Techniques*. Sans maison d'édition à l'époque, il a donc autoédité cette première version et fait produire 2 000 livres qu'il entreposa dans son sous-sol. Faisant la promotion lui-même, il réussit alors à les vendre au complet. Étant donné le succès de cette première édition, il était maintenant temps de passer à un autre niveau et c'est avec Amphora que l'aventure se poursuivit afin de produire une version améliorée de son premier livre, celle que vous tenez en ce moment entre vos mains.

Au niveau de sa formation, Keven est tout d'abord bachelier en kinésiologie de l'université Laval, où il a ensuite poursuivi ses études de baccalauréat (licence au Canada) en nutrition et obtenu un Diplôme d'études supérieures spécialisées (D.E.S.S.) en alimentation fonctionnelle et santé. Il est ensuite devenu naturopathe en suivant sa formation à l'Institut de formation naturopathique (IFN) et a complété sa maîtrise en kinanthropologie à l'UQAM , plus précisément dans le Laboratoire de la performance humaine. Il poursuit actuellement son doctorat en nutrition à l'université de Montréal. Par ailleurs, il est également détenteur de la certification américaine reconnue C.S.C.S de la National Strength and Conditioning Association (NSCA) et possède son niveau 1 canadien en haltérophilie du Programme national de certification des entraîneurs (PNCE). Sur le plan du partage de ses connaissances, il a enseigné l'anatomie sur des cadavres durant deux ans aux premières années en kinésiologie à l'université Laval et a été, pendant sept ans, assistant de cours dans ce même programme (en plus d'être le vice-président académique lors de ses études). Il a, de plus, participé à des chroniques à la radio, à la télévision et dans des webzines pour le sport, toujours au sujet de l'entraînement et/ou de la nutrition. Actuellement, il collabore avec les compagnies ATP-LAB (https://atplab.com) en étant leur directeur scientifique pour le volet francophone et avec FD Fitness (https://www.fdfitness.ca) afin de partager ses connaissances et sa passion (vous pouvez visionner ses podcasts sur la chaîne YouTube de Félix D'aigle, le propriétaire de FD Fitness).

Du côté du business, Keven a été le cofondateur et créateur de plusieurs produits de la compagnie Forging Heroes, qui produit des suppléments destinés principalement au monde de l'entraînement fonctionnel. Il s'est toutefois retiré de la compagnie en 2013 afin d'offrir de la formation continue (entièrement à distance) dans le domaine des suppléments alimentaires autant dans le domaine intégratif que sportif, par le biais de l'Institut de supplémentologie appliquée (www.supplementologie.com).

Ce livre est pour moi le travail acharné de vingt années de lecture et de mise en pratique sur les méthodes d'entraînement. L'écriture a toutefois commencé au courant de l'année 2009 lorsque je travaillais à temps plein en tant que kinésiologue. La variété de techniques dont je me servais était à ce moment très limitée et je commençais tranquillement à utiliser à répétition sensiblement les mêmes méthodes. Je trouvais dommage que n'ait pas déjà été conçu un livre présentant une panoplie d'exemples de techniques d'entraînement afin d'augmenter la variété de méthodes disponibles et de de permettre de nouvelles adaptations chez mes clients. C'est alors que j'ai décidé d'entreprendre une mise en commun des techniques d'entraînement auxquelles j'avais eu accès via ma formation universitaire, mes livres personnels et les différents moteurs de recherche. J'ai donc ouvert un premier livre qui contenait une vingtaine de techniques, puis un deuxième qui en contenait une dizaine, puis un autre qui en contenait une quinzaine et ainsi de suite, jusqu'à ce que j'obtienne un assemblage de plus de 150 techniques différentes. Cela a ainsi créé *Le Recueil des techniques d'entraînement* (suite à la sortie de ce livre, j'ai poursuivi mes recherches afin de vous offrir une version qui comporte maintenant plus de 230 techniques différentes).

À cette époque, afin de faciliter son utilisation, j'ai classé les techniques par niveau de difficulté pour offrir à mes clients une progression dans l'entraînement. Par la suite, j'ai subdivisé celles qui développaient davantage la force et la puissance musculaire (intensification) et celles qui favorisaient l'hypertrophie musculaire (accumulation). Je venais à ce moment de m'offrir davantage d'armes afin de stimuler et de diversifier les entraînements de mes clients. En revanche, tout comme je ne prescris pas un exercice que je ne suis pas capable de montrer, je ne pouvais recommander toutes ces nouvelles techniques

dont je n'avais aucune idée de la difficulté sur le plan physique et si des ajustements dans l'application étaient nécessaires. J'ai alors commencé à utiliser chacune de ces techniques à chaque nouveau programme que je concevais, afin de m'aider dans la visualisation des exercices qui correspondaient le mieux à chacune de ces méthodes et également pour mieux renseigner mon client sur son application pratique.

Dès 2010, mes collègues de travail ont vu le fruit de mes recherches et désiraient obtenir toute cette variété de techniques qu'utilisait à présent l'ensemble de mes clients. J'ai donc partagé mon document, à l'époque un simple tableau immense, qui permettait d'énumérer toutes les techniques ainsi que leurs particularités. C'est à ce moment que j'ai vu l'importance de ce que je venais de créer. Lorsque je voyais l'enthousiasme de mes clients et/ou de mes collègues envers la pratique de ces nouvelles techniques, cela me confirmait la nécessité de créer un recueil des techniques d'entraînement. Plus je parlais de ce « livre en devenir » à mes anciens collègues du baccalauréat (licence au Canada) en kinésiologie ou aux étudiants auxquels j'enseignais, plus tout le monde en voulait une copie. J'ai donc décidé de m'investir davantage dans l'écriture afin d'améliorer la présentation visuelle des techniques et de partager avec vous mes commentaires sur chacune d'entre elles, que j'ai soigneusement essayée individuellement durant ces dix dernières années.

Prenez note toutefois que je n'ai pas voulu faire de ce livre un recueil lourd théoriquement. Ce n'est pas l'envie qui me manquait, mais je désirais mettre davantage en avant le côté pratico-pratique. Beaucoup de livres sont très bien conçus afin de vous en apprendre plus, que ce soit sur la contraction musculaire, sur l'impact d'un entraînement concentrique plutôt qu'excentrique ou isométrique, sur les caractéristiques de l'amélioration dans la coordination intra ou intermusculaire, sur les impacts d'un entraînement sous-maximal ou maximal en termes de recrutement et de fatigue des unités motrices, etc. En ce sens, les quelques éléments que je viens de mentionner sont importants afin de mieux comprendre le fondement de l'entraînement et de ce qui se passe dans votre corps lors de l'application de l'une des techniques de ce livre. Toutefois, ils ne sont pas essentiels à comprendre afin d'essayer ces méthodes, mais plutôt recommandés pour les mordus d'entraînement tels que moi. Ainsi, pour approfondir vos compétences sur ces sujets, je vous suggère donc comme livre de chevet ceux inclus dans mes références à la fin de ce volume.

Je sens toutefois le besoin, avant que vous vous lanciez dans la lecture des prochaines sections, de vous rappeler certains éléments importants sur les facteurs qui affectent la force musculaire. Ces principes sont à la base du développement des qualités physiques mises en avant dans ce livre et je crois qu'une présentation de ces aspects vous donnera un fondement solide afin de comprendre ce que chaque entraînement occasionne sur votre corps.

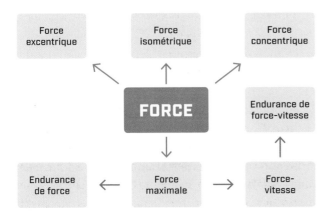

## Les facteurs qui affectent la force

La force maximale qu'un athlète de tout niveau peut exprimer dépend principalement de sept concepts de base qui peuvent être entraînés via les techniques de ce livre (et bien développés dans le livre *Periodization* de Tudor O. Bompa). En fonction des méthodes que vous utiliserez, certains de ces concepts seront davantage ciblés tandis que d'autres moins. À vous de varier la stimulation des techniques durant vos mésocycles afin de potentialiser chacun de ces sept éléments et de maximiser ainsi le développement de votre force musculaire.

1.  **Le recrutement d'unités motrices** : plus la charge sera élevée, plus un grand nombre d'unités motrices sera recruté afin d'engager plusieurs fibres musculaires dans la contraction sur le «principe de la taille» (*size principle*) et d'augmenter ainsi la force produite. Les unités motrices à faible seuil d'activation (fibres lentes) seront activées en premier, suivies des unités motrices à haut seuil d'activation (fibres rapides).

Les illustrations qui suivent vous démontreront les différences entre le recrutement d'unités motrices : a) lors d'un exercice sous-maximal, b) lors d'un exercice à efforts répétés de 13 à 30 RM, c) lors d'un exercice à efforts répétés de 6 à 12 RM, d) lors d'un exercice à efforts maximaux de 1 à 5 RM et e) lors d'un exercice explosif.

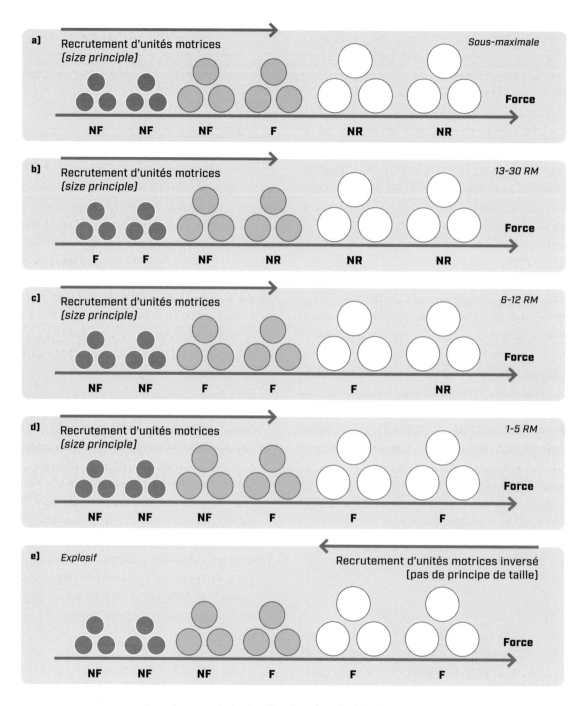

Prendre en note la signification des abréviations suivantes :

**NF** : unités motrices recrutées, mais non fatiguées ;

**F** : unité motrices recrutées et fatiguées ;

**NR** : unités motrices non recrutées.

De ces tableaux, vous ne devrez retenir qu'une seule chose : « Une fibre qui n'est pas fatiguée est une fibre qui n'est pas entraînée. » De ce fait, en fonction des qualités musculaires que vous désirez obtenir, vous opterez pour l'un ou l'autre de ces exemples afin de fatiguer les fibres qui vous permettront ultérieurement d'améliorer les qualités souhaitées. À des fins d'hypertrophie musculaire, combinez les recrutements b), c), d) et e) afin d'attaquer le muscle sous plusieurs angles et de maximiser ainsi son développement. Intégrez même des exercices en endurance en fin d'entraînement pour fatiguer les fibres lentes (exemple b).

2. **La fréquence de décharge des unités motrices** : il est possible d'améliorer la force d'un muscle sans toutefois devoir recruter davantage d'unités motrices. En fait, le « principe de taille » peut être altéré lors de l'utilisation de mouvements explosifs par la nécessité de recruter des fibres rapidement et de façon très dynamique. Un faible nombre d'unités motrices sera alors recruté (principalement des fibres rapides) et générera tout de même une grande puissance de travail. Le muscle peut donc apprendre à utiliser des unités motrices de prédilection selon les caractéristiques du mouvement et favoriser une grande force malgré un faible nombre d'unités motrices recrutées (comparativement à un mouvement en force par exemple).

3. **La synchronisation des unités motrices** : dans les exercices à faible intensité, le recrutement est asynchrone. Certaines fibres s'activent lorsque d'autres se désactivent. En revanche, dans les exercices à haute intensité, la synchronisation des unités motrices n'est pas automatique. Elle doit donc être travaillée. Lorsque cet aspect s'améliore, cela permet de libérer la force de chacune des fibres musculaires simultanément. On parle alors principalement de coordination intramusculaire (synchronisation des fibres d'un même muscle) et de coordination intermusculaire (synchronisation des fibres de muscles agonistes).

4. **Le cycle étirement-raccourcissement du muscle** : c'est en fait un mouvement pliométrique qui oblige une contraction concentrique précédée d'une contraction excentrique rapide. Le fait d'intégrer une contraction excentrique rapide, mais contrôlée, dans le dernier quart du mouvement avant de faire la phase concentrique permet d'éduquer le muscle à utiliser l'énergie élastique emmagasinée et de favoriser l'activation du réflexe myotatique, qui engagera davantage de fibres rapides bénéfiques pour les gains en force et optimisera ainsi l'activation musculaire générale. C'est donc un conseil judicieux à intégrer dès maintenant lors de chacune de vos répétitions.

5. **L'inhibition neuromusculaire** : on parle ici de l'inhibition des organes tendineux de Golgi, des récepteurs à l'intérieur des tendons qui gèrent la quantité de force émise sur ceux-ci. Plus la force est grande sur un tendon qui n'est pas soumis fréquemment à ce type de tension, plus ces récepteurs se battront contre votre cerveau afin de désactiver le muscle que vous tentez de contracter. Le fait d'utiliser des charges maximales et supramaximales permettra de diminuer l'implication de ces récepteurs et de réduire cette inhibition protectrice, mais indésirée, pour maximiser les gains de force.

6. **Le type de fibres musculaires** : un athlète avec un haut pourcentage de fibres musculaires rapides (type II) dans un muscle sera en mesure de gagner davantage de force et de puissance dans le temps pour ce muscle qu'un autre athlète ayant une typologie musculaire plus lente. Ce point explique ainsi pourquoi certains

individus évoluent plus rapidement que d'autres, mais cet aspect ne peut malheureusement être modifié par aucune technique d'entraînement. La typologie musculaire qu'un athlète reçoit génétiquement n'est pas modifiable. Vous pouvez en revanche donner des caractéristiques de fibres de type I aux fibres de type II et vice versa par l'entraînement, mais vous ne pourrez jamais changer la grosseur du motoneurone qui les innerve et toutes les particularités de base que possède chacune d'entre elles. Vous devrez donc apprendre à travailler avec ce que vos gènes vous ont donné afin d'obtenir de meilleurs résultats (ex. : une personne avec beaucoup de fibres lentes dans ses cuisses aura de meilleurs gains en hypertrophie si on accentue le travail en endurance dans cette région à l'intérieur de son entraînement).

7. **L'hypertrophie musculaire** : une augmentation de la surface transverse du muscle permet une meilleure libération de force simplement par le fait d'avoir dans un muscle plus d'éléments contractiles présents. Il est bien de noter toutefois que certains individus ont une grande masse musculaire sans avoir la force musculaire à laquelle nous nous attendions. Cet individu possède en fait un grand potentiel de force par sa masse déjà existante, mais détient actuellement un système nerveux déficient qui n'est pas en mesure de recruter l'ensemble de ses unités motrices. Un entraînement en force sera alors nécessaire afin d'améliorer l'ensemble des cinq premiers éléments mentionnés ci-dessus et d'exprimer enfin cette force qui est actuellement dormante.

# LA DÉTERMINATION DES BESOINS

Peu importe votre objectif, vous devez déterminer ce que vous avez besoin de travailler avant de commencer à vous entraîner. Si vous désirez prendre de la masse musculaire, l'objectif est simple, mais, si vous désirez améliorer vos descentes en ski alpin ou bien être plus rapide sur la patinoire comme joueur de hockey, vous devez réfléchir un peu plus. L'objectif de ce livre n'est pas de vous former en tant que préparateur physique, car d'autres livres le font très bien tels que *La Bible de la préparation physique* des Éditions Amphora, mais bien de vous donner des outils afin d'engager une réflexion sur vos besoins. Ainsi, une fois ceux-ci déterminés, vous pourrez choisir judicieusement les techniques d'entraînement appropriées en fonction des qualités musculaires ou cardiovasculaires à développer. **L'annexe 1** est une fiche importante et prioritaire pour toute personne qui désire s'entraîner afin de développer sa capacité physique dans un sport quelconque. Je vous suggère de vous en faire des photocopies recto verso afin de la réutiliser à maintes reprises en fonction de vos besoins ou de ceux de vos clients. Elle est la base de ce livre.

Ainsi, si vous avez besoin de développer votre système anaérobie alactique, lactique ou aérobie, vous pourrez vous référer au chapitre 1 pour appliquer certaines techniques d'entraînement. Vous avez besoin d'une meilleure force musculaire ? Appliquez les techniques des chapitres 2, 4 et 5. Un besoin de sauter plus haut ou plus loin ? Intégrez les techniques du chapitre 6. Vous manquez de souplesse ? Le chapitre 9 possèdera alors les techniques pour vous. Cette fiche vous dictera ainsi où aller chercher les bonnes informations dans ce livre en fonction de vos objectifs. Tout préparateur physique ou kinésiologue appréciera grandement cette fiche pour l'entraînement de sa clientèle sportive, qu'elle s'adonne à un sport amateur ou professionnel. Elle vous oblige à vous poser des questions, lesquelles ne sont jamais de trop. *Comme le disait bien* **Benjamin Franklin : « Si vous échouez à planifier, vous êtes alors en train de planifier votre échec. »**

## LES PAGES D'INTRODUCTION

Chaque chapitre de ce livre débute par une page de sommaire. Qu'est-ce que c'est? C'est une page qui vous résume les éléments importants à considérer lorsque vous désirez développer certaines qualités musculaires. Par exemple, le chapitre 3 («Entraînement concentrique – Efforts répétés») présente majoritairement des techniques d'entraînement qui favorisent un gain de masse musculaire. De ce fait, le sommaire du chapitre 3 présente les éléments à considérer lorsque vous bâtissez un programme d'entraînement avec cet objectif. Regardons-le de plus près.

Par exemple, pour gagner en masse musculaire, vous devrez opter pour des charges entre 60 et 85 % de votre maximum et faire entre 6 et 12 répétitions (ou 15 à 50 secondes sous tension) où chaque répétition devra être accomplie avec une phase concentrique en vitesse maximale. Par la suite, votre entraînement devrait totaliser au maximum 16 séries (ex. : au maximum 4 exercices avec 4 séries chacun. Entre 12 et 16 séries par séance est l'idéal pour des gains en hypertrophie musculaire). Également, le temps de récupération variera de 1 à 3 minutes en fonction de la technique d'entraînement utilisée. Si vous faites 16 séries par groupe musculaire, je vous suggère de vous limiter à 2 groupes musculaires par séance, ce qui totalisera en fait 32 séries pour votre séance. Pour le repos, je parle ici de deux séances qui ne recrutent pas les mêmes groupes musculaires directement (24 à 48 heures). Pour deux séances qui ciblent les mêmes muscles, un repos de 72 heures entre les deux est préférable.

Ainsi, à chaque début de chapitre, que ce soit pour développer votre force maximale, votre endurance, votre puissance, votre endurance de puissance ou votre flexibilité, je vous ai rédigé un résumé des éléments à suivre pour concevoir une séance d'entraînement qui aura du sens et qui vous donnera des résultats optimaux (et pour éviter de s'entraîner de façon sous-optimale ou, à l'inverse, de créer un surentraînement). Vous aurez ainsi un guide des règles à respecter ainsi que des techniques d'entraînement à profusion. Il ne vous reste qu'à vous munir d'un bon livre pour choisir vos exercices en fonction des groupes musculaires à travailler.

# LA FICHE TECHNIQUE

La fiche technique est la représentation d'une méthode sous forme textuelle et visuelle. À chaque page, vous aurez une diversité d'informations qui vous permettra d'obtenir des renseignements sur les caractéristiques de la méthode. Vous y verrez comment vous devez appliquer la méthode ; quels sont ses impacts sur le développement de la force ou de l'hypertrophie ; quels sont ses avantages et ses inconvénients, etc. Avant de passer à la lecture des techniques, voyons tout d'abord comment décortiquer la fiche technique :

### Comment l'appliquer ?
Le texte vous présentera comment appliquer concrètement la technique en salle d'entraînement de façon simple et claire.

### Avantages/désavantages
Cette section vous présente les bienfaits et les inconvénients de chacune des techniques d'entraînement s'il y a lieu.

### Effort perçu (échelle)
Cette partie vous illustre la difficulté physique et/ou mentale que vous ressentirez lors de l'application de la technique en salle d'entraînement.

### Effet sur l'hypertrophie (échelle)
Cette partie vous illustre l'impact ou les gains potentiels en hypertrophie musculaire que vous pouvez obtenir lors de l'application de la technique en salle d'entraînement.

### Effet sur la force et la puissance (échelle)
Cette partie vous illustre l'impact ou les gains potentiels en force et/ou en puissance musculaires que vous pouvez obtenir lors de l'application de la technique en salle d'entraînement.

### Effet sur l'endurance musculaire (échelle)
Cette partie vous illustre l'impact ou les gains potentiels en endurance musculaire que vous pouvez obtenir lors de l'application de la technique en salle d'entraînement.

### Expérience requise
Cette partie représente le nombre d'années idéal que vous devez avoir en termes d'entraînement intensif en salle de musculation avant d'utiliser la méthode associée.

### Méthode d'accumulation
Une méthode d'accumulation est une technique qui aura un volume d'entraînement élevé. Le volume d'entraînement est déterminé via trois aspects :

1. La durée de l'entraînement ;
2. La distance parcourue (course) ou le volume de charge en salle de musculation (c'est-à-dire volume de charge = séries x répétitions x la charge en kilogrammes) ;
3. Le nombre de répétitions d'un exercice ou d'éléments techniques qu'un athlète exécute dans un temps donné.

Une des manières les plus communes d'augmenter le volume de l'athlète est soit d'augmenter la densité de l'entraînement (par la fréquence des entraînements), soit d'augmenter le volume (plus de répétitions accomplies) à l'intérieur d'une session, ou bien de combiner les deux. Ainsi, cette case sera cochée si la technique consiste à exécuter un grand nombre de répétitions de basse à moyenne intensité. Elle est principalement noircie pour les techniques d'endurance de force et à des fins d'hypertrophie.

> **Les différentes stratégies pour modifier le volume d'un entraînement sont :**
>
> 1. Augmenter la durée de la séance d'entraînement (plus présent dans les entraînements en endurance);
> 2. Augmenter la densité des entraînements par semaine (3 entraînements par semaine *vs* 5 entraînements par semaine) ou par jour (1 entraînement par jour *vs* 2 entraînements par jour);
> 3. Augmenter le nombre de répétitions, de séries, de stations ou d'éléments techniques par séance;
> 4. Augmenter la distance parcourue ou la durée d'une répétition ou de la station.

### Méthode d'intensification

Une méthode d'intensification est une technique qui aura une intensité d'entraînement élevée via les charges utilisées et/ou la vélocité générée. De façon globale, l'intensité est fonction de l'activation neuromusculaire. Ainsi, une meilleure intensité produite, via des charges plus lourdes ou une vitesse de mouvement maximale, exigera une meilleure activation neuromusculaire. Elle est donc principalement effectuée pour les techniques de force maximale, de puissance et d'endurance de puissance.

Si nous voulons évaluer l'intensité sur des exercices en musculation, il suffit tout d'abord de trouver sa 1 RM (100 %). Plus je serai près de celle-ci, plus grande sera l'intensité de mon travail (ex. : 6 RM > 8 RM). Pour les exercices n'utilisant pas de charge, comme lors d'une course, vous devez alors évaluer votre vitesse maximale à des fins de comparaison. Par exemple, si un athlète court un 100 mètres sprint en 10 secondes, cela correspondra à une vitesse de course de 10 m/s (100 %). Si, par la suite, il utilise des distances plus courtes dans ses entraînements et réussit à obtenir une vitesse supérieure (ex. : 10,1 m/s), l'intensité sera alors considérée comme étant supramaximale (table ci-dessous).

Cette table illustre la relation entre l'intensité en pourcentage, sa classification et sa cotation sur une échelle de 6.

| Zone d'intensité | Pourcentage de la performance maximale [%] | Intensité |
|---|---|---|
| 6 | > 100 | Supramaximale |
| 5 | 90-100 | Maximale |
| 4 | 80-90 | Élevée |
| 3 | 70-80 | Modérée |
| 2 | 50-70 | Faible |
| 1 | < 50 | Très faible |

> **Les différentes stratégies pour modifier l'intensité d'un entraînement sont :**
>
> → Augmenter la vélocité d'un mouvement sur une plus grande distance ou augmenter la vitesse lors des stations d'agilité;
> → Augmenter la force (ex. : la résistance ou la charge) dans les entraînements musculaires;
> → Augmenter la puissance de travail;
> → Exécuter les épreuves en endurance, en intervalles ou un travail d'agilité à un pourcentage plus élevé de la fréquence cardiaque.

Idéalement, les programmes conçus avec une dominance sur les méthodes d'accumulation et ceux avec une dominance sur les méthodes d'intensification devraient s'alterner ou utiliser un ratio de 2 à 1 (2 programmes en accumulation pour 1 programme en intensification). Vous ne devez jamais concevoir un programme avec une grande intensité *ET* un grand volume d'entraînement plusieurs mois de suite au risque de vous diriger vers un surentraînement assuré! La seule exception est lors d'un travail ponctuel de l'endurance de force-vitesse à l'intérieur d'une séance d'entraînement afin de développer les qualités physiques requises pour un athlète bien précis.

### Tableau d'entraînement

Cette section vous présente les limites de la méthode afin de bien vous orienter dans l'application et la sélection de la charge, du nombre de répétitions, de séries et d'exercices par groupe musculaire à effectuer et du temps de récupération à prendre entre les séries et/ou les répétitions.

### Application pratique

Cette partie de la fiche technique sous le tableau d'entraînement vous présente, grâce à des illustrations, des exemples concrets plus visuels dans l'application de la méthode afin de faciliter votre compréhension.

### Conseil du coach

C'est ici que je vous donne mes petits conseils au regard de mes expérimentations sur le terrain pour chacune des techniques ainsi que certaines nuances à apporter.

# CHAPITRE 1
## ENTRAÎNEMENT
## CARDIO-VASCULAIRE

## PROGRAMME D'ENTRAÎNEMENT

+ Intensité de vitesse maximale
  (Vmax) : **80-100 %**

+ Intensité de vitesse aérobie
  maximale (VAM) : **61-125 %**

+ Nombre de répétitions par série :
  **2 à 8 (Vmax), 3 à 12 (VAM)**

+ Nombre de séries par exercice :
  **1 à 6 (Vmax), 2 à 6 (VAM)**

+ Récupération entre les
  répétitions (Vmax) :
  **30 à 60 secondes**

+ Récupération entre les
  répétitions (VAM) :
  **10 secondes à 6 minutes**

+ Récupération entre les séries :
  **2 à 5 minutes**

+ Repos entre 2 séances :
  **24 à 72 heures**

# ENTRAÎNEMENT CARDIO-VASCULAIRE

Le développement athlétique ou simplement l'objectif d'améliorer sa santé passe inévitablement par l'acquisition d'un bon système cardio-vasculaire. C'est pourquoi les gens ont tendance à se lancer sur les premiers appareils cardio-vasculaires qu'ils trouvent dans leur salle de musculation, tels que les tapis roulants, les elliptiques, les stairmasters, les vélos, les rameurs, etc. Malheureusement, il y a une grande différence entre utiliser son système cardio-vasculaire ou le développer. Pour ce faire, vous devrez planifier votre séance avec les mêmes temps d'efforts et de repos que vous ferez pour votre séance de musculation en choisissant les exercices, la charge, le nombre de répétitions, etc. Structurer ses actions est en quelque sorte une assurance afin de générer les résultats souhaités. Accomplir une séance d'entraînement cardio-vasculaire de façon aléatoire occasionne majoritairement des résultats… aléatoires. C'est ce que cette section tentera de vous éviter en vous donnant les outils nécessaires pour planifier votre ou vos séances à la course, sur vélo, à la nage ou sur d'autres appareils cardio-vasculaires.

L'entraînement cardio-vasculaire se divise principalement en deux catégories : l'entraînement aérobie (avec oxygène) et l'entraînement anaérobie (sans oxygène). Ces deux systèmes semblent bien distincts, mais sont en réalité intimement reliés par le fait que l'un est nécessaire à l'autre. Par exemple, posséder un bon système anaérobie reflètera le fait que vous ayez un système cardio-vasculaire efficace dans la gestion de l'acidose métabolique en tamponnant les ions hydrogène (H+), soit une caractéristique d'un entraînement anaérobie. De ce fait, si vous vous entraîniez en aérobie sur de longues distances et que, en l'occurrence, vous deviez monter une pente très abrupte,

votre système anaérobie viendrait vous supporter pendant de brefs instants afin de compléter votre montée sans trop d'impact négatif sur la poursuite de votre course. À l'inverse, un mauvais système anaérobie vous obligerait à marcher durant la moitié de la pente afin d'éliminer le surplus d'ions H+ qui arriveraient massivement.

D'un autre côté, si vous devez performer dans un sport anaérobie lactique (généralement des épreuves physiques entre 20 et 120 secondes), vous aurez besoin également d'un très bon système cardio-vasculaire aérobie et je vais vous expliquer pourquoi. Imaginez deux athlètes devant performer dans une épreuve qui nécessite une vitesse aérobie maximale (VAM), c'est-à-dire une valeur qui peut être déterminée par un test cardio-vasculaire ($VO_2max$), de 16 km/h. L'un des athlètes possède une VAM de 15 km/h et l'autre de 17 km/h. Cela signifie que, pour le premier athlète, une course de moins de 15 km/h permettra une consommation d'oxygène et sera de type aérobie tandis qu'une course au-delà de 15 km/h sur une certaine distance sera considérée comme étant anaérobie et occasionnera une acidose métabolique, provoquant alors un effort plus difficile. Pour cet athlète, le développement unique de son système anaérobie ne sera pas la façon la plus utile d'augmenter ses performances dans l'épreuve en question, même si cela semble logique à première vue.

En fait, nous sommes beaucoup plus efficaces dans la production d'énergie en présence d'oxygène. De ce fait, l'athlète qui possède une VAM de 17 km/h trouvera l'épreuve (nécessitant une VAM de 16 km/h) plus aisée, car il travaillera en dessous de sa capacité maximale de consommation d'oxygène. En d'autres mots, plus l'oxygène peut être présent dans des épreuves lactiques de haute intensité, plus les performances seront grandes. Ainsi, l'objectif pour notre athlète avec une VAM de 15 km/h sera tout d'abord de travailler au maximum son système aérobie, afin de faire augmenter sa VAM et, par la suite, de développer son système anaérobie lactique quelques semaines ou mois avant l'épreuve. Un bon système aérobie favorise également la récupération des déchets (ex. : lactate, ions H+) produits lors d'un effort anaérobie.

Par ailleurs, les systèmes aérobie et anaérobie se subdivisent également. Dans le système anaérobie, nous avons quatre éléments principaux sur lesquels nous pouvons travailler tandis que trois éléments sont propres au système aérobie :

1. La puissance anaérobie alactique (PAA) : c'est un effort de très courte durée (0-7 secondes) qui est caractérisé par la capacité de régénérer l'ATP par unité de temps.

2. La capacité anaérobie alactique (CAA) : c'est un effort de très courte durée (8-20 secondes) qui consiste à maintenir une PAA le plus longtemps possible.

3. La puissance anaérobie lactique (PAL) : c'est un effort de courte durée (21-45 secondes) qui est caractérisé par la capacité de tamponner l'acidose métabolique produite par l'arrivée massive du lactate et des ions H+.

4. La capacité anaérobie lactique (CAL) : c'est un effort de courte durée (46-120 secondes) qui est caractérisé par la capacité de maintenir une PAL le plus longtemps possible afin de tamponner constamment l'acidose métabolique produite par l'arrivée massive du lactate et des ions H+.

5. La puissance aérobie maximale (PAM) : c'est l'efficacité du système aérobie à produire de l'énergie par unité de temps (2-8 minutes). La PAM prend donc en compte la $VO_2max$, mais également la qualité de l'efficacité gestuelle de l'individu dans l'épreuve (ex. : course, natation).

6. L'endurance aérobie limite (EAL) : c'est la capacité à s'entraîner durant plusieurs minutes à un haut pourcentage de la $VO_2max$ (80-100 %).

7. Endurance aérobie (EA) : c'est la capacité de maintenir un pourcentage élevé de la PAM pendant plusieurs minutes ou heures (plus de 9 minutes). Elle se subdivise également en endurance aérobie de courte durée (2-8 minutes), de moyenne durée (8-30 minutes), de longue durée (30-90 minutes) et de très longue durée (90 minutes et plus).

Dans l'ordre, et par souci de progression, vous devrez commencer par entraîner votre système aérobie, suivi de votre système anaérobie alactique et de votre système anaérobie lactique. Aussi, en considérant les 7 éléments présentés ci-dessus, vous pourriez utiliser l'un des ordres suivants dans votre planification annuelle d'entraînement (selon les besoins de ces systèmes d'énergie qui constituent votre sport) :

**EA → EAL → PAM → PAA → CAA → PAL → CAL**
**PAA → CAA → PAL → CAL ← PAM ← EAL ← EA**

### L'échauffement dans la prévention des blessures

L'entraînement des systèmes anaérobies alactique et lactique implique un travail à très grande intensité (95-100 %) de la vitesse maximale de course. De ce fait, les groupes musculaires impliqués dans le sprint seront sollicités avec une très grande force et puissance, augmentant ainsi le risque de claquage ou de blessures. Vous ne devez en aucun cas commencer une séance d'entraînement anaérobie alactique ou lactique sans avoir préalablement accompli un échauffement spécifique de 15 à 20 minutes. L'échauffement devra inclure des mobilisations articulaires, des séquences d'agilité et d'éducatifs de course, des contractions concentriques et excentriques principalement ciblées dans les ischiojambiers, des accélérations et des sprints progressifs. Un bel exemple de séquence d'échauffement intéressante à accomplir avant ce type de séance est l'échauffement russe (un exemple vous est fourni dans l'annexe 2).

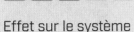

# Technique #1

Effort perçu

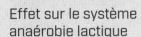

Effet sur le système anaérobie alactique

Effet sur le système anaérobie lactique

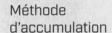

Effet sur le système aérobie

Expérience requise

☐ Méthode d'accumulation

☑ Méthode d'intensification

## Conseil du coach

Pour un développement de la puissance anaérobie alactique, vous devrez l'entraîner à raison de 3 à 4 fois par semaine. Un repos de 24 à 36 heures entre les séances est suffisant. Pour un maintien de cette qualité, accomplissez seulement une séance par semaine.

# PUISSANCE ANAÉROBIE ALACTIQUE

**COMMENT L'APPLIQUER ?**

Cette méthode consiste à exécuter des sprints linéaires maximaux (en continu) sans changement de direction. Cette technique s'applique pour des distances de 60 mètres et moins ou pour un effort de 7 secondes et moins. Le temps de récupération entre les répétitions varie de 16 à 20 fois le temps d'effort.

**AVANTAGES**

→ Elle est intéressante comme premier pas pour tous les sports avec une nécessité d'exécuter des sprints (ex. : soccer, football américain, hockey, etc.).

→ Elle constitue la base de la capacité anaérobie alactique.

**DÉSAVANTAGES**

→ Elle nécessite une piste de course extérieure si le quartier résidentiel est en pente.

→ Elle dépend de la température extérieure, car elle ne peut s'exécuter sur un tapis roulant.

**TABLEAU D'ENTRAÎNEMENT**

| Intensité (% de la vitesse maximale) | Nombre de répétitions par série | Nombre de séries par exercice | Repos entre les répétitions | Repos entre les séries |
|---|---|---|---|---|
| 95-100 % | 2-8 | 2-4 | 1,5-2,5 minutes | 5-10 minutes |

**EXEMPLES DE SÉANCES D'ENTRAÎNEMENT PROGRESSIVES EN PUISSANCE ANAÉROBIE ALACTIQUE :**

→ 2 séries de 6 x 30 mètres sprint, repos de 90 secondes entre les répétitions et de 5 minutes entre les séries.

→ 3 séries de 5 x 30 mètres sprint, repos de 90 secondes entre les répétitions et de 5 minutes entre les séries.

→ 2 séries de 6 x 40 mètres sprint, repos de 2 minutes entre les répétitions et de 6 minutes entre les séries.

→ 3 séries de 5 x 40 mètres sprint, repos de 2 minutes entre les répétitions et de 6 minutes entre les séries.

Effort perçu

▪ ▪ ▪ ▪ ▫

Effet sur le système anaérobie alactique

▪ ▪ ▪ ▪ ▪

Effet sur le système anaérobie lactique

▪ ▪ ▪ ▫ ▫

Effet sur le système aérobie

▪ ▪ ▪ ▫ ▫

Expérience requise

▪ ▪ ▫

☐ Méthode d'accumulation

☑ Méthode d'intensification

 **Conseil du coach**

Pour un développement de la capacité anaérobie alactique, vous devrez l'entraîner à raison de 2 à 3 fois par semaine. Un repos de 36 heures entre les séances est suffisant. Pour un maintien de cette qualité, accomplissez seulement une séance par semaine.

# CAPACITÉ ANAÉROBIE ALACTIQUE

### COMMENT L'APPLIQUER ?

Cette méthode consiste à exécuter des sprints linéaires maximaux (en continu) sans changement de direction. Cette technique s'applique pour des distances de 100 à 200 mètres ou pour un effort de 15 à 30 secondes. Le temps de récupération entre les répétitions varie de 12 à 16 fois le temps d'effort.

### AVANTAGES

→ Elle est intéressante comme premier pas pour tous les sports avec une nécessité d'exécuter des sprints (ex. : soccer, football américain, hockey, etc.).

→ Elle constitue la base de la capacité anaérobie alactique.

### DÉSAVANTAGES

→ Elle nécessite une piste de course extérieure si le quartier résidentiel est en pente.

→ Elle dépend de la température extérieure, car elle ne peut s'exécuter sur un tapis roulant.

### TABLEAU D'ENTRAÎNEMENT

| Intensité (% de la vitesse maximale) | Nombre de répétitions par série | Nombre de séries par exercice | Repos entre les répétitions | Repos entre les séries |
|---|---|---|---|---|
| 90-94 % | 3-4 | 2-3 | 3-4 minutes | 6-12 minutes |

### EXEMPLES DE SÉANCES D'ENTRAÎNEMENT PROGRESSIVES EN CAPACITÉ ANAÉROBIE ALACTIQUE :

→ 2 séries de 3 x 100 mètres sprint, repos de 3 minutes entre les répétitions et de 8 minutes entre les séries.

→ 3 séries de 3 x 100 mètres sprint, repos de 3 minutes entre les répétitions et de 8 minutes entre les séries.

→ 2 séries de 3 x 150 mètres sprint, repos de 3 minutes entre les répétitions et de 10 minutes entre les séries.

→ 3 séries de 3 x 150 mètres sprint, repos de 3 minutes entre les répétitions et de 10 minutes entre les séries.

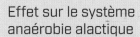

# Technique #3

Effort perçu

■ ■ ■ □ □

Effet sur le système
anaérobie alactique

■ ■ ■ ■ □

Effet sur le système
anaérobie lactique

■ ■ ■ □ □

Effet sur le système
aérobie

■ ■ ■ □ □

Expérience requise

■ ■ ■

☐ Méthode
d'accumulation

☑ Méthode
d'intensification

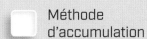

### Conseil du coach

Idéalement, calculez le volume de votre séance d'entraînement afin qu'elle se situe entre 15 et 24 répétitions au total. De plus, je vous suggère d'exécuter cette technique avec un partenaire d'entraînement contre qui vous serez en compétition afin de franchir la ligne d'arrivée le plus rapidement possible.

# ACCÉLÉRATION

## COMMENT L'APPLIQUER ?

Cette méthode fait partie de l'entraînement de la puissance anaérobie alactique. Elle consiste à exécuter des accélérations (sprints) d'une position immobile vers une vitesse maximale sur une distance de 10 à 30 mètres ou un temps d'effort de 2 à 4 secondes. Le départ peut être donné soit par un son, soit par un mouvement quelconque de l'entraîneur. Vous pouvez également inclure au départ des habiletés plus techniques, telles que des sauts de haies, des contournements de cônes, ou simplement exécuter le départ en position couchée ou à genoux.

## AVANTAGES

→ Elle est intéressante comme premier pas pour tous les sports avec une nécessité d'exécuter des sprints (ex. : soccer, football américain, hockey, etc.).

→ Elle constitue la base de la capacité à répéter des sprints (technique #15).

## DÉSAVANTAGES

→ Elle nécessite idéalement une longue surface plane de course telle qu'une piste d'athlétisme ou un gazon synthétique.

→ Elle exige qu'un partenaire donne le signal de départ.

## TABLEAU D'ENTRAÎNEMENT

| Intensité (% de la vitesse maximale) | Nombre de répétitions par série | Nombre de séries par exercice | Repos entre les répétitions | Repos entre les séries |
|---|---|---|---|---|
| 95-100 % | 4-6 | 4-6 | 30-60 secondes | 3-5 minutes |

## EXEMPLES DE POSITIONS DE DÉPART QUE VOUS POURRIEZ PRENDRE AVANT DE FAIRE VOTRE ACCÉLÉRATION MAXIMALE :

→ Genou gauche ou droit au sol ;

→ Couché sur le ventre, mains sous le menton ;

→ Position de planche pour les abdominaux ;

→ Placé debout, dos à la ligne de départ ;

→ Vous faites un mouvement dynamique (ex. : tape-fesses rapides) en attendant le signal de départ ;

→ Placé à genoux, dos à la ligne de départ.

**Effort perçu**

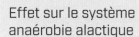

**Effet sur le système anaérobie alactique**

**Effet sur le système anaérobie lactique**

**Effet sur le système aérobie**

**Expérience requise**

☐ Méthode d'accumulation

☑ Méthode d'intensification

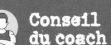

## Conseil du coach

La vitesse maximale peut également s'entraîner chez des sportifs en utilisant le mouvement propre au sport. Par exemple, donner des coups de poing rapides dans le vide pour un boxeur ou donner des coups de pied rapides pour un individu faisant du karaté permet d'améliorer la vitesse maximale (aussi appelée vitesse vivacité).

# VITESSE MAXIMALE (VITESSE VÉLOCITÉ)

### COMMENT L'APPLIQUER ?

Cette méthode consiste à développer la vitesse de pointe dans un mouvement cyclique (ex. : course). Un des points les plus importants au sprint (ainsi qu'au bobsleigh) est la fréquence avec laquelle les pieds touchent le sol. Plus elle sera élevée, plus grand sera le potentiel de vitesse maximale. De ce fait, à des fins de progression et de variation, plusieurs équipements peuvent être utilisés durant l'entraînement afin de créer une survitesse, tels que des élastiques, des cordes à bungee ou un tapis roulant en suspension (« bodyweight support treadmill ») que vous pouvez observer en action dans un entraînement en survitesse à 0,55 minute de la vidéo au lien suivant : http://www.youtube.com/watch?v=mEFyTM9aJvk.

### AVANTAGE

→ Permet d'atteindre et d'entraîner la vitesse de course maximale.

### DÉSAVANTAGE

→ Nécessite une surface de course plane, idéalement une piste d'athlétisme ou un gazon synthétique.

### TABLEAU D'ENTRAÎNEMENT

| Intensité (% de la vitesse maximale) | Nombre de répétitions par série | Nombre de séries par exercice | Repos entre les répétitions | Repos entre les séries |
|---|---|---|---|---|
| 100-105 % | 4-6 | 4-6 | 1-3 minutes | 3-5 minutes |

Une bonne façon de quantifier vos entraînements en vitesse maximale est de vous procurer des bornes photoélectriques qui calculeront le temps en centièmes de seconde de votre course. Pour ce faire, vous préparez une zone de 50 mètres où vous ferez une accélération sur les 30 premiers mètres afin d'atteindre votre vitesse maximale pour les 20 derniers mètres (vos bornes seront donc placées à 30 et à 50 mètres pour calculer ce qu'on appelle les 20 mètres lancés). Un exemple de bornes photoélectriques peut se trouver sur le site de la compagnie Brower Timing Systems : https://browertiming.com/tci-timing-system.

# Technique #5

Effort perçu

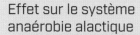

Effet sur le système anaérobie alactique

Effet sur le système anaérobie lactique

Effet sur le système aérobie

Expérience requise

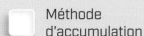

☐ Méthode d'accumulation

☑ Méthode d'intensification

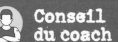

## Conseil du coach

Cette technique est utilisée tardivement dans la planification d'entraînement afin d'avoir préalablement travaillé la puissance et la capacité anaérobie (alactique ou lactique selon l'épreuve).

# ENDURANCE-VITESSE

### COMMENT L'APPLIQUER ?

Cette méthode consiste à améliorer le maintien de la vitesse maximale une fois celle-ci atteinte. Pour améliorer cette qualité, vous devez utiliser une distance ou une durée correspondant à 100-120 % de celle de l'épreuve. Vous pouvez également utiliser le travail en bondissements sur une surface plane avec un temps de contact au sol représentatif de l'épreuve sur la distance exigée.

### AVANTAGE

→ Elle permet de devenir efficace sur des distances légèrement plus élevées que l'épreuve visée.

### DÉSAVANTAGE

→ Elle nécessite une surface de course plane, idéalement une piste d'athlétisme ou un gazon synthétique, car la majorité des tapis roulants des salles de musculation ne peuvent atteindre les vitesses maximales de plusieurs athlètes.

### TABLEAU D'ENTRAÎNEMENT

| Intensité [% de la vitesse maximale] | Nombre de répétitions par série | Nombre de séries par exercice | Repos entre les répétitions | Repos entre les séries |
|---|---|---|---|---|
| 95-100 % | 2-8 | 1-3 | 2-7 minutes | 5-10 minutes |

### VOICI DES EXEMPLES D'ENTRAÎNEMENTS EN ENDURANCE-VITESSE POUR DIFFÉRENTES ÉPREUVES :

→ **Épreuve = sprint de 100 mètres en course à pied**

**Entraînement** = 3 séries de 6 x 110 mètres, repos entre les répétitions de 4 minutes, repos entre les séries de 8 minutes

→ **Épreuve = sprint de 50 mètres en natation**

**Entraînement** = 3 séries de 5 x 60 mètres, repos entre les répétitions de 5 minutes, repos entre les séries de 10 minutes

# Technique #6

Effort perçu

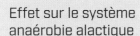

Effet sur le système anaérobie alactique

Effet sur le système anaérobie lactique

Effet sur le système aérobie

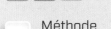

Expérience requise

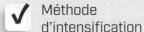

☐ Méthode d'accumulation

☑ Méthode d'intensification

### Conseil du coach

Si vous optez pour le parachute, utilisez-le de préférence avec un partenaire qui pourra le tenir à votre hauteur lors du décollage. Cela favorisera alors sa prise dans le vent et évitera qu'il traîne par terre et se brise. Vous pouvez également utiliser une corde à bungee pour des entraînements à l'intérieur (si les installations le permettent).

# SPRINTS AVEC SLED, PNEU OU PARACHUTE

## COMMENT L'APPLIQUER ?

Cette méthode consiste à exécuter des accélérations résistées sur une distance de 15 à 20 mètres avec un harnais ou une ceinture relié à une corde au bout de laquelle est attaché une sled (traîneau), un pneu ou un parachute. Les charges utilisées pour la sled et le traîneau peuvent être légères ou lourdes en fonction des qualités musculaires qui souhaitent être développées.

## AVANTAGES

→ Cette technique oblige l'individu à courir avec une résistance plus grande à vaincre pour avancer.

→ Si les charges utilisées sont légères, cela améliorera la puissance du sprint ainsi que la longueur des foulées.

→ Si les charges utilisées sont lourdes, cela améliorera la puissance de décollage ainsi que la force appliquée à chaque foulée.

## DÉSAVANTAGES

→ Elle nécessite du matériel spécifique, tel qu'un harnais, un pneu, un parachute et/ou une sled.

→ Elle doit se faire obligatoirement sur une surface extérieure.

## TABLEAU D'ENTRAÎNEMENT

| Intensité (% de la vitesse maximale) | Nombre de répétitions par série | Nombre de séries par exercice | Repos entre les répétitions | Repos entre les séries |
|---|---|---|---|---|
| 95-100 % | 4-6 | 4-6 | 30-60 secondes | 3-5 minutes |

Pour obtenir des effets maximaux, variez la grosseur du parachute dans vos microcycles et mésocycles.

## Technique #7

Effort perçu

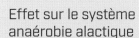

Effet sur le système
anaérobie alactique

Effet sur le système
anaérobie lactique

Effet sur le système
aérobie

Expérience requise

☐ Méthode
d'accumulation

☑ Méthode
d'intensification

### Conseil du coach

Afin de favoriser une belle transition dans cette méthode contrastée, l'utilisation d'un harnais muni d'un velcro est l'idéal. Cela permettra de se détacher du harnais en pleine course sans trop de difficulté.

# SPRINTS AVEC SLED, PNEU OU PARACHUTE EN CONTRASTE

## COMMENT L'APPLIQUER ?

Cette méthode consiste à exécuter des accélérations résistées sur une distance de 10 à 20 mètres avec un harnais ou une ceinture relié à une corde au bout de laquelle est attaché une sled (traîneau), un pneu ou un parachute, suivies d'une course à vitesse maximale sur 10 à 20 mètres sans la surcharge. Vous devrez donc, après les premiers 10 à 20 mètres, détacher le harnais afin de poursuivre votre course à vitesse maximale sur 10 à 20 mètres supplémentaires. Les charges utilisées sur la sled ou le pneu devront être légères.

## AVANTAGES

→ Cette technique oblige l'individu à courir avec une résistance plus grande à vaincre pour avancer.

→ Elle permet d'améliorer la longueur des foulées au décollage et la rapidité des foulées à vitesse maximale.

→ Elle permet d'augmenter la vitesse au départ et la transition vers une vitesse maximale.

## DÉSAVANTAGES

→ Elle nécessite du matériel spécifique, tel qu'un harnais, un pneu, un parachute et/ou une sled.

→ Elle doit se faire obligatoirement sur une surface extérieure.

## TABLEAU D'ENTRAÎNEMENT

| Intensité (% de la vitesse maximale) | Nombre de répétitions par série | Nombre de séries par exercice | Repos entre les répétitions | Repos entre les séries |
|---|---|---|---|---|
| 95-100 % | 4-6 | 4-6 | 30-60 secondes | 3-5 minutes |

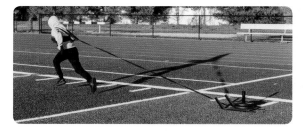

# Technique #8

Effort perçu

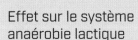

Effet sur le système
anaérobie alactique

Effet sur le système
anaérobie lactique

Effet sur le système
aérobie

Expérience requise

☐ Méthode
d'accumulation

☑ Méthode
d'intensification

## Conseil du coach

Si vous vous entraînez avec un partenaire qui possède une vitesse maximale de course supérieure à la vôtre, attachez-vous ensemble reliés par un élastique de quelques mètres, laissez votre partenaire partir 2 secondes avant vous, puis faites votre accélération. La tension émise sur l'élastique par votre partenaire en pleine course vous permettra d'atteindre ainsi une survitesse.

# SURVITESSE ASSISTÉE AVEC ÉLASTIQUE

## COMMENT L'APPLIQUER ?

Cette méthode consiste à exécuter des accélérations sur 10 à 20 mètres muni d'un harnais auquel est attaché un élastique d'une longueur égale à la distance à parcourir (entre 10 et 20 mètres) et avec un partenaire (ou attaché à un arbre) qui maintient l'autre bout de l'élastique tendu (de 15 à 25 mètres plus loin). De ce fait, vous devrez courir vers votre partenaire, c'est-à-dire dans le même sens que la tension de l'élastique. Votre vitesse d'accélération combinée à cette tension additionnelle créera une survitesse, soit une vitesse de course plus élevée que votre vitesse d'accélération habituelle.

## AVANTAGES

→ Elle améliore la fréquence de la foulée durant l'accélération.

→ Elle permet de s'entraîner et de s'habituer à des vitesses plus élevées que votre maximum.

→ Elle améliore l'équilibre par le contrôle à engendrer pour ne pas tomber dans les premiers mètres.

## DÉSAVANTAGES

→ Elle nécessite l'achat d'un élastique très long (10 à 20 mètres), ce qui ne se trouve pas habituellement dans les centres d'entraînement.

→ Elle nécessite un partenaire pour tenir l'autre extrémité de l'élastique.

## TABLEAU D'ENTRAÎNEMENT

| Intensité (% de la vitesse maximale) | Nombre de répétitions par série | Nombre de séries par exercice | Repos entre les répétitions | Repos entre les séries |
|---|---|---|---|---|
| 95-100 % | 4-6 | 4-6 | 30-60 secondes | 3-5 minutes |

# Technique #9

Effort perçu

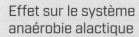

Effet sur le système anaérobie alactique

Effet sur le système anaérobie lactique

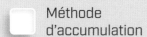

Effet sur le système aérobie

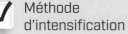

Expérience requise

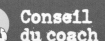

☐ Méthode d'accumulation

☑ Méthode d'intensification

## Conseil du coach

Cette technique peut également être accomplie avec un harnais à velcro où une corde est attachée. Votre partenaire maintiendra l'autre bout de la corde pour créer une résistance afin de vous empêcher de courir. Placez ensuite le velcro agrippé sur la moitié de sa bande et commencez à courir. Vous aurez de la difficulté à avancer jusqu'à ce que le velcro cède et que vous puissiez accélérer sans harnais.

# SPRINTS EN CONTRASTE AVEC UN PARTENAIRE

## COMMENT L'APPLIQUER ?

Cette méthode consiste à exécuter des accélérations sur 10 à 20 mètres avec un départ retenu par un partenaire. Ce dernier peut utiliser ses mains, une serviette ou une corde afin de vous tenir dans une position penchée à 45 degrés. Vous devrez commencer à courir de façon explosive durant environ 5 foulées avant que votre partenaire ne vous laisse partir.

## AVANTAGES

→ Elle permet de ressentir l'explosion que vous déployez dans la position de chute lors du relâchement par votre partenaire (que vous rattraperez en utilisant des mouvements de bras et de jambes rapides).

→ Elle améliore la rapidité de transition entre différentes vitesses.

→ Elle améliore la fréquence des foulées d'une accélération.

## DÉSAVANTAGE

→ Elle nécessite un partenaire d'entraînement et une piste de course ou une pelouse afin d'exécuter les accélérations.

## TABLEAU D'ENTRAÎNEMENT

| Intensité [% de la vitesse maximale] | Nombre de répétitions par série | Nombre de séries par exercice | Repos entre les répétitions | Repos entre les séries |
|---|---|---|---|---|
| 95-100 % | 4-6 | 4-6 | 30-60 secondes | 3-5 minutes |

# Technique #10

## Effort perçu

■■■■■

## Effet sur le système anaérobie alactique

■■■■■

## Effet sur le système anaérobie lactique

■■■■■

## Effet sur le système aérobie

■■■■■

## Expérience requise

■■■

☐ Méthode d'accumulation

☑ Méthode d'intensification

## Conseil du coach

Durant les périodes hivernales, vous pourriez essayer des courses intérieures à haute vitesse sur tapis roulant à une inclinaison de 15 à 20 degrés. Cela n'est pas optimal, car c'est le tapis roulant qui amène votre jambe vers l'arrière contrairement à une course extérieure, mais cela permet de maintenir les acquis avant la prochaine saison.

# ACCÉLÉRATION EN MONTÉE

## COMMENT L'APPLIQUER ?

Cette méthode consiste à exécuter des accélérations de 4 à 8 secondes sur une surface inclinée. Vous pouvez courir dans les escaliers d'un stade ou d'une salle ou sur une piste extérieure inclinée entre 20 et 35 degrés. Comptez ensuite le nombre de foulées et marquez votre lieu d'arrivée en fonction du temps de course choisi. Par la suite, essayez d'accomplir la distance avec de moins en moins de foulées dans les courses subséquentes.

## AVANTAGES

→ Elle améliore la puissance de départ.
→ Elle améliore la longueur des foulées durant une accélération.

## DÉSAVANTAGE

→ Elle nécessite de trouver un endroit avec suffisamment d'escaliers ou une pente suffisamment abrupte pour permettre ce type d'entraînement.

## TABLEAU D'ENTRAÎNEMENT

| Intensité (% de la vitesse maximale) | Nombre de répétitions par série | Nombre de séries par exercice | Repos entre les répétitions | Repos entre les séries |
|---|---|---|---|---|
| 95-100 % | 4-6 | 4-6 | 30-60 secondes | 3-5 minutes |

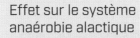
## Technique #11

Effort perçu

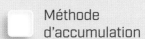

Effet sur le système anaérobie alactique

Effet sur le système anaérobie lactique

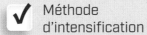

Effet sur le système aérobie

Expérience requise

☐ Méthode d'accumulation

☑ Méthode d'intensification

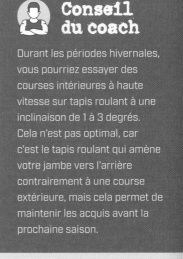

### Conseil du coach

Durant les périodes hivernales, vous pourriez essayer des courses intérieures à haute vitesse sur tapis roulant à une inclinaison de 1 à 3 degrés. Cela n'est pas optimal, car c'est le tapis roulant qui amène votre jambe vers l'arrière contrairement à une course extérieure, mais cela permet de maintenir les acquis avant la prochaine saison.

# VITESSE MAXIMALE EN MONTÉE

## COMMENT L'APPLIQUER ?

Cette méthode consiste à exécuter des sprints de 15 à 30 secondes sur une surface inclinée de 1 à 3 degrés. L'objectif est d'améliorer la vitesse maximale de course. De ce fait, n'excédez pas 3 degrés d'inclinaison si vous désirez maintenir un développement de votre vitesse maximale. Des inclinaisons plus élevées sont plus appropriées pour développer la mécanique d'accélération.

## AVANTAGES

→ Elle améliore la force et la puissance durant la course.
→ Elle améliore la longueur des foulées.

## DÉSAVANTAGE

→ Elle nécessite l'accès à une pente adéquatement dénivelée entre 1 et 3 degrés. Faites le tour de votre quartier pour la trouver.

## TABLEAU D'ENTRAÎNEMENT

| Intensité [% de la vitesse maximale] | Nombre de répétitions par série | Nombre de séries par exercice | Repos entre les répétitions | Repos entre les séries |
|---|---|---|---|---|
| 90-94 % | 3-4 | 2-3 | 3-4 minutes | 6-12 minutes |

# Technique #12

## Effort perçu
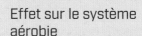

## Effet sur le système anaérobie alactique
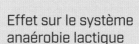

## Effet sur le système anaérobie lactique
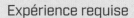

## Effet sur le système aérobie

## Expérience requise
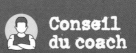

☐ Méthode d'accumulation

☑ Méthode d'intensification

### Conseil du coach

Malheureusement, cette technique ne peut s'appliquer sur des entraînements à l'intérieur sur tapis roulant, car la transition rapide entre une pente à 15-20 degrés suivis d'une pente à 0 degré est impossible. La transition mécanique sur un tapis roulant entre une position de 15 degrés vers 0 degré peut prendre jusqu'à 20 secondes.

# VITESSE MAXIMALE CONTRASTÉE EN MONTÉE

## COMMENT L'APPLIQUER ?

Cette méthode consiste à exécuter des sprints de 25 à 45 mètres sur une surface inclinée de 15 à 20 degrés puis sur une surface plane afin d'atteindre votre vitesse maximale. Vous débuterez alors par un sprint dans une pente de 15 à 20 degrés sur une distance de 10 à 20 mètres. L'objectif est que vous atteigniez votre vitesse quasi maximale dans le haut de la pente, puis que vous passiez en vitesse maximale sur la surface plane. Vous devrez à ce moment continuer à courir pendant une distance additionnelle de 15 à 25 mètres.

## AVANTAGES

→ Elle améliore la longueur des foulées et la vitesse au départ.

→ Elle améliore la transition vers une vitesse maximale

## DÉSAVANTAGE

→ Elle nécessite l'accès à une pente, adéquatement dénivelée entre 15 et 20 degrés, suivie d'une surface plane. Faites le tour de votre quartier pour la trouver.

## TABLEAU D'ENTRAÎNEMENT

| Intensité (% de la vitesse maximale) | Nombre de répétitions par série | Nombre de séries par exercice | Repos entre les répétitions | Repos entre les séries |
|---|---|---|---|---|
| 95-100 % | 4-6 | 4-6 | 30-60 secondes | 3-5 minutes |

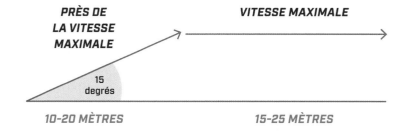

# Technique #13

**Effort perçu**

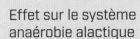

**Effet sur le système anaérobie alactique**

**Effet sur le système anaérobie lactique**

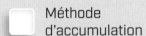

**Effet sur le système aérobie**

**Expérience requise**

☐ Méthode d'accumulation

☑ Méthode d'intensification

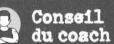

## Conseil du coach

Afin de prévenir les blessures si vous tombez, exécutez ce type de course sur une surface gazonnée au lieu d'être sur l'asphalte. Une fois que vous aurez maîtrisé la posture et la mécanique à adopter, vous pourrez faire la transition vers une surface plus dure pour vous permettre d'atteindre votre vitesse maximale.

# VITESSE MAXIMALE EN DESCENTE

## COMMENT L'APPLIQUER ?

Cette méthode consiste à exécuter des sprints de 10 à 20 mètres sur une surface déclinée de 3 à 7 degrés. L'objectif est de permettre un travail en survitesse impliquant une augmentation de la fréquence des foulées.

## AVANTAGES

→ La gravité procure une assistance lors des courses en descente.

→ Cette technique permet un travail sur la mécanique parfaite à adopter lors de courses à haute vitesse.

→ Elle augmente la fréquence des foulées et la vitesse maximale atteinte.

## DÉSAVANTAGES

→ Elle nécessite de trouver une pente déclinée entre 3 et 7 degrés.

→ Le risque de chute est élevé chez les individus n'ayant jamais pratiqué de sprints en descente. La progression est de mise dans la vitesse de course.

## TABLEAU D'ENTRAÎNEMENT

| Intensité (% de la vitesse maximale) | Nombre de répétitions par série | Nombre de séries par exercice | Repos entre les répétitions | Repos entre les séries |
|---|---|---|---|---|
| 95-100 % | 4-6 | 4-6 | 30-60 secondes | 3-5 minutes |

# Technique #14

### Effort perçu
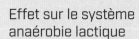

### Effet sur le système anaérobie alactique

### Effet sur le système anaérobie lactique
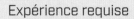

### Effet sur le système aérobie
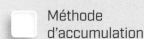

### Expérience requise
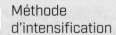

☐ Méthode d'accumulation

☑ Méthode d'intensification

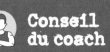

## Conseil du coach

Afin de prévenir les blessures si vous tombez, exécutez ce type de course sur une surface gazonnée au lieu d'être sur l'asphalte. Une fois que vous aurez maîtrisé la posture et la mécanique à adopter, vous pourrez faire la transition vers une surface plus dure pour vous permettre d'atteindre votre vitesse maximale.

# VITESSE MAXIMALE CONTRASTÉE EN DESCENTE

### COMMENT L'APPLIQUER ?

Cette méthode consiste à exécuter des sprints de 20 à 35 mètres sur une surface déclinée de 3 à 5 degrés puis sur une surface plane afin d'atteindre votre vitesse maximale. Vous débuterez alors par un sprint dans une pente déclinée de 3 à 5 degrés sur une distance de 10 à 20 mètres. L'objectif est que vous atteigniez votre vitesse quasi maximale dans le bas de la pente, puis que vous passiez en vitesse maximale sur la surface plane. Vous devrez à ce moment continuer à courir pendant une distance additionnelle de 10 à 15 mètres. L'objectif de cette course est d'essayer de maintenir la vitesse « supramaximale » atteinte pendant 2 à 3 secondes.

### AVANTAGES

→ Elle permet d'améliorer la vitesse maximale et la fréquence des foulées.

→ Elle permet de travailler en survitesse sans avoir besoin de matériel spécifique, tel qu'un élastique.

### DÉSAVANTAGE

→ Elle nécessite l'accès à une pente, adéquatement dénivelée entre 3 et 5 degrés, suivie d'une surface plane. Faites le tour de votre quartier pour la trouver.

### TABLEAU D'ENTRAÎNEMENT

| Intensité (% de la vitesse maximale) | Nombre de répétitions par série | Nombre de séries par exercice | Repos entre les répétitions | Repos entre les séries |
|---|---|---|---|---|
| 95-100 % | 4-6 | 4-6 | 30-60 secondes | 3-5 minutes |

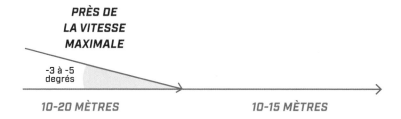

PRÈS DE LA VITESSE MAXIMALE

-3 à -5 degrés

10-20 MÈTRES          10-15 MÈTRES

# Technique #15

Effort perçu

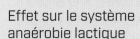

Effet sur le système anaérobie alactique

Effet sur le système anaérobie lactique

Effet sur le système aérobie

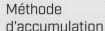

Expérience requise

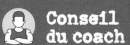

☐ Méthode d'accumulation

☑ Méthode d'intensification

## Conseil du coach

Usez de votre imagination pour créer vos propres stations et n'hésitez pas à intégrer du matériel. Par exemple, intégrez des sauts de haies, des contournements de cônes, des soulevés de pneu et variez les façons de se déplacer (ex. : sprint avant, sprint arrière, déplacements latéraux en pas chassés ou croisés, etc.)

# CAPACITÉ À RÉPÉTER DES SPRINTS

## COMMENT L'APPLIQUER ?

Cette méthode consiste à exécuter des accélérations d'une position immobile vers une vitesse maximale. Toutefois, l'effort n'est pas en ligne droite comme la technique d'accélération (technique #3). Chaque station possède des difficultés différentes et doit faire appel à des habiletés variées pour l'athlète.

## AVANTAGES

→ Elle est très représentative du sport intermittent, tel que le football, le soccer, le hockey, etc.

→ Elle favorise l'esprit d'équipe lorsque les athlètes d'une même équipe s'entraînent en groupe.

→ Elle favorise la compétitivité et l'envie de se dépasser.

## DÉSAVANTAGE

→ Elle nécessite un grand gazon synthétique, tel qu'une surface de football ou de soccer, afin d'effectuer les différentes stations.

## TABLEAU D'ENTRAÎNEMENT

| Intensité (% de la vitesse maximale) | Nombre de répétitions par série | Nombre de séries par exercice | Repos entre les répétitions | Repos entre les séries |
|---|---|---|---|---|
| 95-100 % | 6-8 | 2-4 | 30-60 secondes | 4-5 minutes |

## TROIS EXEMPLES DE STATIONS

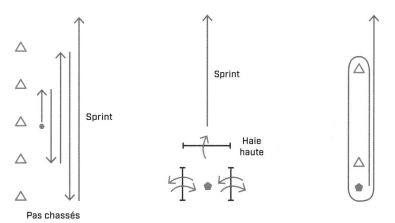

## Technique #16

Effort perçu

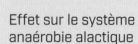

Effet sur le système anaérobie alactique

Effet sur le système anaérobie lactique

Effet sur le système aérobie

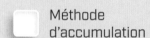

Expérience requise

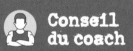

☐ Méthode d'accumulation

☑ Méthode d'intensification

### Conseil du coach

Ce type d'entraînement se fait très bien pour des groupes sportifs. Mon conseil est de doubler vos stations et de créer des équipes qui s'affronteront. Chaque athlète devra alors tenter de terminer la même station que son adversaire avant lui. Savoir quelle équipe gagnera n'est pas important. L'important est que la rivalité motivera vos athlètes à se donner à 100 %.

# AGILITÉ DE CÔNE À CÔNE

### COMMENT L'APPLIQUER ?

Cette méthode consiste à exécuter des stations avec des séquences bien précises de mouvements à accomplir entre des cônes. De préférence sur une surface de gazon synthétique de football, vous préparerez 6 à 8 stations différentes que vous devrez pratiquer avant de commencer la séance. Chaque station, d'une durée de 5 à 10 secondes, sera accomplie avec un temps de récupération de 30 à 60 secondes. Lorsque les 6 à 8 stations sont accomplies, prenez un repos de 4 à 5 minutes.

### AVANTAGES

→ Elle permet de travailler la force, la puissance, l'accélération, la décélération, la coordination, l'équilibre en mouvement, l'agilité et les changements de direction.

→ Elle inclut un travail assez large des qualités physiques nécessaires à un athlète.

### DÉSAVANTAGES

→ Elle exige la conception et la préparation des stations.

→ Elle nécessite une très grande surface de gazon naturel ou synthétique afin de disposer les différentes stations.

### TABLEAU D'ENTRAÎNEMENT

| Intensité (% de la vitesse maximale) | Nombre de répétitions par série | Nombre de séries par exercice | Repos entre les répétitions | Repos entre les séries |
|---|---|---|---|---|
| 95-100 % | 6-8 | 2-4 | 30-60 secondes | 4-5 minutes |

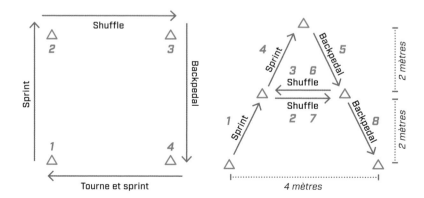

Effort perçu

Effet sur le système
anaérobie alactique

Effet sur le système
anaérobie lactique

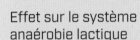

Effet sur le système
aérobie

Expérience requise

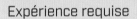

☐ Méthode
d'accumulation

☑ Méthode
d'intensification

## Conseil du coach

Cette technique a fait partie,
entre autres, de l'entraînement
du champion du monde en
FireFit Claude Bélanger pour
lequel je me suis occupé
de la planification annuelle
d'entraînement. C'est une
technique très exigeante mais
nécessaire pour développer une
puissance anaérobie systémique.

# PUISSANCE ANAÉROBIE LACTIQUE

## COMMENT L'APPLIQUER ?

Cette méthode consiste à exécuter des sprints linéaires maximaux (en continu) sans changement de direction. Cette technique s'applique pour des distances de 400 mètres et moins ou pour un effort de 20 à 50 secondes. Le temps de récupération entre les répétitions varie de 5 à 8 fois le temps d'effort.

## AVANTAGES

→ Elle développe la capacité à travailler la tolérance à la douleur causée par l'accumulation de déchets métaboliques.

→ Elle est un prérequis avant de travailler la capacité anaérobie lactique.

## DÉSAVANTAGE

→ Elle nécessite majoritairement une surface extérieure plane ou une piste d'athlétisme, bien que les athlètes moins expérimentés en entraînement soient en mesure de faire cette technique sur un tapis roulant.

## TABLEAU D'ENTRAÎNEMENT

| Intensité (% de la vitesse maximale) | Nombre de répétitions par série | Nombre de séries par exercice | Repos entre les répétitions | Repos entre les séries |
|---|---|---|---|---|
| 85-90 % | 2-10 | 1-2 | 1-4 minutes | 5-10 minutes |

## EXEMPLES DE SÉANCES D'ENTRAÎNEMENT PROGRESSIVES EN PUISSANCE ANAÉROBIE LACTIQUE :

→ 6 x 30 secondes de sprint, 2,5 minutes de récupération entre les répétitions.

→ 2 séries de 5 x 30 secondes de sprint, 2,5 minutes de récupération entre les répétitions et 5 minutes entre les séries.

→ 5 x 45 secondes de sprint, 3 minutes de récupération entre les répétitions.

→ 2 séries de 4 x 45 secondes de sprint, 3 minutes de récupération entre les répétitions et 6 minutes entre les séries.

# Technique #18

Effort perçu

Effet sur le système anaérobie alactique

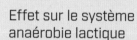

Effet sur le système anaérobie lactique

Effet sur le système aérobie

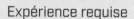

Expérience requise

✓ Méthode d'accumulation

✓ Méthode d'intensification

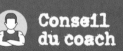

## Conseil du coach

Pour un développement de la capacité anaérobie lactique, vous devrez l'entraîner à raison de 2 à 3 fois par semaine. Un repos de 36 à 48 heures entre les séances est suffisant. Pour un maintien de cette qualité, accomplissez seulement une séance par semaine.

# CAPACITÉ ANAÉROBIE LACTIQUE

## COMMENT L'APPLIQUER ?

Cette méthode consiste à exécuter des sprints linéaires maximaux (en continu) sans changement de direction. Cette technique s'applique pour des distances de 400 à 800 mètres ou pour un effort de 50 à 120 secondes. Le temps de récupération entre les répétitions varie de 5 à 8 fois le temps d'effort.

## AVANTAGE

→ Elle développe la capacité à travailler la tolérance à la douleur causée par l'accumulation de déchets métaboliques.

## DÉSAVANTAGE

→ Elle nécessite majoritairement une surface extérieure plane ou une piste d'athlétisme, bien que les athlètes moins expérimentés en entraînement soient en mesure de faire cette technique sur un tapis roulant.

## TABLEAU D'ENTRAÎNEMENT

| Intensité (% de la vitesse maximale) | Nombre de répétitions par série | Nombre de séries par exercice | Repos entre les répétitions | Repos entre les séries |
|---|---|---|---|---|
| 80-85 % | 2-4 | 1-2 | 5-8 minutes | 15-20 minutes |

## EXEMPLES DE SÉANCES D'ENTRAÎNEMENT PROGRESSIVES EN CAPACITÉ ANAÉROBIE LACTIQUE :

→ 4 x 60 secondes de sprint, 3,5 minutes de récupération entre les répétitions.

→ 2 séries de 3 x 60 secondes de sprint, 3,5 minutes de récupération entre les répétitions et 7 minutes entre les séries.

→ 2 x 90 secondes de sprint, 4 minutes de récupération entre les répétitions.

→ 2 séries de 2 x 90 secondes de sprint, 4 minutes de récupération entre les répétitions et 8 minutes entre les séries.

# Technique #19

Effort perçu

Effet sur le système
anaérobie alactique

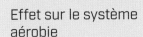

Effet sur le système
anaérobie lactique

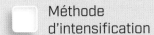

Effet sur le système
aérobie

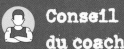

Expérience requise

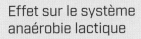

✓ Méthode
d'accumulation

☐ Méthode
d'intensification

## Conseil du coach

L'annexe 4 vous aidera à trouver rapidement votre vitesse de course (en km/h ou en mph) ou les distances à parcourir sur une surface extérieure (en mètres) en fonction du pourcentage à utiliser. Un test de VO₂max (course à pied ou à vélo) est toutefois préférable afin que vous travailliez avec votre valeur maximale réelle. En exemple, je vous ai joint le test Mercier sur tapis roulant dans l'annexe 3.

# PUISSANCE AÉROBIE MAXIMALE (PAM)

## COMMENT L'APPLIQUER ?

Cette technique utilise des pourcentages de la vitesse aérobie maximale (VAM) pour la course ou de la PAM en vélo (puissance atteinte à la $VO_2$max) variant entre 90 et 125 %[56]. L'objectif est de travailler la $VO_2$max avec une puissance de travail plus élevée que lors d'entraînements en continu et des temps d'effort plus courts. Les ratios entre travail et repos varient en fonction de l'intensité de l'exercice.

## AVANTAGES

→ Elle permet de travailler en quelque sorte la gestuelle de la course par la vitesse utilisée sur de courts laps de temps.

→ Elle permet de travailler à une vitesse supérieure que lors des épreuves de longue durée.

## DÉSAVANTAGES

→ Un test aérobie maximale est préalable pour obtenir votre valeur à 100 %.

→ Elle nécessite un calcul de la distance à parcourir ou de la vitesse à utiliser avant la séance.

## EXEMPLES D'ENTRAÎNEMENT

**Intermittent moyen (sport cyclique) :**

1. 90-95 % de VAM : 6-7 répétitions de 1,5-4 minutes d'effort pour 3-5 minutes de repos.

**Intermittent court (IC) [Repos entre les séries de 3-5 minutes] :**

1. 95-100 % de VAM : 2 séries de 3-4 répétitions de 60-90 secondes d'effort pour 3-4,5 minutes de repos.
2. 100-105 % de VAM : 2 séries de 5-6 répétitions de 45-60 secondes d'effort pour 1,5-3 minutes de repos.
3. 105-110 % de VAM : 2-3 séries de 5-6 répétitions de 30-45 secondes d'effort pour 60-135 secondes de repos.

**Intermittent très court (ITC) [Repos entre les séries de 2-3 minutes] :**

1. 100 % de VAM : 2-4 séries de 6-8 répétitions de 30 secondes d'effort pour 30 secondes de repos.
2. 110 % de VAM : 2-4 séries de 6-10 répétitions de 20 secondes d'effort pour 20 secondes de repos.
3. 120 % de VAM : 3-5 séries de 6-10 répétitions de 15 secondes d'effort pour 15 secondes de repos.
4. 125 % de VAM : 4-6 séries de 8-12 répétitions de 10 secondes d'effort pour 10 secondes de repos.

Effort perçu

Effet sur le système
anaérobie alactique

Effet sur le système
anaérobie lactique

Effet sur le système
aérobie

Expérience requise

✓ Méthode
d'accumulation

☐ Méthode
d'intensification

**Conseil
du coach**

L'entraînement de l'endurance
aérobie limite est intéressant
à travailler pour toutes les
personnes qui désirent
s'aventurer dans une course de
5, 10, 21,1 (semi-marathon) ou
42,2 kilomètres (marathon). Il
est également favorable pour
les sports cycliques (ex. : vélo,
kayak, etc.) avec des épreuves
d'une durée de 2 à 8 minutes.

# ENDURANCE AÉROBIE LIMITE

## COMMENT L'APPLIQUER ?

L'entraînement de l'endurance aérobie limite consiste à travailler à des intensités de votre $VO_2$max variant entre 75 et 90 %[38], soit légèrement plus basses que l'entraînement de la PAM, mais plus élevées que l'entraînement en endurance aérobie de longue durée. L'objectif est de travailler votre capacité à maintenir un haut pourcentage de votre $VO_2$max ou VAM sur de longues distances ou durées.

## AVANTAGE

→ Elle permet d'améliorer la capacité à perdurer à des intensités près de 100 % ($VO_2$max).

## DÉSAVANTAGES

→ Elle nécessite un test aérobie maximale préalable afin d'obtenir votre valeur à 100 %.

→ Elle nécessite un calcul de la distance à parcourir ou de la vitesse à utiliser avant la séance.

## EXEMPLES D'ENTRAÎNEMENT

1. **71-80 % de VAM** : 1 répétition de 18-90 minutes d'effort (> 5 kilomètres). Viser une fréquence cardiaque cible à 82 %.
2. **81-83 % de VAM** : 1 répétition de 17-18 minutes d'effort. Viser une fréquence cardiaque cible à 83-84 %.
3. **82-86 % de VAM** : 1-3 répétitions de 15-16 minutes d'effort pour 7 minutes de repos. Viser une fréquence cardiaque cible à 85-87 %.
4. **84-86 % de VAM** : 1-4 répétitions de 10-12 minutes d'effort pour 6 minutes de repos. Viser une fréquence cardiaque cible à 88 %.
5. **84-88 % de VAM** : 2-5 répétitions de 7-8 minutes d'effort pour 5 minutes de repos. Viser une fréquence cardiaque cible à 89 %.
6. **86-90 % de VAM** : 3-6 répétitions de 4-6 minutes d'effort pour 4-6 minutes de repos. Viser une fréquence cardiaque cible à 90 %.

# Technique #21

Effort perçu

▪▪▪▪▫

Effet sur le système anaérobie alactique

▪▪▫

Effet sur le système anaérobie lactique

▪▪▪▪

Effet sur le système aérobie

▪▪▪▪▫

Expérience requise

▪▪

☑ Méthode d'accumulation

☐ Méthode d'intensification

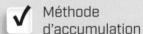

## Conseil du coach

Généralement, dans votre planification d'entraînement cardio-vasculaire, afin d'en promouvoir son développement optimal, il serait intéressant d'intégrer une séance par semaine des éléments suivants :

1. PAM.
2. Endurance aérobie limite.
3. Endurance aérobie de longue durée.

# ENDURANCE AÉROBIE LONGUE DURÉE

## COMMENT L'APPLIQUER ?

Cette méthode consiste simplement à accomplir des sorties extérieures de longue durée afin d'apprendre à doser sa vitesse de course, son rythme et sa cadence en vue de la compétition ou de l'épreuve (ex. : vélo, course à pied, etc.). Les activités de plus de 20 minutes entrent dans cette catégorie[38].

## AVANTAGES

→ Elle permet d'apprendre la vitesse à utiliser lors d'épreuves de 5 kilomètres et plus.

→ Elle permet d'apprendre la gestion d'économie de course et la réaction de votre corps sur l'utilisation des substrats énergétiques (épreuves de plus d'une heure).

→ Elle peut se faire n'importe où.

## DÉSAVANTAGE

→ Aucun.

## TABLEAU D'ENTRAÎNEMENT

| Intensité (% de la vitesse maximale) | Nombre de répétitions par série | Nombre de séries par exercice | Repos entre les répétitions | Repos entre les séries |
|---|---|---|---|---|
| 61-75 % | 1 | 1 | Plus de 20 minutes | 74-81 % |

# CHAPITRE 2

## ENTRAÎNEMENT CONCENTRIQUE (EFFORTS MAXIMAUX)

# PROGRAMME D'ENTRAÎNEMENT

+ Intensité : **85-100 %**

+ Nombre de répétitions : **1 à 5 ou 2 à 15 secondes d'effort**

+ Nombre de séries maximales par groupe musculaire : **16**

+ Récupération : **3 à 5 minutes**

+ Vitesse d'exécution : **maximale en phase concentrique** (l'intention d'aller vite)

+ Nombre maximal de répétitions par groupe musculaire par séance : **50**

+ Nombre maximal de groupes musculaires par séance : **2**

+ Repos entre 2 séances : **24 à 72 heures**

# ENTRAÎNEMENT CONCENTRIQUE (EFFORTS MAXIMAUX)

Les techniques incluses dans cette section vous permettront d'améliorer votre force musculaire, et ce indépendamment de votre niveau d'entraînement, car vous y retrouverez autant de techniques pour débutants que de techniques pour des individus avancés (ex. : clusters). Je vous invite toutefois à faire preuve de progression à travers votre entraînement et à ne pas passer immédiatement aux méthodes nécessitant plus de deux ans d'expérience, à moins d'avoir déjà effectué les méthodes d'un plus faible niveau de difficulté. Dans le cas contraire, cela équivaudrait à tuer une mouche avec un marteau pour reprendre les mots de mon collègue Christian Thibaudeau lorsqu'il voit des individus débutants utiliser des méthodes trop avancées. Ce que nous voulons dire par là, c'est que les mêmes gains en force ou en hypertrophie occasionnés par ces techniques auraient pu être accomplis avec des méthodes plus simples et que, pour un débutant, l'application de méthodes avancées n'est pas encore devenue une nécessité. Cela augmente le risque de blessure pour ce dernier et ce n'est tout simplement pas approprié pour le moment. Soyez conscient et intelligent dans votre approche et acceptez votre niveau d'expérience. Chaque chose en son temps.

Par ailleurs, l'entraînement en force est généralement utilisé par les dynamophiles et les hommes forts afin de développer leur capacité à soulever des charges imposantes, la base de leur sport respectif. De même, plusieurs athlètes utilisent ces méthodes afin d'améliorer la composante de force dans la libération de puissance (la puissance est égale à la force multipliée par la vitesse) et/ou pour faciliter la gestion de charges lourdes que nécessite leur sport (ex. : un joueur défensif au football américain). Par expérience, l'ensemble de ces athlètes, incluant les dynamophiles et les hommes forts, utilise des techniques de base, c'est-à-dire toutes les versions des normes générales 1-5 RM (technique #22). On parle ici de poids maximaux 1 et 2 (techniques #25 et #26), de l'entraînement en palier ou du fameux 5 x 5 (technique #27). Heureusement, l'entraînement en force ne s'arrête pas à ces techniques et se doit d'être plus difficile pour les athlètes les plus avancés. Pour une planification optimale de vos séances d'entraînement en force, référez-vous au tableau de Prilepin (annexe 10).

J'ai travaillé il y a quelques années pour un club de force à Québec dirigé principalement par Jean-François Caron, un homme fort réputé ayant participé au World's Strongest Man à plusieurs reprises. Il possède d'ailleurs des records canadiens au soulevé de terre, au back squat et au développé couché, a remporté le titre de « l'homme le plus fort de l'Amérique du Nord » en 2012 et a gagné sept fois (de 2011 à 2017) le titre de « l'homme le plus fort au Canada » dépassant ainsi la marque de Hugo Girard. C'est pendant les cours du club de force que j'ai eu la chance de collaborer avec M. Caron afin d'intégrer de nouvelles méthodes de force que les membres du club, malgré leur grande expérience en entraînement, n'avaient jamais exploitées. Ces dernières ont alors permis à certains athlètes avancés de se défaire de leurs plateaux pourtant persistants et de continuer à progresser. Maintenant, ce sera à vous de les expérimenter et de passer à un autre niveau en appliquant les techniques de ce chapitre !

Par ailleurs, lorsqu'il est question de force, nous avons tous une petite tendance, nous les messieurs, à nous comparer aux autres. La fameuse question qui revient sans cesse est : « Combien tu soulèves au développé couché ?» Dans ce contexte, nous pouvons analyser le tout sous trois angles différents et arriver à trois conclusions différentes : comparaisons par la force absolue, par la force relative ou par les résultats de la formule de Wilks.

→ **Force absolue** : la force absolue est simple. C'est la charge que vous êtes capable de soulever, un point c'est tout. Si vous soulevez 100 kg et que votre ami soulève 90 kg, vous avez une meilleure force absolue que lui.

→ **Force relative (ou indice de force [annexe 9])** : la force relative est la force absolue divisée par votre poids corporel. De ce fait, si vous soulevez 100 kg au développé couché et que vous pesez 90 kg, votre force relative est de 1,05 (100/90). Si votre ami pèse 80 kg et qu'il a levé 90 kg, il a une force relative de 1,13 (190/175). Il a donc une meilleure force relative que vous.

→ **Formule de Wilks (annexe 8)** : il existe une formule qui va plus loin que la force relative dans la comparaison des charges soulevées en fonction du poids corporel : elle s'appelle la formule de Wilks. Elle permet de mettre dans l'équation les charges maximales déjà soulevées dans le monde par catégorie de poids. Cela évite les biais que la force relative peut présenter. Par exemple, le record mondial d'épaulé-jeté dans la catégorie des 56 kg est de 168,0 kg, soit 3 fois le poids corporel de l'athlète. En revanche, si un athlète de la catégorie superlourd, qui peut peser 130-140 kg, désire obtenir une meilleure force relative, il devrait alors soulever plus de 390 kg. Cela est impossible, car le record mondial actuellement dans cette catégorie

est de 263,5 kg. C'est ainsi que la formule de Wilks vient ajuster le tout.

→ Pour comparer deux athlètes, rendez-vous à l'annexe 8 à la fin de ce livre. Nous prendrons un athlète qui pèse par exemple 61,2 kg et qui a soulevé 180 kg au soulevé de terre (force relative de 2,9) et un athlète qui pèse 104,5 kg et qui a soulevé 250 kg sur le même exercice (force relative de 2,4). L'un possède la meilleure force absolue et l'autre possède la meilleure force relative. Mais qui possède le meilleur score de Wilks ? Vous allez alors dans le tableau pour sortir le facteur de multiplication pour chaque athlète. À la jonction des lignes 61 et 0,2 (pour 61,2 kg), nous obtenons le nombre 0,8378 et à la jonction des lignes 104 et 0,5 (pour 104,5 kg), nous obtenons le nombre 0,5986. De ce fait, le score de Wilks de notre athlète de 61,2 kg est de 150,80 (100 kg x 0,8378) et le score de notre athlète de 104,5 kg est de 149,65 (250 kg x 0,5986). Ce score confirme alors que notre athlète de 61,2 kg possède réellement une force relative plus élevée que notre athlète de 104,5 kg.

La formule de Wilks a été étudiée (Vanderburgh et Batterham, 1999) et est considérée valide pour ajuster les résultats en dynamophilie. En revanche, elle ne tient pas compte des nouveaux records mondiaux avec les années et ne s'applique qu'aux levées de dynamophilie, à savoir le développé couché, le squat et le soulevé de terre. Elle reste toutefois un bon atout pour comparer des athlètes de force entre eux bien que certains auteurs aient développé d'autres formules (ex. : Greg Nuckols qui a créé l'indice Nuckols).

# Technique #22

Effort perçu

▮ ▮ ▮ ▯ ▯

Effet sur
l'hypertrophie

▮ ▮ ▮ ▮ ▯

Effet sur la force
et la puissance

▮ ▮ ▮ ▯ ▯

Effet sur l'endurance
musculaire

▮ ▮ ▮ ▮ ▯

Expérience requise

▮ ▮ ▮

☐ Méthode
d'accumulation

☑ Méthode
d'intensification

## Conseil du coach

Créez votre propre séquence à chaque séance (voir les exemples listés). Cela vous permettra d'éviter la monotonie tout en travaillant votre force. De plus, prenez toujours soin de bien vous échauffer avant de commencer en exécutant quelques séries plus légères.

# NORMES GÉNÉRALES 1-5 RM

## COMMENT L'APPLIQUER ?

Cette méthode consiste à exécuter plusieurs séries de 1 à 5 RM. Certains auteurs la surnomment également « méthode Bulk ».

## AVANTAGE

→ Cette technique est l'idéale pour commencer à s'initier avec des charges plus imposantes suite à un entraînement en hypertrophie. Le degré de difficulté est faible et cela permet ainsi de mettre l'accent sur le contrôle technique du mouvement lors de l'utilisation de charges lourdes.

## DÉSAVANTAGE

→ Assurez-vous d'avoir un partenaire près de vous afin de ne pas rester bloqué sous une barre, généralement au développé couché et au squat.

## TABLEAU D'ENTRAÎNEMENT

| Charge | Nombre de répétitions par série | Nombre de séries par exercice | Nombre d'exercices par GM* | Repos entre les séries |
|--------|--------------------------------|-------------------------------|----------------------------|------------------------|
| 85-100 % | 1-3 | 5 | 1 | 3-5 minutes |

*GM : groupe musculaire

## EXEMPLES :

1. 2 x 5, 2 x 4, 2 x 3, 2 x 2 (8 séries).
2. 4 x 4, 4 x 3 (style palier sur 8 séries).
3. 1 x 5, 1 x 4, 1 x 3, 1 x 2, 1 x 1 (5 séries).
4. 1 x 5, 1 x 1, 1 x 4, 1 x 1, 1 x 3, 1 x 1, 1 x 2, 1 x 1 (8 séries).
5. Votre propre série…

## Effort perçu

■ ■ ■ □ □

## Effet sur l'hypertrophie

■ ■ ■ ■ □

## Effet sur la force et la puissance

■ ■ ■ ■ □

## Effet sur l'endurance musculaire

■ ■ □ □ □

## Expérience requise

■ ■ □

✓ Méthode d'accumulation

☐ Méthode d'intensification

### Conseil du coach

Une des bonnes façons d'appliquer cette technique est d'utiliser une planification sur trois jours où vous entraînerez tout le corps avec 8 à 10 exercices et où vous changerez de priorité (premier exercice). Par exemple, la priorité du jour 1 pourrait être le squat, celle du jour 2 le développé couché et celle du jour 3 le deadlift.

# ÉVOLUTION SUR 16 SEMAINES

## COMMENT L'APPLIQUER ?

Cette technique manipule les répétitions et les fait évoluer au fil de 16 semaines d'entraînement en augmentant graduellement l'intensité tout en diminuant le nombre de répétitions à accomplir. Les séquences des répétitions et des charges seront :

→ **Semaines 1 à 3** : 12 répétitions à 70 % ;

→ **Semaines 4 à 6** : 10 répétitions à 75 % ;

→ **Semaines 7 à 9** : 8 répétitions à 80 % ;

→ **Semaines 10 à 12** : 6 répétitions à 85 % ;

→ **Semaines 13 à 15** : 4 répétitions à 90 % ;

→ **Semaine 16** : 2 répétitions à 95 %.

## AVANTAGES

→ Cette technique permet d'améliorer la force maximale chez les débutants et les sportifs intermédiaires.

→ Elle s'incorpore dans tous les types de planification d'entraînement.

## DÉSAVANTAGE

→ Accomplir les mêmes exercices pendant 16 semaines risque de sembler monotone. Intégrez alors de la variété dans vos exercices complémentaires.

## TABLEAU D'ENTRAÎNEMENT

| Charge | Nombre de répétitions par série | Nombre de séries par exercice | Nombre d'exercices par GM* | Repos entre les séries |
|---|---|---|---|---|
| 70, 75, 80, 85, 90, 95 % | 12, 10, 8, 6, 4, 2 | 3-5 | 1-3 | 1-3 minutes |

*GM : groupe musculaire

| Exercices | Semaines | | | | | | | | | | | |
|---|---|---|---|---|---|---|---|---|---|---|---|---|
| | 1-3 | | 4-6 | | 7-9 | | 10-12 | | 13-15 | | 16 | |
| | S | R | S | R | S | R | S | R | S | R | S | R |
| Squat | 5 | 12 | 5 | 10 | 5 | 8 | 5 | 6 | 5 | 4 | 5 | 2 |
| Leg press | 5 | 12 | 5 | 10 | 5 | 8 | 5 | 6 | 5 | 4 | 5 | 2 |
| Développé couché | 5 | 12 | 5 | 10 | 5 | 8 | 5 | 6 | 5 | 4 | 5 | 2 |
| Dips | 5 | 12 | 5 | 10 | 5 | 8 | 5 | 6 | 5 | 4 | 5 | 2 |
| Développé debout à la barre | 5 | 12 | 5 | 10 | 5 | 8 | 5 | 6 | 5 | 4 | 5 | 2 |
| Tirage vertical « upright row » | 5 | 12 | 5 | 10 | 5 | 8 | 5 | 6 | 5 | 4 | 5 | 2 |
| Tirage horizontal à la barre | 5 | 12 | 5 | 10 | 5 | 8 | 5 | 6 | 5 | 4 | 5 | 2 |
| Scott curl | 5 | 12 | 5 | 10 | 5 | 8 | 5 | 6 | 5 | 4 | 5 | 2 |

S : séries, R : répétitions

# Technique #24

## Effort perçu

■ ■ ■ ▢ ▢

## Effet sur l'hypertrophie

■ ■ ■ ▢ ▢

## Effet sur la force et la puissance

■ ■ ■ ■ ▢

## Effet sur l'endurance musculaire

■ ■ ▢ ▢ ▢

## Expérience requise

■ ■ ■

▢ Méthode d'accumulation

☑ Méthode d'intensification

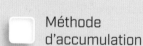

## Conseil du coach

Pour cette technique, vous devez être expérimenté en entraînement afin de connaître relativement bien vos charges puisque les séquences d'entraînement changent chaque semaine et les charges au bout de trois semaines. Dans vos semaines 1 et 4, vous pouvez également mettre la priorité sur l'entraînement des trois levées en dynamophilie.

# FORCE EN SPLITS MULTIPLES

## COMMENT L'APPLIQUER ?

Cette méthode est en fait une planification d'entraînement sur 6 semaines qui fait varier à la fois l'intensité et la fréquence des groupes musculaires travaillés. Les semaines 1 à 3, vous devrez accomplir des séries de 6 à 8 répétitions (80 %) tandis que, les semaines 4 à 6, vous devrez exécuter des séries de 2 à 3 répétitions (90-95 %). La répartition de vos séances se fera comme ceci :

→ **Semaines 1 et 4** : vous devrez accomplir, à raison de 3 entraînements par semaine, une planification d'entraînement de type entraînement du corps en entier (technique #57). Vous choisirez un exercice par groupe musculaire.

→ **Semaines 2 et 5** : vous devrez accomplir, à raison de 4 entraînements par semaine, une planification d'entraînement de type push-pull training (technique #60). Vous choisirez deux exercices par groupe musculaire.

→ **Semaines 3 et 6** : vous devrez accomplir, à raison de 3 entraînements par semaine, une planification d'entraînement de type squat-développé-deadlift split (technique #48). Vous choisirez alors trois exercices par groupe musculaire.

## TABLEAU D'ENTRAÎNEMENT

| Charge | Nombre de répétitions par série | Nombre de séries par exercice | Nombre d'exercices par GM* | Repos entre les séries |
|---|---|---|---|---|
| 80 % 90-95 % | 6-8 2-3 | 3-4 | 1-3 | 2-3 minutes |

*GM : groupe musculaire

## EXEMPLE DE SÉQUENCE POUR UN ENTRAÎNEMENT DE TYPE PUSH-PULL

| | Exercices | Semaines | | | |
|---|---|---|---|---|---|
| | | 1-3 | | 4-6 | |
| | | S | R | S | R |
| PUSH | Squat | 4 | 6-8 | 4 | 2-3 |
| | Hack squat | 3 | 6-8 | 3 | 2-3 |
| | Leg press | 3 | 6-8 | 3 | 2-3 |
| | Développé couché | 4 | 6-8 | 4 | 2-3 |
| | Presse pectorale | 3 | 6-8 | 3 | 2-3 |
| | Développé assis avec barre | 3 | 6-8 | 3 | 2-3 |
| PULL | Deadlift | 4 | 6-8 | 4 | 2-3 |
| | Leg curl couché | 3 | 6-8 | 3 | 2-3 |
| | Tirage lat pulldown | 4 | 6-8 | 4 | 2-3 |
| | Tirage horizontal à la poulie | 3 | 6-8 | 3 | 2-3 |
| | Flexion des coudes à la barre | 4 | 6-8 | 4 | 2-3 |
| | Crunchs à la machine | 3 | 6-8 | 3 | 2-3 |

S : séries, R : répétitions

## Effort perçu

■ ■ ■ ■ □

## Effet sur l'hypertrophie

■ ■ ■ □ □

## Effet sur la force et la puissance

■ ■ ■ ■ □

## Effet sur l'endurance musculaire

■ ■ ■ □ □

## Expérience requise

■ ■ □ □ □

☐ Méthode d'accumulation

☑ Méthode d'intensification

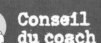

### Conseil du coach

Il est préférable d'utiliser les « *fractional plates* » pour les exercices à barre et les PlateMates® pour les exercices à poids libres. Assurez-vous d'avoir un partenaire pour sécuriser chacune de vos séries lors d'un développé couché ou d'un squat.

# POIDS MAXIMAUX I

## COMMENT L'APPLIQUER ?

Cette méthode utilise une approche en pyramide étroite. Vous devrez effectuer 5 séries dans l'ordre suivant :
3 x 90 % ; 1 x 95 % ; 1 x 97 % ; 1 x 100 % ; 1 x 100 % + 1 kg.

## AVANTAGE

→ Cette technique permet d'augmenter votre 1 RM petit à petit à chaque séance en ajoutant environ 1 kg à votre poids maximum (100 %) en dernière série. Cela vous permettra de vous évaluer à chaque séance en plus de vous obliger à gérer des charges plus lourdes.

## DÉSAVANTAGES

→ Soyez conscient que vous risquez de ne faire que la phase excentrique de la dernière série étant donné la charge supramaximale (importance d'avoir un partenaire d'entraînement).

→ L'ajout d'une charge aussi faible que 1 kg nécessitera du matériel spécial, tel que des *fractional plates*[75] ou des PlateMates®[77].

## TABLEAU D'ENTRAÎNEMENT

| Charge | Nombre de répétitions par série | Nombre de séries par exercice | Nombre d'exercices par GM* | Repos entre les séries |
|---|---|---|---|---|
| 90-100 % + 1 kg | 1-3 | 5 | 1 | 3-5 minutes |

*GM : groupe musculaire

## Effort perçu

■ ■ ■ □ □

## Effet sur l'hypertrophie

■ ■ ■ ■ □

## Effet sur la force et la puissance

■ ■ ■ ■ □

## Effet sur l'endurance musculaire

■ ■ ■ ■ □

## Expérience requise

■ ■ ■

☐ Méthode d'accumulation

☑ Méthode d'intensification

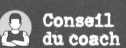 **Conseil du coach**

En fonction de votre typologie musculaire des muscles sollicités (répartition des fibres de type I et de type II), il se peut que vos 4e et 5e séries ne soient réalisables qu'à 90-98 % de votre maximum à cause de la fatigue engendrée. Cela se produira généralement dans les muscles composés majoritairement de fibres rapides (ex. : les triceps).

# POIDS MAXIMAUX II

## COMMENT L'APPLIQUER ?

Cette technique consiste à effectuer 5 séries de votre 1 RM (5 x 1). De plus, lors de chaque nouvelle séance d'entraînement, vous devrez essayer d'améliorer votre performance. Pour une progression avec des charges plus légères, vous pouvez utiliser des fractional plates[75] ou des PlateMates®[77].

## AVANTAGES

→ Cette méthode est relativement simple.

→ Elle nécessite une grande concentration à chaque répétition et occasionne une fatigue nerveuse importante. C'est une technique qui a été couramment utilisée par les haltérophiles bulgares.

## DÉSAVANTAGE

→ Cette technique est recommandée seulement pour les athlètes et les individus bien entraînés en raison de sa difficulté musculaire, du stress imposé aux tendons et de sa charge de haute intensité.

## TABLEAU D'ENTRAÎNEMENT

| Charge | Nombre de répétitions par série | Nombre de séries par exercice | Nombre d'exercices par GM* | Repos entre les séries |
|---|---|---|---|---|
| 100 % | 1 | 5 | 1 | 3-5 minutes |

*GM : groupe musculaire

# Technique #27

Effort perçu

■ ■ ■ □ □

Effet sur l'hypertrophie

■ ■ ■ □ □

Effet sur la force et la puissance

■ ■ ■ ■ □

Effet sur l'endurance musculaire

■ □ □ □ □

Expérience requise

■ ■ □

☐ Méthode d'accumulation

☑ Méthode d'intensification

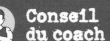

## Conseil du coach

N'augmentez pas la charge tant que vous ne serez pas capable de compléter vos 5 séries de 5 répétitions. Une fois celles-ci accomplies, la progression des charges devra se faire de l'ordre de 2 à 5 %.

# 5 X 5 RM

## COMMENT L'APPLIQUER ?

Cette méthode consiste à exécuter 5 séries de 5 répétitions. Elle est une version dérivée des normes générales 1-5 RM, car elle impose un travail précis à l'intérieur de vos 1 à 5 RM.

## AVANTAGE

→ Elle permet un travail en force sans être trop près de votre 1 RM. Cela permet donc aux débutants en entraînement de se familiariser avec la gestion d'une charge de plus grande intensité sans risquer de déformer la technique du mouvement de façon abusive (souvent perçu dans les répétitions de 1 RM).

## DÉSAVANTAGES

→ Elle est monotone.

→ Les individus avancés stagneront rapidement avec cette technique.

## TABLEAU D'ENTRAÎNEMENT

| Charge | Nombre de répétitions par série | Nombre de séries par exercice | Nombre d'exercices par GM* | Repos entre les séries |
|--------|--------------------------------|-------------------------------|---------------------------|------------------------|
| 85 % | 5 | 5 | 1-2 | 3-5 minutes |

*GM : groupe musculaire

**SÉRIE #1** — 5 répétitions à 85 % → Repos de 3 minutes → **SÉRIE #2** — 5 répétitions à 85 % → Repos de 3 minutes → **SÉRIE #3** — 5 répétitions à 85 % → Repos de 3 minutes → **SÉRIE #4** — 5 répétitions à 85 % → Repos de 3 minutes → **SÉRIE #5** — 5 répétitions à 85 %

# Technique #28

Effort perçu

Effet sur l'hypertrophie

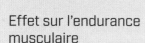

Effet sur la force et la puissance

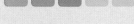

Effet sur l'endurance musculaire

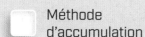

Expérience requise

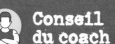

☐ Méthode d'accumulation

☑ Méthode d'intensification

## Conseil du coach

Puisque cette technique est très exigeante pour les fibres musculaires, veillez à ne pas entraîner vos muscles plus d'une fois par semaine et utilisez cette technique sur une durée maximale de huit semaines.

# 5 X 5 HIGHER STRENGTH

## COMMENT L'APPLIQUER ?

Cette technique est basée sur une recherche[8] réalisée au Japon. Elle a démontré que les individus qui accomplissaient de très hautes répétitions lors de la dernière série d'un exercice en force maximale obtenaient davantage de gains en force et en hypertrophie musculaire que ceux qui ne s'entraînaient qu'en basses répétitions. Pour cette technique, vous devrez donc effectuer six séries pour un exercice, dont les cinq premières seront constituées de cinq répétitions à 85 % et la dernière de 25 à 30 répétitions à 45-50 %.

## AVANTAGES

→ Elle permet d'améliorer la force (+ 5 %), l'endurance et l'hypertrophie musculaire.

→ Elle est facile à utiliser pour tous les exercices.

→ Elle permet d'atteindre de plus hauts niveaux de libération d'hormone de croissance, qui procure les gains supplémentaires en force et en hypertrophie.

## DÉSAVANTAGE

→ Aucun.

## TABLEAU D'ENTRAÎNEMENT

| Charge | Nombre de répétitions par série | Nombre de séries par exercice | Nombre d'exercices par GM* | Repos entre les séries |
|---|---|---|---|---|
| 85 % + 45-50 % | 5, 5, 5, 5, 5, 25-30 | 6 | 2-3 | 1-3 minutes |

*GM : groupe musculaire

## EXEMPLE DE SÉQUENCE D'EXERCICES EN INSISTANT SUR LE DÉVELOPPÉ COUCHÉ

| Exercices | Séries | Répétitions | Repos |
|---|---|---|---|
| Développé couché avec haltère | 5 | 5 | 3 minutes |
| | 1 | 25-30 | 1 minute |
| Développé couché décliné avec barre | 5 | 5 | 3 minutes |
| | 1 | 25-30 | 1 minute |
| Développé assis avec haltères | 5 | 5 | 2 minutes |
| | 1 | 25-30 | 1 minute |
| Dips | 5 | 5 | 2 minutes |
| | 1 | 25-30 | 1 minute |
| Extension des coudes à la poulie haute « pushdown » | 5 | 5 | 2 minutes |
| | 1 | 25-30 | 1 minute |

# Technique #29

Effort perçu

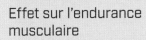

Effet sur l'hypertrophie

Effet sur la force et la puissance

Effet sur l'endurance musculaire

Expérience requise

☐ Méthode d'accumulation

☑ Méthode d'intensification

## Conseil du coach

Variez la posologie des paliers. Par exemple, vous pourriez faire les paliers suivants :

- Palier 4-2 RM,
- Palier 3-1 RM,
- Palier 5-1 RM,
- Palier 4-1 RM,
- Palier 5-2 RM, etc.

# PALIER 5-3 RM

## COMMENT L'APPLIQUER ?

Cette technique consiste à exécuter 3 séries consécutives à 5 RM et 3 séries consécutives à 3 RM.

## AVANTAGE

→ Cette méthode en force permet d'intégrer progressivement un travail de plus haute intensité afin que vous puissiez apprendre à manipuler des charges plus lourdes. Le nombre de répétitions peut être varié (voir le conseil du coach).

## DÉSAVANTAGES

→ Elle est monotone.
→ Les individus avancés stagneront rapidement avec cette technique.

## TABLEAU D'ENTRAÎNEMENT

| Charge | Nombre de répétitions par série | Nombre de séries par exercice | Nombre d'exercices par GM* | Repos entre les séries |
|--------|--------------------------------|------------------------------|---------------------------|------------------------|
| 85-85-85-90-90-90 % | 5-5-5-3-3-3 | 6 | 1-2 | 3-5 minutes |

*GM : groupe musculaire

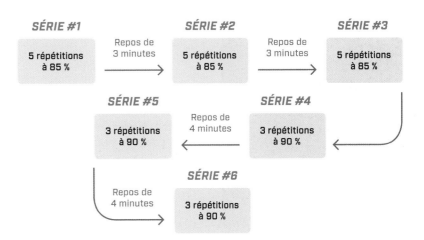

# Technique #30

**Effort perçu**

**Effet sur l'hypertrophie**

**Effet sur la force et la puissance**

**Effet sur l'endurance musculaire**

**Expérience requise**

 ☐ Méthode d'accumulation

✓ Méthode d'intensification

## Conseil du coach

Afin de profiter davantage de l'énergie élastique du muscle, servez-vous de structures solides comme des blocs afin d'utiliser le rebond lors d'un développé couché. Vous pouvez vous les concevoir « maison » avec des planches de bois de 5 x 15 cm.

# RÉPÉTITIONS PARTIELLES EN FORCE LIMITE

## COMMENT L'APPLIQUER ?

Cette méthode consiste à n'exécuter qu'une seule partie de l'amplitude d'un mouvement (1/4, 1/3 ou 1/2) dans la région où vous êtes le plus fort afin de surcharger celle-ci.

## AVANTAGE

→ Cette méthode en force permet d'intégrer progressivement un travail de plus haute intensité afin que vous puissiez apprendre à manipuler des charges plus lourdes sans toutefois l'utiliser dans une pleine amplitude. Les recherches ont démontré des gains en force significatifs avec cette technique malgré le manque d'amplitude.

## DÉSAVANTAGE

→ Elle peut créer des zones d'amplitude de mouvement moins fortes. Il est alors suggéré de jumeler à celle-ci des mouvements en pleine amplitude afin d'éviter de vous créer des zones sous-stimulées, qui pourraient devenir ultérieurement une zone à haut risque de blessure.

## TABLEAU D'ENTRAÎNEMENT

| Charge | Nombre de répétitions par série | Nombre de séries par exercice | Nombre d'exercices par GM* | Repos entre les séries |
|---|---|---|---|---|
| 85-110 % | 1-5 | 3-8 | 1-2 | 3-5 minutes |

*GM : groupe musculaire

Cette technique est très utilisée dans les salles de musculation depuis des années, soit par les dynamophiles ou les adeptes de force (utilisation planifiée), soit par des néophytes en entraînement (utilisation involontaire). Ces derniers ont souvent recours aux répétitions partielles afin d'accomplir davantage de répétitions ou pour utiliser des charges lourdes (le bel orgueil masculin !). Toutefois, lorsque cela n'est pas planifié ou intentionnel, les risques de blessures sont élevés et les gains en masse musculaire (souvent recherchés par ces individus) seront faibles.

# Technique #31

Effort perçu

Effet sur
l'hypertrophie

Effet sur la force
et la puissance

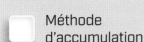

Effet sur l'endurance
musculaire

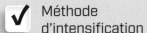

Expérience requise

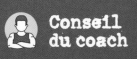

☐ Méthode
d'accumulation

☑ Méthode
d'intensification

---

**Conseil du coach**

À chaque nouvelle séance pour un même groupe musculaire, tentez d'augmenter vos charges de 1 % au lieu de garder les mêmes. Par exemple :

- Semaine 1 :
  95-90-85-80-75 %.
- Semaine 2 :
  96-91-86-81-76 %.
- Semaine 3 :
  97-92-87-82-77 %.

---

# CHARGES DÉCROISSANTES INTERSÉRIES

## COMMENT L'APPLIQUER ?

Cette méthode est une séquence qui consiste à faire régresser la charge en même temps que le nombre de répétitions augmente à chaque nouvelle série.

## AVANTAGES

→ Cette technique permet de recruter les fibres rapides (type II) en utilisant des charges lourdes.

→ Elle permet également de débuter l'entraînement avec un système nerveux frais lors des séries lourdes, ce qui maximisera le poids des charges levées.

## DÉSAVANTAGE

→ Il faudra toutefois veiller à bien s'échauffer avant de débuter avec votre 1 RM pour éviter les blessures. Exécutez au moins 2 à 5 séries d'échauffement en augmentant les charges progressivement.

## TABLEAU D'ENTRAÎNEMENT

| Charge | Nombre de répétitions par série | Nombre de séries par exercice | Nombre d'exercices par GM* | Repos entre les séries |
|--------|-------------------------------|------------------------------|---------------------------|----------------------|
| 70-100 % | 1-12 | 2-6 | 1-3 | 2-5 minutes |

*GM : groupe musculaire

**SÉRIE #1** — 1 répétitions à 95-100 % → Repos de 4 minutes → **SÉRIE #2** — 3 répétitions à 90 % → Repos de 4 minutes → **SÉRIE #3** — 5 répétitions à 85 % → Repos de 3 minutes → **SÉRIE #4** — 7 répétitions à 80 % → Repos de 3 minutes → **SÉRIE #5** — 9 répétitions à 75 %

# Technique #32

Effort perçu

Effet sur l'hypertrophie

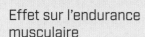

Effet sur la force et la puissance

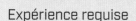

Effet sur l'endurance musculaire

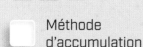

Expérience requise

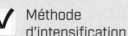

☐ Méthode d'accumulation

☑ Méthode d'intensification

---

## Conseil du coach

Au fil des semaines, augmentez la charge sur vos groupements régressifs. Par exemple :

- Semaine 1 : diminuez de 15 %.
- Semaine 2 : diminuez de 13 %.
- Semaine 3 : diminuez de 11 %.
- Semaine 4 : diminuez de 9 %.
- Semaine 5 : diminuez de 7 %.
- Semaine 6 : diminuez de 5 %.

---

# PAR GROUPEMENT RÉGRESSIF

## COMMENT L'APPLIQUER ?

Vous devez choisir une charge qui vous permet d'effectuer 4 répétitions maximales puis prendre un repos de 10 à 15 secondes. Retirez durant ce temps entre 10 à 15 % de la charge (ou en changeant de poids libre ou de barre) et tentez d'accomplir le plus de répétitions possible. Reprenez 10 à 15 secondes de pause, enlevez à nouveau 10 à 15 % de la charge, puis complétez le plus de répétitions possible une seconde fois.

## AVANTAGES

→ Cette technique est en fait préalable à la méthode par groupement (technique #33). Commencez par utiliser la version régressive et, lorsque vous serez plus à l'aise, utilisez la technique sans changement de charge.

→ Elle est idéale pour augmenter la fatigue.

## DÉSAVANTAGES

→ Vous aurez besoin d'un partenaire pour vous aider dans certains exercices afin d'assurer votre sécurité, étant donné l'atteinte d'un échec musculaire à trois reprises.

→ Elle nécessite un changement de charges.

## TABLEAU D'ENTRAÎNEMENT

| Charge | Nombre de répétitions par série | Nombre de séries par exercice | Nombre d'exercices par GM* | Repos entre les séries |
|--------|--------------------------------|------------------------------|---------------------------|----------------------|
| 58-88 % | 4 + max + max | 2-4 | 1-2 | 3-4 minutes |

*GM : groupe musculaire

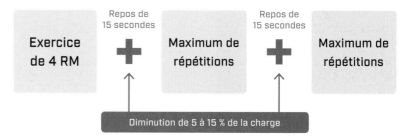

Exercice de 4 RM ➕ Repos de 15 secondes Maximum de répétitions ➕ Repos de 15 secondes Maximum de répétitions

Diminution de 5 à 15 % de la charge

**Effort perçu**

**Effet sur l'hypertrophie**

**Effet sur la force et la puissance**

**Effet sur l'endurance musculaire**

**Expérience requise**

☐ Méthode d'accumulation

☑ Méthode d'intensification

## Conseil du coach

La première semaine, utilisez 5 RM pour faire la séquence de 4 répétitions + 1-2 + 1-2. Cela représente une approche plus progressive. De même, si vous faites plus de 2 répétitions lors de vos groupements, cela signifie que vous n'avez pas utilisé une charge assez près de votre RM. Augmentez alors les charges aux prochaines séries.

# PAR GROUPEMENT

## COMMENT L'APPLIQUER ?

Vous devez choisir une charge qui vous permet d'effectuer 4 répétitions maximales puis prendre un repos de 10 à 15 secondes (dépôt de la charge). Tentez ensuite d'accomplir le plus de répétitions possible (1 à 2 répétitions), puis reprenez 10 à 15 secondes de repos. Tentez encore de compléter une deuxième fois le plus de répétitions possible (1 à 2 répétitions).

## AVANTAGES

→ Cette technique est en fait le même principe que celle du pause-repos 7 RM (technique #100), mais avec une dominance sur le travail en force. Elle permet en fait d'obtenir un meilleur volume de travail à intensité élevée dans votre séance.

→ Elle place un stress plus important sur les adaptations nerveuses.

## DÉSAVANTAGE

→ Vous aurez besoin d'un partenaire pour vous aider dans certains exercices afin d'assurer votre sécurité, étant donné l'atteinte d'un échec musculaire à trois reprises.

## TABLEAU D'ENTRAÎNEMENT

| Charge | Nombre de répétitions par série | Nombre de séries par exercice | Nombre d'exercices par GM* | Repos entre les séries |
|--------|--------------------------------|-------------------------------|----------------------------|------------------------|
| 88 % | 4 + 1-2 + 1-2 | 2-4 | 1-2 | 3-4 minutes |

*GM : groupe musculaire

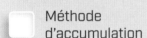

Exercice de 4 RM **+** Repos de 15 secondes — 1 à 2 répétitions **+** Repos de 15 secondes — 1 à 2 répétitions

## Technique #34

**Effort perçu**

■ ■ ■ □ □

**Effet sur l'hypertrophie**

■ ■ ■ ■ □

**Effet sur la force et la puissance**

■ ■ ■ ■ □

**Effet sur l'endurance musculaire**

■ ■ ■ ■ □

**Expérience requise**

■ ■ ■

☐ Méthode d'accumulation

☑ Méthode d'intensification

### Conseil du coach

Lorsque vous réussissez à accomplir les 8 séries de 2 répétitions demandées à 85 %, diminuez le temps de repos de 5 à 10 secondes à la prochaine séance (ex. : 50 secondes entre les séries) ou augmentez la charge légèrement.

# INTERVALLES À LA MINUTE À 85 %

## COMMENT L'APPLIQUER ?

Faites 2 répétitions à 85 % de votre 1 RM entrecoupées d'une minute de récupération pour un total de 8 séries consécutives.

## AVANTAGES

→ Elle est facile à utiliser sur tous les exercices.

→ Aucun changement de charges n'est nécessaire.

→ Elle nécessite une surveillance d'un partenaire lors d'un développé couché ou d'un squat seulement dans les dernières séries.

## DÉSAVANTAGE

→ Aucun.

## TABLEAU D'ENTRAÎNEMENT

| Charge | Nombre de répétitions par série | Nombre de séries par exercice | Nombre d'exercices par GM* | Repos entre les séries |
|--------|-------------------------------|------------------------------|---------------------------|----------------------|
| 85 % | 2 | 8 | 1 | 1 minute |

*GM : groupe musculaire

85 % équivaut environ à 5 RM. Si vous faites 3 séries de 5 RM (15 répétitions) espacées de 3,5 minutes de repos, cela vous prendra environ 8 minutes avant de terminer votre dernière répétition. Avec cette technique, cela vous prendra le même temps pour obtenir 16 répétitions. On parle pratiquement d'un travail égal. Toutefois, cette technique devient plus avantageuse lorsque vous diminuez le temps de repos. Par exemple, si vous prenez 45 secondes de repos entre vos séries, vous accomplirez vos 16 répétitions en un peu plus de 6 minutes, soit une augmentation de la densité de votre entraînement qui se répercutera sur des gains en force ultérieurs !

## Effort perçu

■ ■ ■ □ □

## Effet sur l'hypertrophie

■ ■ ■ ■ □

## Effet sur la force et la puissance

■ ■ ■ ■ □

## Effet sur l'endurance musculaire

■ ■ □ □ □

## Expérience requise

■ ■ □

☐ Méthode d'accumulation

☑ Méthode d'intensification

 **Conseil du coach**

Lorsque vous réussissez à accomplir les 10 séries demandées de 1 répétition à 90 %, diminuez le temps de repos de 5 à 10 secondes à la prochaine séance (ex. : 50 secondes entre les séries) ou augmentez la charge légèrement.

# INTERVALLES À LA MINUTE À 90 %

## COMMENT L'APPLIQUER ?

Faites 1 répétition à 90 % de votre 1 RM suivie d'une minute de récupération pour un total de 10 séries consécutives.

## AVANTAGES

→ Elle est facile à utiliser sur tous les exercices.

→ Aucun changement de charges n'est nécessaire.

→ Elle nécessite une surveillance d'un partenaire lors d'un développé couché ou d'un squat seulement dans les dernières séries.

## DÉSAVANTAGE

→ Aucun.

## TABLEAU D'ENTRAÎNEMENT

| Charge | Nombre de répétitions par série | Nombre de séries par exercice | Nombre d'exercices par GM* | Repos entre les séries |
|--------|--------------------------------|-------------------------------|----------------------------|------------------------|
| 90 % | 1 | 10 | 1 | 1 minute |

*GM : groupe musculaire

90 % équivaut environ à 3 RM. Si vous faites 3 séries de 3 RM (9 répétitions) espacées de 4 minutes de repos, cela vous prendra environ 9 minutes avant de terminer votre neuvième répétition. Avec cette technique, cela vous prendra environ le même temps pour obtenir 10 répétitions. On parle d'un travail quasiment égal. Toutefois, cette technique devient plus avantageuse lorsque vous diminuez le temps de repos. Par exemple, si vous prenez 45 ou même 30 secondes de repos entre vos séries, vous accomplirez alors vos 10 répétitions en un peu plus de 8 et 6 minutes respectivement, soit une augmentation de la densité de votre entraînement qui se répercutera sur des gains en force ultérieurs !

# Technique #36

Effort perçu

Effet sur
l'hypertrophie

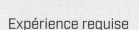

Effet sur la force
et la puissance

Effet sur l'endurance
musculaire

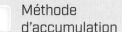

Expérience requise

☐ Méthode
d'accumulation

☑ Méthode
d'intensification

### Conseil du coach

Cette technique est intéressante pour les gains en force qu'elle procure, mais également pour les gains en hypertrophie occasionnés par le temps sous tension cumulé. Elle peut donc être exécutée dans un programme visant le gain de masse musculaire.

# SUPER-PLETNEV

## COMMENT L'APPLIQUER ?

Cette technique consiste à exécuter quatre exercices consécutifs comportant des stimulations musculaires différentes. **Le premier** sera fait de 100 à 110 % de votre charge maximale afin d'effectuer 4 répétitions excentriques pour lesquelles un partenaire vous aidera lors de la phase concentrique. **Le deuxième** sera composé de 6 répétitions explosives à 30 % de votre 1 RM. **Le troisième** sera une répétition isométrique qui durera entre 20 et 40 secondes et **le quatrième** sera un exercice en force effectué à 3-5 RM.

## AVANTAGE

→ Cette technique permet de fatiguer un grand éventail de fibres musculaires puisqu'elle atteint tous les modes de contraction. Elle a donc un grand impact sur les gains de force et d'hypertrophie.

## DÉSAVANTAGES

→ Elle est très exigeante et devra être réservée aux individus avancés afin de diminuer les risques de blessures.

→ Elle nécessite parfois un partenaire pour exécuter la phase excentrique.

## TABLEAU D'ENTRAÎNEMENT

| Charge | Nombre de répétitions par série | Nombre de séries par exercice | Nombre d'exercices par GM* | Repos entre les séries |
|--------|--------------------------------|-------------------------------|----------------------------|------------------------|
| 30-110 % | 3-6 | 2-4 | 1-2 | 3-5 minutes |

*GM : groupe musculaire

### EXERCICE EXCENTRIQUE
Legs press excentrique
4 répétitions

→

### EXERCICE EXPLOSIF
Jump squat
6 répétitions

↓

### EXERCICE CONCENTRIQUE
Lunges
3 répétitions par jambe

←

### EXERCICE ISOMÉTRIQUE
Front squat isométrique à 90 degrés
20 secondes

### Effort perçu

■ ■ ■ ■ □

### Effet sur l'hypertrophie

■ ■ ■ □ □

### Effet sur la force et la puissance

■ ■ ■ ■ □

### Effet sur l'endurance musculaire

■ ■ □ □ □

### Expérience requise

■ ■ □

☐ Méthode d'accumulation

☑ Méthode d'intensification

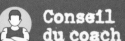

## Conseil du coach

Variez les angles de travail auxquels les isométries manuelles seront appliquées. Vous pouvez, par exemple, varier la position isométrique à chaque répétition :

- Répétitions #1 et #4 : à ¼.
- Répétitions #2 et #5 : à ½.
- Répétitions #3 et #6 : aux ¾.

# SOULEVÉS LOURDS + ISOMÉTRIES MANUELLES

## COMMENT L'APPLIQUER ?

Un partenaire applique une surcharge manuelle durant la phase concentrique du mouvement, vous empêchant alors de poursuivre celui-ci. La poussée est d'une durée de 2 à 3 secondes avant d'être enlevée afin que vous puissiez terminer votre répétition. À faire pendant certaines répétitions ou à toutes les répétitions d'une série.

## AVANTAGE

→ Cette technique permet d'obtenir les avantages de l'entraînement isométrique concentrique et d'améliorer les points faibles. Par exemple, si au développé couché la phase la plus difficile pour vous est le lock-out des coudes, vous pourrez demander à votre partenaire d'exercer une pression sur la barre une fois les trois quarts du mouvement effectués.

## DÉSAVANTAGES

→ Elle nécessite un partenaire afin d'obtenir les isométries manuelles.

→ Elle est difficile à exécuter sur certains exercices où vous êtes plus fort (ex. : squat, soulevé de terre).

→ Elle est impossible à exécuter sur des mouvements explosifs (ex. : arraché, épaulé).

## TABLEAU D'ENTRAÎNEMENT

| Charge | Nombre de répétitions par série | Nombre de séries par exercice | Nombre d'exercices par GM* | Repos entre les séries |
|--------|--------------------------------|------------------------------|---------------------------|------------------------|
| 70-83 % | 2-6 (1 à 6 surcharges) | 2-5 | 1-2 | 2-3 minutes |

*GM : groupe musculaire

Pour cette technique, dites à votre partenaire de doser sa force afin que la barre reste en isométrie pendant 2 à 3 secondes lors de ses implications. Une trop grande poussée ferait redescendre la barre, impliquant alors une phase excentrique supramaximale, ce qui n'est pas l'objectif ici et ce qui augmenterait le risque de blessures. Par ailleurs, la direction de la pression émise devra toujours être en fonction de l'exercice. Par exemple, lors d'un pull-up, vous devrez exercer une traction du corps vers le bas tandis que, lors d'un tirage vertical lat pulldown, vous devrez émettre une pression sur la barre vers le haut.

# Technique #38

**Effort perçu**

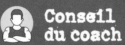

**Effet sur l'hypertrophie**

**Effet sur la force et la puissance**

**Effet sur l'endurance musculaire**

**Expérience requise**

☐ Méthode d'accumulation

☑ Méthode d'intensification

 **Conseil du coach**

Attendez d'avoir suffisamment d'expérience en entraînement en force avant d'utiliser cette méthode, sinon vous ne pourrez pas profiter au maximum de l'effet post-tétanique suivant la phase d'activation à cause de la trop grande fatigue que vous aurez au début de la séance d'entraînement.

# MÉTHODE KULESZA

## COMMENT L'APPLIQUER ?

Commencez avec 2 séries d'échauffement progressives constituées de 3 répétitions à 70 et 80 %, espacées d'une minute de repos. Poursuivez ensuite avec 3 séries progressives vers votre 1 RM, constituées de 3 répétitions à 90 %, de 2 répétitions à 95 % et de 1 répétition à 100 % espacées d'un repos entre les séries de 3 et 5 minutes. Par la suite, exécutez 3 à 5 séries de 2 à 3 répétitions à 85-90 %.

## AVANTAGE

→ Cette variante utilise à profit une réponse neuromusculaire particulière : la facilitation post-tétanique. Les chercheurs ont remarqué qu'il se produit une augmentation de la force et de la vitesse contractile après une période de repos suivant un effort maximal. Cela permettrait ainsi d'augmenter les charges (1-2 %) sur les séries subséquentes.

## DÉSAVANTAGE

→ Elle nécessite une longue phase de préparation avant d'accomplir la séance d'entraînement. Toutefois, la phase d'activation occasionne tout de même des gains en force.

## TABLEAU D'ENTRAÎNEMENT

| Charge | Nombre de répétitions par série | Nombre de séries par exercice | Nombre d'exercices par GM* | Repos entre les séries |
|--------|--------|--------|--------|--------|
| 70-100 % | 1-3 | 8-10 | 1 | 3-5 minutes |

*GM : groupe musculaire

### PHASE D'ÉCHAUFFEMENT

3 répétitions à 70 % + 3 répétitions à 80 %

### PHASE D'ACTIVATION

3 répétitions à 90 % + 2 répétitions à 95 % + 1 répétition à 100 %

### SÉANCE D'ENTRAÎNEMENT

3 à 5 séries de 2 à 3 répétitions à 85-90 %

## Effort perçu

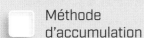

## Effet sur l'hypertrophie

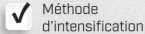

## Effet sur la force et la puissance

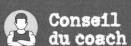

## Effet sur l'endurance musculaire

## Expérience requise

☐ Méthode d'accumulation

☑ Méthode d'intensification

### Conseil du coach

Attendez d'avoir suffisamment d'expérience en entraînement en force avant d'utiliser cette méthode, sinon vous ne pourrez pas profiter au maximum de l'effet post-tétanique suivant la phase d'activation à cause de la trop grande fatigue que vous aurez au début de la séance d'entraînement.

# MÉTHODE BULGARE

## COMMENT L'APPLIQUER ?

Elle utilise le même principe que la surcharge par grosses vagues (technique #111), mais à très haute intensité. Accomplissez des séries d'échauffement progressives (ex. : 2 répétitions à 60 % et 70 % et 1 répétition à 80 % et 90 %), puis commencez votre première série d'une seule répétition à 100 %. Suite à un repos de 3 à 5 minutes, faites 2 à 3 répétitions à 85-89 %, puis 1 répétition à 90 %, puis refaites 1 répétition à 100 % toujours suivie de 3 à 5 minutes de repos. Alternez cette séquence en tentant d'augmenter légèrement la charge utilisée pour exécuter 2 à 3 répétitions. N'effectuez idéalement pas plus de 2 à 3 vagues. Cela pourrait ressembler à ceci : 100 % - 85 % - 90 % - 100 % - 86 % - 91 % - 100 %.

## AVANTAGE

→ Cette variante utilise à profit une réponse neuromusculaire particulière : la facilitation post-tétanique. Les chercheurs ont remarqué qu'il se produit une augmentation de la force et de la vitesse contractile après une période de repos suivant un effort maximal. Cela permettrait ainsi d'augmenter les charges (12 %) sur les séries subséquentes.

## DÉSAVANTAGE

→ Aucun

## TABLEAU D'ENTRAÎNEMENT

| Charge | Nombre de répétitions par série | Nombre de séries par exercice | Nombre d'exercices par GM* | Repos entre les séries |
|---|---|---|---|---|
| 85-100 % | 1-3 | 6-9 | 1 | 3-5 minutes |

*GM : groupe musculaire

1 répétition à 100 %

1 répétition à 100 %

1 répétition à 100 %

1 répétition à 90 %

1 répétition à 91 %

3 répétitions à 85 %

3 répétitions à 86 %

# Technique #40

**Effort perçu**

▪▪▪▫▫

**Effet sur l'hypertrophie**

▪▪▪▪▫

**Effet sur la force et la puissance**

▪▪▪▪▫

**Effet sur l'endurance musculaire**

▪▪▪▫▫

**Expérience requise**

▪▪▪▫▫

☐ Méthode d'accumulation

☑ Méthode d'intensification

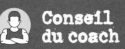

## Conseil du coach

C'est l'une des techniques de surcharge par vagues que j'apprécie le plus. Elle est simple et efficace. Vous pouvez varier les répétitions également (ex. : vagues de 7-2 RM ou bien de 8-3 RM) tant que vous restez sous les 3 RM lors de vos séries paires afin de garder l'effet post-tétanique.

# SURCHARGE PAR PETITES VAGUES 6-1 RM

## COMMENT L'APPLIQUER ?

Cette méthode consiste à répéter 2 ou 3 fois la vague constituée de 2 séries exécutées à 6 et 1 RM. Tentez d'augmenter de 1 % la charge à chaque nouvelle vague. Pour ce faire, vous pouvez utiliser des PlateMates® (http://www.theplatemate.com)

## AVANTAGES

→ Cette technique utilise la facilitation post-tétanique en permettant d'augmenter l'intensité du travail à 6 RM au fur et à mesure que les vagues avancent.

→ Elle permet de réévaluer son 1RM.

→ Elle est facile à appliquer et peut être utilisée dans la première année d'entraînement étant donné le moins grand nombre de séries à exécuter qu'une surcharge par grosses vagues (technique #39 ou #111).

## DÉSAVANTAGE

→ Elle nécessite, comme toutes les techniques de force maximale, une surveillance par un partenaire sur le squat et le développé couché.

## TABLEAU D'ENTRAÎNEMENT

| Charge | Nombre de répétitions par série | Nombre de séries par exercice | Nombre d'exercices par GM* | Repos entre les séries |
|--------|--------------------------------|-------------------------------|----------------------------|------------------------|
| 70-100 % | 1-3 | 8-10 | 1 | 3-5 minutes |

*GM : groupe musculaire

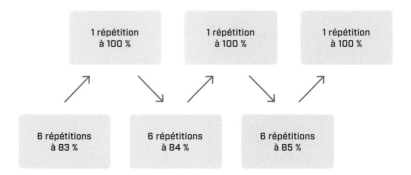

# Technique #41

Effort perçu

■ ■ ■ □ □

Effet sur l'hypertrophie

■ ■ ■ ■ □

Effet sur la force et la puissance

■ ■ ■ □ □

Effet sur l'endurance musculaire

■ ■ ■ □ □

Expérience requise

■ ■ □

✓ Méthode d'accumulation

✓ Méthode d'intensification

 **Conseil du coach**

Cette technique provoque et exige des adaptations constantes des muscles par la variation des charges semaine après semaine. Les premières semaines, vous ne serez pas en mesure d'accomplir vos 25 (5 x 5) et vos 100 (10 x 10) répétitions, ce qui est normal. Poursuivez la séquence pendant huit semaines ou jusqu'à ce que vous les réussissiez.

# ENTRAÎNEMENT 5 PAR 10

## COMMENT L'APPLIQUER ?

Cette méthode est en fait une planification d'entraînement sur 6 à 8 semaines qui consiste à alterner un entraînement en 5 x 5 (technique #27) et un entraînement en 10 x 10 (technique #132) sur le même exercice. C'est une technique qui s'effectue très bien avec la planification sur trois jours comme pour le squat-développé-deadlift split (technique #48).

→ **Semaines 1, 3, 5 et 7** : vous devrez choisir deux exercices pour un même groupe musculaire et accomplir cinq séries de cinq répétitions (5 x 5) à 85 % suivies d'exercices complémentaires. Vous prendrez 3 minutes de récupération entre les séries.

→ **Semaines 2, 4, 6 et 8** : vous devrez choisir un exercice et accomplir dix séries de dix répétitions avec une charge avoisinant les 65-70 %. Vous prendrez 2 minutes de récupération entre les séries et ajouterez un à deux exercices complémentaires.

## AVANTAGE

→ Elle permet d'excellents gains en force et en hypertrophie musculaire.

## DÉSAVANTAGE

→ Aucun

## TABLEAU D'ENTRAÎNEMENT

| Charge | Nombre de répétitions par série | Nombre de séries par exercice | Nombre d'exercices par GM* | Repos entre les séries |
|---|---|---|---|---|
| 85 % et 65-70 % | 5 et 10 | 5 et 10 | 2 et 1 | 2 minutes |

*GM : groupe musculaire

## EXEMPLE DE SÉQUENCE POUR LA JOURNÉE D'ENTRAÎNEMENT DU DEADLIFT

| Exercices | Semaines 1, 3, 5 et 7 | | | Semaines 2, 4, 6 et 8 | | |
|---|---|---|---|---|---|---|
| | S | R | Repos | S | R | Repos |
| Deadlift | 5 | 5 | 2 min | 10 | 10 | 2 min |
| Soulevé de terre roumain | 5 | 5 | 2 min | 3 | 8-10 | 2 min |
| Leg curl couché | 3 | 4-6 | 2 min | 3 | 8-10 | 2 min |
| Tirage à la poitrine « lat pulldown » | 3 | 4-6 | 2 min | 3 | 8-10 | 2 min |
| Curl à la barre | 3 | 4-6 | 2 min | 3 | 8-10 | 2 min |
| Crunch à la machine | 3 | 4-6 | 2 min | 3 | 8-10 | 2 min |

S : séries, R : répétitions

# Technique #42

## Effort perçu

■ ■ ■ □ □

## Effet sur l'hypertrophie

■ ■ ■ □ □

## Effet sur la force et la puissance

■ ■ ■ ■ □

## Effet sur l'endurance musculaire

■ ■ □ □ □

## Expérience requise

■ ■ □

☐ Méthode d'accumulation

☑ Méthode d'intensification

---

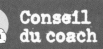

### Conseil du coach

Commencez par faire la technique « En résistance variable » (technique #159) préalablement, qui est en fait la même technique que celle-ci, mais avec une moins grande intensité, afin de diminuer votre risque de blessures et de respecter un ordre de progression.

---

# FORCE LIMITE AVEC RÉSISTANCE VARIABLE

**COMMENT L'APPLIQUER ?**

Vous devez simplement exécuter la technique de normes générales 1-5 RM (technique #22), mais jumelée à des accessoires d'entraînement, tels que des chaînes ou des superbands.

**AVANTAGE**

→ Cette méthode permet de profiter de la biomécanique du muscle, car plus un muscle est allongé, plus la tension passive (tendons) est grande et plus la tension active (muscles) est faible. Vous êtes donc moins fort dans cette phase. À l'inverse, plus le muscle est contracté (fin du mouvement), plus la tension active augmente et plus vous êtes fort (jusqu'à un certain degré). La surcharge créée par les chaînes[74] et/ou les superbands[73] permet donc d'augmenter la tension totale reçue par le muscle.

**DÉSAVANTAGE**

→ Cette technique n'est toutefois pas possible dans toutes les salles de musculation à cause du matériel nécessaire et des ancrages au sol requis (pour le soulevé de terre avec des superbands par exemple).

**TABLEAU D'ENTRAÎNEMENT**

| Charge | Nombre de répétitions par série | Nombre de séries par exercice | Nombre d'exercices par GM* | Repos entre les séries |
|--------|--------------------------------|------------------------------|---------------------------|------------------------|
| 80-95 % | 1-5 | 3-8 | 1-2 | 3-5 minutes |

*GM : groupe musculaire

## Effort perçu

■ ■ ■ ■ □

## Effet sur l'hypertrophie

■ ■ ■ ■ □

## Effet sur la force et la puissance

■ ■ ■ ■ □

## Effet sur l'endurance musculaire

■ ■ ■ □ □

## Expérience requise

■ ■ □

☑ Méthode d'accumulation

☑ Méthode d'intensification

### 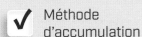 Conseil du coach

Cette technique a été utilisée par Bob Hoffman, fondateur de la York Barbell Company et créateur du magazine *Muscular Development*, sur ses athlètes haltérophiles dans les années 1960. De plus, Mike Mentzer, un culturiste professionnel, vantait les vertus d'un entraînement isométrique pour des gains en force et en hypertrophie musculaire.

# FORCE ISOMÉTRIQUE

## COMMENT L'APPLIQUER ?

Cette technique utilise la zone sous tension entre l'isométrie d'une intensité maximale de 6-8 secondes (technique #100) et l'isométrie d'une durée maximale de 20-60 secondes (technique #99). Vous devez donc exécuter deux séries où vous aurez à tenir une charge isométrique de 4 à 8 centimètres avant la fin du mouvement, et ce durant 10 à 20 secondes, espacées de 2 minutes de récupération. Une fois ces deux séries accomplies, vous compléterez alors, sur le même exercice, 3 séries de 6 répétitions à 80 %. La machine Smith est très utile pour ce type de technique d'entraînement.

## AVANTAGE

→ Elle permet d'augmenter la densité musculaire et améliore la force maximale dans la dernière phase d'un mouvement.

## DÉSAVANTAGE

→ Elle nécessite un partenaire d'entraînement sur certains exercices afin de compter le temps sous tension.

## TABLEAU D'ENTRAÎNEMENT

| Charge | Nombre de répétitions par série | Nombre de séries par exercice | Nombre d'exercices par GM* | Repos entre les séries |
|---|---|---|---|---|
| 80-90 % | 10-20 secondes ou 6 | 5 | 1-3 | 2 minutes |

*GM : groupe musculaire

## EXEMPLE DE SÉQUENCE D'EXERCICES EN INSISTANT SUR LE DÉVELOPPÉ COUCHÉ

| Exercices | Séries | Répétitions | Repos |
|---|---|---|---|
| Développé couché à la machine Smith | 2 | 10-20 s | 2 min |
| | 3 | 6 | 2 min |
| Développé couché incliné avec haltères | 2 | 10-20 s | 2 min |
| | 3 | 6 | 2 min |
| Développé assis à la machine Smith | 2 | 10-20 s | 2 min |
| | 3 | 6 | 2 min |
| Développé couché en prise serrée | 2 | 10-20 s | 2 min |
| | 3 | 6 | 2 min |
| Extension des coudes à la poulie haute « push down » | 2 | 10-20 s | 2 min |
| | 3 | 6 | 2 min |

# Technique #44

**Effort perçu**

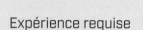

**Effet sur l'hypertrophie**

**Effet sur la force et la puissance**

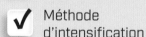

**Effet sur l'endurance musculaire**

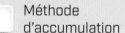

**Expérience requise**

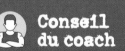

☐ Méthode d'accumulation

☑ Méthode d'intensification

## Conseil du coach

Cette technique s'utilise de préférence sur des exercices de base, tels que le développé couché, le squat et le soulevé de terre. Également, vous devrez l'effectuer dans un power rack afin d'ajuster adéquatement la hauteur des barrures de sécurité qui guideront l'amplitude que vous devez exécuter.

# THE INCH PROGRAM

## COMMENT L'APPLIQUER ?

Cette méthode consiste à exécuter des répétitions partielles avec une charge de 110 % en augmentant graduellement la distance à parcourir chaque semaine de 5 centimètres. Cette méthode devra être combinée avec des répétitions complètes afin de s'assurer d'un travail dans toute l'amplitude du mouvement. Généralement, vous commencerez avec 2 séries en répétitions partielles (110 %) suivies de 3 séries en répétitions complètes (75-90 %).

## AVANTAGE

→ Cette technique permet d'augmenter la force progressivement par l'ajout de la distance à parcourir chaque semaine. En moyenne, vous pourrez augmenter votre force sur un mouvement de 10 % en l'espace de 8 semaines.

## DÉSAVANTAGES

→ Elle doit être complétée par des exercices en amplitude complète.

→ Avoir un partenaire d'entraînement est idéal lorsque vous manipulez des charges au-dessus de votre 1 RM.

## TABLEAU D'ENTRAÎNEMENT

| Charge | Nombre de répétitions par série | Nombre de séries par exercice | Nombre d'exercices par GM* | Repos entre les séries |
|--------|--------------------------------|------------------------------|---------------------------|----------------------|
| 110 % | 1-3 | 2 | 1 | 2-3 minutes |

*GM : groupe musculaire

| Semaine | Ajustement de sécurité (power rack) |
|---------|-------------------------------------|
| 1 | À 8 centimètres du début de mouvement |
| 2 | À 12 centimètres du début de mouvement |
| 3 | À 16 centimètres du début de mouvement |
| 4 | À 20 centimètres du début de mouvement |
| 5 | À 24 centimètres du début de mouvement |
| 6 | À 28 centimètres du début de mouvement |
| 7 | À 32 centimètres du début de mouvement |
| 8 | Tentez une répétition complète à 105-110 % |

## Effort perçu

▭ ▭ ▭ ▭ ▭

## Effet sur l'hypertrophie

▭ ▭ ▭ ▭ ▭

## Effet sur la force et la puissance

▭ ▭ ▭ ▭ ▭

## Effet sur l'endurance musculaire

▭ ▭ ▭ ▭ ▭

## Expérience requise

▭ ▭ ▭

☐ Méthode d'accumulation

☑ Méthode d'intensification

### Conseil du coach

Une fois l'exercice principal complété, ajoutez des exercices complémentaires à la levée travaillée avec 6 à 20 répétitions par exercice (ex. : exercices de dos lors du deadlift ; exercices de quadriceps lors du squat ; exercices d'épaules et de triceps lors du développé debout ou couché). Cette technique est intéressante pour les débutants et moins pour les avancés.

# MÉTHODE WENDLER 5/3/1

## COMMENT L'APPLIQUER ?

Cette technique est basée sur le livre de Jim Wendler[61], un dynamophile qui a déjà fait un squat de 450 kg en compétition. La planification est conçue à raison de 4 jours par semaine (une journée cible chacune des levées : développé debout, squat, deadlift, développé couché) et pendant 4 semaines d'entraînement :

→ **Semaine 1** : faire 3 séries de 5 répétitions (3 x 5 avec 75/80/85 %).

→ **Semaine 2** : faire 3 séries de 3 répétitions (3 x 3 avec 80/85/90 %).

→ **Semaine 3** : faire 1 série de 5 répétitions, 1 série de 3 répétitions et 1 série de 1 répétition (5/3/1 avec 75/85/95 %).

→ **Semaine 4** : faire 3 séries de 5 répétitions (3 x 5 avec 40/50/60 %).

→ **Semaine 5** : recommencer le cycle.

## AVANTAGE

→ Elle permet d'améliorer la force musculaire sur les levées en dynamophilie.

## DÉSAVANTAGES

→ Elle permet un très faible volume en force maximale.

→ Une seule série par exercice va jusqu'à l'échec.

## TABLEAU D'ENTRAÎNEMENT

| Charge | Nombre de répétitions par série | Nombre de séries par exercice | Nombre d'exercices par GM* | Repos entre les séries |
|--------|--------------------------------|------------------------------|---------------------------|------------------------|
| 40-95 % | Semaine 1 : 5<br>Semaine 2 : 3<br>Semaine 3 : 5/3/1<br>Semaine 4 : 5 | 3 | 1 | 2-3 minutes |

*GM : groupe musculaire

| Semaine d'entraînement | Jour 1 | Jour 2 | Repos | Jour 4 |
|---|---|---|---|---|
| | Échauffement | | | |
| | Développé debout | Deadlift | Squat | Développé couché |
| Semaine 1 | 5 x 75 %, 5 x 80 %, maximum de répétitions à 85 % (5 ou plus) | | | |
| Semaine 2 | 3 x 80 %, 3 x 85 %, maximum de répétitions à 90 % (3 ou plus) | | | |
| Semaine 3 | 5 x 75 %, 3 x 85 %, maximum de répétitions à 95 % (1 ou plus) | | | |
| Semaine 4 | 5 x 40 %, 5 x 50 %, 5 x 60% (semaine de décharge ou « deload ») | | | |
| Poursuivre avec des exercices d'assistance | | | | |

# Technique #46

**Effort perçu**

**Effet sur l'hypertrophie**

**Effet sur la force et la puissance**

**Effet sur l'endurance musculaire**

**Expérience requise**

 Méthode d'accumulation

✓ Méthode d'intensification

---

## Conseil du coach

Après 10 semaines en force maximale, changez vers un entraînement de plus faible intensité et de plus grand volume (méthodes d'accumulation). Cela épargnera vos tendons et votre système nerveux qui auront été durement stimulés durant l'application de cette technique.

---

# MÉTHODE 5-3-2

## COMMENT L'APPLIQUER ?

Cette méthode consiste à effectuer 10 semaines d'entraînement en force maximale. Les semaines seront réparties dans un fractionnement 5-3-2 :

1. Les cinq premières semaines, vous accomplirez 5 séries de 5 répétitions.
2. Les trois semaines suivantes, vous accomplirez 3 séries de 3 répétitions.
3. Les deux semaines suivantes, vous accomplirez 2 séries de 2 répétitions.

## AVANTAGES

→ Elle permet de travailler progressivement vers votre 1 RM et de développer votre force maximale.

→ Elle est idéale pour l'entraînement des levées principales, telles que le squat, le deadlift et le développé couché.

## DÉSAVANTAGES

→ Elle nécessite un partenaire d'entraînement afin de surveiller les levées où vous risquez de rester bloqué (ex. : développé couché, squat).

→ Il est conseillé d'avoir au moins un an d'expérience en entraînement avant d'entreprendre cette technique.

## TABLEAU D'ENTRAÎNEMENT

| Charge | Nombre de répétitions par série | Nombre de séries par exercice | Nombre d'exercices par GM* | Repos entre les séries |
|---|---|---|---|---|
| 85, 90 et 95 % | 5, 3 et 2 | 5, 3 et 2 | 2-3 | 3-5 minutes |

*GM : groupe musculaire

## EXEMPLE DE SÉQUENCE POUR UNE JOURNÉE D'ENTRAÎNEMENT EN POUSSÉE

| Exercices | Semaines 1 à 5 | | Semaines 6 à 8 | | Semaines 9 et 10 | |
|---|---|---|---|---|---|---|
| | S | R | S | R | S | R |
| Squat | 5 | 5 | 3 | 3 | 2 | 2 |
| Leg press | 5 | 5 | 3 | 3 | 2 | 2 |
| Leg extension | 5 | 5 | 3 | 3 | 2 | 2 |
| Développé couché | 5 | 5 | 3 | 3 | 2 | 2 |
| Développé couché avec haltères | 5 | 5 | 3 | 3 | 2 | 2 |
| Dips | 5 | 5 | 3 | 3 | 2 | 2 |
| Développé assis avec barre | 5 | 5 | 3 | 3 | 2 | 2 |

S : séries, R : répétitions

# Technique #47

Effort perçu

Effet sur l'hypertrophie

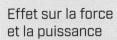

Effet sur la force et la puissance

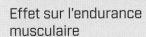

Effet sur l'endurance musculaire

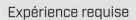

Expérience requise

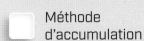

☐ Méthode d'accumulation

☑ Méthode d'intensification

---

## Conseil du coach

Dans la journée d'effort dynamique, Louie Simmons suggère de faire des séries de 3 répétitions pour le développé couché, de 2 répétitions pour le squat et de 1 répétition pour le deadlift. Également, le box squat est un exercice essentiel et incontournable que vous devez intégrer. Pour plus d'informations, consultez l'un de ses livres [48, 49, 50].

---

# MÉTHODE WESTSIDE

## COMMENT L'APPLIQUER ?

Cette méthode a été popularisée par Louie Simmons[50] à la fin des années 1980 et au début des années 1990. Elle consiste à exécuter un travail en force et en puissance des levées de dynamophilie (squat, développé couché et deadlift) réparti sur deux journées (force maximale [effort maximal] et puissance-force [effort dynamique]) espacées de 72 heures. Par exemple, votre planification hebdomadaire pourrait ressembler à ceci :

→ **Lundi** : effort maximal au squat et au deadlift ;
→ **Mercredi** : effort maximal au développé couché ;
→ **Vendredi** : effort dynamique au squat et au deadlift ;
→ **Dimanche** : effort dynamique au développé couché.

Un entraînement Westside comprend en moyenne 4 exercices : 1) la levée principale ; 2) un exercice complémentaire à la levée (ex. : triceps au développé couché en 4-5 séries de 5 répétitions) ; 3 et 4) deux exercices accessoires (ex. : grands dorsaux, épaules, abdominaux). De plus, dans la journée d'effort maximal, l'utilisation de chaînes ou de *weight releasers* est suggérée tandis que, dans la journée d'effort dynamique, il est judicieux d'utiliser des chaînes ou superbands afin de favoriser une décélération en fin de mouvement. Par ailleurs, puisque le deadlift est plus exigeant sur le système nerveux qu'un squat ou qu'un développé couché, accomplissez le nombre optimal de répétitions selon la table de Prilepin (annexe 10).

## TABLEAU D'ENTRAÎNEMENT

| Charge | Nombre de répétitions par série | Nombre de séries par exercice | Nombre d'exercices par GM* | Repos entre les séries |
|---|---|---|---|---|
| 90-100 % + 40-60 % | 1-3 + 1-3 | 3-10 + 8-12 | 1 + 1 | 2-5 minutes + 45-60 secondes |

*GM : groupe musculaire

### JOUR #1 - MAXIMAL
Squat ou deadlift + exercices d'assistance pour les ischiojambiers et le bas du dos

### JOUR #2 - MAXIMAL
Développé couché + exercices d'assistance pour les pectoraux et les triceps

### JOUR #3 - DYNAMIQUE
Squat ou deadlift + exercices d'assistance pour les quadriceps et les abdominaux

### JOUR #4 - DYNAMIQUE
Développé couché + exercices d'assistance pour les épaules et les triceps

# Technique #48

## Effort perçu

■ ■ ■ □ □

## Effet sur l'hypertrophie

■ ■ ■ □ □

## Effet sur la force et la puissance

■ ■ ■ □ □

## Effet sur l'endurance musculaire

■ ■ ■ □ □

## Expérience requise

■ ■ ■

☑ Méthode d'accumulation

☐ Méthode d'intensification

---

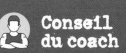 **Conseil du coach**

Incorporez environ 5 exercices (2 sur votre levée principale et 3 d'assistance) par jour sur lesquels vous accomplirez entre 3 et 4 séries. Par exemple, pour le jour 1, vous pourriez faire du squat, du leg press, du leg extension, un exercice de mollet et d'abdominaux. Pour le jour 2, vous pourriez faire deux exercices de développé couché, un exercice d'épaules, un de triceps et un d'abdominaux.

---

# SQUAT-DÉVELOPPÉ-DEADLIFT SPLIT

## COMMENT L'APPLIQUER ?

Cette méthode se concentre principalement sur les levées en dynamophilie : le squat, le développé couché et le deadlift (soulevé de terre). De ce fait, vous répartirez votre entraînement sur 3 jours (espacés de 48 heures) lors desquels vous travaillerez l'une de ces levées individuellement. Certaines personnes préfèrent cette planification qui leur assure une répartition égale de temps d'entraînement pour chaque levée.

## AVANTAGES

→ Elle est idéale pour les débutants en entraînement qui désirent se familiariser avec les levées en dynamophilie (ou powerlifting).

→ Elle ne demande que trois jours d'entraînement par semaine.

## DÉSAVANTAGES

→ Elle ne permet pas d'accomplir un haut volume d'entraînement sur chaque groupe musculaire.

→ La levée (squat, développé couché, deadlit) n'est entraînée qu'une seule fois par semaine.

## TABLEAU D'ENTRAÎNEMENT

| Charge | Nombre de répétitions par série | Nombre de séries par exercice | Nombre d'exercices par GM* | Repos entre les séries |
|---|---|---|---|---|
| 70-90 % | 3-12 | 2-4 | 1-3 | 1-3 minutes |

*GM : groupe musculaire

### JOUR #1

Entraînement du SQUAT

### JOUR #2

Entraînement du DÉVELOPPÉ COUCHÉ

### JOUR #3

Entraînement du DEADLIFT

# Technique #49

Effort perçu

� five boxes, 4 filled▮

Effet sur l'hypertrophie

▮▮▮▮▯

Effet sur la force et la puissance

▮▮▮▮▯

Effet sur l'endurance musculaire

▮▮▯▯▯

Expérience requise

▮▮▯

☐ Méthode d'accumulation

☑ Méthode d'intensification

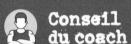

## Conseil du coach

Idéalement, afin de limiter un épuisement du système nerveux, faites une technique sous forme de cluster durant au maximum 4 semaines, puis faites pendant les 4 semaines suivantes un entraînement plus traditionnel, enfin refaites une autre technique cluster pendant 4 semaines, etc.

# EXTENDED 5S (CLUSTER)

## COMMENT L'APPLIQUER ?

Cette méthode consiste à exécuter 10 répétitions à 5 RM (85 %) avec des pauses de 7 à 12 secondes entre chaque dépôt de barre. Tentez de prendre le moins de pauses possible.

## AVANTAGES

→ Cette technique permet d'obtenir un meilleur travail total à haute intensité entraînant des gains en force et en hypertrophie musculaire grâce à sa forte sollicitation sur les fibres rapides.

→ L'entraînement en cluster est très exigeant sur les plans musculaire et nerveux. Trop en faire limitera les progrès ou même pourrait être un facteur de régression.

## DÉSAVANTAGE

→ N'utilisez pas la technique cluster sur plus d'un exercice par groupe musculaire pour éviter un épuisement du système nerveux central (SNC).

## TABLEAU D'ENTRAÎNEMENT

| Charge | Nombre de répétitions par série | Nombre de séries par exercice | Nombre d'exercices par GM* | Repos entre les séries |
|--------|-------------------------------|------------------------------|---------------------------|------------------------|
| 87-92 % | 10 | 3-5 | 1 | 3-5 minutes |

*GM : groupe musculaire

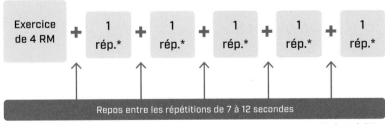

*1 rép. : 1 répétition

## Technique #50

**Effort perçu**

**Effet sur l'hypertrophie**

**Effet sur la force et la puissance**

**Effet sur l'endurance musculaire**

**Expérience requise**

☐ Méthode d'accumulation

☑ Méthode d'intensification

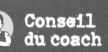

### Conseil du coach

Idéalement, afin de limiter un épuisement du système nerveux, faites une technique sous forme de cluster durant au maximum 4 semaines, puis faites pendant les 4 semaines suivantes un entraînement plus traditionnel, enfin refaites une autre technique cluster pendant 4 semaines, etc.

# CLASSIC CLUSTER

## COMMENT L'APPLIQUER ?

Exécutez 5 répétitions totales en n'exécutant qu'une seule répétition à la fois à 87-92 % en incluant des pauses de 7 à 12 secondes entre chaque répétition.

## AVANTAGES

→ Cette technique permet d'obtenir un meilleur travail total à haute intensité car, au lieu de faire 3 répétitions par série à 87-92 %, vous en accomplirez 5.

→ L'entraînement en cluster est très exigeant sur le plan musculaire et nerveux. Trop en faire limitera les progrès ou même pourrait être un facteur de régression.

## DÉSAVANTAGE

→ N'utilisez pas la technique cluster sur plus d'un exercice par groupe musculaire pour éviter un épuisement du système nerveux central (SNC).

## TABLEAU D'ENTRAÎNEMENT

| Charge | Nombre de répétitions par série | Nombre de séries par exercice | Nombre d'exercices par GM* | Repos entre les séries |
|--------|--------|--------|--------|--------|
| 87-92 % | 5 | 3-5 | 1 | 3-5 minutes |

*GM : groupe musculaire

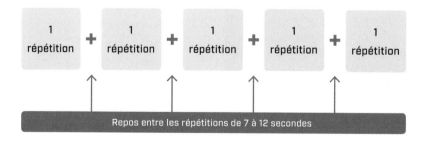

# Technique #51

**Effort perçu**

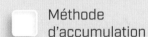

**Effet sur l'hypertrophie**

**Effet sur la force et la puissance**

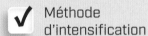

**Effet sur l'endurance musculaire**

**Expérience requise**

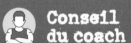

☐ Méthode d'accumulation

☑ Méthode d'intensification

## Conseil du coach

Idéalement, afin de limiter un épuisement du système nerveux, faites une technique sous forme de cluster durant au maximum 4 semaines, puis faites pendant les 4 semaines suivantes un entraînement plus traditionnel, enfin refaites une autre technique cluster pendant 4 semaines, etc.

# ANTAGONIST CLUSTER

## COMMENT L'APPLIQUER ?

Cette technique est similaire au classic cluster (technique #50) à la différence qu'elle inclut deux exercices qui sont accomplis de façon alternée (vous faites la répétition de l'autre exercice dans le repos de 10 secondes et vice versa). Vous devez exécuter 5 répétitions totales pour chaque exercice en n'exécutant qu'une seule répétition à la fois à 87-92 % tout en alternant les exercices sans repos entre les 10 répétitions à effectuer.

## AVANTAGES

→ Cette technique permet d'obtenir un meilleur travail total à haute intensité car, au lieu de faire 3 répétitions par série à 87-92 %, vous en accomplirez 5.

→ Elle permet également une économie de temps grâce à l'utilisation de deux exercices simultanément.

## DÉSAVANTAGE

→ N'utilisez pas la technique cluster sur plus d'un exercice par groupe musculaire pour éviter un épuisement du système nerveux central (SNC).

## TABLEAU D'ENTRAÎNEMENT

| Charge | Nombre de répétitions par série | Nombre de séries par exercice | Nombre d'exercices par GM* | Repos entre les séries |
|--------|--------|--------|--------|--------|
| 87-92 % | 10 (5 par exercice) | 3-5 | 1 | 3-5 minutes |

*GM : groupe musculaire

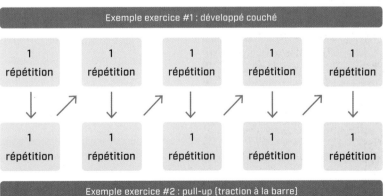

Exemple exercice #1 : développé couché

| 1 répétition | 1 répétition | 1 répétition | 1 répétition | 1 répétition |

| 1 répétition | 1 répétition | 1 répétition | 1 répétition | 1 répétition |

Exemple exercice #2 : pull-up (traction à la barre)

## Effort perçu

## Effet sur l'hypertrophie

## Effet sur la force et la puissance

## Effet sur l'endurance musculaire

## Expérience requise

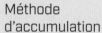

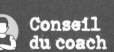

☐ Méthode d'accumulation

✓ Méthode d'intensification

### Conseil du coach

Idéalement, afin de limiter un épuisement du système nerveux, faites une technique sous forme de cluster durant au maximum 4 semaines, puis faites pendant les 4 semaines suivantes un entraînement plus traditionnel, enfin refaites une autre technique cluster pendant 4 semaines, etc.

# MENTZER CLUSTER

### COMMENT L'APPLIQUER ?

Vous devez exécuter 3 répétitions à 95-100 % de votre maximum en n'exécutant qu'une seule répétition à la fois avec des pauses de 7-12 secondes entre chaque répétition, puis diminuez la charge de 10 % (85-90 %) afin d'effectuer une dernière répétition suivie du même temps de repos.

### AVANTAGES

→ Cette technique permet de faire plusieurs répétitions à très haute intensité se répercutant sur de grands gains en force.

→ Elle est plus difficile que le classic cluster (technique #50) qui utilise une charge entre 87-92 %. De ce fait, cette dernière est préalable avant d'effectuer cette technique.

### DÉSAVANTAGES

→ N'utilisez pas la technique cluster sur plus d'un exercice par groupe musculaire pour éviter un épuisement du système nerveux central (SNC).

→ Elle nécessite un retrait de charge.

### TABLEAU D'ENTRAÎNEMENT

| Charge | Nombre de répétitions par série | Nombre de séries par exercice | Nombre d'exercices par GM* | Repos entre les séries |
|---|---|---|---|---|
| 85-100 % | 4 | 3-5 | 1 | 3-5 minutes |

*GM : groupe musculaire

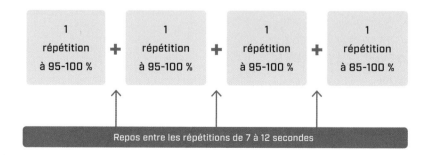

# Technique #53

Effort perçu

Effet sur l'hypertrophie

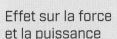

Effet sur la force et la puissance

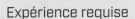

Effet sur l'endurance musculaire

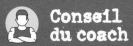

Expérience requise

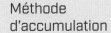

☐ Méthode d'accumulation

☑ Méthode d'intensification

---

**Conseil du coach**

Pour vous faciliter la tâche, j'ai conçu une charte à l'annexe 11 intitulée « Charte du dropset cluster » afin de vous aider dans la progression de vos charges selon votre 1 RM dans le développé couché et dans le squat et de vous éviter ainsi de tout calculer vous-même à chaque séance.

---

# DROPSET CLUSTER

## COMMENT L'APPLIQUER ?

Cette technique est issue de la méthode pyramidale interne (technique #114), mais effectuée en force (on l'appelle aussi la méthode de charges décroissantes intraséries à haute intensité). Elle consiste à faire 4 à 6 répétitions avec une charge régressive et un temps de repos de 7-12 secondes entre chaque répétition (où se produit le changement de charge). **Par exemple, un dropset cluster de 4 répétitions pourrait ressembler à (répétitions/charge (%)) : 1/95, 1/90, 1/85, 1/80**. Vous pouvez utiliser jusqu'à 6 répétitions en décroissance par série (ajoutez dans ce cas 1 répétition à 75 % et 1 répétition à 70 %).

## AVANTAGE

→ Cette technique permet d'obtenir un meilleur travail total à haute intensité et est la version préalable au Mentzer cluster (technique #52).

## DÉSAVANTAGE

→ Elle requiert un changement de charges bien précis (5 %) qui nécessite un calcul préalable des charges à utiliser et même une charte (annexe 11) pour le développé couché et le squat.

## TABLEAU D'ENTRAÎNEMENT

| Charge | Nombre de répétitions par série | Nombre de séries par exercice | Nombre d'exercices par GM* | Repos entre les séries |
|--------|--------------------------------|-------------------------------|----------------------------|------------------------|
| 70-100 % | 2-6 | 2-4 | 1 | 3-5 minutes |

*GM : groupe musculaire

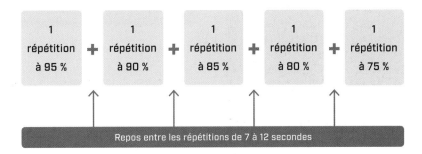

# Technique #54

**Effort perçu**

**Effet sur l'hypertrophie**

**Effet sur la force et la puissance**

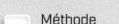

**Effet sur l'endurance musculaire**

**Expérience requise**

☐ Méthode d'accumulation

☑ Méthode d'intensification

## Conseil du coach

Idéalement, afin de limiter un épuisement du système nerveux, faites une technique sous forme de cluster durant au maximum 4 semaines, puis faites pendant les 4 semaines suivantes un entraînement plus traditionnel, enfin refaites une autre technique cluster pendant 4 semaines, etc.

# ACCENTUATED ECCENTRIC CLUSTER

### COMMENT L'APPLIQUER ?

Cette technique est similaire au classic cluster (technique #50) dans son ensemble (gestion d'une charge entre 85-92 % pour exécuter 5 répétitions). En revanche, pour chaque répétition, un partenaire devra exercer une pression supplémentaire lors de la portion excentrique du mouvement afin que vous soyez capable de la contrôler en 5 secondes. Si vous n'êtes pas capable de maintenir le rythme de 5 secondes, c'est que votre partenaire pousse trop fort. Comme pour le classic cluster, vous devrez prendre des pauses entre 7 et 12 secondes entre chaque répétition.

### AVANTAGE

→ Cette technique permet d'obtenir un meilleur travail total à haute intensité car, au lieu de faire 3 répétitions par série à 87-92 %, vous en accomplirez 5. La surcharge excentrique procure davantage de gains en force.

### DÉSAVANTAGE

→ N'utilisez pas la technique cluster sur plus d'un exercice par groupe musculaire pour éviter un épuisement du système nerveux central (SNC).

### TABLEAU D'ENTRAÎNEMENT

| Charge | Nombre de répétitions par série | Nombre de séries par exercice | Nombre d'exercices par GM* | Repos entre les séries |
|--------|--------------------------------|-------------------------------|----------------------------|------------------------|
| 87-92 % | 5 | 2-4 | 1 | 3-5 minutes |

*GM : groupe musculaire

Un partenaire doit ajouter une pression sur chacune des phases excentriques

| 1 répétition | + | 1 répétition | + | 1 répétition | + | 1 répétition | + | 1 répétition |

Repos entre les répétitions de 7 à 12 secondes

## Effort perçu

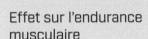

## Effet sur l'hypertrophie

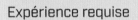

## Effet sur la force et la puissance

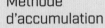

## Effet sur l'endurance musculaire

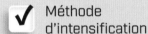

## Expérience requise

☐ Méthode d'accumulation

☑ Méthode d'intensification

---

### Conseil du coach

Idéalement, afin de limiter un épuisement du système nerveux, faites une technique sous forme de cluster durant au maximum 4 semaines, puis faites pendant les 4 semaines suivantes un entraînement plus traditionnel, enfin refaites une autre technique cluster pendant 4 semaines, etc.

---

# FUNCTIONAL ISOMETRIC CLUSTER

## COMMENT L'APPLIQUER ?

Vous devez exécuter 6 répétitions isométriques maintenues pendant 5 à 10 secondes chacune avec des pauses de 7 à 12 secondes entre chaque répétition. Idéalement, choisissez 3 positions dans le mouvement et exécutez 2 répétitions par position (par exemple au début, à mi-chemin et à la fin du mouvement).

## AVANTAGE

→ Cette technique possède l'avantage d'utiliser les contractions isométriques où nous sommes plus forts de 10 à 15 %. De ce fait, des charges plus importantes pourront être utilisées au cours d'une série.

## DÉSAVANTAGES

→ Étant donné l'intensité des contractions, vous aurez besoin d'un partenaire pour vous aider à retourner en position initiale afin de prendre votre repos de 7-12 secondes.

→ Prenez soin d'utiliser plus d'une position par mouvement afin que vos gains en force soient transférés dans toute l'amplitude de mouvement.

## TABLEAU D'ENTRAÎNEMENT

| Charge | Nombre de répétitions par série | Nombre de séries par exercice | Nombre d'exercices par GM* | Repos entre les séries |
|--------|--------|--------|--------|--------|
| 70-100 % | 2-6 | 2-4 | 1 | 3-5 minutes |

*GM : groupe musculaire

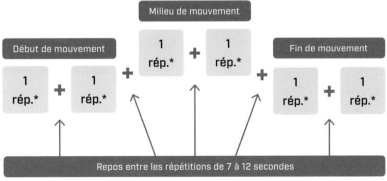

*1 rép. : 1 répétition (maintenir la charge 5 à 10 secondes)

# Technique #56

**Effort perçu**

**Effet sur l'hypertrophie**

**Effet sur la force et la puissance**

**Effet sur l'endurance musculaire**

**Expérience requise**

☐ Méthode d'accumulation

☑ Méthode d'intensification

---

 **Conseil du coach**

Idéalement, afin de limiter un épuisement du système nerveux, faites une technique sous forme de cluster durant au maximum 4 semaines, puis faites pendant les 4 semaines suivantes un entraînement plus traditionnel, enfin refaites une autre technique cluster pendant 4 semaines, etc.

---

# MAXIMUM CONTRACTION CLUSTER

## COMMENT L'APPLIQUER ?

Cette méthode est un agencement des techniques accentuated eccentric cluster (technique #54) et functional isometric cluster (technique #55). Prenez une charge correspondant à 80-90 % afin d'exécuter 5 répétitions (1 répétition à la fois). Trouvez-vous un partenaire qui exercera une pression sur la barre lors de la phase excentrique s'effectuant toujours en 5 secondes. Poussez ou tirez ensuite la barre à mi-chemin de la portion concentrique et prenez une pause isométrique de 5-10 secondes durant laquelle votre partenaire exercera à nouveau une pression supplémentaire, puis terminez la dernière portion concentrique. Une pause de 7 à 12 secondes est requise entre chaque répétition.

## AVANTAGE

→ Cette technique permet d'obtenir un meilleur travail total à haute intensité, car la charge imposée varie à l'intérieur d'une répétition en fonction des pressions imposées.

## DÉSAVANTAGE

→ Cette technique nécessite obligatoirement la présence d'un partenaire afin d'exercer les pressions supplémentaires excentrique et isométrique.

## TABLEAU D'ENTRAÎNEMENT

| Charge | Nombre de répétitions par série | Nombre de séries par exercice | Nombre d'exercices par GM* | Repos entre les séries |
|--------|--------------------------------|-------------------------------|----------------------------|------------------------|
| 87-92 % | 5 | 2-4 | 1 | 3-5 minutes |

*GM : groupe musculaire

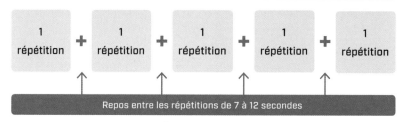

Phase excentrique : pression d'un partenaire durant 5 secondes.
Phase concentrique : première moitié libre, pause isométrique à mi-chemin de 5-10 secondes avec pression d'un partenaire, seconde moitié libre.

| 1 répétition | + | 1 répétition | + | 1 répétition | + | 1 répétition | + | 1 répétition |

Repos entre les répétitions de 7 à 12 secondes

CHAPITRE 3

# ENTRAÎNEMENT CONCENTRIQUE (EFFORTS RÉPÉTÉS)

# PROGRAMME D'ENTRAÎNEMENT

+ Intensité : **60-85 %**

+ Nombre de répétitions : **6 à 12 ou 15 à 50 secondes d'effort**

+ Nombre de séries maximales par groupe musculaire : **16**

+ Récupération : **1 à 3 minutes**

+ Vitesse d'exécution : **maximale en phase concentrique**

+ Nombre maximal de répétitions par groupe musculaire par séance : **200**

+ Nombre maximal de groupes musculaires par séance : **2**

+ Repos entre 2 séances : **24 à 48 heures**

## ENTRAÎNEMENT CONCENTRIQUE (EFFORTS RÉPÉTÉS)

Les techniques d'entraînement concentrique sont multiples. Ce sont les plus couramment utilisées dans les salles d'entraînement. Cette section présente le vaste éventail de méthodes qui s'offre à vous à des fins de diversité et de progression lors de la conception de vos programmes. J'encourage fortement les entraîneurs ou les kinésiologues à les intégrer progressivement lors de leurs entraînements personnels avant de les prescrire aux clients. Cela est nécessaire pour que vous compreniez bien la technique en elle-même, mais également pour vous permettre une expérimentation préalable afin d'être en mesure de mieux renseigner votre client sur la façon de l'utiliser et surtout dans une meilleure logique de prescription. Tenez pour acquis qu'une salle d'entraînement est un laboratoire qui se doit d'être utilisé afin d'expérimenter toutes les techniques que vous désirez appliquer et de donner le meilleur de vos connaissances à vos clients.

### Chaque répétition doit être parfaite

Un point important dans l'application des techniques de ce chapitre, et pour l'ensemble des autres techniques de ce livre n'ayant pas de mention spéciale au niveau de la vitesse d'exécution, est le tempo du mouvement, c'est-à-dire le contrôle de la phase excentrique ainsi que l'accélération lors de la phase concentrique. Faites-en l'essai pour en voir les bénéfices : prenez une séance où vous faites votre entraînement sans vous soucier de ces détails et refaites ce même entraînement une semaine plus tard, mais en contrôlant la portion excentrique en 2-3 secondes et en essayant d'accélérer la barre le plus rapidement possible dans la phase concentrique, et remarquez le niveau de difficulté et les courbatures dans les jours suivants. Vous n'avez même pas introduit de

techniques d'entraînement et vous verrez déjà une différence dans la fatigue musculaire infligée.

En entraînement, l'objectif n'est pas de faire simplement vos 6, 8 ou 15 répétitions, mais plutôt de faire vos 6, 8 et 15 répétitions de façon que chacune d'entre elles aille dans le sens de votre objectif, le pourquoi de votre entraînement. Si vous désirez développer votre puissance, chaque répétition doit donc être faite de façon à maximiser votre force ou votre vitesse. Si vous désirez développer votre masse musculaire, alors chaque répétition doit créer une fatigue de vos fibres musculaires qui exigera des adaptations musculaires (hypertrophie, hyperplasie) ultérieures. La majorité d'entre vous qui n'êtes pas conscients de ces éléments utilisent en fait seulement 1 à 2 répétitions par série qui vont dans le sens de votre objectif (majoritairement les 2 dernières répétitions qui sont plus difficiles). En fait, une répétition parfaite doit être constituée de trois éléments principaux à respecter : la phase excentrique en contrôle, la phase de transition excentrique-concentrique avec un léger rebond contrôlé et la phase concentrique en accélération maximale.

→ **Phase excentrique en deux à quatre secondes** : la phase excentrique procure une plus grande adaptation en hypertrophie musculaire que la phase concentrique. Il est donc important de ne pas la négliger. En fait, l'action musculaire excentrique est un stimulus nécessaire à la croissance musculaire. Elle permet une meilleure adaptation neurale, une plus grande force, un niveau de stress supérieur par unité motrice, un meilleur recrutement des fibres rapides et davantage de microdéchirures musculaires. Pour bien l'exécuter, il faut faire cette phase en 2 à 4 secondes, ne pas avoir de relâchement musculaire durant le mouvement et contracter les muscles ciblés (si vous faites un exercice pour le dos, vous ne devez pas sentir l'effort principalement sur vos biceps). Gardez en tête que, lorsque vous vous entraînez, vous ne soulevez pas des poids, vous contractez vos muscles contre une résistance. Une nuance qui fera toute la différence.

→ **Phase de transition excentrique-concentrique avec un léger rebond contrôlé** : durant cette transition, il est préférable d'activer ce qu'on appelle le réflexe d'étirement myotatique (préétirement). C'est un réflexe du système nerveux qui provoque une augmentation du recrutement des fibres rapides (de type II), générée par les fuseaux neuromusculaires qui sont des fibres spécialisées dans le muscle afin de le protéger de tout étirement fait trop rapidement. Ce recrutement provoqué des fibres rapides permet donc une fatigue plus grande sur celles-ci et conduira à de meilleurs gains musculaires. De plus, le préétirement ajoute les forces des composantes élastiques des tendons lors de la phase concentrique, procurant un avantage sur les charges pouvant être soulevées. Pour bien exécuter ce préétirement, vous devez exécuter le dernier quart de la phase excentrique de façon courte et rapide tout en vous assurant de contracter les muscles ciblés.

→ **Phase concentrique en accélération maximale** : la deuxième loi de Newton stipule que la force est égale à la masse (en kilogrammes) multipliée par l'accélération (en mètre carré par seconde). De ce fait, pour augmenter la force générée par les fibres musculaires, nous pouvons augmenter soit la masse soulevée, soit l'accélération de celle-ci. Plus la force demandée sera élevée, plus le nombre de fibres musculaires impliquées sera important afin de produire cette force totale, créant alors une fatigue plus grande sur les fibres impliquées. Pour ce faire, une des meilleures façons de produire une force maximale pour chacune des répétitions est de prendre une charge modérée à lourde et d'exécuter la phase concentrique le plus rapidement possible. Sachez que c'est l'intention d'accélérer la barre qui compte et non la vitesse de la barre. En faisant cela, le recrutement total des fibres à travers une série sera plus grand que lors d'une série qui ne tient pas compte de ce critère. Cette façon de procéder a également un nom : la technique d'accélération compensatoire (on accélère la charge afin de compenser l'utilisation d'une charge moins lourde).

En résumé, chaque répétition à faire à l'intérieur des techniques d'entraînement de cette section doit être accomplie de cette façon : contrôlez la charge en 2 à 4 secondes dans la phase excentrique, faites une transition rapide et contrôlée, puis accélérez la charge le plus possible. Si ce n'est pas déjà la façon dont vous vous entraînez, commencez par appliquer ce principe de base et ce sera un très bon début. Par la suite, vous pourrez introduire les techniques de cette section du livre.

# Technique #57

**Effort perçu**

▢▢▢▢▢

**Effet sur l'hypertrophie**

▢▢▢▢▢

**Effet sur la force et la puissance**

▢▢▢▢▢

**Effet sur l'endurance musculaire**

▢▢▢▢▢

**Expérience requise**

▢▢▢

✓ Méthode d'accumulation

☐ Méthode d'intensification

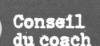 **Conseil du coach**

Cette répartition d'entraînement est idéale pour les débutants puisque leurs capacités musculaires ne sont pas suffisamment élevées pour supporter un trop grand volume d'entraînement. Ainsi, accomplir un seul exercice par groupe musculaire trois fois par semaine sera optimal pour eux. Après 6 à 8 semaines d'entraînement, ils pourront passer ensuite à une séquence de type push-pull.

# SPLIT TOUT LE CORPS

## COMMENT L'APPLIQUER ?

Cette méthode consiste à travailler tout le corps en à chacun de vos entraînements. Vous aurez donc à choisir un à deux exercices par groupe musculaire.

## AVANTAGES

→ Cette technique permet d'augmenter les adaptations musculaires sans imposer un trop grand volume d'entraînement.

→ Elle permet de favoriser la perte de masse adipeuse lorsque des exercices sollicitant de grandes masses musculaires sont sélectionnés.

→ Elle augmente le métabolisme suivant la fin de l'entraînement.

## DÉSAVANTAGE

→ Les sportifs avancés stagneront rapidement avec cette technique à cause du manque de volume par groupe musculaire. Ce type de split sera plus efficace pour eux s'il est utilisé pour des besoins de force musculaire (ex. : force en splits multiples, technique #24).

## TABLEAU D'ENTRAÎNEMENT

| Charge | Nombre de répétitions par série | Nombre de séries par exercice | Nombre d'exercices par GM* | Repos entre les séries |
|--------|--------|--------|--------|--------|
| 60-83 % | 6-20 | 2-4 | 1-2 | 1-2 minutes |

*GM : groupe musculaire

## EXEMPLE D'ENTRAÎNEMENT SUR TOUT LE CORPS POUR LES DÉBUTANTS

| Exercices | Séries | Répétitions | Repos |
|--------|--------|--------|--------|
| Développé couché | 3 | 8-10 | 90 s |
| Tirage horizontal avec 1 haltère | 3 | 8-10 | 90 s |
| Leg press | 3 | 8-10 | 90 s |
| Tirage horizontal à la poitrine | 3 | 8-10 | 90 s |
| Développé assis à la machine | 3 | 8-10 | 90 s |
| Extension des triceps à la poulie | 3 | 8-10 | 90 s |
| Flexion des coudes à la barre | 3 | 8-10 | 90 s |
| Crunchs avec charges | 3 | 8-10 | 90 s |

## Effort perçu

⬛⬛⬛▢▢

## Effet sur l'hypertrophie

⬛⬛⬛⬛▢

## Effet sur la force et la puissance

⬛⬛⬛⬛▢

## Effet sur l'endurance musculaire

⬛⬛▢▢▢

## Expérience requise

⬛⬛▢

☑ Méthode d'accumulation

☐ Méthode d'intensification

 **Conseil du coach**

Ce n'est pas parce que cette planification d'entraînement est sur deux jours que vous devez absolument vous entraîner deux jours par semaine. En fait, elle est très efficace lorsqu'elle est effectuée sur 4 jours d'entraînement (ex. : lundi, mardi, jeudi et vendredi). Vous ferez alors jour 1, jour 2, jour 1 et jour 2.

# SPLIT 2 JOURS

## COMMENT L'APPLIQUER ?

Cette technique consiste à fractionner vos séances d'entraînement en deux jours. Les techniques de push-pull (technique #60) et de split haut et bas du corps (technique #59) en font partie. La seule différence dans celle-ci est que des exercices du haut du corps (bras) sont inclus avec les exercices de jambes. La répartition des groupes musculaires se fera comme ceci :

→ **Jour 1** : entraînement des pectoraux, du dos, des épaules, des trapèzes et des abdominaux.

→ **Jour 2** : entraînement des quadriceps, des ischiojambiers, des mollets, des biceps et des triceps.

## AVANTAGE

→ Elle permet un entraînement fréquent de tous les groupes musculaires avec un peu plus de volume que la technique split tout le corps (technique #57).

## DÉSAVANTAGE

→ Aucun.

## TABLEAU D'ENTRAÎNEMENT

| Charge | Nombre de répétitions par série | Nombre de séries par exercice | Nombre d'exercices par GM* | Repos entre les séries |
|--------|--------------------------------|-------------------------------|----------------------------|------------------------|
| 66-83 % | 6-15 | 2-4 | 1-2 | 1-2 minutes |

*GM : groupe musculaire

## EXEMPLE DE SÉQUENCE POUR UN ENTRAÎNEMENT EN SPLIT SUR 2 JOURS

| | Exercices | Séries | Répétitions |
|---|-----------|--------|-------------|
| **JOUR 1** | Développé couché | 3 | 6-8 |
| | Cross-over | 3 | 8-10 |
| | Tirage lat pulldown | 3 | 6-8 |
| | Tirage horizontal à la poulie | 3 | 8-10 |
| | Tirage vertical avec haltères | 4 | 6-8 |
| | Shrugs avec haltères | 3 | 6-8 |
| | Crunchs avec charges | 4 | 10-12 |
| **JOUR 2** | Leg press | 3 | 6-8 |
| | Leg extension alterné | 3 | 10-12 |
| | Leg curl couché | 4 | 6-8 |
| | Mollets sur machine debout | 4 | 12-15 |
| | Flexion des coudes à la barre | 4 | 6-8 |
| | Extension des coudes couché | 3 | 6-8 |
| | Extension des coudes à la poulie | 3 | 6-8 |

# Technique #59

Effort perçu

▪▪▪▫▫

Effet sur l'hypertrophie

▪▪▪▪▫

Effet sur la force et la puissance

▪▪▪▪▫

Effet sur l'endurance musculaire

▪▪▫▫▫

Expérience requise

▪▪▪

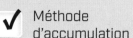 ✓ Méthode d'accumulation

☐ Méthode d'intensification

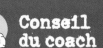 **Conseil du coach**

Pour les jours 1 et 3, lorsque vous désirez développer votre force musculaire, faites comme la majorité des dynamophiles : mettez l'accent sur le squat le jour 1 (avec des exercices de quadriceps en complément) et sur le soulevé de terre le jour 3 (avec des exercices sur les ischiojambiers en complément).

# SPLIT HAUT ET BAS DU CORPS

## COMMENT L'APPLIQUER ?

Cette méthode divise les entraînements avec des exercices qui travaillent le bas du corps et ceux qui travaillent le haut du corps. Elle est intéressante autant dans un souci de développement de la masse musculaire que dans le développement de la force musculaire, car elle permet de travailler ces régions musculaires deux fois par semaine.

## AVANTAGES

→ Elle est facile à planifier et à exécuter.

→ Elle est idéale pour les débutants en entraînement ou pour celles et ceux qui veulent s'initier à l'entraînement de la force musculaire.

→ Plusieurs dynamophiles utilisent ce style de planification d'entraînement en version avancée, comme avec la méthode Westside (technique #47).

## DÉSAVANTAGE

→ Elle ne permet pas de faire un gros volume d'entraînement par groupe musculaire.

## TABLEAU D'ENTRAÎNEMENT

| Charge | Nombre de répétitions par série | Nombre de séries par exercice | Nombre d'exercices par GM* | Repos entre les séries |
|--------|--------|--------|--------|--------|
| 70-90 % | 3-12 | 2-4 | 1-3 | 1-3 minutes |

*GM : groupe musculaire

### JOURS #1 ET #3

entraînement du bas du corps

### JOURS #2 ET #4

entraînement du haut du corps

Effort perçu

Effet sur l'hypertrophie

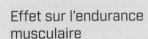

Effet sur la force et la puissance

Effet sur l'endurance musculaire

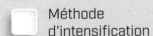

Expérience requise

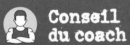

✓ Méthode d'accumulation

☐ Méthode d'intensification

## Conseil du coach

Accomplissez la première journée de poussée avec les exercices de jambes et, lors de la deuxième journée, commencez avec les exercices de développé couché.

# PUSH-PULL TRAINING

## COMMENT L'APPLIQUER ?

Cette méthode divise les entraînements avec des exercices qui incluent une poussée (éloigner un poids du corps, le push) et ceux qui incluent un tirage (rapprocher un poids du corps, le pull). Par exemple :

1. **Exercices en poussée** : développé couché (avec barre, à la machine, avec haltères), développé assis (avec barre, à la machine, avec haltères), dips, leg press, squat, flexion des mollets debout à la machine, etc.
2. **Exercices en tirage** : soulevé de terre, leg curl (couché, assis, debout), tirage horizontal (avec barre, à la poulie, avec haltères), curl (à la barre, aux haltères, à la machine), pull-up, chin-up, etc.

## AVANTAGES

→ Elle permet de travailler plusieurs fois par semaine un groupe musculaire.
→ Elle est idéale pour les débutants en entraînement.

## DÉSAVANTAGE

→ Elle ne permet pas de faire un gros volume d'entraînement par groupe musculaire.

## TABLEAU D'ENTRAÎNEMENT

| Charge | Nombre de répétitions par série | Nombre de séries par exercice | Nombre d'exercices par GM* | Repos entre les séries |
|---|---|---|---|---|
| 70-90 % | 3-12 | 2-4 | 1-3 | 1-3 minutes |

*GM : groupe musculaire

### JOURS #1 ET #3

entraînement en poussée

### JOURS #2 ET #4

entraînement en tirage

# Technique #61

**Effort perçu**

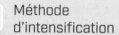

**Effet sur l'hypertrophie**

**Effet sur la force et la puissance**

**Effet sur l'endurance musculaire**

**Expérience requise**

☑ Méthode d'accumulation

☐ Méthode d'intensification

---

## Conseil du coach

Dans cette technique de planification d'entraînement, choisissez de préférence trois exercices pour les grands groupes musculaires (pectoraux, quadriceps, dos, haut du dos, ischiojambiers) et deux exercices pour les plus petits groupes musculaires (triceps, biceps, trapèzes, mollets, abdominaux, avant-bras).

---

# SPLIT 3 JOURS

## COMMENT L'APPLIQUER ?

Cette technique consiste à fractionner vos séances d'entraînement en trois jours. La technique du squat-développé-deadlift split (technique #48) en fait partie. La seule différence dans celle-ci est que les exercices sont divisés selon leur fonction et non selon les levées de dynamophilie. La répartition des groupes musculaires se fera comme ceci :

1. **Jour 1 (pousser, haut du corps)** : entraînement des pectoraux, des épaules, des trapèzes et des triceps.
2. **Jour 2 (bas du corps)** : entraînement des quadriceps, des ischiojambiers, des fessiers et des mollets.
3. **Jour 3 (tirer, haut du corps)** : entraînement du dos, du haut du dos, des biceps, des avant-bras et des abdominaux.

## AVANTAGE

→ Elle permet un plus grand volume d'exercices que le split à une ou deux journées.

## DÉSAVANTAGE

→ Aucun.

## TABLEAU D'ENTRAÎNEMENT

| Charge | Nombre de répétitions par série | Nombre de séries par exercice | Nombre d'exercices par GM* | Repos entre les séries |
|---|---|---|---|---|
| 66-83 % | 6-15 | 2-4 | 1-3 | 1-2 minutes |

*GM : groupe musculaire

## EXEMPLE D'UN FRACTIONNEMENT DE L'ENTRAÎNEMENT SUR 3 JOURS

| Exercices | | | Séries | Rép.* |
|---|---|---|---|---|
| Jour 1 | Jour 2 | Jour 3 | | |
| Développé couché | Squat | Pull-up | 3 | 8-10 |
| Développé incliné avec haltère | Leg press | Tirage horizontal à la poulie | 3 | 8-10 |
| Écarté couché | Lunges en marchant | Tirage horizontal avec haltère en appui sur banc | 3 | 8-10 |
| Développé assis à la machine | Soulevé de terre roumain avec une barre | Tirage à la poitrine avec barre sur poulie | 3 | 8-10 |
| Tirage vertical avec haltère | Leg curl couché | Élévation arrière penchée | 3 | 8-10 |
| Élévation latérale | Abduction des hanches à la machine | Flexion des coudes à la barre au banc scott | 3 | 8-10 |
| Shrugs avec la barre | Extension de la hanche à la poulie basse | Flexion des coudes en prise neutre avec haltères | 3 | 8-10 |
| Extension des coudes au-dessus de la tête | Mollets à la machine debout | Flexion des poignets avec une barre | 3 | 8-10 |
| Extension des coudes à la poulie haute | Mollets à la machine assis | Crunchs à la poulie haute avec la corde | 3 | 8-10 |

*1 rép. : 1 répétition

## Technique #62

Effort perçu

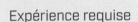

Effet sur l'hypertrophie

Effet sur la force et la puissance

Effet sur l'endurance musculaire

Expérience requise

☑ Méthode d'accumulation

☐ Méthode d'intensification

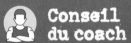

### Conseil du coach

Dans cette technique de planification d'entraînement, choisissez de préférence trois exercices pour les grands groupes musculaires (pectoraux, quadriceps, dos, haut du dos, ischiojambiers) et deux exercices pour les plus petits groupes musculaires (triceps, biceps, trapèzes, mollets, avant-bras).

# PUSH-PULL-ISOLATION TRAINING

## COMMENT L'APPLIQUER ?

Cette technique est dérivée du push-pull training (technique #60), utilisé majoritairement pour développer la force musculaire, mais dans lequel les exercices d'isolation sont très peu réalisés. Cette technique a donc davantage pour but de favoriser l'hypertrophie musculaire par l'introduction de mouvements complémentaires aux mouvements de base. Vous entraînerez, comme pour le push-pull training, vos muscles deux fois par semaine.

## AVANTAGES

→ Elle permet de stimuler les groupes musculaires deux fois par semaine, ce qui conduit à de très bons gains en hypertrophie musculaire.

→ Elle permet de développer de la force lors des deux premières séances d'entraînement.

## DÉSAVANTAGE

→ Aucun.

## TABLEAU D'ENTRAÎNEMENT

| Charge | Nombre de répétitions par série | Nombre de séries par exercice | Nombre d'exercices par GM* | Repos entre les séries |
|---|---|---|---|---|
| Jours 1-2 : 74-88 % Jours 3-4 : 60-74 % | Jours 1-2 : 4-10 Jours 3-4 : 10-20 | 2-4 | 1-4 | 1-2 minutes |

*GM : groupe musculaire

### JOUR #1 - PUSH

Pectoraux, quadriceps, épaules, triceps, mollets, abdominaux

### JOUR #2 - PULL

Dos, haut du dos, biceps, avant-bras, ischiojambiers, trapèzes

### JOUR #3 - ISOLATION 1

Pectoraux, quadriceps, épaules, triceps, mollets, abdominaux

### JOUR #4 - ISOLATION 2

Dos, haut du dos, biceps, avant-bras, ischiojambiers, trapèzes

Effort perçu

■ ■ □ □ □

Effet sur l'hypertrophie

■ ■ ■ □ □

Effet sur la force et la puissance

■ ■ ■ □ □

Effet sur l'endurance musculaire

■ ■ □ □ □

Expérience requise

■ ■ ■

✓ Méthode d'accumulation

☐ Méthode d'intensification

## Conseil du coach

C'est une planification d'entraînement qui permet un rapport optimal entre le nombre de journées d'entraînement et le nombre de journées de repos. Une des excellentes façons de planifier le tout dans la semaine est de s'entraîner les jours suivants : le lundi, le mardi, le jeudi et le samedi.

# SPLIT 4 JOURS

## COMMENT L'APPLIQUER ?

Cette technique consiste à fractionner vos séances d'entraînement en quatre jours. Plusieurs choix sont alors possibles dans la répartition des journées. Vous pouvez combiner les groupes musculaires complémentaires (ex. : pectoraux et triceps ; dos et biceps ; quadriceps et ischiojambiers ; épaules et trapèzes), les exercices antagonistes (ex. : pectoraux et haut du dos ; quadriceps et ischiojambiers ; dos et épaules ; triceps et biceps) ou bien combiner un grand groupe musculaire avec un petit groupe (pectoraux et biceps ; dos et épaules ; quadriceps et triceps ; haut du dos et ischiojambiers).

## AVANTAGES

→ Elle permet de travailler les groupes musculaires avec un plus grand volume que les splits sur une, deux ou trois journées.
→ Elle est idéale pour les sportifs avancés en musculation.

## DÉSAVANTAGE

→ Aucun.

## TABLEAU D'ENTRAÎNEMENT

| Charge | Nombre de répétitions par série** | Nombre de séries par exercice** | Nombre d'exercices** par GM* | Repos entre les séries |
|---|---|---|---|---|
| 66-83 % | 6-15 | 2-4 | 1-3 | 1-2 minutes |

*GM : groupe musculaire

## EXEMPLE DE PLANIFICATION D'ENTRAÎNEMENT SUR 4 JOURS EN COMBINAISONS ANTAGONISTES

| Exercices | | | | S | R |
|---|---|---|---|---|---|
| Jour 1 pectoraux-haut du dos | Jour 2 quadriceps-ischiojambiers | Jour 3 dos-épaules | Jour 4 triceps-biceps | | |
| Développé incliné | Squat | Pull-up | Développé couché en prise rapprochée | 4 | 6-8 |
| Développé couché avec haltères | Leg press | Tirage à l'abdomen à un bras avec haltère | Extension des coudes couché avec haltères | 3 | 8-10 |
| Presse pectorale | Step-up | Tirage horizontal assis à la poulie | Dips | 3 | 8-10 |
| Pec deck | Leg extension | Extension des épaules bras tendus à la poulie | Extension des coudes à la poulie haute avec la corde | 3 | 12-15 |
| Tirage à la poitrine avec barre à la poulie | Soulevé de terre roumain | Développé debout | Flexion des coudes en supination avec la barre | 4 | 6-8 |
| Tirage à la poitrine à un bras avec haltère | Leg curl assis | Développé assis avec haltères | Flexion des coudes en prise neutre avec haltères | 3 | 8-10 |
| Tirage inversé à la machine Smith | Leg curl couché | Tirage vertical avec barre | Flexion des coudes en supination à la machine | 3 | 8-10 |
| Élévation arrière penché | Nordic leg curl | Élévation latérale | Flexion des coudes en pronation avec barre | 3 | 12-15 |

S : séries, R : répétitions

Effort perçu

� ▪ ▪ ▫ ▫ ▫

Effet sur
l'hypertrophie

▪ ▪ ▪ ▫ ▫

Effet sur la force
et la puissance

▪ ▪ ▪ ▫ ▫

Effet sur l'endurance
musculaire

▪ ▪ ▫ ▫ ▫

Expérience requise

▪ ▪ ▫

✓ Méthode
d'accumulation

☐ Méthode
d'intensification

### Conseil du coach

La majorité des entraînements négligent l'entraînement unilatéral. Cette technique permettra d'éviter un déséquilibre dans la force et la masse musculaire entre les deux côtés de votre corps. Elle permettra ainsi d'assurer une meilleure symétrie du corps tout en profitant du léger avantage de force que procure l'entraînement d'un membre à la fois.

# ENTRAÎNEMENT UNILATÉRAL

## COMMENT L'APPLIQUER ?

Cette technique consiste à utiliser des exercices qui ciblent seulement un côté du corps à la fois. Vous pouvez intégrer ensuite les techniques que vous désirez (ex. : supersérie agoniste, série brûlante, etc.). Votre entraînement sera réparti sur 4 jours :

→ **Jour 1** : haut du corps, côté droit ;
→ **Jour 2** : haut du corps, côté gauche ;
→ **Jour 3** : bas du corps, côté droit ;
→ **Jour 4** : bas du corps, côté gauche.

## AVANTAGES

→ Vous produisez plus de force lorsque vous travaillez un côté à la fois. Cette technique potentialise alors cet effet.
→ Le côté en repos reçoit la stimulation nerveuse de l'augmentation de l'apport sanguin occasionnée par le travail de l'autre côté, favorisant la croissance musculaire.

## DÉSAVANTAGE

→ Aucun.

## TABLEAU D'ENTRAÎNEMENT

| Charge | Nombre de répétitions par série | Nombre de séries par exercice | Nombre d'exercices par GM* | Repos entre les séries |
|---|---|---|---|---|
| 70-83 % | 6-12 | 2-4 | 2-5 | 1-2 minutes |

*GM : groupe musculaire

### JOUR #1 - CÔTÉ DROIT

Pectoraux, épaules, trapèzes, triceps, dos, biceps

### JOUR #2 - CÔTÉ GAUCHE

Pectoraux, épaules, trapèzes, triceps, dos, biceps

### JOUR #3 - CÔTÉ DROIT

Quadriceps, ischiojambiers, fessiers, mollets

### JOUR #4 - CÔTÉ GAUCHE

Quadriceps, ischiojambiers, fessiers, mollets

# Technique #65

## Effort perçu

▪ ▪ ▪ ▪ ▪

## Effet sur l'hypertrophie

▪ ▪ ▪ ▪ ▪

## Effet sur la force et la puissance

▪ ▪ ▪ ▪ ▪

## Effet sur l'endurance musculaire

▪ ▪ ▪ ▪ ▪

## Expérience requise

▪ ▪ ▪

☑ Méthode d'accumulation

☐ Méthode d'intensification

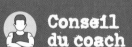 **Conseil du coach**

C'est l'une des planifications d'entraînement qui m'a procuré le plus de gains en termes de masse et de force musculaires. Essayez toutefois de minimiser le temps que vous passerez dans la salle d'entraînement puisque vous vous entraînerez plus fréquemment. Évitez, de ce fait, d'excéder les 90 minutes par séance d'entraînement.

# SPLIT 5 JOURS

## COMMENT L'APPLIQUER ?

Cette technique consiste à fractionner vos séances d'entraînement en cinq jours. Vous pouvez utiliser le split 4 jours (technique #63) et ajouter une cinquième journée pour travailler les groupes musculaires négligés (ex. : abdominaux, mollets, fessiers, avant-bras, trapèzes) ou pour répéter un travail sur un groupe musculaire plus faible (ex. : travailler au jour 5 les pectoraux et les épaules une deuxième fois).

## AVANTAGES

→ Elle permet d'utiliser un très haut volume d'entraînement par groupe musculaire (jusqu'à 16 séries totales par groupe musculaire) si vous choisissez de travailler un seul groupe musculaire par jour.

→ Elle permet de travailler tout le corps sans mettre de côté certains groupes musculaires.

## DÉSAVANTAGE

→ Il faut avoir la possibilité de s'entraîner cinq fois dans la semaine.

## TABLEAU D'ENTRAÎNEMENT

| Charge | Nombre de répétitions par série | Nombre de séries par exercice | Nombre d'exercices par GM* | Repos entre les séries |
|---|---|---|---|---|
| 66-83 % | 6-15 | 2-4 | 3-5 | 1-2 minutes |

*GM : groupe musculaire

| Exemple de planification d'entraînement sur 5 jours que je préconise en général | | | | |
|---|---|---|---|---|
| Jour 1 | Jour 2 | Jour 3 | Jour 4 | Jour 5 |
| Pectoraux | Quadriceps | Dos | Fessiers | Haut du dos |
| Biceps | Abdominaux | Épaules | Triceps | Ischiojambiers |

| Exemple de planification d'entraînement optimal sur 5 jours (plus long) | | | | |
|---|---|---|---|---|
| Jour 1 | Jour 2 | Jour 3 | Jour 4 | Jour 5 |
| Pectoraux | Quadriceps | Dos | Fessiers | Haut du dos |
| Biceps | Abdominaux | Épaules | Triceps | Ischiojambiers |
| Avant-bras | Mollets | Trapèzes | Adducteurs de la hanche | Lombaires |

## Effort perçu

## Effet sur l'hypertrophie

## Effet sur la force et la puissance

## Effet sur l'endurance musculaire

## Expérience requise

✓ Méthode d'accumulation

☐ Méthode d'intensification

 **Conseil du coach**

C'est une technique que j'apprécie et qui procure de bons résultats rapidement. Une façon de faire ce type de technique serait de répartir l'entraînement en trois jours, soit une journée push, une journée pull et une journée bas du corps qui s'entremêlent sur quatre jours consécutifs (voir l'exemple).

# BACK-TO-BACK TRAINING

### COMMENT L'APPLIQUER ?

Dans cette technique, vous devrez entraîner le ou les mêmes groupes musculaires sur deux jours consécutifs. Le premier entraînement devra être accompli avec des charges lourdes (6 à 10 répétitions) et le second entraînement avec des charges plus légères (15-20 répétitions). Lors du premier entraînement, ajoutez des techniques qui rendront ce dernier très intense, telles que des dropsets, des doubles dropsets et des pauses-repos, et cumulez entre 12 et 16 séries par groupe musculaire en vous assurant d'atteindre l'échec musculaire à chaque série. Lors du deuxième entraînement, accomplissez entre 6 et 8 séries par groupe musculaire et ne recherchez pas l'échec musculaire.

### AVANTAGE

→ Elle permet d'apporter une augmentation de l'afflux sanguin (riche en acides aminés, en glucose, en testostérone, en hormone de croissance) aux muscles endommagés le lendemain de la séance, favorisant alors la récupération musculaire.

### DÉSAVANTAGE

→ Il faut avoir la possibilité de s'entraîner sur deux jours consécutifs.

### TABLEAU D'ENTRAÎNEMENT

| Charge | Nombre de répétitions par série** | Nombre de séries par exercice** | Nombre d'exercices** par GM* | Repos entre les séries |
|---|---|---|---|---|
| 60-83 % | 1re : 6-10<br>2e : 15-20 | 1re : 3-4<br>2e : 2-3 | 1re : 3-4<br>2e : 2-3 | 2-4 minutes |

*GM : groupe musculaire **Selon la première ou la deuxième séance

### LUNDI
Pectoraux, épaules, triceps (6-10 rép.*)
+
abdominaux au choix

### MARDI
Dos, haut du dos, biceps (6-10 rép.*)
+ pectoraux, épaules, triceps
(15-20 rép.*)

### MERCREDI
Bas du corps (6-10 rép.*)
+
dos, haut du dos, biceps (15-20 rép.*)

### JEUDI
Bas du corps (15-20 rép.*)
+
abdominaux au choix

*1 rép. : 1 répétition

# Technique #67

Effort perçu

Effet sur l'hypertrophie

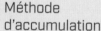

Effet sur la force et la puissance

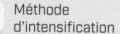

Effet sur l'endurance musculaire

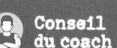

Expérience requise

☑ Méthode d'accumulation

☐ Méthode d'intensification

## Conseil du coach

Puisque vous ferez le même entraînement deux fois dans la journée, je vous suggère d'inverser l'ordre des exercices lors de la deuxième séance. De ce fait, vous commencerez avec des exercices d'isolation et terminerez avec des exercices de base. Cela aide à empêcher la monotonie.

# TWICE-A-DAY TRAINING

## COMMENT L'APPLIQUER ?

Cette méthode est similaire au back-to-back training (technique #66), à la différence que le temps de repos entre les deux séances est plus court (6 à 8 heures d'écart par rapport à 24 heures dans le back-to-back training). Vous devrez donc vous entraîner soit le matin et l'après-midi, soit le matin et le soir, soit l'après-midi et le soir. Le premier entraînement devra être accompli avec des charges lourdes (6 à 10 répétitions) et le second entraînement avec des charges plus légères (15 à 20 répétitions).

## AVANTAGE

→ Elle permet d'apporter une augmentation de l'afflux sanguin (riche en acides aminés, en glucose, en testostérone, en hormone de croissance) aux muscles endommagés peu de temps après le début de la récupération musculaire, favorisant alors une meilleure croissance musculaire.

## DÉSAVANTAGE

→ Il faut avoir la possibilité de s'entraîner deux fois dans la même journée.

## TABLEAU D'ENTRAÎNEMENT

| Charge | Nombre de répétitions par série** | Nombre de séries par exercice** | Nombre d'exercices** par GM* | Repos entre les séries |
|--------|-----------------------------------|--------------------------------|------------------------------|------------------------|
| 60-83 % | 1re : 6-10<br>2e : 15-20 | 1re : 3-4<br>2e : 2-3 | 1re : 3-4<br>2e : 2-3 | 2-4 minutes |

*GM : groupe musculaire **Selon la première ou la deuxième séance

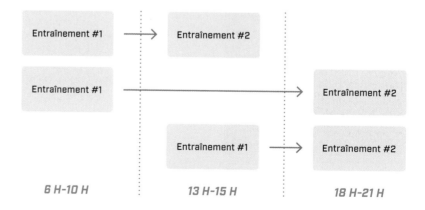

## Technique #68

**Effort perçu**

▮ ▮ ▯ ▯ ▯

**Effet sur l'hypertrophie**

▮ ▮ ▮ ▯ ▯

**Effet sur la force et la puissance**

▮ ▮ ▯ ▯ ▯

**Effet sur l'endurance musculaire**

▮ ▮ ▯ ▯ ▯

**Expérience requise**

▮ ▯ ▯

☑ Méthode d'accumulation

☐ Méthode d'intensification

### Conseil du coach

Pour les exercices d'échauffement des stabilisateurs de l'omoplate, vous pouvez maintenir un tempo relativement lent de l'ordre de 3-0-3-0. Toutefois, je préconise un tempo de 3-0-1-0 afin d'activer davantage de fibres dans les muscles ciblés.

# SÉRIE SOUS-MAXIMALE

### COMMENT L'APPLIQUER ?

Vous devez exécuter une série avec une charge quelconque et vous arrêter avant l'échec musculaire. Par exemple, si vous vous basez sur 10 RM et faites seulement 6 ou 8 répétitions, vous êtes en série sous-maximale. L'atteinte de 10 répétitions à 10 RM sera toutefois nommée une série jusqu'à l'échec.

### AVANTAGES

→ Chez les débutants, l'entraînement sous-maximal peut conduire à des gains en force et en masse musculaire[15].

→ Il permet un travail musculaire lors de la réadaptation d'un muscle lésé, diminuant alors les tensions à l'intérieur de ce dernier par souci de progression.

### DÉSAVANTAGE

→ Étant donné la faible fatigue musculaire et nerveuse occasionnée par cette technique, le développement de diverses qualités musculaires est limité. Toutefois, certaines techniques d'entraînement font appel aux séries sous-maximales (ex. : entraînement allemand à haut volume)

### TABLEAU D'ENTRAÎNEMENT

| Charge | Nombre de répétitions par série | Nombre de séries par exercice | Nombre d'exercices par GM* | Repos entre les séries |
|--------|--------------------------------|-------------------------------|----------------------------|------------------------|
| Au choix | 1-20 | 2-4 | 2-3 | 15-60 secondes |

*GM : groupe musculaire

Dans cette technique, vous pouvez utiliser une faible charge afin de travailler votre système cardio-vasculaire par le biais d'exercices musculaires. Le principe du Tabata en est un bon exemple : exécutez pendant 20 secondes un exercice avec une charge sous-maximale, puis prenez 10 secondes de récupération. Répétez cette séquence 8 à 10 fois. La charge sous-maximale vous permettra alors de répéter un bon nombre de fois le mouvement sans qu'une fatigue musculaire trop importante se fasse sentir. Des sauts sur boîte à une hauteur inférieure de votre capacité en est un exemple.

**Effort perçu**

▪ ▪ ▪ ▫ ▫

**Effet sur l'hypertrophie**

▪ ▪ ▪ ▫ ▫

**Effet sur la force et la puissance**

▪ ▪ ▪ ▪ ▫

**Effet sur l'endurance musculaire**

▪ ▪ ▪ ▫ ▫

**Expérience requise**

▪ ▪ ▪

✓ Méthode d'accumulation

☐ Méthode d'intensification

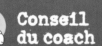

## Conseil du coach

Débutez toujours une répétition que vous pourrez compléter avec ou sans partenaire. Une stagnation trop longue dans une répétition sera très exigeante pour votre système nerveux et diminuera la qualité des séries suivantes.

# SÉRIE JUSQU'À L'ÉCHEC

## COMMENT L'APPLIQUER ?

Cette technique est aussi appelée méthode traditionnelle. Il suffit de faire des répétitions jusqu'à l'échec (en RM). De façon générale, pour un exercice, un débutant fera de 2 à 4 séries de 12 à 15 répétitions ; un intermédiaire fera de 3 à 5 séries de 6 à 12 répétitions ; et un avancé fera de 4 à 6 séries de 1 à 6 répétitions.

## AVANTAGES

→ Elle permet d'atteindre l'échec musculaire en créant une fatigue localisée sur les fibres sollicitées lors d'un exercice (contrairement à une série sous-maximale).

→ Elle est simple et facile à utiliser.

→ Elle permet un développement de la force et de la puissance chez les individus avancés en musculation[7].

## DÉSAVANTAGES

→ Elle est monotone.

→ Le corps s'adapte rapidement.

→ Elle nécessite l'assistance d'un partenaire afin de ne pas rester bloqué sous la barre lors de certains exercices.

## TABLEAU D'ENTRAÎNEMENT

| Charge | Nombre de répétitions par série | Nombre de séries par exercice | Nombre d'exercices par GM* | Repos entre les séries |
|--------|--------------------------------|-------------------------------|----------------------------|------------------------|
| 66-100 % | 1-15 | 2-6 | 2-3 | 1-3 minutes |

*GM : groupe musculaire

Cette technique est la plus utilisée dans les salles de musculation depuis des années en raison du manque de connaissances des autres techniques chez les amateurs et les entraîneurs. Ce ne sera toutefois pas votre cas à la suite de la lecture de ce livre. Puisque cette technique implique un échec musculaire en fin de série, ayez toujours le réflexe de demander une surveillance sur des levées où vous risquez de rester bloqué (ex. : développé couché ou squat). Cela améliorera du même coup votre confiance pour effectuer les dernières répétitions de votre série.

Effort perçu

▪ ▪ ▫ ▫ ▫

Effet sur l'hypertrophie

▪ ▪ ▪ ▫ ▫

Effet sur la force et la puissance

▪ ▪ ▪ ▫ ▫

Effet sur l'endurance musculaire

▪ ▪ ▪ ▫ ▫

Expérience requise

▪ ▪ ▫

✓ Méthode d'accumulation

☐ Méthode d'intensification

### Conseil du coach

Ne vous arrêtez pas au nombre de répétitions exigé. Si vous êtes en mesure de faire 7 répétitions avec votre charge de 6 RM de la semaine dernière, faites-le. Dès que vous êtes en mesure de faire 2 répétitions de plus qu'exigé, augmentez votre charge.

# HYPERTROPHIE 12-10-8-6

## COMMENT L'APPLIQUER ?

Cette méthode est l'une des plus anciennes et la plus couramment utilisée par les entraîneurs chez des clients débutants. Elle consiste à exécuter simplement 4 séries totales, soit une à 12, une à 10, une à 8 et une à 6 RM tout en faisant progresser les charges.

## AVANTAGES

→ Elle permet d'atteindre l'échec musculaire en créant une fatigue localisée sur les fibres sollicitées lors d'un exercice (contrairement à une série sous-maximale).

→ Elle est idéale pour les débutants en entraînement.

→ Elle est simple et facile à utiliser.

## DÉSAVANTAGES

→ Elle est monotone.

→ Le corps s'adapte rapidement.

→ Elle nécessite l'assistance d'un partenaire afin de ne pas rester bloqué sous la barre lors de certains exercices.

## TABLEAU D'ENTRAÎNEMENT

| Charge | Nombre de répétitions par série | Nombre de séries par exercice | Nombre d'exercices par GM* | Repos entre les séries |
|---|---|---|---|---|
| 70-83 % | 12, 10, 8, 6 | 4 | 1-4 | 1-3 minutes |

*GM : groupe musculaire

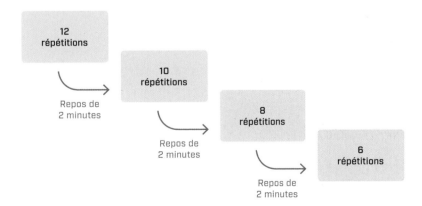

# Technique #71

Effort perçu

■ ■ ■ ■ □

Effet sur l'hypertrophie

■ ■ ■ ■ □

Effet sur la force et la puissance

■ ■ ■ □ □

Effet sur l'endurance musculaire

■ ■ ■ □ □

Expérience requise

■ ■ □

✓ Méthode d'accumulation

☐ Méthode d'intensification

### Conseil du coach

Pour augmenter la variété dans vos superséries, intégrez des exercices à caractère explosif (potentialisation), dans une situation instable (activation) ou des mouvements à haute vitesse avec des élastiques (métabolique, technique #79) !

## SUPERSÉRIE AGONISTE

### COMMENT L'APPLIQUER ?

Cette technique est également appelée dans les salles d'entraînement un superset (de l'anglais). Elle consiste à exécuter sans temps de repos deux exercices lors desquels un même groupe musculaire est sollicité à deux reprises. Les méthodes de préfatigue, de postfatigue et de dropset sont également des exemples de supersérie agoniste.

### AVANTAGE

→ Elle crée une grande fatigue musculaire occasionnée par une implication subséquente du ou des mêmes groupes musculaires.

### DÉSAVANTAGE

→ C'est une technique de base qui a fait ses preuves chez les débutants, mais qui doit rapidement être remplacée par les techniques de préfatigue et de postfatigue, beaucoup plus efficaces afin de rééquilibrer les chaînons faibles d'un groupe musculaire.

### TABLEAU D'ENTRAÎNEMENT

| Charge | Nombre de répétitions par série | Nombre de séries par exercice | Nombre d'exercices par GM* | Repos entre les séries |
|---|---|---|---|---|
| 70-83 % | 6-12 | 2-4 | 1-3 superséries | 2-3 minutes |

*GM : groupe musculaire

Développé couché avec barre → Développé couché avec haltères

**Effort perçu**

▪▪▪▫▫

**Effet sur l'hypertrophie**

▪▪▪▫▫

**Effet sur la force et la puissance**

▪▪▪▫▫

**Effet sur l'endurance musculaire**

▪▪▪▫▫

**Expérience requise**

▪▪▫

☑ Méthode d'accumulation

☐ Méthode d'intensification

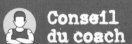

## Conseil du coach

La majorité des gens tiennent pour acquis que les pectoraux et les grands dorsaux [« lats »] sont des antagonistes. C'est FAUX ! Le grand pectoral et le grand dorsal sont tous les deux des rotateurs internes de l'épaule. De ce fait, veillez donc à faire vos pectoraux en combinaison avec votre haut de dos [trapèzes moyens, rhomboïdes] et vos épaules avec vos « lats » !

# SUPERSÉRIE ANTAGONISTE

## COMMENT L'APPLIQUER ?

Cette méthode consiste à exécuter sans temps de repos deux exercices aux mouvements opposés d'une articulation (ex. : biceps/triceps, haut du dos/pectoraux, grands dorsaux/épaules, adducteurs/abducteurs de la hanche, quadriceps/ischiojambiers, fléchisseurs/extenseurs des poignets).

## AVANTAGES

→ Elle rentabilise le temps passé en salle d'entraînement en diminuant le temps de repos total à l'intérieur d'une séance.

→ Elle assure l'équilibre musculaire d'une articulation en offrant un travail égal des muscles opposés.

→ Elle est simple et très facile à intégrer dans vos séances d'entraînement. Finies les séances de plus de 2 heures !

## DÉSAVANTAGE

→ Elle ne permet pas une fatigue musculaire très prononcée sur chaque groupe musculaire.

## TABLEAU D'ENTRAÎNEMENT

| Charge | Nombre de répétitions par série | Nombre de séries par exercice | Nombre d'exercices par GM* | Repos entre les séries |
|---|---|---|---|---|
| 70-83 % | 6-12 | 2-4 | 1-4 superséries | 2-3 minutes |

*GM : groupe musculaire

Dans cette technique, les charges peuvent varier de 70 à 83 % pour chaque exercice. Si vous choisissez d'accomplir 12 répétitions, vous utiliserez une charge de 70 % en moyenne tandis qu'une charge de 83 % vous limitera à 6 répétitions. La sélection du nombre de répétitions à accomplir reste un choix personnel. Toutefois, si vous êtes débutant, vous ferez seulement 2 ou 3 séries d'une seule supersérie tandis qu'un individu intermédiaire ou avancé pourra faire 3 ou 4 séries de 3 superséries différentes. Également, le temps de repos entre les séries variera en fonction de la charge utilisée et de votre forme physique (70 % : 1-2 minutes et 83 % : 2-3 minutes).

# Technique #73

Effort perçu

▢▢▢▢▢

Effet sur
l'hypertrophie

▢▢▢▢▢

Effet sur la force
et la puissance

▢▢▢▢▢

Effet sur l'endurance
musculaire

▢▢▢▢▢

Expérience requise

▢▢▢

☑ Méthode
d'accumulation

☐ Méthode
d'intensification

## Conseil du coach

Je pratique souvent ce type de supersérie avec mes athlètes afin de travailler leur core (abdominaux et lombaires) plus efficacement, car ils ont tendance à ne pas les faire en fin d'entraînement (ex. : développé couché suivi de crunchs avec charges).

# SUPERSÉRIE SYNERGISTE

## COMMENT L'APPLIQUER ?

Cette méthode consiste à exécuter sans temps de repos deux exercices dans lesquels les groupes musculaires sollicités sont voisins (ex. : quadriceps et adducteurs de la hanche, pectoraux et coiffe des rotateurs, biceps et épaules).

## AVANTAGES

→ Elle rentabilise le temps passé en salle d'entraînement en diminuant le temps de repos total à l'intérieur d'une séance.

→ Elle permet de travailler des régions sous-stimulées ou qui ne seraient tout simplement pas entraînées.

→ Elle est simple et très facile à intégrer dans vos séances d'entraînement.

## DÉSAVANTAGE

→ Aucun.

## TABLEAU D'ENTRAÎNEMENT

| Charge | Nombre de répétitions par série | Nombre de séries par exercice | Nombre d'exercices par GM* | Repos entre les séries |
|--------|--------------------------------|-------------------------------|----------------------------|------------------------|
| 70-83 % | 6-12 | 2-4 | 1-4 superséries | 1-2 minutes |

*GM : groupe musculaire

| Élévation latérale avec haltères | → | Flexion des coudes à la barre |

# Technique #74

Effort perçu

■ ■ ■ ■ □

Effet sur
l'hypertrophie

■ ■ ■ ■ ■

Effet sur la force
et la puissance

■ ■ ■ ■ □

Effet sur l'endurance
musculaire

■ ■ ■ ■ □

Expérience requise

■ ■ □

☑ Méthode
d'accumulation

☐ Méthode
d'intensification

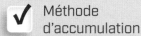

## Conseil du coach

Un bon repère est de diminuer la charge de 20 à 30 % après la première série effectuée. Gardez en tête que moins vous diminuerez la charge, tout en exécutant le nombre de répétitions demandées, plus grand sera l'impact sur l'hypertrophie !

# DROPSET

## COMMENT L'APPLIQUER ?

Cette méthode est considérée comme une supersérie agoniste à la différence que le second exercice ne change pas. Elle consiste à exécuter un exercice en répétitions maximales, puis de diminuer la charge afin de poursuivre la seconde séquence sur le même exercice jusqu'à l'échec.

## AVANTAGES

→ Elle crée une grande fatigue musculaire occasionnée par l'implication subséquente des mêmes groupes musculaires.

→ C'est une technique de base qui a fait ses preuves chez les débutants.

→ Elle permet d'entraîner un patron moteur sans relâche.

## DÉSAVANTAGES

→ Elle ne permet pas d'isoler certains groupes musculaires déficients à l'intérieur d'un mouvement pluriarticulaire.

→ Il est préférable de l'exécuter pendant des exercices utilisant des appareils ou des poids libres, ce qui facilite les changements de charges.

## TABLEAU D'ENTRAÎNEMENT

| Charge | Nombre de répétitions par série | Nombre de séries par exercice | Nombre d'exercices par GM* | Repos entre les séries |
|---|---|---|---|---|
| 70-80 % + 40-60 % | 6-12 | 2-5 | 1-4 superséries | 1-2 minutes |

*GM : groupe musculaire

Diminution
de la charge
de 20-30 %

Leg press
avec 130 kg pour
6 à 8 répétitions

→

Leg press
avec 100 kg pour
6 à 8 répétitions

# Technique #75

## Effort perçu

▪▪▪▪▫

## Effet sur l'hypertrophie

▪▪▪▪▫

## Effet sur la force et la puissance

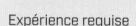

▪▪▪▪▫

## Effet sur l'endurance musculaire

▪▪▪▪▫

## Expérience requise

▪▪▫

✓ Méthode d'accumulation

☐ Méthode d'intensification

---

### Conseil du coach

Certains culturistes exécutent de préférence trois dropsets par entraînement sur deux exercices par groupe musculaire : sur un exercice de base et sur un exercice d'isolation. D'autres culturistes exécutent, quant à eux, un double dropset seulement dans la dernière série de chaque exercice (technique #128).

---

# DOUBLE DROPSET

## COMMENT L'APPLIQUER ?

Cette méthode est considérée comme une trisérie agoniste à la différence que les deuxième et troisième exercices ne changent pas. Elle est la version prolongée du dropset (technique #74). Elle consiste à exécuter un exercice en répétitions maximales, puis à diminuer la charge de 20 à 30 % afin de poursuivre la deuxième séquence sur le même exercice, puis à diminuer à nouveau la charge de 20-30 % afin de poursuivre la troisième séquence jusqu'à l'échec maximal.

## AVANTAGES

→ Elle crée une grande fatigue musculaire occasionnée par l'implication subséquente des mêmes groupes musculaires.

→ C'est une technique de base qui a fait ses preuves chez les débutants.

→ Elle permet d'entraîner un patron moteur sans relâche.

## DÉSAVANTAGES

→ Elle ne permet pas d'isoler certains groupes musculaires déficients à l'intérieur d'un mouvement pluriarticulaire.

→ Il est préférable de l'exécuter sur des exercices utilisant des appareils ou des poids libres, ce qui facilite les changements de charges.

## TABLEAU D'ENTRAÎNEMENT

| Charge | Nombre de répétitions par série | Nombre de séries par exercice | Nombre d'exercices par GM* | Repos entre les séries |
|---|---|---|---|---|
| 70-80 % + 40-60 % + 10-40 % | 6-12 | 2-5 | 1-4 doubles dropsets | 2-3 minutes |

*GM : groupe musculaire

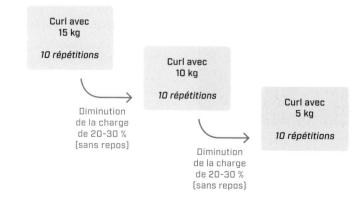

Curl avec 15 kg — 10 répétitions

Diminution de la charge de 20-30 % (sans repos)

Curl avec 10 kg — 10 répétitions

Diminution de la charge de 20-30 % (sans repos)

Curl avec 5 kg — 10 répétitions

# Technique #76

Effort perçu

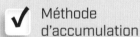

Effet sur
l'hypertrophie

Effet sur la force
et la puissance

Effet sur l'endurance
musculaire

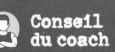

Expérience requise

✓ Méthode
d'accumulation

☐ Méthode
d'intensification

## Conseil du coach

Diminuez votre charge afin d'être en mesure de compléter 6, 12 et 24 RM. Commencez avec une diminution de 50 % de la charge à chaque fois et ajustez selon la difficulté perçue. Par exemple, vous pourriez faire 6 répétitions avec 100 kg, 12 répétitions avec 50 kg et 24 répétitions avec 25 kg.

# SÉRIE HOLISTIQUE

## COMMENT L'APPLIQUER ?

Issue à l'origine du mot holisme, une série holistique est un enchaînement de séries qui forment un tout par leur cohésion au niveau des répétitions. Elle est aussi appelée triple drop ou breakdowns chez certains auteurs (elle a été utilisée par Fred Hatfield et par le culturiste professionnel Mike Quinn). Vous débutez avec une série de 6 RM, suivie immédiatement d'une diminution de la charge pour poursuivre avec 12 RM, suivies d'une seconde diminution de la charge sans repos pour effectuer 24 RM. Ceci complète une série.

## AVANTAGES

→ Elle possède les mêmes caractéristiques qu'une trisérie, mais permet de fatiguer l'ensemble des fibres musculaires des muscles impliqués, allant des fibres rapides en début de série aux fibres lentes en fin de série.

→ Elle est très facile d'utilisation sur les exercices avec un appareil à plaques sélectives.

## DÉSAVANTAGE

→ Aucun.

## TABLEAU D'ENTRAÎNEMENT

| Charge | Nombre de répétitions par série | Nombre de séries par exercice | Nombre d'exercices par GM* | Repos entre les séries |
|--------|----------------------------------|-------------------------------|-----------------------------|------------------------|
| 70-83 % | 6 + 12 + 24 | 2-4 | 1-3 | 2-3 minutes |

*GM : groupe musculaire

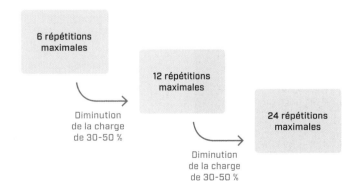

# Technique #77

**Effort perçu**

**Effet sur l'hypertrophie**

**Effet sur la force et la puissance**

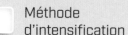

**Effet sur l'endurance musculaire**

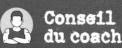

**Expérience requise**

☑ Méthode d'accumulation

☐ Méthode d'intensification

---

## Conseil du coach

Certains individus ont de la difficulté à bien recruter leurs pectoraux lors d'un développé couché à cause d'un mauvais patron moteur. Cette méthode permettra alors d'améliorer le contact cerveau-muscle préalablement erroné en faisant précéder, par exemple, un écarté couché aux haltères avant un développé couché.

---

# PRÉFATIGUE

### COMMENT L'APPLIQUER ?

Cette méthode est considérée comme une supersérie. Vous devez exécuter 2 séries consécutives pour un même muscle sans repos entre les séries. Vous devez faire le mouvement de base après le mouvement d'isolation.

Exercice d'isolation + exercice de base.

### AVANTAGE

→ Cette technique est principalement utilisée pour améliorer un groupe musculaire moins bien développé. Si vous l'utilisez avec un groupe musculaire déjà fort, vous ne ferez qu'augmenter l'écart de force entre les muscles forts et les faibles. Par exemple, si vos triceps sont le chaînon faible au développé couché, ciblez alors cette région pour cette technique.

### DÉSAVANTAGE

→ Elle est moins efficace que la méthode postfatigue sur l'hypertrophie générale en raison de la plus faible charge utilisée dans l'exercice de base, d'où son moindre effet sur l'hypertrophie, la force et la puissance.

### TABLEAU D'ENTRAÎNEMENT

| Charge | Nombre de répétitions par série | Nombre de séries par exercice | Nombre d'exercices par GM* | Repos entre les séries |
|--------|--------|--------|--------|--------|
| 60-80 % | 6-15 | 2-5 | 1-3 superséries | 1-3 minutes |

*GM : groupe musculaire

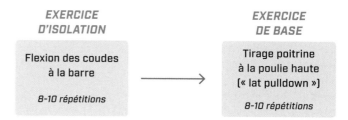

**EXERCICE D'ISOLATION**

Flexion des coudes à la barre

*8-10 répétitions*

→

**EXERCICE DE BASE**

Tirage poitrine à la poulie haute (« lat pulldown »)

*8-10 répétitions*

# Technique #78

Effort perçu

Effet sur l'hypertrophie

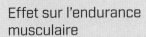

Effet sur la force et la puissance

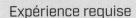

Effet sur l'endurance musculaire

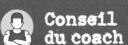

Expérience requise

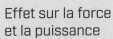

- [✓] Méthode d'accumulation
- [ ] Méthode d'intensification

## Conseil du coach

Utilisez cette méthode pour vos groupes musculaires les plus faibles. Une fois vos faiblesses corrigées, vous pourrez alors vous amuser en l'utilisant avec vos groupes musculaires les plus forts !

# POSTFATIGUE

## COMMENT L'APPLIQUER ?

Cette méthode est considérée comme une supersérie. Vous devez exécuter 2 séries consécutives pour un même muscle sans repos entre les séries. Vous devez faire le mouvement d'isolation après le mouvement de base.

**Exercice de base + exercice d'isolation.**

## AVANTAGE

→ Lors d'un exercice pluriarticulaire, les muscles les plus faibles se fatiguent en premier (principe du chaînon le plus faible). De ce fait, les muscles principaux ne reçoivent pas toujours la stimulation optimale. Par exemple, lors d'un développé couché, les triceps et les deltoïdes risquent de se fatiguer avant les pectoraux, conduisant à un arrêt de l'effort sans toutefois avoir optimisé le développement de ces derniers. Avec la technique de la postfatigue, vous pouvez ainsi poursuivre le travail du muscle sous-stimulé afin de maximiser son développement.

## DÉSAVANTAGE

→ Elle permet de cibler seulement un muscle à la fois avec l'exercice d'isolation.

## TABLEAU D'ENTRAÎNEMENT

| Charge | Nombre de répétitions par série | Nombre de séries par exercice | Nombre d'exercices par GM* | Repos entre les séries |
|---|---|---|---|---|
| 60-80 % | 6-15 | 2-5 | 1-3 superséries | 1-3 minutes |

*GM : groupe musculaire

| EXERCICE DE BASE | EXERCICE D'ISOLATION |
|---|---|
| Développé couché<br><br>8-10 répétitions | → | Écartés aux haltères<br><br>8-10 répétitions |

# Technique #79

## Effort perçu

■■■■□

## Effet sur l'hypertrophie

■■■■□

## Effet sur la force et la puissance

■■■■□

## Effet sur l'endurance musculaire

■■■□□

## Expérience requise

■■□

☑ Méthode d'accumulation

☐ Méthode d'intensification

### Conseil du coach

Des séries de moins de 20 secondes sont à exclure, car elles utilisent principalement le système anaérobie alactique, ainsi que celles de plus de 60 secondes si vous voulez garder des répétitions d'une certaine qualité. Il ne faut pas oublier que les fibres rapides ne sont pas très résistantes à la fatigue.

# TRAVAIL MÉTABOLIQUE

## COMMENT L'APPLIQUER ?

À l'aide d'un élastique (à poignées ou superband), faites le plus de répétitions possible à haute vitesse dans la période de temps donnée, soit entre 20 et 60 secondes.

## AVANTAGES

→ Il est possible d'utiliser des poids libres, mais l'utilisation des élastiques avec poignées est plus efficace car, à cause des mouvements rapides produits, l'élastique s'occupe de la décélération de la charge, ce qui n'est pas possible avec les poids libres.

→ Cette technique est souvent utilisée pour augmenter la dépense énergétique et favoriser une perte de masse adipeuse. Son secret réside dans son impact sur l'accumulation d'une acidose métabolique (ions H+) qui stimule la libération d'hormone de croissance.

## DÉSAVANTAGES

→ Elle ne permet pas l'utilisation de charge lourdes.

→ Elle s'utilise très mal pour les exercices du bas du corps.

## TABLEAU D'ENTRAÎNEMENT

| Charge | Nombre de répétitions par série | Nombre de séries par exercice | Nombre d'exercices par GM* | Repos entre les séries |
|--------|--------|--------|--------|--------|
| Selon l'élastique | 20-60 secondes | 2-4 | 1-2 superséries | 30-60 secondes |

*GM : groupe musculaire

Cette technique est très peu utilisée dans les salles d'entraînement, car les gens sous-estiment l'efficacité d'un élastique. Ils le réservent pour les débutants ou pour les gens en voyage et n'osent pas l'utiliser dans leur centre d'entraînement. Au contraire, ils le devraient ! Afin d'exécuter un exercice métabolique de poussée ou de tirage, placez l'élastique sur un poteau d'appareil, une cage à squat ou une autre surface fixe afin de créer un point d'ancrage. Pour les exercices de bras ou d'épaules, placez vos pieds sur le milieu de l'élastique afin de créer le point d'ancrage. Exécutez le travail métabolique selon le temps prescrit sans changer la technique du mouvement.

## Technique #80

Effort perçu

■ ■ ■ ■ ■

Effet sur
l'hypertrophie

■ ■ ■ ■ ■

Effet sur la force
et la puissance

■ ■ ■ ■ ■

Effet sur l'endurance
musculaire

■ ■ ■ ■ ■

Expérience requise

■ ■ ■

☑ Méthode
d'accumulation

☐ Méthode
d'intensification

### Conseil du coach

L'élastique ou le superband
sont des accessoires idéaux
afin d'accomplir les exercices
métaboliques. Accrochez-les
sur une surface stable et ajustez
votre position (plus loin ou plus
près) afin d'augmenter ou de
diminuer la difficulté de l'effort.

# PRÉMÉTABOLIQUE

## COMMENT L'APPLIQUER ?

Cette méthode est considérée comme une supersérie. Vous devez exécuter 2 séries consécutives pour un même muscle sans repos entre les séries. Vous devez faire le mouvement métabolique avant le mouvement de base.

**Exercice métabolique + exercice de base.**

## AVANTAGES

→ Elle favorise un travail de qualité dans l'exercice métabolique (meilleure position, moins de compensation), par rapport à la technique postmétabolique (technique #81).

→ Elle permet une meilleure puissance de travail dans l'exercice métabolique.

→ Elle est facile à exécuter à l'aide d'un élastique (idéal pour un entraînement à la maison).

## DÉSAVANTAGE

→ Elle ne permet pas l'utilisation de charges lourdes sur l'exercice de base. Une grande difficulté est perçue surtout lors de l'exercice de base.

## TABLEAU D'ENTRAÎNEMENT

| Charge | Nombre de répétitions par série | Nombre de séries par exercice | Nombre d'exercices par GM* | Repos entre les séries |
|--------|--------------------------------|-------------------------------|----------------------------|------------------------|
| 30-80 % | 20-40 secondes + 6-15 | 2-5 | 1-3 superséries | 1-3 minutes |

*GM : groupe musculaire

**EXERCICE MÉTABOLIQUE**

Élévation latérale rapide avec élastique

*30 secondes*

→

**EXERCICE DE BASE**

Presse assise avec haltères

*8-10 répétitions*

# Technique #81

**Effort perçu**

**Effet sur l'hypertrophie**

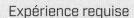

**Effet sur la force et la puissance**

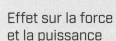

**Effet sur l'endurance musculaire**

**Expérience requise**

☑ Méthode d'accumulation

☐ Méthode d'intensification

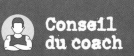

### Conseil du coach

Commencez par cette technique avant de vous aventurer dans les séries géantes qui incluent des exercices métaboliques (techniques #91 à #96). Dans l'entraînement, tout est une question de progression.

# POSTMÉTABOLIQUE

### COMMENT L'APPLIQUER ?

Cette méthode est considérée comme une supersérie. Vous devez exécuter 2 séries consécutives pour un même muscle sans repos entre les séries. Vous devez faire le mouvement métabolique après le mouvement de base.

**Exercice de base + exercice métabolique.**

### AVANTAGES

→ Elle favorise la fatigue complète des fibres rapides par la grande demande du mouvement métabolique en second lieu.

→ Elle est idéale dans un contexte de perte de masse adipeuse.

→ Elle est facile à exécuter à l'aide d'un élastique (idéal pour un entraînement à la maison).

### DÉSAVANTAGE

→ Il y a risque de compenser dans le mouvement métabolique à cause de la grande fatigue accumulée. Il faut s'assurer de maintenir une technique impeccable.

### TABLEAU D'ENTRAÎNEMENT

| Charge | Nombre de répétitions par série | Nombre de séries par exercice | Nombre d'exercices par GM* | Repos entre les séries |
|---|---|---|---|---|
| 60-80 % | 6-15 + 20-40 secondes | 2-5 | 1-3 superséries | 1-3 minutes |

*GM : groupe musculaire

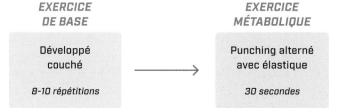

| EXERCICE DE BASE | | EXERCICE MÉTABOLIQUE |
|---|---|---|
| Développé couché | → | Punching alterné avec élastique |
| 8-10 répétitions | | 30 secondes |

# Technique #82

**Effort perçu**

■■■□□

**Effet sur l'hypertrophie**

■■■■□

**Effet sur la force et la puissance**

■■■□□

**Effet sur l'endurance musculaire**

■■■□□

**Expérience requise**

■■□

☑ Méthode d'accumulation

☐ Méthode d'intensification

 ### Conseil du coach

Pour les mouvements d'activation (instables), vous pouvez également utiliser des superbands (c'est-à-dire des bandes élastiques) accrochés sur le bout des barres. Vous aurez préalablement passé le superband dans une plaque (ex. : 2,5, 5 ou 10 kg) afin que celle-ci soit suspendue sur le bout de la barre. Le rebond créera alors l'instabilité désirée.

# PRÉACTIVATION

### COMMENT L'APPLIQUER ?

Cette méthode fait partie des entraînements en supersérie. Vous devez enchaîner sans temps de repos un exercice instable (ex. : ballon suisse, Disc'o'sit, Bosu) suivi d'un exercice traditionnel.

**Exercice d'activation + exercice traditionnel.**

### AVANTAGES

→ Elle permet un plus grand travail des fibres rapides afin de maintenir les articulations en place durant le mouvement instable.

→ La fatigue des fibres rapides lors du mouvement instable stimule leur hypertrophie.

→ Elle permet de mieux stimuler un groupe musculaire en particulier.

### DÉSAVANTAGES

→ L'instabilité augmente le recrutement des muscles secondaires au mouvement, et ces derniers peuvent se fatiguer prématurément. Cela peut ainsi limiter le développement du muscle visé si les muscles secondaires sont trop faibles.

→ Accomplir l'exercice instable en premier diminue la charge utilisée sur l'exercice traditionnel.

### TABLEAU D'ENTRAÎNEMENT

| Charge | Nombre de répétitions par série | Nombre de séries par exercice | Nombre d'exercices par GM* | Repos entre les séries |
|--------|----------|--------|--------|--------|
| 70-83 % | 6-12 | 2-4 | 1-3 superséries | 2-3 minutes |

*GM : groupe musculaire

Dans cette technique, vous utiliserez une charge faible dans le mouvement instable (ex. : poids du corps ou 30-40 % de votre force maximale) et une charge plus élevée dans le mouvement traditionnel (70 à 83 %). La sélection du nombre de répétitions à accomplir reste un choix personnel. Toutefois, si vous êtes débutant, vous ferez seulement 2 ou 3 séries d'une seule supersérie tandis qu'un individu intermédiaire ou avancé pourra faire 3 ou 4 séries de 3 superséries différentes. De même, le temps de repos entre les séries variera en fonction de la charge utilisée et de votre forme physique (70 % : 2 minutes et 83 % : 3 minutes).

# Technique #83

Effort perçu

▆ ▆ ▆ ▢ ▢

Effet sur
l'hypertrophie

▆ ▆ ▆ ▆ ▢

Effet sur la force
et la puissance

▆ ▆ ▆ ▢ ▢

Effet sur l'endurance
musculaire

▆ ▆ ▆ ▆ ▢

Expérience requise

▆ ▆ ▆

✓ Méthode
d'accumulation

☐ Méthode
d'intensification

## Conseil du coach

Lorsque vous utilisez des superbands avec charges pour créer une instabilité (ex. : sur les bouts d'une barre), concentrez-vous afin d'effectuer la phase concentrique de façon explosive. Cela augmentera les secousses en fin de mouvement et exigera davantage d'effort sur les fibres rapides.

# POSTACTIVATION

## COMMENT L'APPLIQUER ?

Cette méthode fait partie des entraînements en supersérie. Vous devez enchaîner sans temps de repos un exercice traditionnel suivi d'un exercice instable (ex. : ballon suisse, Disc'o'sit, Bosu).

**Exercice traditionnel + exercice d'activation.**

## AVANTAGES

→ Elle permet un plus grand travail des fibres rapides afin de maintenir les articulations en place durant le mouvement instable.

→ La fatigue des fibres rapides lors du mouvement instable stimule leur hypertrophie.

→ Elle permet de mieux stimuler un groupe musculaire en particulier.

## DÉSAVANTAGE

→ L'instabilité augmente le recrutement des muscles secondaires au mouvement, et ces derniers peuvent se fatiguer prématurément. Cela peut ainsi limiter le développement du muscle visé si les muscles secondaires sont trop faibles.

## TABLEAU D'ENTRAÎNEMENT

| Charge | Nombre de répétitions par série | Nombre de séries par exercice | Nombre d'exercices par GM* | Repos entre les séries |
|--------|------|------|------|------|
| 70-83 % | 6-12 | 2-4 | 1-3 superséries | 2-3 minutes |

*GM : groupe musculaire

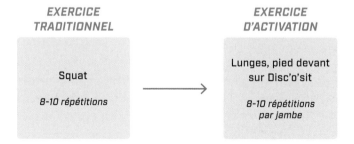

**EXERCICE TRADITIONNEL**

Squat

*8-10 répétitions*

**EXERCICE D'ACTIVATION**

Lunges, pied devant sur Disc'o'sit

*8-10 répétitions par jambe*

## Effort perçu

## Effet sur l'hypertrophie

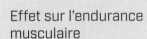

## Effet sur la force et la puissance

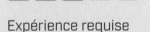

## Effet sur l'endurance musculaire

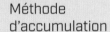

## Expérience requise

☑ Méthode d'accumulation

☐ Méthode d'intensification

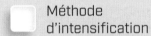

### Conseil du coach

Lors de l'exercice de potentialisation, veillez à ne pas trop vous fatiguer afin d'optimiser le travail sur l'exercice traditionnel. Soyez explosif et ne cherchez pas à atteindre l'échec maximal dans ce premier exercice. Visez plutôt la qualité dans chacune de vos répétitions.

# PRÉPOTENTIALISATION

## COMMENT L'APPLIQUER ?

Cette méthode fait partie des entraînements en supersérie. Vous devez enchaîner sans temps de repos un exercice de potentialisation suivi d'un exercice traditionnel.

**Exercice de potentialisation + exercice traditionnel.**

## AVANTAGES

→ Elle augmente le travail sur les fibres rapides afin de générer une bonne puissance durant le premier exercice.

→ Elle favorise donc la fatigue des fibres rapides, ce qui conduit à un meilleur gain en hypertrophie en plus des gains en puissance.

→ Elle augmente le recrutement des fibres lors de l'exercice traditionnel.

## DÉSAVANTAGE

→ Elle est non appropriée pour les débutants, car il faut préalablement avoir développé une certaine force musculaire avant d'entreprendre des exercices en puissance (force x vitesse).

## TABLEAU D'ENTRAÎNEMENT

| Charge | Nombre de répétitions par série | Nombre de séries par exercice | Nombre d'exercices par GM* | Repos entre les séries |
|--------|--------------------------------|-------------------------------|----------------------------|------------------------|
| 70-83 % | 6-12 | 2-4 | 1-3 superséries | 2-3 minutes |

*GM : groupe musculaire

EXERCICE DE POTENTIALISATION [30-50 %]

Clap push-up

6-8 répétitions

EXERCICE TRADITIONNEL [70-83 %]

Développé couché avec haltères

8-10 répétitions

# Technique #85

Effort perçu

Effet sur
l'hypertrophie

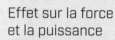

Effet sur la force
et la puissance

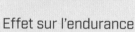

Effet sur l'endurance
musculaire

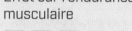

Expérience requise

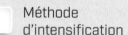

✓ Méthode
d'accumulation

☐ Méthode
d'intensification

 ## Conseil du coach

Si vous remarquez que votre exercice en puissance perd de la vitesse, prenez alors entre 10 et 20 secondes de repos entre vos 2 exercices afin de provoquer une légère récupération de vos muscles et ainsi de maximiser la qualité de votre travail sur votre second exercice.

# POSTPOTENTIALISATION

## COMMENT L'APPLIQUER ?

Cette méthode fait partie des entraînements en supersérie. Vous devez enchaîner sans temps de repos un exercice traditionnel suivi d'un exercice de potentialisation.

**Exercice traditionnel + exercice de potentialisation.**

## AVANTAGES

→ Elle augmente le travail sur les fibres rapides en insistant sur la puissance durant le deuxième exercice.

→ Elle favorise donc la fatigue des fibres rapides, ce qui conduit à un meilleur gain en hypertrophie.

→ Elle augmente le recrutement des fibres lors de l'exercice en puissance.

## DÉSAVANTAGE

→ Elle est non appropriée pour les débutants, car il faut préalablement avoir développé une certaine force musculaire avant d'entreprendre des exercices en puissance (force x vitesse).

## TABLEAU D'ENTRAÎNEMENT

| Charge | Nombre de répétitions par série | Nombre de séries par exercice | Nombre d'exercices par GM* | Repos entre les séries |
|---|---|---|---|---|
| 30-83 % | 6-12 | 2-4 | 1-3 superséries | 2-3 minutes |

*GM : groupe musculaire

**EXERCICE TRADITIONNEL (70-83 %)**

Hack squat

*8-10 répétitions*

→

**EXERCICE DE POTENTIALISATION (30-50 %)**

Sauts en longueur

*6-8 répétitions*

**Effort perçu**

**Effet sur l'hypertrophie**

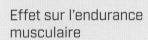

**Effet sur la force et la puissance**

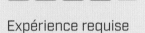

**Effet sur l'endurance musculaire**

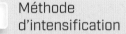

**Expérience requise**

✓ Méthode d'accumulation

☐ Méthode d'intensification

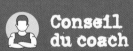

## Conseil du coach

Pour les triséries sur un même groupe musculaire (et encore plus d'impact sur l'hypertrophie musculaire), référez-vous aux techniques suivantes : la trisérie uniangulaire (technique #89), le mechanical dropset (technique #88) et le pré-postfatigue (technique #87).

# TRISÉRIE

## COMMENT L'APPLIQUER ?

Vous devez exécuter 3 exercices l'un après l'autre avec un léger repos ou sans repos entre les séries. Vous pouvez travailler 3 muscles différents, un même muscle dans 3 angles différents ou un même muscle dans la même position, mais sur des appareils différents (voir la trisérie uniangulaire [#89]). La technique du mechanical dropset (#88) est également une variante de cette méthode. On peut de plus combiner des exercices de nature différente (stimulation, activation, potentialisation et métabolique).

## AVANTAGES

→ Elle possède un grand potentiel d'hypertrophie lorsque les trois exercices sont pour le même groupe musculaire.

→ Elle est idéale pour la perte de masse adipeuse lors d'une sollicitation de groupes musculaires distincts.

## DÉSAVANTAGE

→ Un facteur qui peut être limitant chez certaines personnes est la demande cardio-vasculaire nécessaire afin d'accomplir les trois exercices sans repos. Si tel est votre cas, ajoutez alors 15 à 30 secondes de repos entre les exercices.

## TABLEAU D'ENTRAÎNEMENT

| Charge | Nombre de répétitions par série | Nombre de séries par exercice | Nombre d'exercices par GM* | Repos entre les séries |
|---|---|---|---|---|
| 70-83 % | 6-12 | 2-4 | 1-3 triséries | 2-3 minutes |

*GM : groupe musculaire

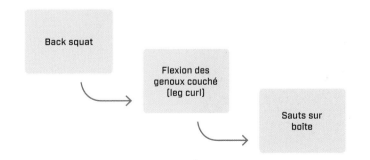

# Technique #87

**Effort perçu**

**Effet sur l'hypertrophie**

**Effet sur la force et la puissance**

**Effet sur l'endurance musculaire**

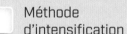

**Expérience requise**

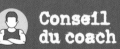

✓ Méthode d'accumulation

☐ Méthode d'intensification

## Conseil du coach

Les plus avancés pourront choisir un mouvement de base et décider ensuite d'accomplir deux pré-postfatigues en fonction des groupes musculaires agonistes en maintenant le mouvement de base similaire. Par exemple, pour le développé couché, vous pourriez choisir d'isoler soit les pectoraux, soit les triceps, soit les épaules.

# PRÉ-POSTFATIGUE

## COMMENT L'APPLIQUER ?

Cette méthode est considérée comme une trisérie. Vous devez exécuter 3 séries consécutives pour un même muscle ou pour des muscles agonistes d'un mouvement sans repos entre les séries. La séquence consiste à faire le mouvement d'isolation, suivi du mouvement de base puis d'un autre mouvement d'isolation.

**Exercice d'isolation + exercice de base + exercice d'isolation.**

## AVANTAGES

→ Elle combine les techniques préfatigue et postfatigue.

→ Elle permet d'isoler plus d'un groupe musculaire afin de favoriser leur développement.

→ C'est une des meilleures méthodes pour l'hypertrophie musculaire.

## DÉSAVANTAGE

→ Un facteur qui peut être limitant chez certaines personnes est la demande cardio-vasculaire nécessaire afin d'accomplir les trois exercices sans repos. Si tel est votre cas, ajoutez alors 15 à 30 secondes de repos entre les exercices.

## TABLEAU D'ENTRAÎNEMENT

| Charge | Nombre de répétitions par série | Nombre de séries par exercice | Nombre d'exercices par GM* | Repos entre les séries |
|---|---|---|---|---|
| 70-83 % | 6-12 | 2-4 | 1-2 triséries | 2-3 minutes |

*GM : groupe musculaire

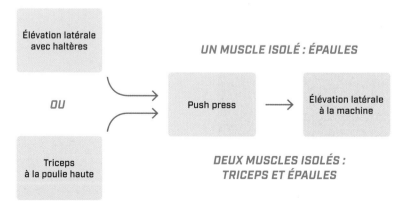

## Technique #88

Effort perçu

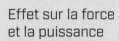

Effet sur
l'hypertrophie

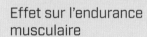

Effet sur la force
et la puissance

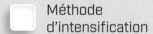

Effet sur l'endurance
musculaire

Expérience requise

✓ Méthode
d'accumulation

☐ Méthode
d'intensification

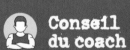

### Conseil du coach

Pour plus d'exemples et d'idées dans l'application du mechanical dropset pour chaque groupe musculaire, rendez-vous sur le site de Christian Thibaudeau à l'adresse suivante : https://thibarmy.com/maximum-muscle-method-mechanical-drop-sets/.

# MECHANICAL DROPSET

## COMMENT L'APPLIQUER ?

Cette technique utilise trois mouvements d'un même groupe musculaire selon l'avantage biomécanique que ceux-ci possèdent. On les enchaîne du plus faible au plus fort suite à l'échec musculaire et en gardant la même charge. De 6 à 12 répétitions seront effectuées sur le premier exercice suivi du maximum de répétitions possible sur les deux exercices suivants.

## AVANTAGES

→ Elle possède un grand potentiel d'hypertrophie par la variation de l'angle de travail.
→ Elle est très facile à utiliser, mais elle demande au moins un an d'expérience en entraînement afin d'avoir préalablement développé différents patrons moteurs.

## DÉSAVANTAGE

→ Un facteur qui peut être limitant chez certaines personnes est la demande cardio-vasculaire nécessaire afin d'accomplir la séquence sans arrêt. Si tel est votre cas, ajoutez alors 10 à 15 secondes de repos entre les changements du mouvement.

## TABLEAU D'ENTRAÎNEMENT

| Charge | Nombre de répétitions par série | Nombre de séries par exercice | Nombre d'exercices par GM* | Repos entre les séries |
|--------|--------|--------|--------|--------|
| 70-83% | 6-12 + max + max | 2-4 | 3-6 | 2-3 minutes |

*GM : groupe musculaire

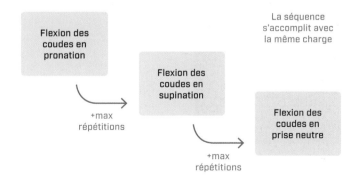

La séquence s'accomplit avec la même charge

## Technique #89

Effort perçu

▪▪▪▪▫

Effet sur
l'hypertrophie

▪▪▪▪▫

Effet sur la force
et la puissance

▪▪▪▫▫

Effet sur l'endurance
musculaire

▪▪▪▫▫

Expérience requise

▪▪▫

☑ Méthode
d'accumulation

☐ Méthode
d'intensification

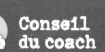

### Conseil du coach

Vous pouvez utiliser une charge plus légère où vous atteignez l'échec une seule fois (ex. : fin de la trisérie au squat) ou une charge plus lourde pour chaque exercice où vous atteignez l'échec à trois reprises (ex : 5 RM développé couché aux haltères, 5 RM développé couché à la barre, 5 RM push-ups).

# TRISÉRIE UNIANGULAIRE

## COMMENT L'APPLIQUER ?

La trisérie uniangulaire fait intervenir 3 exercices légèrement différents pour un même groupe musculaire. Tous ces exercices sont exécutés sous forme de trisérie, sans repos. Il y a deux façons d'utiliser cette méthode :

#1 On varie le ou les facteurs suivants d'un exercice à un autre : la position de départ, le choix d'équipement, la largeur de la prise ou l'amplitude de mouvement (le mechanical dropset [technique #88] et les 21 [technique #90] entrent dans cette option).

#2 On choisit des exercices différents qui travaillent le même muscle sans changer l'angle de travail.

## AVANTAGES

→ Cette technique permet de maximiser le développement d'un patron moteur en utilisant le même angle de travail sur 3 exercices.

→ Elle s'applique à tous les exercices.

## DÉSAVANTAGE

→ Elle nécessite parfois plusieurs équipements.

## TABLEAU D'ENTRAÎNEMENT

| Charge | Nombre de répétitions par série | Nombre de séries par exercice | Nombre d'exercices par GM* | Repos entre les séries |
|--------|--------|--------|--------|--------|
| 70-83 % | 6-12 | 2-4 | 1-2 triséries | 2-3 minutes |

*GM : groupe musculaire

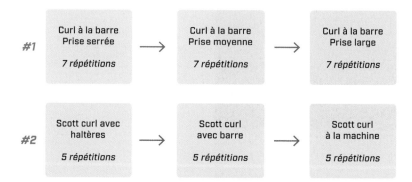

Effort perçu

■ ■ ■ □ □

Effet sur
l'hypertrophie

■ ■ ■ ■ □

Effet sur la force
et la puissance

■ ■ □ □ □

Effet sur l'endurance
musculaire

■ ■ ■ ■ □

Expérience requise

■ ■ □ □ □

 ✓ Méthode
d'accumulation

☐ Méthode
d'intensification

 **Conseil
du coach**

L'utilisation de câbles ou de machines pour accomplir cette technique d'entraînement est une excellente façon de maintenir une tension continue dans le muscle. Les poids et les barres libres, par la gravité, diminuent généralement la tension en début ou en fin de mouvement

# LES 21

## COMMENT L'APPLIQUER ?

Cette méthode fait partie des entraînements en trisérie et est la forme de trisérie uniangulaire (technique #89) la plus connue. Vous devez enchaîner sans temps de repos un exercice traditionnel divisé en trois amplitudes distinctes où vous accomplirez 7 répétitions par amplitude.

**7 répétitions dans la première moitié + 7 répétitions complètes**
**+ 7 répétitions dans la deuxième moitié.**

## AVANTAGES

→ Elle peut être utilisée sur tous les exercices.

→ Elle est accessible aux débutants, car la charge utilisée est légère.

→ Dans les exercices pluriarticulaires, elle permet de localiser l'effort sur un groupe musculaire en particulier dans la première phase (ex. : pectoraux au développé couché ou fessiers au squat).

## DÉSAVANTAGE

→ Aucun.

## TABLEAU D'ENTRAÎNEMENT

| Charge | Nombre de répétitions par série | Nombre de séries par exercice | Nombre d'exercices par GM* | Repos entre les séries |
|---|---|---|---|---|
| 60-65 % | 21 (7 + 7 + 7) | 2-4 | 1-3 | 1-2 minutes |

*GM : groupe musculaire

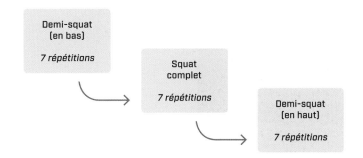

# Technique #91

**Effort perçu**

▪▪▪▪▫

**Effet sur l'hypertrophie**

▪▪▪▪▫

**Effet sur la force et la puissance**

▪▪▪▫▫

**Effet sur l'endurance musculaire**

▪▪▪▫▫

**Expérience requise**

▪▪▫▫▫

☑ Méthode d'accumulation

☐ Méthode d'intensification

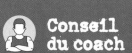

## Conseil du coach

Pour davantage d'idées d'exercices d'activation et d'exercices métaboliques, procurez-vous le livre *Musculation à haut seuil d'activation* de Christian Thibaudeau (F. Lepine Publishing, 2007).

# SÉRIE ORGANIQUE GÉANTE 1

## COMMENT L'APPLIQUER ?

Cette méthode fait partie des entraînements en trisérie. Vous devez enchaîner sans temps de repos un exercice d'activation, suivi d'un exercice traditionnel puis d'un exercice métabolique.

**Exercice d'activation + exercice traditionnel + exercice métabolique.**

## AVANTAGES

→ Elle peut être utilisée à des fins d'hypertrophie et/ou de perte de masse adipeuse.

→ Elle est très efficace afin de stimuler un groupe musculaire sous-utilisée.

## DÉSAVANTAGES

→ Elle est très exigeante physiquement.

→ Commencez préalablement avec des techniques de superséries afin de créer une adaptation progressive.

## TABLEAU D'ENTRAÎNEMENT

| Charge | Nombre de répétitions par série | Nombre de séries par exercice | Nombre d'exercices par GM* | Repos entre les séries |
|--------|--------------------------------|-------------------------------|----------------------------|------------------------|
| 60-83 % | 6-12 + 6-15 + 20-40 secondes | 2-4 | 1-3 triséries | 2-3 minutes |

*GM : groupe musculaire

Traction inversée, pieds sur ballon suisse

*6-8 répétitions*

Pull-ups

*8-10 répétitions*

Tirage debout à l'élastique

*30-40 secondes*

# Technique #92

Effort perçu

Effet sur
l'hypertrophie

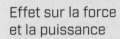

Effet sur la force
et la puissance

Effet sur l'endurance
musculaire

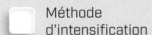

Expérience requise

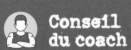

☑ Méthode
d'accumulation

☐ Méthode
d'intensification

## Conseil du coach

Pour davantage d'idées d'exercices d'activation et d'exercices métaboliques, procurez-vous le livre *Musculation à haut seuil d'activation* de Christian Thibaudeau (F. Lepine Publishing, 2007).

# SÉRIE ORGANIQUE GÉANTE 2

## COMMENT L'APPLIQUER ?

Cette méthode fait partie des entraînements en trisérie. Vous devez enchaîner sans temps de repos un exercice traditionnel, suivi d'un exercice d'activation puis d'un exercice métabolique.

Exercice traditionnel + exercice d'activation + exercice métabolique.

## AVANTAGES

→ Elle peut être utilisée à des fins d'hypertrophie et/ou de perte de masse adipeuse.

→ De toutes les séries organiques géantes, ce sera celle-ci qui vous procurera les meilleures adaptations en termes de composition corporelle.

→ L'exercice traditionnel sera exécuté avec des charges plus lourdes que lors des séries organiques géantes 1 et 3.

## DÉSAVANTAGES

→ Elle est très exigeante physiquement.

→ Commencez préalablement avec des techniques de superséries afin de créer une adaptation progressive.

## TABLEAU D'ENTRAÎNEMENT

| Charge | Nombre de répétitions par série | Nombre de séries par exercice | Nombre d'exercices par GM* | Repos entre les séries |
|---|---|---|---|---|
| 60-83 % + 60-83 % + 20-30 % | 6-15 + 6-12 + 20-40 secondes | 2-4 | 1-3 triséries | 2-3 minutes |

*GM : groupe musculaire

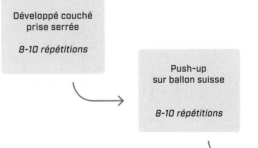

Développé couché prise serrée

*8-10 répétitions*

Push-up sur ballon suisse

*8-10 répétitions*

Extension rapide des coudes à l'élastique

*30-40 secondes*

# Technique #93

Effort perçu

■ ■ ■ ■ □

Effet sur
l'hypertrophie

■ ■ ■ ■ ■

Effet sur la force
et la puissance

■ ■ ■ ■ ■

Effet sur l'endurance
musculaire

■ ■ ■ ■ ■

Expérience requise

■ ■ □

✓ Méthode
d'accumulation

☐ Méthode
d'intensification

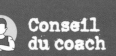

## Conseil du coach

Pour davantage d'idées
d'exercices de potentialisation
et d'exercices métaboliques,
procurez-vous le livre
*Musculation à haut seuil
d'activation* de Christian
Thibaudeau (F. Lepine
Publishing, 2007).

# *SÉRIE ORGANIQUE GÉANTE 3*

## COMMENT L'APPLIQUER ?

Cette méthode fait partie des entraînements en trisérie. Vous devez enchaîner sans temps de repos un exercice de potentialisation, suivi d'un exercice traditionnel puis d'un exercice métabolique.

**Exercice de potentialisation + exercice traditionnel + exercice métabolique.**

## AVANTAGES

→ Elle peut être utilisée à des fins d'hypertrophie et/ou de perte de masse adipeuse.

→ Elle est très intéressante pour le sportif, car elle représente bien le sport. Elle possède un mouvement explosif au départ (accélération de l'athlète) suivi du mouvement traditionnel (lorsque l'athlète lutte contre l'adversaire) et du mouvement métabolique (entraînement de la capacité à résister à l'effort).

## DÉSAVANTAGES

→ Elle est très exigeante physiquement.

→ Commencez préalablement avec des techniques de superséries afin de créer une adaptation progressive.

## TABLEAU D'ENTRAÎNEMENT

| Charge | Nombre de répétitions par série | Nombre de séries par exercice | Nombre d'exercices par GM* | Repos entre les séries |
|---|---|---|---|---|
| 30-50 %<br>+ 65-80 %<br>+ 20-30 % | 4-10 + 6-15<br>+ 20-40<br>secondes | 2-4 | 1-3<br>triséries | 2-3 minutes |

*GM : groupe musculaire

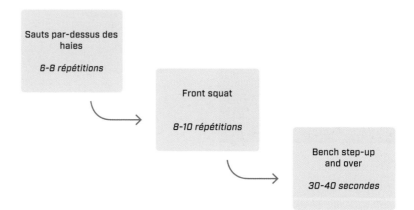

Sauts par-dessus des haies

*6-8 répétitions*

Front squat

*8-10 répétitions*

Bench step-up and over

*30-40 secondes*

## Technique #94

**Effort perçu**

**Effet sur l'hypertrophie**

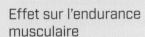

**Effet sur la force et la puissance**

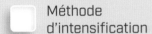

**Effet sur l'endurance musculaire**

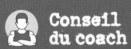

**Expérience requise**

☑ Méthode d'accumulation

☐ Méthode d'intensification

### Conseil du coach

Pour davantage d'idées d'exercices de potentialisation et d'exercices métaboliques, procurez-vous le livre *Musculation à haut seuil d'activation* de Christian Thibaudeau (F. Lepine Publishing, 2007).

# SÉRIE ORGANIQUE GÉANTE 4

## COMMENT L'APPLIQUER ?

Cette méthode fait partie des entraînements en trisérie. Vous devez enchaîner sans temps de repos un exercice traditionnel, suivi d'un exercice de potentialisation puis d'un exercice métabolique.

**Exercice traditionnel + exercice de potentialisation + exercice métabolique.**

## AVANTAGES

→ Elle peut être utilisée à des fins d'hypertrophie et/ou de perte de masse adipeuse.

→ Elle est très intéressante pour le sportif, car elle représente bien le sport. Elle possède un mouvement traditionnel au départ (lorsque l'athlète lutte contre l'adversaire) suivi du mouvement de potentialisation (accélération de l'athlète) et du mouvement métabolique (entraînement de la capacité à résister à l'effort).

## DÉSAVANTAGES

→ Elle est très exigeante physiquement.

→ Commencez préalablement avec des techniques de superséries afin de créer une adaptation progressive.

## TABLEAU D'ENTRAÎNEMENT

| Charge | Nombre de répétitions par série | Nombre de séries par exercice | Nombre d'exercices par GM* | Repos entre les séries |
|---|---|---|---|---|
| 65-80 % + 30-50 % + 20-30 % | 6-15 + 4-10 + 20-40 secondes | 2-4 | 1-3 triséries | 2-5 minutes |

*GM : groupe musculaire

Cross-over aux poulies

*8-10 répétitions*

Clap push-up

*6-8 répétitions*

Punching alterné à l'élastique

*30-40 secondes*

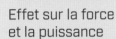

# Technique #95

## Effort perçu

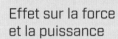

## Effet sur l'hypertrophie

## Effet sur la force et la puissance

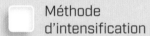

## Effet sur l'endurance musculaire

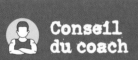

## Expérience requise

✓ Méthode d'accumulation

☐ Méthode d'intensification

---

**Conseil du coach**

La série organique géante 5 est l'une de mes triséries préférées pour le développement de la masse musculaire. Elle crée une grande fatigue musculaire et occasionne des gains rapidement. Cette technique ne doit pas être sous-estimée ! À essayer !

---

# SÉRIE ORGANIQUE GÉANTE 5

## COMMENT L'APPLIQUER ?

Cette méthode fait partie des entraînements en trisérie. Vous devez enchaîner sans temps de repos un exercice traditionnel (base), suivi d'un exercice traditionnel puis d'un exercice métabolique.

**Exercice traditionnel (base) + exercice traditionnel (isolation) + exercice métabolique.**

## AVANTAGES

→ Elle peut être utilisée à des fins d'hypertrophie et/ou de perte de masse adipeuse.

→ Elle est la meilleure approche pour favoriser la croissance musculaire étant donné que des charges plus importantes peuvent être utilisées par la combinaison des deux exercices traditionnels.

## DÉSAVANTAGES

→ Elle est très exigeante physiquement.

→ Commencez préalablement avec des techniques de superséries afin de créer une adaptation progressive.

## TABLEAU D'ENTRAÎNEMENT

| Charge | Nombre de répétitions par série | Nombre de séries par exercice | Nombre d'exercices par GM* | Repos entre les séries |
|---|---|---|---|---|
| 65-80 % + 65-80 % + 20-30 % | 6-15 + 6-15 + 20-40 secondes | 2-4 | 1-3 triséries | 2-3 minutes |

*GM : groupe musculaire

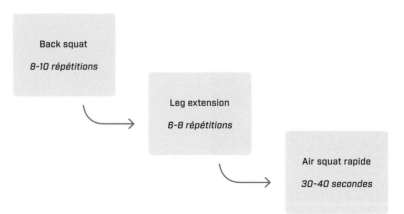

Back squat

8-10 répétitions

Leg extension

6-8 répétitions

Air squat rapide

30-40 secondes

**Effort perçu**

**Effet sur l'hypertrophie**

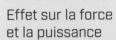

**Effet sur la force et la puissance**

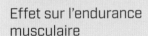

**Effet sur l'endurance musculaire**

**Expérience requise**

✓ Méthode d'accumulation

☐ Méthode d'intensification

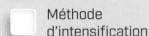

## Conseil du coach

Lorsque cette technique est utilisée sur le même groupe musculaire, comme dans l'exemple ciblant les quadriceps, la fatigue engagée sur les fibres de type II est à son maximum, ce qui favorise une grande hypertrophie. À des fins de perte de masse adipeuse, variez les exercices de façon qu'ils ciblent différents groupes musculaires.

# SÉRIE ORGANIQUE GÉANTE COMPLÈTE

## COMMENT L'APPLIQUER ?

Cette méthode fait partie des entraînements en circuit. Vous devez enchaîner sans temps de repos un exercice de potentialisation, suivi d'un exercice traditionnel puis d'un exercice d'activation avant de terminer avec un exercice métabolique.

**Exercice de potentialisation + exercice traditionnel + exercice d'activation + exercice métabolique.**

## AVANTAGES

→ Elle peut être utilisée à des fins d'hypertrophie et/ou de perte de masse adipeuse.

→ Elle est la meilleure approche pour favoriser la perte de masse adipeuse ainsi que l'amélioration de la capacité musculaire anaérobie.

## DÉSAVANTAGES

→ Elle est très exigeante physiquement.

→ Elle est réservée aux individus intermédiaires ou avancés en entraînement.

→ Commencez préalablement avec des techniques de superséries afin de créer une adaptation progressive.

## TABLEAU D'ENTRAÎNEMENT

| Charge | Nombre de répétitions par série | Nombre de séries par exercice | Nombre d'exercices par GM* | Repos entre les séries |
|---|---|---|---|---|
| 30-50 % + 65-83 % + 65-83 % + 20-30 % | 6-8 + 6-15 + 6-15 + 20-40 secondes | 2-4 | 1-3 circuits | 2-3 minutes |

*GM : groupe musculaire

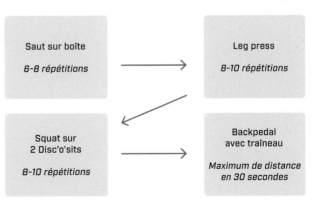

Saut sur boîte
6-8 répétitions
→
Leg press
8-10 répétitions

Squat sur 2 Disc'o'sits
8-10 répétitions
→
Backpedal avec traîneau
Maximum de distance en 30 secondes

# Technique #97

Effort perçu

�\[■ ■ ■ ■ ■\]

Effet sur
l'hypertrophie

\[■ ■ ■ ■ ■\]

Effet sur la force
et la puissance

\[■ ■ ■ ■ ■\]

Effet sur l'endurance
musculaire

\[■ ■ ■ ■ ■\]

Expérience requise

\[■ ■ ■\]

✓ Méthode
d'accumulation

☐ Méthode
d'intensification

## Conseil du coach

Un bon repère est d'obtenir une tenue isométrique, à mi-chemin dans le mouvement, et, en fin de série, d'environ 10 à 15 secondes. Si vous dépassez ce temps, cela signifie que votre charge est trop légère !

# FATIGUE MAXIMALE

## COMMENT L'APPLIQUER ?

Faites une série régulière jusqu'à l'échec musculaire, puis maintenez, à la suite de la dernière répétition, la charge de façon isométrique le plus longtemps en position pleinement contractée ou à mi-chemin.

## AVANTAGES

→ Elle permet d'augmenter le temps sous tension musculaire par rapport à une série à l'échec classique.

→ Elle profite du mode de contraction isométrique où le muscle est en mesure de libérer davantage de force, créant une fatigue supérieure.

## DÉSAVANTAGE

→ Elle nécessite une surveillance d'un partenaire dans les exercices tels que le développé couché et le squat afin de ne pas rester bloqué sous la barre à la fin de la série.

## TABLEAU D'ENTRAÎNEMENT

| Charge | Nombre de répétitions par série | Nombre de séries par exercice | Nombre d'exercices par GM* | Repos entre les séries |
|--------|--------------------------------|------------------------------|----------------------------|------------------------|
| 65-83 % | 6-15 | 2-5 | 2-3 | 1-2 minutes |

*GM : groupe musculaire

Élévation latérale avec haltères  Tenir les épaules à 90 degrés à la fin de la série le plus longtemps possible

**Effort perçu**

**Effet sur l'hypertrophie**

**Effet sur la force et la puissance**

**Effet sur l'endurance musculaire**

**Expérience requise**

✓ Méthode d'accumulation

☐ Méthode d'intensification

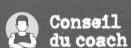

### Conseil du coach

De façon générale, effectuez toujours vos pauses du début vers la fin de la phase excentrique. Toutefois, si vous avez accès à un partenaire, essayez l'inverse, c'est-à-dire la première pause en fin de phase excentrique et la dernière au début.

# CONTRACTION ISO POST-EFFORT

## COMMENT L'APPLIQUER ?

Après avoir atteint la fatigue concentrique pour une série d'un exercice, exécutez 3 pauses isométriques de 6 secondes à trois points distincts dans l'amplitude de mouvement. Elle est aussi appelée contractions isométriques après préfatigue du muscle. C'est en fait une fatigue maximale (technique #97) répartie dans toute l'amplitude du mouvement.

## AVANTAGES

→ C'est une méthode qui est dérivée et plus exigeante que la technique fatigue maximale (technique #97).

→ Elle utilise le travail isométrique pour prolonger la durée et la densité d'une série conventionnelle où la fatigue concentrique a été préalablement atteinte.

## DÉSAVANTAGE

→ Elle est idéale pour les exercices sur des machines, mais elle nécessite la surveillance d'un partenaire ou des gardes de sécurité sur les exercices avec barres (ex. : développé couché, back squat, etc.).

## TABLEAU D'ENTRAÎNEMENT

| Charge | Nombre de répétitions par série | Nombre de séries par exercice | Nombre d'exercices par GM* | Repos entre les séries |
|--------|--------------------------------|-------------------------------|----------------------------|------------------------|
| 70-83 % | 6-12 | 2-4 | 1-4 | 2-3 minutes |

*GM : groupe musculaire

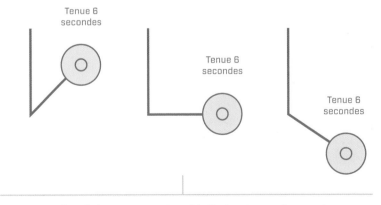

Ex. : dernière répétition excentrique à la flexion des coudes avec barre

# Technique #99

Effort perçu

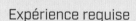

Effet sur l'hypertrophie

Effet sur la force et la puissance

Effet sur l'endurance musculaire

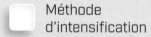

Expérience requise

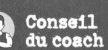

 ✓ Méthode d'accumulation

☐ Méthode d'intensification

---

### Conseil du coach

Lors de vos répétitions supplémentaires, visez au maximum la moitié des répétitions accomplies. Sinon, cela signifiera que votre charge initiale est trop légère (ex. : 10 répétitions + 6 répétitions = trop léger et 6 répétitions + 2 répétitions = parfait).

---

# REPOS INCOMPLET

## COMMENT L'APPLIQUER ?

Elle est aussi appelée séries prolongées et pause-repos. Faites 6 à 12 répétitions maximales, puis prenez 10 à 15 secondes de repos pour ensuite essayer de faire le plus de répétitions possible avec la même charge (gros muscles) ou avec une diminution de la charge (pour petits muscles). Dans ce dernier cas, cette technique peut également s'appeler allègement progressif.

## AVANTAGE

→ Elle permet un travail plus élevé avec une charge donnée. Le simple ajout de cette technique à un exercice augmente le volume de la séance en occasionnant plus de bris musculaires sur les muscles ciblés.

## DÉSAVANTAGE

→ Aucun.

## TABLEAU D'ENTRAÎNEMENT

| Charge | Nombre de répétitions par série | Nombre de séries par exercice | Nombre d'exercices par GM* | Repos entre les séries |
|--------|--------|--------|--------|--------|
| 70-83 % | 6-12 + 1-6 | 2-4 | 1-4 | 2-3 minutes |

*GM : groupe musculaire

Tirage horizontal avec barre en V

*8-10 répétitions*

**+**

Pause de 10 à 15 secondes

Tirage horizontal avec barre en V

*+ 3 répétitions*

# Technique #100

**Effort perçu**

**Effet sur l'hypertrophie**

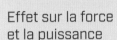

**Effet sur la force et la puissance**

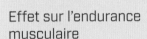

**Effet sur l'endurance musculaire**

**Expérience requise**

☑ Méthode d'accumulation

☐ Méthode d'intensification

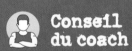

## Conseil du coach

Au fil des semaines avec cette technique, diminuez progressivement votre temps de repos de 15 secondes à 12 secondes puis à 10 secondes afin d'augmenter la densité de votre entraînement. De même, variez la charge utilisée.

Par exemple :

Série #1 : 11 + 2 + 2 + 2 + 2.

Série #2 : 9 + 2 + 2 + 2 + 2.

Série #3 : 7 + 2 + 2 + 2 + 2.

# PAUSE-REPOS 7 RM

### COMMENT L'APPLIQUER ?

Aussi appelée rest-pause, vous devez utiliser une charge de 7 RM et tenter d'exécuter une série qui totalisera entre 13 et 15 répétitions. Chaque série est alors constituée d'un premier bloc de 7 RM suivi de plusieurs blocs de 2 répétitions séparés par des pauses d'une durée de 10 à 15 secondes.

### AVANTAGES

→ Cette technique est très efficace pour l'hypertrophie, car elle permet d'obtenir une haute densité avec des charges à haute intensité.

→ La répétition de petits blocs d'exercices espacés par des pauses crée une hyperrhémie lors de l'exécution des répétitions suivie d'une entrée massive de sang dans le muscle de façon successive. Cette augmentation de pression interne jumelée à un sang riche en nutriments (idéalement si une prise de protéines a été ingérée en préentraînement) et une fatigue des fibres rapides favoriseront l'hypertrophie musculaire.

### DÉSAVANTAGE

→ Aucun.

### TABLEAU D'ENTRAÎNEMENT

| Charge | Nombre de répétitions par série | Nombre de séries par exercice | Nombre d'exercices par GM* | Repos entre les séries |
|---|---|---|---|---|
| 80 % | 7 RM + 2 + 2 + 2 (+2) | 2-4 | 1-4 | 2-3 minutes |

*GM : groupe musculaire

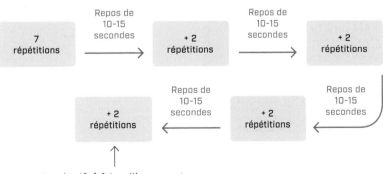

Facultatif : à faire s'il vous reste un peu de force

#  Technique #101

**Effort perçu**

▪▪▪▪▫

**Effet sur l'hypertrophie**

▪▪▪▪▪

**Effet sur la force et la puissance**

▪▪▪▫▫

**Effet sur l'endurance musculaire**

▪▪▪▫▫

**Expérience requise**

▪▪▪

☑ Méthode d'accumulation

☐ Méthode d'intensification

## Conseil du coach

Si vous êtes en mesure d'accomplir plus d'une répétition lors de la dernière séquence, augmentez la charge de 2,5 à 5 kg au prochain entraînement. Si vous ne pouvez compléter qu'une répétition à la dernière étape, le poids sélectionné est alors adéquat.

# PAUSE-REPOS ALTERNÉE

## COMMENT L'APPLIQUER ?

Aussi appelée rest-pause, cette méthode est une variation de l'entraînement en pause-repos pour les exercices unilatéraux. C'est une version adaptée de la technique super-pompe version courte (technique #122). Lorsque vous travaillerez un côté, l'autre sera au repos. Pour exécuter cette technique, vous devrez utiliser une charge qui vous permet d'accomplir 6 à 8 répétitions. Vous exécuterez ensuite la séquence suivante en alternant chacun de vos bras ou de vos jambes : 3, 3, 3, 2, 2, 1. À la fin, vous aurez accompli 14 répétitions par côté avec une charge qui ne vous permet que de faire 6 à 8 répétitions.

## AVANTAGES

→ Elle augmente la densité de votre entraînement.
→ Elle est facile d'utilisation sur n'importe quel exercice.
→ Elle procure une pompe musculaire rapidement.
→ Elle est idéale lorsque vous n'avez pas beaucoup de temps pour vous entraîner.

## DÉSAVANTAGE

→ Elle peut être monotone lorsqu'elle est réalisée sur plusieurs semaines d'affilée.

## TABLEAU D'ENTRAÎNEMENT

| Charge | Nombre de répétitions par série | Nombre de séries par exercice | Nombre d'exercices par GM* | Repos entre les séries |
|--------|--------------------------------|-------------------------------|----------------------------|------------------------|
| 79-83 % | 3, 3, 3, 2, 2, 1 | 2-4 | 1-5 | 1-2 minutes |

*GM : groupe musculaire

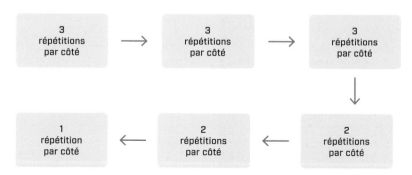

## Technique #102

Effort perçu

■ ■ ■ ■ ■

Effet sur
l'hypertrophie

■ ■ ■ ■ ■

Effet sur la force
et la puissance

■ ■ ■ ■ ■

Effet sur l'endurance
musculaire

■ ■ ■ ■ ■

Expérience requise

■ ■ ■

☑ Méthode
d'accumulation

☐ Méthode
d'intensification

### Conseil du coach

J'aime bien utiliser cette technique de base pour essayer de faire comprendre l'importance du temps sous tension aux clients. Les personnes qui aiment faire leurs 10 répétitions en moins de 10 secondes afin d'utiliser de lourdes charges trouvent cette technique un peu plus dure !

# RÉPÉTITIONS UL 5E-5C

## COMMENT L'APPLIQUER ?

Cette méthode consiste à exécuter 6 répétitions en utilisant un tempo lent de 5 secondes en excentrique et de 5 secondes en concentrique avec une charge équivalente à 12 RM (70 %). Le « UL » dans le nom signifie ultralentes.

## AVANTAGES

→ Le momentum généré par des répétitions trop rapides empêche le système neuromusculaire de recevoir un stimulus de qualité et de durée suffisantes pour obtenir des gains optimaux en force.

→ L'entraînement lent à haute intensité est l'idéal pour augmenter les concentrations de glycogène, de phosphagène et de plusieurs enzymes du métabolisme anaérobie, alors que l'entraînement à haute vitesse n'occasionne pas de tels effets.

→ De meilleurs résultats sont obtenus si chaque série est d'une durée inférieure à 60 secondes (80 secondes étant la durée maximale de ce type de travail).

## DÉSAVANTAGE

→ Elle nécessite une grande concentration afin de compter le temps sous tension dans chacune des phases du mouvement.

## TABLEAU D'ENTRAÎNEMENT

| Charge | Nombre de répétitions par série | Nombre de séries par exercice | Nombre d'exercices par GM* | Repos entre les séries |
|--------|--------------------------------|-------------------------------|----------------------------|------------------------|
| 70 % | 6 | 2-5 | 2-3 | 1-2 minutes |

*GM : groupe musculaire

# Technique #103

Effort perçu

▭ ▭ ▭ ▭ ▭

Effet sur
l'hypertrophie

▭ ▭ ▭ ▭ ▭

Effet sur la force
et la puissance

▭ ▭ ▭ ▭ ▭

Effet sur l'endurance
musculaire

▭ ▭ ▭ ▭ ▭

Expérience requise

▭ ▭ ▭

✓ Méthode
d'accumulation

☐ Méthode
d'intensification

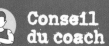

## Conseil du coach

Pour plus de difficulté,
vous pouvez demander à
un partenaire d'augmenter
légèrement la tension durant
vos 10 secondes en excentrique,
en appuyant manuellement
par exemple sur la barre, et de
la retirer lors de votre phase
concentrique.

# RÉPÉTITIONS UL 10E-4C

## COMMENT L'APPLIQUER ?

Cette méthode consiste à exécuter 4 à 5 répétitions en utilisant un tempo lent de 10 secondes en excentrique et de 4 secondes en concentrique avec une charge équivalente à 12 RM (70 %). Le « UL » dans le nom signifie ultralentes.

## AVANTAGES

→ Le momentum généré par des répétitions trop rapides empêche le système neuromusculaire de recevoir un stimulus de qualité et de durée suffisantes pour obtenir des gains optimaux en force.

→ L'entraînement lent à haute intensité est l'idéal pour augmenter les concentrations de glycogène, de phosphagène et de plusieurs enzymes du métabolisme anaérobie, alors que l'entraînement à haute vitesse n'occasionne pas de tels effets.

→ De meilleurs résultats sont obtenus si chaque série est d'une durée inférieure à 60 secondes (80 secondes étant la durée maximale de ce type de travail).

## DÉSAVANTAGE

→ Elle nécessite une grande concentration afin de compter le temps sous tension dans chacune des phases du mouvement.

## TABLEAU D'ENTRAÎNEMENT

| Charge | Nombre de répétitions par série | Nombre de séries par exercice | Nombre d'exercices par GM* | Repos entre les séries |
|--------|--------------------------------|-------------------------------|----------------------------|------------------------|
| 70 % | 4-5 | 2-5 | 2-3 | 1-2 minutes |

*GM : groupe musculaire

| Phase excentrique | → | Phase concentrique |
|-------------------|---|--------------------|
| 10 secondes | | 4 secondes |

# Technique #104

**Effort perçu**

**Effet sur l'hypertrophie**

**Effet sur la force et la puissance**

**Effet sur l'endurance musculaire**

**Expérience requise**

☑ Méthode d'accumulation

☐ Méthode d'intensification

 **Conseil du coach**

Contrôlez toujours votre charge à une vitesse constante. Si la vitesse de la charge en excentrique s'accélère durant les répétitions négatives, cela signifie qu'il est temps d'arrêter la série. Si vous continuez, vous risquez de léser vos tendons qui prendront le relais des fibres épuisées.

# RÉPÉTITIONS NÉGATIVES

## COMMENT L'APPLIQUER ?

Cette technique consiste à ajouter, à la fin d'une série exécutée en RM, 1 à 3 répétitions supplémentaires exécutées uniquement sur la phase excentrique, en prenant 4 à 6 secondes pour réaliser cette phase. Un partenaire doit toutefois vous aider pour l'exécution de la phase concentrique des 1 à 3 répétitions supplémentaires. Par ailleurs, l'entraînement en négatif conduit à de plus hauts niveaux de libération d'hormone de croissance[32].

## AVANTAGES

→ Cette technique permet d'obtenir l'échec musculaire en concentrique et en excentrique, ce que peu de méthodes offrent.

→ L'échec excentrique est en fait plus dommageable sur le muscle qu'un échec concentrique. Les répétitions négatives sont donc très bien placées pour tirer profit des deux phases de contraction et ainsi augmenter les bris musculaires (idéaux à des fins d'hypertrophie).

## DÉSAVANTAGE

→ Elles nécessitent la participation d'un partenaire afin d'alléger la phase concentrique et d'accéder ainsi aux répétitions excentriques supplémentaires.

## TABLEAU D'ENTRAÎNEMENT

| Charge | Nombre de répétitions par série | Nombre de séries par exercice | Nombre d'exercices par GM* | Repos entre les séries |
|--------|--------------------------------|-------------------------------|----------------------------|------------------------|
| 70-83 % | 6-12 + 1-3 | 2-5 | 1-3 | 1-3 minutes |

*GM : groupe musculaire

Flexion des coudes avec la barre

8-10 répétitions

Flexion des coudes avec la barre

+ 1-3 répétitions (excentrique en 4-5 secondes)

Avec un partenaire (phase concentrique)

# Technique #105

**Effort perçu**

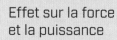

**Effet sur l'hypertrophie**

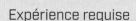

**Effet sur la force et la puissance**

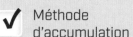

**Effet sur l'endurance musculaire**

**Expérience requise**

☑ Méthode d'accumulation

☐ Méthode d'intensification

### Conseil du coach

Usez de votre imagination pour ajouter de la charge sans nuire à votre sécurité.

Par exemple :

**Pull-up** : traction sur les pieds.

**Développé couché** : pression manuelle.

---

# *RÉPÉTITIONS SUPER-NÉGATIVES*

## COMMENT L'APPLIQUER ?

Vous devez ajouter, à la fin d'une série exécutée en RM, 1 à 3 répétitions exécutées uniquement sur la phase excentrique. La durée de chaque phase excentrique devra se situer entre 4 à 6 secondes et votre partenaire devra augmenter la charge de 10 à 30 % durant cette phase. Ce dernier vous secondera également pour la phase concentrique des 1 à 3 répétitions supplémentaires. Par ailleurs, l'entraînement en négatif conduit à de plus hauts niveaux de libération d'hormone de croissance[32].

## AVANTAGES

→ Avec cette technique, la force excentrique est totalement épuisée après avoir atteint le seuil de la fatigue concentrique.

→ Elle augmente les microdéchirures musculaires par la surcharge et l'accent mis sur la phase excentrique.

## DÉSAVANTAGE

→ Elles nécessitent la participation d'un partenaire afin d'alléger la phase concentrique, d'augmenter la tension sur la phase concentrique et d'accéder aux répétitions excentriques supplémentaires.

## TABLEAU D'ENTRAÎNEMENT

| Charge | Nombre de répétitions par série | Nombre de séries par exercice | Nombre d'exercices par GM* | Repos entre les séries |
|---|---|---|---|---|
| 70-83 % | 6-12 + 1-3 | 2-5 | 1-3 | 2-3 minutes |

*GM : groupe musculaire

Leg press

8-10 répétitions

Leg press avec partenaire sur la structure

+ 1-3 répétitions (excentrique en 4-5 secondes)

Avec un partenaire (phase concentrique)

Effort perçu

▨ ▨ ▨ ▨ ▨

Effet sur l'hypertrophie

▨ ▨ ▨ ▨ ▨

Effet sur la force et la puissance

▨ ▨ ▨ ▨ ▨

Effet sur l'endurance musculaire

▨ ▨ ▨ ▨ ▨

Expérience requise

▨ ▨ ▨

☑ Méthode d'accumulation

☐ Méthode d'intensification

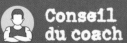

## Conseil du coach

Si vous trouvez faciles les éléments d'entraînement mentionnés à droite, gardez le même nombre de répétitions, mais augmentez progressivement le temps de votre portion excentrique jusqu'à un maximum de 14 secondes par répétition.

# EXCENTRIQUE SUPER-LENT

## COMMENT L'APPLIQUER ?

La technique est similaire au contraste excentrique/concentrique (technique #138), excepté la pause en fin de mouvement. Vous devez contrôler la phase excentrique entre 4 et 14 secondes selon la charge utilisée, puis soulever la phase concentrique de façon explosive.

## AVANTAGES

→ Cette technique permet d'accentuer la portion excentrique d'un mouvement. Ainsi, vous accentuerez du même coup le travail sur vos fibres rapides et permettrez un gain en hypertrophie avec des charges au-dessus de 70 % de votre 1 RM.

→ Des charges plus légères stimuleront des adaptations en endurance ainsi qu'une hypertrophie dite non fonctionnelle.

## DÉSAVANTAGE

→ Aucun.

## TABLEAU D'ENTRAÎNEMENT

| Charge | Nombre de répétitions par série | Nombre de séries par exercice | Nombre d'exercices par GM* | Repos entre les séries |
|--------|--------------------------------|-------------------------------|----------------------------|------------------------|
| 60-85 % | 1-3 | 3-6 | 1-3 | 1-2 minutes |

*GM : groupe musculaire

Les séquences suggérées selon votre 1 RM (%) peuvent être ainsi organisées :

→ **60 %** : 14 secondes en excentrique pour 3 à 5 répétitions.

→ **65 %** : 12 secondes en excentrique pour 3 à 5 répétitions.

→ **70 %** : 10 secondes en excentrique pour 3 à 5 répétitions.

→ **75 %** : 8 secondes en excentrique pour 3 à 5 répétitions.

→ **80 %** : 6 secondes en excentrique pour 2 à 4 répétitions.

→ **85 %** : 4 secondes en excentrique pour 2 à 4 répétitions.

# Technique #107

**Effort perçu**

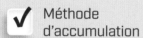

**Effet sur l'hypertrophie**

**Effet sur la force et la puissance**

**Effet sur l'endurance musculaire**

**Expérience requise**

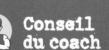

☑ Méthode d'accumulation

☐ Méthode d'intensification

## Conseil du coach

Pour une version avancée, demandez à votre partenaire de placer une légère pression avec ses mains sur la barre ou les poids libres que vous utilisez, seulement lors de la phase excentrique, puis de retirer ses mains lors de votre phase concentrique.

# RÉPÉTITIONS EXCENTRIQUES RÉGRESSIVES

## COMMENT L'APPLIQUER ?

Vous devez exécuter vos répétitions avec une phase excentrique de moins en moins longue. Vous commencez avec une première répétition d'une durée de 10 secondes (1 seconde en concentrique et 9 secondes en excentrique), suivie d'une deuxième répétition d'une durée de 9 secondes (1 seconde en concentrique et 8 secondes en excentrique), etc., jusqu'à la dernière répétition qui sera accomplie en 1 seconde en phases excentrique et concentrique. Une série totalise 54 secondes.

## AVANTAGES

→ Elle augmente le temps sous tension dans la phase excentrique.
→ Elle permet d'améliorer la technique d'un mouvement par la faible vélocité utilisée lors de la phase excentrique.

## DÉSAVANTAGE

→ Aucun.

## TABLEAU D'ENTRAÎNEMENT

| Charge | Nombre de répétitions par série | Nombre de séries par exercice | Nombre d'exercices par GM* | Repos entre les séries |
|--------|--------------------------------|-------------------------------|----------------------------|------------------------|
| 50-65 % | 9 | 2-4 | 1-3 | 1-2 minutes |

*GM : groupe musculaire

Conc. : concentrique, exc. : excentrique,
1-10 : secondes passées dans cette phase

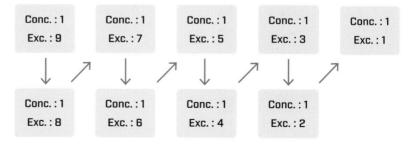

# Technique #108

Effort perçu

Effet sur
l'hypertrophie

Effet sur la force
et la puissance

Effet sur l'endurance
musculaire

Expérience requise

✓ Méthode
d'accumulation

☐ Méthode
d'intensification

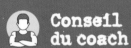

## Conseil du coach

Variez l'amplitude du mouvement. Par exemple, au développé couché si vous faites vos demi-répétitions dans le début du mouvement (près de la poitrine), vous solliciterez davantage les pectoraux tandis que si vos demi-répétitions sont accomplies en fin de mouvement (près de l'extension des coudes), ce seront les triceps qui seront avantagés.

# MOUVEMENT ET DEMI

## COMMENT L'APPLIQUER ?

Cette technique est aussi appelée méthode des doubles contractions. Elle consiste à exécuter un mouvement complet suivi d'un quart ou de la moitié de ce même mouvement. Cette répétition partielle peut être faite dans la partie basse (doubles contractions basses) ou haute du mouvement (doubles contractions hautes).

## AVANTAGES

→ Elle permet de mettre l'accent en cours de série sur une région musculaire déficiente.

→ Elle permet d'augmenter le temps total sous tension, conduisant à de meilleurs gains musculaires.

→ Elle peut être accomplie avec des charges relativement lourdes.

## DÉSAVANTAGE

→ Aucun.

## TABLEAU D'ENTRAÎNEMENT

| Charge | Nombre de répétitions par série | Nombre de séries par exercice | Nombre d'exercices par GM* | Repos entre les séries |
|---|---|---|---|---|
| 70-83 % | 6-12 | 2-5 | 1-2 | 2-3 minutes |

*GM : groupe musculaire

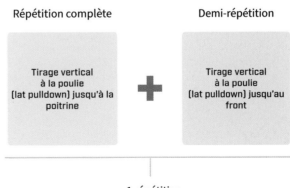

Répétition complète — Tirage vertical à la poulie (lat pulldown) jusqu'à la poitrine **+** Demi-répétition — Tirage vertical à la poulie (lat pulldown) jusqu'au front

= 1 répétition

# Technique #109

Effort perçu

■ ■ ■ □ □

Effet sur l'hypertrophie

■ ■ ■ □ □

Effet sur la force et la puissance

■ ■ ■ ■ □

Effet sur l'endurance musculaire

■ ■ □ □ □

Expérience requise

■ ■ □

☑ Méthode d'accumulation

☐ Méthode d'intensification

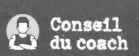

## Conseil du coach

C'est une technique idéale lorsque vous êtes en voyage dans une autre ville et que vous ne connaissez pas le centre d'entraînement. Vous ne réservez aucun appareil. Vous vous promenez, choisissez un exercice et appliquez la technique de votre choix. Après le repos, vous refaites la même chose avec un nouvel exercice.

# LE NON-STOP

## COMMENT L'APPLIQUER ?

Cette technique consiste à enchaîner différents exercices pour un même groupe musculaire à chaque changement de série. Dans cette méthode, aucun exercice ne doit être exécuté pendant 2 séries consécutives. Par exemple, vous pouvez faire 12 séries avec 12 exercices différents (1 série par exercice) ou choisir 4 exercices et les alterner pour 12 séries total (3 séries par exercice).

## AVANTAGES

→ Elle brise la monotonie d'un entraînement traditionnel car, à chaque série, vous devez vous déplacer d'un exercice à un autre.

→ Elle permet d'utiliser plusieurs techniques d'entraînement pour un même exercice.

## DÉSAVANTAGE

→ Vous devez avoir au moins 1 ou 2 ans d'expérience en entraînement afin d'avoir expérimenté plusieurs exercices et de repérer vos charges facilement lorsque vous arrivez sur un nouvel exercice.

## TABLEAU D'ENTRAÎNEMENT

| Charge | Nombre de répétitions par série | Nombre de séries par exercice | Nombre d'exercices par GM* | Repos entre les séries |
|--------|----------------------------------|-------------------------------|------------------------------|------------------------|
| 70-83 % | 6-12 | 1-3 | 4-12 | 2-3 minutes |

*GM : groupe musculaire

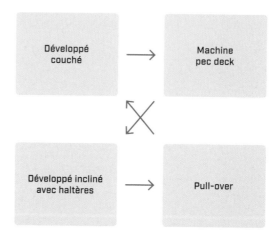

**Repos entre les exercices : 2 minutes**

**Passage #1 :** faire 1 mouvement et demi (technique #108)

**Passage #2 :** faire à fatigue maximale (technique #97)

**Passage #3 :** faire 1 série holistique (technique #76)

## Effort perçu

## Effet sur l'hypertrophie

## Effet sur la force et la puissance

## Effet sur l'endurance musculaire

## Expérience requise

☑ Méthode d'accumulation

☐ Méthode d'intensification

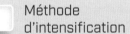

### Conseil du coach

Il est primordial d'utiliser la bonne charge, soit l'équivalent d'un 12-13 RM. Ne comptez pas la première série et utilisez-la pour déterminer vos vraies 12-13 RM. Une fois déterminées, commencez la technique et notez la charge dans votre programme afin de ne pas refaire cette étape à la deuxième semaine d'entraînement.

# 4 X 10 À LA MINUTE

### COMMENT L'APPLIQUER ?

Vous devez prendre une charge équivalente à 12-13 RM puis effectuer 10 répétitions par série en prenant seulement 1 minute de récupération entre les séries.

### AVANTAGES

→ Elle a l'avantage d'être rapide dans le temps. En l'espace de 6 minutes, vous aurez déjà complété 40 répétitions !

→ Elle est utilisée à des fins d'hypertrophie, car elle permet d'augmenter la densité (quantité de travail par unité de temps) de votre entraînement.

### DÉSAVANTAGE

→ C'est un entraînement sous-maximal dans les premières séries, mais qui devient vite maximal dans les dernières séries étant donné le repos incomplet.

### TABLEAU D'ENTRAÎNEMENT

| Charge | Nombre de répétitions par série | Nombre de séries par exercice | Nombre d'exercices par GM* | Repos entre les séries |
|--------|----------------|----------------|----------------|----------------|
| 70 % | 10 | 4 | 1-4 | 1 minute |

*GM : groupe musculaire

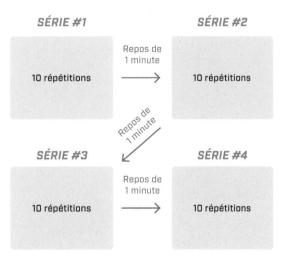

# Technique #111

Effort perçu

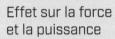

Effet sur
l'hypertrophie

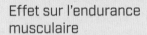

Effet sur la force
et la puissance

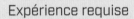

Effet sur l'endurance
musculaire

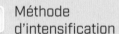

Expérience requise

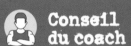

✓ Méthode
d'accumulation

☐ Méthode
d'intensification

## Conseil du coach

Afin d'augmenter de 1 % vos charges, je vous suggère d'utiliser des PlateMates® que vous déposerez sur vos plaques ou vos haltères en métal. Pour plus d'informations, visitez le http://www.theplatemate.com.

# SURCHARGE PAR GROSSES VAGUES

## COMMENT L'APPLIQUER ?

Vous devez répéter 2 ou 3 fois une vague constituée de 3 séries de 3 à 10 répétitions.

De plus, tentez d'augmenter de 1 % la charge à chaque nouvelle vague. Exemples :

1. 10-8-6-10-8-6 (2 vagues) ;
2. 8-6-4-8-6-4 (2 vagues) ;
3. 7-5-3-7-5-3-7-5-3 (3 vagues).

## AVANTAGES

→ Elle permet de profiter de l'effet de potentialisation post-tétanique, ajoutant alors un peu de charge aux 4e et 7e séries.

→ La potentialisation permet de maintenir une activation des fibres rapides dans le temps suite à un soulèvement de charges plus lourdes.

## DÉSAVANTAGES

→ Elle occasionne un grand nombre de séries sur le même exercice.

→ Elle oblige alors moins de variétés d'exercices dans l'entraînement du muscle ciblé.

## TABLEAU D'ENTRAÎNEMENT

| Charge | Nombre de répétitions par série | Nombre de séries par exercice | Nombre d'exercices par GM* | Repos entre les séries |
|--------|--------------------------------|-------------------------------|----------------------------|------------------------|
| 70-100 % | 1-12 | 6 ou 9 | 1 | 2-4 minutes |

*GM : groupe musculaire

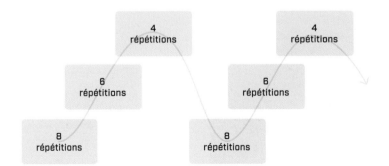

# Technique #112

Effort perçu

Effet sur
l'hypertrophie

Effet sur la force
et la puissance

Effet sur l'endurance
musculaire

Expérience requise

✓ Méthode
d'accumulation

☐ Méthode
d'intensification

## Conseil du coach

Vous pouvez varier les répétitions sur les paliers. Par exemple, vous pourriez utiliser les paliers suivants :

1. Palier 8-4 (3 x 8 + 2 x 4).
2. Palier 7-3 (3 x 7 + 2 x 3).
3. Palier 6-2 (3 x 6 + 2 x 2).
4. Palier 5-1 (3 x 5 + 2 x 1).

# PALIER 10-6 RM

## COMMENT L'APPLIQUER ?

Cette méthode consiste à exécuter 3 séries consécutives à 10 RM et 2 séries consécutives à 6 RM. Chaque série est espacée d'un temps de repos variant entre 2 et 3 minutes et vous pouvez varier les répétitions sur un palier. Cette technique s'effectue en amont de la technique #113, le palier 6-10 RM.

## AVANTAGES

→ Elle permet d'intégrer progressivement un travail en force après avoir effectué quelques séries plus « légères ».

→ Elle permet d'améliorer la capacité d'exécuter un mouvement par l'obligation de faire 5 séries sur un même exercice.

## DÉSAVANTAGE

→ Elle limite le nombre d'exercices dans la séance pour un groupe musculaire en particulier étant donné le volume d'entraînement donné pour cette technique.

## TABLEAU D'ENTRAÎNEMENT

| Charge | Nombre de répétitions par série | Nombre de séries par exercice | Nombre d'exercices par GM* | Repos entre les séries |
|--------|-------------------------------|------------------------------|---------------------------|------------------------|
| 74-74-74-83-83 % | 10-10-10-6-6 | 5 | 1-4 | 2-3 minutes |

*GM : groupe musculaire

**Effort perçu**

■■■□□

**Effet sur l'hypertrophie**

■■■■□

**Effet sur la force et la puissance**

■■■■□

**Effet sur l'endurance musculaire**

■■□□□

**Expérience requise**

■■■

☑ Méthode d'accumulation

☐ Méthode d'intensification

### Conseil du coach

Vous pouvez varier les répétitions sur les paliers. Par exemple, vous pourriez utiliser les paliers suivants :
1. Palier 4-8 (3 x 4 + 2 x 8).
2. Palier 3-3 (3 x 3 + 2 x 7).
3. Palier 2-6 (3 x 2 + 2 x 6).
4. Palier 1-5 (3 x 1 + 2 x 5).

# PALIER 6-10 RM

## COMMENT L'APPLIQUER ?

Cette méthode consiste à exécuter 3 séries consécutives à 6 RM et 2 séries consécutives à 10 RM. Chaque série est espacée d'un temps de repos variant entre 2 et 3 minutes et vous pouvez varier les répétitions sur un palier. Cette technique s'effectue en aval de la technique #112, le palier 10-6 RM.

## AVANTAGE

→ Le fait de commencer avec des séries plus lourdes (6 RM) permet de profiter d'une potentialisation musculaire lorsque vous arriverez aux séries plus « légères », les séries 4 et 5. Vous pourrez alors augmenter la charge de 1-2 % par rapport à vos 10 RM réelles.

## DÉSAVANTAGE

→ Elle limite le nombre d'exercices dans la séance pour un groupe musculaire en particulier étant donné le volume d'entraînement donné pour cette technique.

## TABLEAU D'ENTRAÎNEMENT

| Charge | Nombre de répétitions par série | Nombre de séries par exercice | Nombre d'exercices par GM* | Repos entre les séries |
|---|---|---|---|---|
| 83-83-83-74-74 % | 6-6-6-10-10 | 5 | 1-4 | 2-3 minutes |

*GM : groupe musculaire

## Technique #114

Effort perçu

Effet sur
l'hypertrophie

Effet sur la force
et la puissance

Effet sur l'endurance
musculaire

Expérience requise

 ✓ Méthode
d'accumulation

☐ Méthode
d'intensification

 **Conseil
du coach**

En fonction de votre typologie
musculaire des muscles
sollicités (ratio entre fibres
rapides et lentes), le pourcentage
peut varier à l'intérieur d'une
série. N'hésitez pas à le modifier.
Par exemple, des experts de
l'aviron peuvent effectuer 12 RM
à 90 % de leur 1 RM en raison
de leur typologie riche en fibres
de type I dans leur dos. De ce
fait, pour eux, les pourcentages
devront être plus élevés que
ceux mentionnés.

# MÉTHODE PYRAMIDALE INTERNE

## COMMENT L'APPLIQUER ?

Cette méthode consiste à varier la charge du plus léger au plus lourd et vice versa à l'intérieur d'une même série.

**Exemple** : faites 3 répétitions à 70 % suivies de deux répétitions à 75 % puis d'une à 80 %, suivie de deux à 75 % et de trois à 70 % pour un total de 11 répétitions pour une série.

## AVANTAGE

→ Cette technique permet d'augmenter la variation de l'intensité pour un exercice à l'intérieur d'une série. Par exemple, au lieu de faire 11 répétitions constantes à 72 %, vous conserverez tout de même une intensité moyenne de 72 %, mais en ayant intégré des intensités plus élevées.

## DÉSAVANTAGE

→ Cette technique doit être réalisée sur des appareils à plaques sélectives de préférence.

## TABLEAU D'ENTRAÎNEMENT

| Charge | Nombre de répétitions par série | Nombre de séries par exercice | Nombre d'exercices par GM* | Repos entre les séries |
|--------|--------------------------------|-------------------------------|----------------------------|------------------------|
| 70-100 % | 1-12 | 2-5 | 1 | 1-3 minutes |

*GM : groupe musculaire

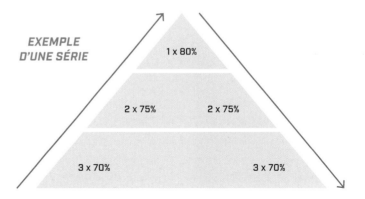

*EXEMPLE D'UNE SÉRIE*

1 x 80%

2 x 75%    2 x 75%

3 x 70%    3 x 70%

# Technique #115

**Effort perçu**

▮▮▯▯▯

**Effet sur l'hypertrophie**

▮▮▮▯▯

**Effet sur la force et la puissance**

▮▮▮▯▯

**Effet sur l'endurance musculaire**

▮▮▯▯▯

**Expérience requise**

▮▮▯

☑ Méthode d'accumulation

☐ Méthode d'intensification

## Conseil du coach

N'hésitez pas à créer votre propre pyramide en changeant le nombre de répétitions par étage. Pour les individus plus avancés, vous pouvez même intégrer d'autres techniques à l'intérieur de la pyramide. Par exemple, vous pourriez faire 12 RM, puis 10 RM en série brûlante, puis 8 RM en fatigue maximale, etc.

# MÉTHODE PYRAMIDALE EXTERNE

## COMMENT L'APPLIQUER ?

Cette méthode consiste à faire progresser la charge du plus léger au plus lourd et/ou l'inverse au fur et à mesure que les séries avancent.

**Exemple #1 (demi-pyramide) :** 16 RM, 12 RM, 9 RM, 5 RM, 2 RM (5 séries distinctes).

**Exemple #2 (pyramide complète) :** 12 RM, 10 RM, 8 RM, 6 RM, 4 RM, 6 RM, 8 RM, 10 RM, 12 RM (10 séries distinctes).

## AVANTAGES

→ Elle améliore la force, l'hypertrophie et exploite de façon optimale le potentiel musculaire.

→ Elle est facile d'utilisation sur tous les exercices.

## DÉSAVANTAGE

→ Il y a un risque de stagnation possible dans les gains avec cette technique si elle est utilisée trop longtemps, car peu d'exercices sont pratiqués dans la séance d'entraînement.

## TABLEAU D'ENTRAÎNEMENT

| Charge | Nombre de répétitions par série | Nombre de séries par exercice | Nombre d'exercices par GM* | Repos entre les séries |
|--------|--------------------------------|-------------------------------|----------------------------|------------------------|
| 70-100 % | 1-12 | 5-10 | 1 | 2-3 minutes |

*GM : groupe musculaire

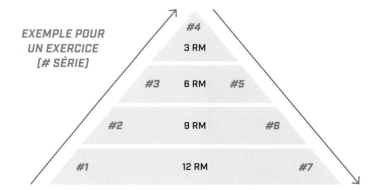

*EXEMPLE POUR UN EXERCICE [# SÉRIE]*

# Technique #116

Effort perçu

■ ■ ■ ■ ■

Effet sur
l'hypertrophie

■ ■ ■ ■ ■

Effet sur la force
et la puissance

■ ■ ■ ■ ■

Effet sur l'endurance
musculaire

■ ■ ■ ■ ■

Expérience requise

■ ■ ■

✓ Méthode
d'accumulation

☐ Méthode
d'intensification

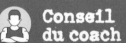 **Conseil
du coach**

Les meilleurs exercices pour cette technique sont (avec des haltères) les développés couché (décliné, horizontaux, incliné), les écartés couché, les développés assis, les tirages verticaux, les élévations (avant, latérales, arrière), les tirages horizontaux, les shrugs, les lunges, les extensions des coudes couché, les flexions des coudes (debout, assis, incliné).

# RACK PYRAMID METHOD

## COMMENT L'APPLIQUER ?

Cette méthode est nommée ainsi parce qu'elle utilise les haltères (des charges déjà prêtes) dans un support (rack) que l'ensemble des salles de musculation possède. C'est un dérivé de la méthode pyramidale externe (technique #115) avec, toutefois, l'utilisation d'haltères uniquement. Commencez par accomplir 10 répétitions en échauffement et augmentez graduellement la charge selon les haltères disponibles (généralement de 1,25 à 2,5 kg par augmentation) jusqu'à ce que vous ne puissiez accomplir qu'une seule répétition. Par la suite, renversez l'ordre et diminuez la charge jusqu'à ce que vous atteigniez à nouveau votre point de départ. Votre temps de repos entre vos séries sera de 1 à 2 minutes.

## AVANTAGE

→ Elle procure beaucoup de stimulus sur le muscle et permet, de ce fait, une excellente croissance musculaire.

## DÉSAVANTAGE

→ Elle nécessite l'accès à tous les haltères du support, ce qui rend la technique impossible à accomplir dans les heures de pointe des salles de musculation.

## TABLEAU D'ENTRAÎNEMENT

| Charge | Nombre de répétitions par série | Nombre de séries par exercice | Nombre d'exercices par GM* | Repos entre les séries |
|--------|--------------------------------|------------------------------|---------------------------|------------------------|
| 72-100 % | 1-10 | 2-15 | 1 | 1-2 minutes |

*GM : groupe musculaire

| Séries | Poids en kg | Répétitions | Repos |
|--------|-------------|-------------|-------|
| 1 | 20 | 10 | 1 minute |
| 2 | 25 | 10 | 1 minute |
| 3 | 30 | 10 | 1 minute |
| 4 | 35 | 8 | 2 minutes |
| 5 | 40 | 6 | 2 minutes |
| 6 | 45 | 3 | 2 minutes |
| 7 | 50 | 1 | 2 minutes |
| 8 | 45 | 2 | 2 minutes |
| 9 | 40 | 3 | 2 minutes |
| 10 | 35 | 5 | 2 minutes |
| 11 | 30 | 6 | 2 minutes |
| 12 | 25 | 7 | 2 minutes |
| 13 | 20 | 8 | 2 minutes |

# Technique #117

Effort perçu

▓ ▓ ▓ ░ ░

Effet sur
l'hypertrophie

▓ ▓ ▓ ▓ ░

Effet sur la force
et la puissance

▓ ▓ ▓ ░ ░

Effet sur l'endurance
musculaire

▓ ░ ░ ░ ░

Expérience requise

▓ ░ ░

✓ Méthode
d'accumulation

☐ Méthode
d'intensification

## Conseil du coach

Les débutants en entraînement conservent l'énergie élastique dans leurs muscles environ 0,25 seconde tandis que les athlètes peuvent la maintenir durant 2 à 3 secondes après le dépôt de la barre. Assurez-vous d'avoir un repos suffisant !

# CONCENTRIQUE PUR

## COMMENT L'APPLIQUER ?

Cette technique consiste à démarrer le mouvement au début de la phase concentrique. Après la charge redéposée, attendez au moins 2 secondes afin que l'énergie élastique contenue dans les tendons des muscles impliqués se soit dissipée, puis commencez la répétition suivante.

## AVANTAGES

→ Elle permet de travailler uniquement la phase concentrique sans obtenir un préétirement du muscle.

→ Elle permet un plus grand signal électromyographique dans le muscle (meilleur recrutement).

→ Elle permet de travailler des amplitudes faibles à l'intérieur d'un mouvement.

→ Elle est utile pour développer la force lorsque vous maximisez l'accélération.

## DÉSAVANTAGE

→ Elle ne permet pas une grande hypertrophie musculaire, car la phase excentrique est sous-utilisée.

→ Elle diminue le recrutement des fibres rapides par l'absence d'un préétirement.

## TABLEAU D'ENTRAÎNEMENT

| Charge | Nombre de répétitions par série | Nombre de séries par exercice | Nombre d'exercices par GM* | Repos entre les séries |
|---|---|---|---|---|
| 70-100 % | 1-12 | 5-10 | 1 | 2-3 minutes |

*GM : groupe musculaire

## EXEMPLES DE CONCENTRIQUE PUR

| Front squat, dépôt de la barre au tiers du mouvement | Développé couché, dépôt de la barre aux deux tiers du mouvement | Soulevé de terre à partir du sol |
|---|---|---|
| *4 séries de 6 répétitions à 75 %* | *6 séries de 3 répétitions à 85 %* | *3 séries de 8 répétitions à 70 %* |

## Technique #118

**Effort perçu**

**Effet sur l'hypertrophie**

**Effet sur la force et la puissance**

**Effet sur l'endurance musculaire**

**Expérience requise**

☑ Méthode d'accumulation

☐ Méthode d'intensification

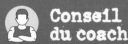

**Conseil du coach**

Lors des répétitions partielles, contrôlez la portion excentrique afin d'éviter les mouvements rapides incontrôlés qui répartiraient de ce fait davantage de charge sur vos tissus élastiques (tendons, ligaments), augmentant alors vos risques de blessures.

# SÉRIE BRÛLANTE

## COMMENT L'APPLIQUER ?

Vous devez exécuter, à la fin d'une série, le maximum de répétitions en mouvement partiel (le quart ou la moitié d'une répétition).

## AVANTAGES

→ C'est une méthode très efficace pour les bras.

→ Elle permet de fatiguer l'ensemble des groupes musculaires impliqués dans un mouvement (ex. : lors d'un développé couché, si vos triceps se fatiguent prématurément, vous pourrez continuer avec cette technique à faire des demi-répétitions basses en fin de série pour fatiguer vos pectoraux).

→ Elle augmente le temps sous tension, produisant davantage de gains musculaires.

## DÉSAVANTAGE

→ Aucun.

## TABLEAU D'ENTRAÎNEMENT

| Charge | Nombre de répétitions par série | Nombre de séries par exercice | Nombre d'exercices par GM* | Repos entre les séries |
|---|---|---|---|---|
| 70-83 % | 6-12 + maximum de demi-répétitions | 2-4 | 1-4 | 2-3 minutes |

*GM : groupe musculaire

| Legs extension, répétitions complètes<br><br>*10 répétitions maximales* |  | Legs extension, répétitions partielles dans le début du mouvement<br><br>*Maximum* |
|---|---|---|

# Technique #119

**Effort perçu**

▪▪▪▫▫

**Effet sur l'hypertrophie**

▪▪▪▪▫

**Effet sur la force et la puissance**

▪▪▪▫▫

**Effet sur l'endurance musculaire**

▪▪▫▫▫

**Expérience requise**

▪▪▪

☑ Méthode d'accumulation

☐ Méthode d'intensification

## Conseil du coach

Lors de vos répétitions forcées, prenez entre 2 et 4 secondes pour effectuer la phase excentrique de chaque répétition. Cela maximisera votre développement musculaire tout en diminuant le risque de blessures.

# SÉRIE FORCÉE

## COMMENT L'APPLIQUER ?

À la fin d'une série, exécutez 1 à 4 répétitions supplémentaires avec l'aide d'un partenaire qui vous accordera juste assez d'aide pour terminer la partie concentrique du mouvement. La partie excentrique du mouvement est ensuite terminée sans aide. La version sans partenaire de cette technique se nomme série à la triche (technique #120).

## AVANTAGES

→ Cette technique est excellente pour l'entraînement des bras.

→ Elle permet d'atteindre l'échec musculaire en concentrique et en excentrique.

→ Elle occasionne davantage de microdéchirures musculaires grâce au temps supplémentaire passé dans la phase excentrique.

→ Elle provoque une augmentation de l'hormone de croissance presque trois fois plus importante qu'un entraînement standard[2].

## DÉSAVANTAGE

→ Elle nécessite un partenaire afin de finaliser les phases concentriques des répétitions supplémentaires.

## TABLEAU D'ENTRAÎNEMENT

| Charge | Nombre de répétitions par série | Nombre de séries par exercice | Nombre d'exercices par GM* | Repos entre les séries |
|--------|--------------------------------|------------------------------|---------------------------|------------------------|
| 70-100 % | 1-12 | 5-10 | 1 | 2-3 minutes |

*GM : groupe musculaire

Flexion des coudes avec barre

*8 répétitions maximales*

Série jusqu'à l'échec

**+**

Flexion des coudes avec barre

*Maximum (1-4)*

Avec partenaire pour la phase concentrique seulement

## Effort perçu

## Effet sur l'hypertrophie

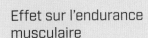

## Effet sur la force et la puissance

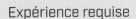

## Effet sur l'endurance musculaire

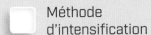

## Expérience requise

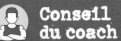

✓ Méthode d'accumulation

☐ Méthode d'intensification

---

### Conseil du coach

La série à la triche est suggérée afin d'améliorer le travail dans la portion excentrique en fin de série. Elle ne doit en aucun cas être utilisée pour toutes les répétitions d'une série, une erreur trop fréquemment observée, à mon avis, chez une grande majorité des débutants dans le domaine de l'entraînement.

---

# SÉRIE À LA TRICHE

## COMMENT L'APPLIQUER ?

À la fin d'une série, exécutez 1 à 4 répétitions supplémentaires en utilisant votre poids de corps afin de créer un momentum qui vous accordera juste assez d'aide pour finir la partie concentrique du mouvement. La partie excentrique du mouvement est ensuite terminée en contrôle. La version avec partenaire de cette technique se nomme série forcée (technique #119).

## AVANTAGES

→ Cette technique est excellente pour l'entraînement des bras.
→ Elle permet d'atteindre l'échec musculaire en concentrique et en excentrique.
→ Elle occasionne davantage de microdéchirures musculaires grâce au temps supplémentaire passé dans la phase excentrique.

## DÉSAVANTAGE

→ Il y a un risque de blessures si le mouvement de compensation est mal exécuté.

## TABLEAU D'ENTRAÎNEMENT

| Charge | Nombre de répétitions par série | Nombre de séries par exercice | Nombre d'exercices par GM* | Repos entre les séries |
|--------|--------------------------------|------------------------------|----------------------------|------------------------|
| 70-100 % | 1-12 | 5-10 | 1 | 2-3 minutes |

*GM : groupe musculaire

Tirage vertical à la poulie (lat pulldown)

*8 répétitions maximales*

**+**

Tirage vertical à la poulie (lat pulldown)

*Maximum (1-4)*

Série jusqu'à l'échec

Avec un élan vers l'arrière pour la phase concentrique seulement

# Technique #121

**Effort perçu**

**Effet sur l'hypertrophie**

**Effet sur la force et la puissance**

**Effet sur l'endurance musculaire**

**Expérience requise**

☑ Méthode d'accumulation

☐ Méthode d'intensification

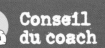

## Conseil du coach

Avec la charge soulevée élevée et le peu de temps de repos, cette technique apportera un grand afflux de sang dans les muscles sollicités (d'où son nom). Cela fait d'elle une technique de prédilection afin de bien remplir vos chandails avant de sortir dans les bars, messieurs !

# SÉRIE SUPER-POMPE VERSION LONGUE

## COMMENT L'APPLIQUER ?

Faites 15 à 18 séries d'un même mouvement avec 2 à 3 répétitions par série et 15 secondes de repos entre les séries.

**Exemple :** 16 x 3 à 70 % ou 18 x 2 à 74 %.

## AVANTAGES

→ Elle augmente la densité de votre entraînement.

→ Elle est facile d'utilisation sur n'importe quel exercice.

→ Elle procure une pompe musculaire rapidement.

→ Elle est idéale lorsque vous n'avez pas beaucoup de temps pour vous entraîner.

## DÉSAVANTAGES

→ Elle nécessite un certain niveau d'entraînement afin que vos muscles soient en mesure de récupérer suffisamment en seulement 15 secondes et de compléter toutes les séries.

→ Cette technique peut être monotone lorsqu'elle est réalisée pendant plusieurs semaines de suite.

## TABLEAU D'ENTRAÎNEMENT

| Charge | Nombre de répétitions par série | Nombre de séries par exercice | Nombre d'exercices par GM* | Repos entre les séries |
|--------|--------------------------------|-------------------------------|----------------------------|------------------------|
| 70-80 % | 2-3 | 15-18 | 1 | 15 secondes |

*GM : groupe musculaire

**Exemple avec une charge de 70 % (repos de 15 secondes)**

3 répétitions → 3 répétitions → 3 répétitions → 3 répétitions → 3 répétitions

3 répétitions → 3 répétitions → 3 répétitions → 3 répétitions → 3 répétitions

3 répétitions → 3 répétitions → 3 répétitions → 3 répétitions → 3 répétitions

# Technique #122

**Effort perçu**

**Effet sur l'hypertrophie**

**Effet sur la force et la puissance**

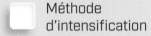

**Effet sur l'endurance musculaire**

**Expérience requise**

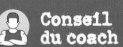

- ☑ Méthode d'accumulation
- ☐ Méthode d'intensification

## Conseil du coach

Vous pouvez créer votre propre séquence à partir de n'importe quelle charge. Il suffit d'atteindre le double de répétitions de vos RM choisies puis de le fractionner en 4 à 6 séquences.
Par exemple :
- 6 x 2 avec 6 RM.
- 4 x 4 avec 8 RM.

# SÉRIE SUPER-POMPE VERSION COURTE

## COMMENT L'APPLIQUER ?

Utilisez une charge de 10 RM et effectuez 5 séquences de 4 répétitions entrecoupées de 10 secondes de récupération pour totaliser une seule série (20 répétitions totales). D'autres options sont également possibles (voir le « Conseil du coach »).

## AVANTAGES

→ Elle augmente la densité de votre entraînement.

→ Elle est facile d'utilisation sur n'importe quel exercice.

→ Elle procure une pompe musculaire rapidement.

→ Elle est idéale lorsque vous n'avez pas beaucoup de temps pour vous entraîner.

## DÉSAVANTAGES

→ Elle nécessite un certain niveau d'entraînement afin que vos muscles soient en mesure de récupérer suffisamment en seulement 10 secondes et de compléter toutes les séquences.

→ Cette technique peut être monotone lorsqu'elle est réalisée sur plusieurs semaines de suite.

## TABLEAU D'ENTRAÎNEMENT

| Charge | Nombre de répétitions par série | Nombre de séries par exercice | Nombre d'exercices par GM* | Repos entre les séries |
|--------|--------------------------------|-------------------------------|----------------------------|------------------------|
| 74 % | 20 (5 x 4) | 2-4 | 1-3 | 2-3 minutes |

*GM : groupe musculaire

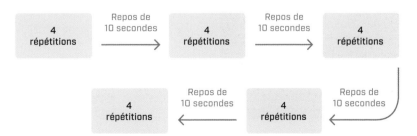

# Technique #123

Effort perçu

Effet sur l'hypertrophie

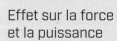

Effet sur la force et la puissance

Effet sur l'endurance musculaire

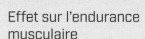

Expérience requise

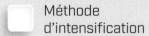

 ✓ Méthode d'accumulation

☐ Méthode d'intensification

## Conseil du coach

Vous pouvez créer votre propre séquence à partir de n'importe quelle charge. Il suffit de commencer avec la moitié des répétitions de vos RM choisies, puis d'effectuer la séquence régressive jusqu'à l'atteinte d'une répétition. Par exemple, vous pourriez faire 6, 5, 4, 3, 2, 1 avec 12 RM.

---

# SÉRIE SUPER-POMPE VERSION RÉGRESSIVE

## COMMENT L'APPLIQUER ?

Utilisez une charge de 10 RM et effectuez 5 séquences régressives entrecoupées de 10 secondes de récupération pour totaliser une seule série (15 répétitions totales). À chaque séquence, vous devrez retirer une répétition pour suivre l'ordre suivant : 5, 4, 3, 2, 1. D'autres options sont également possibles (voir le « Conseil du coach »).

## AVANTAGES

→ Elle augmente la densité de votre entraînement.
→ Elle est facile d'utilisation sur n'importe quel exercice.
→ Elle procure une pompe musculaire rapidement.
→ Elle est idéale lorsque vous n'avez pas beaucoup de temps pour vous entraîner.

## DÉSAVANTAGE

→ Elle est moins efficace que la technique super-pompe version courte (technique #122), car la densité est plus faible (moins de répétitions totales accomplies avec la même charge). Cette technique peut donc être exécutée en amont de la version courte dans votre planification.

## TABLEAU D'ENTRAÎNEMENT

| Charge | Nombre de répétitions par série | Nombre de séries par exercice | Nombre d'exercices par GM* | Repos entre les séries |
|--------|--------------------------------|------------------------------|---------------------------|------------------------|
| 74 % | 15 (5, 4, 3, 2, 1) | 2-4 | 1-3 | 2-3 minutes |

*GM : groupe musculaire

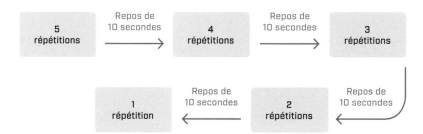

# Technique #124

## Effort perçu

■■□□□

## Effet sur l'hypertrophie

■■■■□

## Effet sur la force et la puissance

■■□□□

## Effet sur l'endurance musculaire

■■■□□

## Expérience requise

■■□

☑ Méthode d'accumulation

☐ Méthode d'intensification

### Conseil du coach

Utilisez cette technique pour des groupes musculaires où vos articulations sont sensibles (ex. : coudes, genoux). Assurez-vous dans la première partie d'obtenir une préparation musculaire suffisante pour la deuxième section avec des charges plus lourdes.

# MÉTHODE DOUBLE PROGRESSION

## COMMENT L'APPLIQUER ?

Cette technique est divisée en deux sections. Dans la première section, les répétitions augmentent, mais la charge reste constante et le repos est très court (30-60 secondes) tandis que, dans la deuxième section, les répétitions diminuent et la charge augmente.

**Exemple** : (#série/répétitions/charge (%)) : #1/4/70 ; #2/6/70 ; #3/8/70 ; #4/10/7 ; #5/12/70 ; #6/10/75 ; #7/8/80 ; #8/6/85 ; #9/4/90.

## AVANTAGES

→ Elle combine les entraînements sous-maximaux et maximaux.

→ La première partie sert d'échauffement (idéale pour ceux qui sont moins habitués à l'exercice sur lequel la technique est appliquée).

## DÉSAVANTAGE

→ Elle est monotone et peu stimulante pour les individus avancés en musculation.

## TABLEAU D'ENTRAÎNEMENT

| Charge | Nombre de répétitions par série | Nombre de séries par exercice | Nombre d'exercices par GM* | Repos entre les séries |
|---|---|---|---|---|
| 70-90 % | 2-12 | 9 | 1 | 30 secondes à 3 minutes |

*GM : groupe musculaire

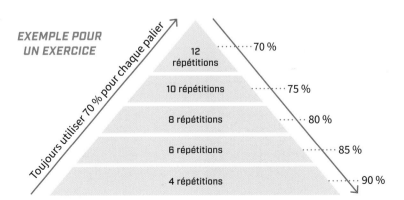

*EXEMPLE POUR UN EXERCICE*

Toujours utiliser 70 % pour chaque palier

| | |
|---|---|
| 12 répétitions | 70 % |
| 10 répétitions | 75 % |
| 8 répétitions | 80 % |
| 6 répétitions | 85 % |
| 4 répétitions | 90 % |

# Technique #125

Effort perçu

■ ■ ■ ■ □

Effet sur
l'hypertrophie

■ ■ □ □ □

Effet sur la force
et la puissance

■ ■ □ □ □

Effet sur l'endurance
musculaire

■ ■ □ □ □

Expérience requise

■ ■ □

☑ Méthode
d'accumulation

☐ Méthode
d'intensification

## Conseil du coach

Toutes les caractéristiques de la colonne de gauche sont au minimum, car elles varieront en fonction des techniques utilisées à l'intérieur des programmes d'entraînement antérieurs. Toutefois, l'effort perçu sera élevé, car le corps ne pourra jamais en fait s'adapter au programme de la semaine suivante.

# CONFUSION MUSCULAIRE

### COMMENT L'APPLIQUER ?

Chaque semaine, exécutez une routine différente afin que le corps ne s'adapte pas et subisse un stress important. Par exemple, si vous avez reçu plusieurs programmes (mésocycles) par un kinésiologue ou un entraîneur certifié, vous pouvez en prendre 4 ou 5 de ceux-ci et les faire à raison d'une durée par programme d'une seule semaine (microcycle). Grâce à vos précédents programmes, vos charges auront déjà été prédéterminées, évitant ainsi la manipulation de charges inadéquates. Cette technique est idéalement conçue pour des individus avancés en musculation.

### AVANTAGES

→ Elle ne permet pas au corps de s'adapter au programme de la semaine suivante.
→ Elle procure de fortes adaptations musculaires (hypertrophie) si les bonnes charges sont utilisées et si les techniques d'entraînement sont suffisamment variées.

### DÉSAVANTAGES

→ Elle nécessite l'accomplissement de plusieurs programmes avant de pouvoir utiliser cette technique d'entraînement.
→ Elle demande à l'individu de bien connaître sa force musculaire afin de bien utiliser les techniques d'entraînement demandées.

### TABLEAU D'ENTRAÎNEMENT

| Charge | Nombre de répétitions par série | Nombre de séries par exercice | Nombre d'exercices par GM* | Repos entre les séries |
|--------|--------|--------|--------|--------|
| En fonction des techniques utilisées | | | | |

*GM : groupe musculaire

**SEMAINE #1**

Faire votre programme #1

**SEMAINE #2**

Faire votre programme #2

**SEMAINE #3**

Faire votre programme #3

# Technique #126

## Effort perçu

■ ■ ■ ◻ ◻

## Effet sur l'hypertrophie

■ ■ ■ ■ ◻

## Effet sur la force et la puissance

■ ■ ◻ ◻ ◻

## Effet sur l'endurance musculaire

■ ■ ◻ ◻ ◻

## Expérience requise

■ ■ ◻

☑ Méthode d'accumulation

☐ Méthode d'intensification

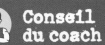

## Conseil du coach

Pour un même nombre de répétitions, diminuez légèrement votre charge par rapport à vos séries traditionnelles, car la contraction maximale épuisera plus rapidement vos muscles. En hypertrophie, la charge est un outil et non un déterminant primordial (vous n'êtes pas obligé de prendre le plus lourd possible pour provoquer des gains).

---

# CONTRACTION MAXIMALE

## COMMENT L'APPLIQUER ?

Vous devez prendre une pause de 2 secondes à la fin de la phase concentrique de chaque répétition durant laquelle vous contracterez volontairement le muscle primaire de façon maximale. Cette technique est en fait la même que la tension continue (technique #127), mais avec un degré de difficulté un peu plus élevé.

## AVANTAGES

→ Par l'ajout des pauses isométriques maximales, elle permet d'obtenir une variation de tension à l'intérieur même d'une série, ce qui augmentera la fatigue sur plusieurs fibres musculaires, accroissant ainsi leur développement.

→ Elle améliore la connexion muscle-cerveau avec le principal agoniste du mouvement choisi.

## DÉSAVANTAGE

→ Son seul désavantage, c'est qu'elle ne peut s'effectuer sur tous les exercices (ex. : élévation latérale) à moins d'avoir l'aide d'un partenaire qui devra exercer une pression en fin de phase concentrique afin de représenter une contraction maximale volontaire.

## TABLEAU D'ENTRAÎNEMENT

| Charge | Nombre de répétitions par série | Nombre de séries par exercice | Nombre d'exercices par GM* | Repos entre les séries |
|--------|--------------------------------|-------------------------------|----------------------------|------------------------|
| 60-83 % | 6-12 | 2-5 | 1-4 | 2-3 minutes |

*GM : groupe musculaire

En fin de répétition

| Développé couché à 60 % 8-10 répétitions | **+** | Contracter les pectoraux au maximum en fin de mouvement pendant 2 secondes |
|---|---|---|

= 1 répétition

# Technique #127

## Effort perçu

▪ ▪ ▪ ▫ ▫

## Effet sur l'hypertrophie

▪ ▪ ▫ ▫ ▫

## Effet sur la force et la puissance

▪ ▪ ▪ ▪ ▫

## Effet sur l'endurance musculaire

▪ ▪ ▪ ▪ ▫

## Expérience requise

▪ ▪ ▪

✓ Méthode d'accumulation

☐ Méthode d'intensification

 **Conseil du coach**

Assurez-vous de ne pas raccourcir votre mouvement ou d'exécuter des mouvements à la triche afin de compléter vos répétitions. Cette technique profite généralement aux exercices avec poids libres qui génèrent certaines amplitudes de mouvements où la gravité n'est pas en leur faveur (ex. : début d'une élévation latérale ; fin d'une flexion des coudes au banc scott).

# TENSION CONTINUE

## COMMENT L'APPLIQUER ?

Cette technique consiste à effectuer un mouvement sans prendre de pause entre chaque répétition. L'idéal est d'utiliser un mélange : tension continue et pause-repos. On débute alors le mouvement en tension continue et, une fois l'échec atteint, on marque une pause afin de permettre l'évacuation des déchets métaboliques (tel l'acidose métabolique, ions H+) et, ainsi, l'exécution d'une ou deux répétitions supplémentaires.

## AVANTAGE

→ Le muscle subit une tension continue sans pouvoir s'oxygéner à nouveau (en évitant de barrer les coudes ou les genoux). Ainsi, par l'accumulation d'ions H+ sérique, la libération de l'hormone de croissance sera plus élevée favorisant alors la récupération musculaire et les processus de croissance.

## DÉSAVANTAGE

→ Aucun.

## TABLEAU D'ENTRAÎNEMENT

| Charge | Nombre de répétitions par série | Nombre de séries par exercice | Nombre d'exercices par GM* | Repos entre les séries |
|--------|--------|--------|--------|--------|
| 70-83 % | 6-12 + 1-2 répétitions | 2-5 | 1-4 | 2-3 minutes |

*GM : groupe musculaire

### Début et fin de phase concentrique

| Élévation latérale, départ à 30 degrés d'abduction à l'épaule | **+** | Élévation latérale, départ à 90 degrés d'abduction à l'épaule |
|---|---|---|

= 1 répétition

Effort perçu

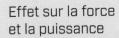

Effet sur
l'hypertrophie

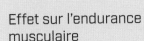

Effet sur la force
et la puissance

Effet sur l'endurance
musculaire

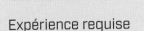

Expérience requise

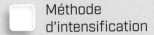

☑ Méthode
d'accumulation

☐ Méthode
d'intensification

## Conseil du coach

Malgré la douleur que vous ressentirez durant cette dernière série, ne négligez pas votre technique ! Continuez de contrôler votre phase excentrique en 2 à 3 secondes et d'exploser votre phase concentrique tout en contrôlant le rebond dans la transition des phases excentrique et concentrique.

# SÉRIES DESCENDANTES VERSION 1

## COMMENT L'APPLIQUER ?

Après l'exécution du nombre normal de séries (**dernière série seulement**), exécutez sans repos de 1 à 5 séries additionnelles en diminuant la charge de 10 à 20 % à chaque série. Elle est également appelée multipondage system.

## AVANTAGES

→ Cette technique permet d'accentuer la fatigue sur un plus grand nombre de fibres musculaires que lors d'une série jusqu'à l'échec seule. Elle est généralement la technique préalable avant d'essayer les versions 2 et 3 de la même méthode.

→ Elle est facile à intégrer dans les exercices à poulie et à poids libres.

## DÉSAVANTAGE

→ Elles sont plus difficiles lors d'exercices avec poids de corps (à moins d'utiliser des élastiques, pour enlever du poids) ou avec barre (nécessite une pause de 10 à 15 secondes pour le retrait des plaques de chaque côté et pour remettre les collets).

## TABLEAU D'ENTRAÎNEMENT

| Charge | Nombre de répétitions par série | Nombre de séries par exercice | Nombre d'exercices par GM* | Repos entre les séries |
|---|---|---|---|---|
| 70-83 % - 15 % - 15 % - 15 % | 6-12 + max + max + max | 1-3 | 1-4 | 2-3 minutes |

*GM : groupe musculaire

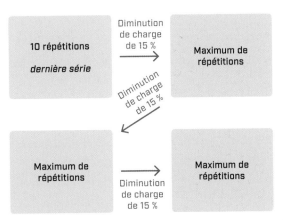

# Technique #129

Effort perçu

■ ■ ■ ■ □

Effet sur
l'hypertrophie

■ ■ ■ ■ □

Effet sur la force
et la puissance

■ ■ ■ □ □

Effet sur l'endurance
musculaire

■ ■ ■ ■ □

Expérience requise

■ ■ □

☑ Méthode
d'accumulation

☐ Méthode
d'intensification

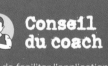

## Conseil du coach

Afin de faciliter l'application de cette technique, et surtout à chacune de vos séries, choisissez des exercices sur des appareils à plaques sélectives. Cela vous permettra de changer rapidement la charge afin de faire vos séquences descendantes sans monopoliser tous les poids et toutes les barres du centre d'entraînement.

# SÉRIES DESCENDANTES VERSION 2

## COMMENT L'APPLIQUER ?

Cette méthode consiste à ajouter de 2 à 6 séries supplémentaires à un exercice, exécuté jusqu'à l'échec, en utilisant des charges régressives (retrait de 10 à 15 %) **à chaque série**.

## AVANTAGES

→ Cette méthode allie le travail en force maximale avec le premier échec de 6 à 12 RM au travail de la force-endurance avec l'addition des répétitions supplémentaires.

→ Elle peut également être utilisée pour développer la force-endurance avec des séries plus longues.

→ Elle est facile à intégrer dans les exercices à poulie et à poids libres.

## DÉSAVANTAGE

→ Elles sont plus difficiles lors d'exercices avec poids de corps (à moins d'utiliser des élastiques, pour enlever du poids) ou avec barre (nécessite une pause de 10 à 15 secondes pour le retrait des plaques de chaque côté et pour remettre les collets).

## TABLEAU D'ENTRAÎNEMENT

| Charge | Nombre de répétitions par série | Nombre de séries par exercice | Nombre d'exercices par GM* | Repos entre les séries |
|---|---|---|---|---|
| 70-83 % - 15 % - 15 % - 15% | 6-12 + max + max + max | 2-4 | 1-4 | 2-3 minutes |

*GM : groupe musculaire

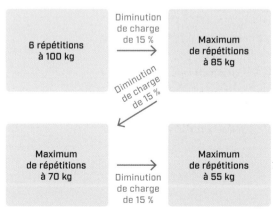

6 répétitions à 100 kg → Diminution de charge de 15 % → Maximum de répétitions à 85 kg

Diminution de charge de 15 %

Maximum de répétitions à 70 kg → Diminution de charge de 15 % → Maximum de répétitions à 55 kg

## Technique #130

Effort perçu

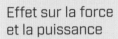

Effet sur
l'hypertrophie

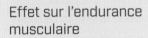

Effet sur la force
et la puissance

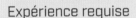

Effet sur l'endurance
musculaire

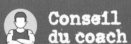

Expérience requise

✓ Méthode
d'accumulation

☐ Méthode
d'intensification

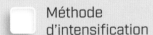

### Conseil du coach

Afin d'augmenter le travail musculaire général, la difficulté, la fatigue et l'hypertrophie, vous pouvez appliquer la série descendante aux deux exercices de la supersérie. Cela deviendra alors la série descendante version 4.

# SÉRIES DESCENDANTES VERSION 3

## COMMENT L'APPLIQUER ?

C'est en fait la méthode postfatigue (supersérie agoniste) avec l'ajout d'une extension décroissante de l'exercice d'isolation. Vous ajoutez de 2 à 6 séries supplémentaires à l'exercice d'isolation en utilisant des charges régressives (retrait de 10 à 15 %).

## AVANTAGES

→ Cette méthode allie le travail en force maximale avec le premier échec de 6 à 12 RM au travail de la force-endurance avec l'addition des répétitions supplémentaires.

→ Elle peut être utilisée pour développer la force-endurance avec des séries plus longues.

→ Elle est facile à intégrer dans les exercices à poulie et à poids libres.

## DÉSAVANTAGE

→ Elles sont plus difficiles lors d'exercices avec poids de corps (à moins d'utiliser des élastiques, pour enlever du poids) ou avec barre (nécessite une pause de 10 à 15 secondes pour le retrait des plaques de chaque côté et pour remettre les collets).

## TABLEAU D'ENTRAÎNEMENT

| Charge | Nombre de répétitions par série | Nombre de séries par exercice | Nombre d'exercices par GM* | Repos entre les séries |
|--------|--------|--------|--------|--------|
| 70-83 % | 6-12 + 6-12 + max + max + max | 2-4 | 1-3 | 2-3 minutes |

*GM : groupe musculaire

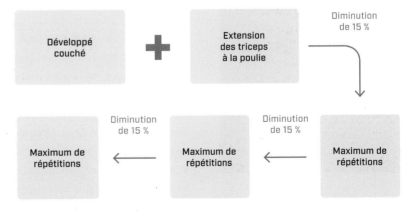

# Technique #131

Effort perçu

Effet sur
l'hypertrophie

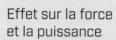

Effet sur la force
et la puissance

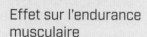

Effet sur l'endurance
musculaire

Expérience requise

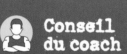

✓ Méthode
d'accumulation

☐ Méthode
d'intensification

 **Conseil du coach**

Préparez-vous à souffrir. C'est l'une des techniques dont j'ai le plus souffert : mal aux cuisses, mal au cœur, le corps ne veut pas continuer, mais la tête dit oui... Êtes-vous assez en forme pour l'essayer ? Votre cœur et vos cuisses tiendront-ils le coup ? Pour les masochistes, faites-en deux séries. Plaisir garanti !

# BREATHING SQUAT

**COMMENT L'APPLIQUER ?**

Cette méthode consiste à exécuter au back squat le double de répétitions (20) avec une charge de 10 RM. Une fois la charge retirée des supports, vous ne pourrez la redéposer qu'une fois les 20 répétitions accomplies, d'où la nécessité de prendre des pauses de 5 à 10 secondes avec la barre sur les épaules entre les répétitions. Elle est aussi appelée super-squat et pause-repos 10 RM.

**AVANTAGES**

→ Cette technique est réservée au back squat, car exécuter une pause-repos 10 RM au développé couché par exemple est impossible : le haut du corps se fatigue plus rapidement que le bas du corps.

→ C'est une méthode rapide à exécuter (une seule série). Elle est utilisée en début d'entraînement pour des gains de force ou en fin d'entraînement pour une fatigue maximale de vos fibres musculaires.

**DÉSAVANTAGE**

→ Elle est inappropriée pour ceux n'ayant pas une bonne technique au back squat ou éprouvant des douleurs lombaires. Le seul autre exercice pouvant être utilisé comme alternative avec cette technique est le leg press.

**TABLEAU D'ENTRAÎNEMENT**

| Charge | Nombre de répétitions par série | Nombre de séries par exercice | Nombre d'exercices par GM* | Repos entre les séries |
|--------|--------|--------|--------|--------|
| 70-85 % | 20 | 1 | 1 | 2-4 minutes |

*GM : groupe musculaire

**Variante préférée** : avant de commencer, il vous faut estimer la charge avec laquelle vous réussirez à faire 20 répétitions en 8 semaines. Vous devrez tout d'abord déterminer vos 5 RM actuelles. Par la suite, vous soustrairez de cette charge 40 kg. Par exemple, si vous avez 5 RM de 100 kg, vous commencerez donc votre première séance de 20 répétitions avec 60 kg (100-40). Par la suite, à chaque séance, vous ajouterez 2,5 kg au total sur la barre (1,25 kg par côté). Ainsi, si vous faites deux séances par semaine (ce que je vous suggère), vous ferez alors 16 entraînements en 8 semaines, expliquant les 40 kg soustraits (16 x 2,5 = 40). Vous accomplirez donc, après deux mois d'entraînement, 20 répétitions avec vos anciennes 5 RM ! Vous verrez, il suffit de l'essayer pour comprendre l'appellation « breathing » qu'on lui donne !

## Technique #132

Effort perçu

� ▇ ▇ ▇ ▇ □

Effet sur
l'hypertrophie

▇ ▇ ▇ ▇ □

Effet sur la force
et la puissance

▇ ▇ ▇ □ □

Effet sur l'endurance
musculaire

▇ ▇ ▇ ▇ □

Expérience requise

▇ ▇ □ □ □

☑ Méthode
  d'accumulation

☐ Méthode
  d'intensification

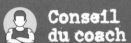

## Conseil du coach

Déterminez préalablement vos 20 RM avant de commencer votre première séance. Une fois cela fait, prenez 2 minutes de pause et commencez cette technique. Ne soyez pas surpris de ne pas terminer vos 10 séries de 10. Cela pourrait ressembler à ceci : 10, 10, 10, 10, 10, 10, 10, 9, 9, 8. Poursuivez la semaine suivante avec la même charge jusqu'à ce que vous complétiez vos 10 séries de 10.

# GERMAN VOLUME PHASE I

## COMMENT L'APPLIQUER ?

Cette méthode consiste à exécuter 10 séries de 10 répétitions avec une charge équivalente à vos 20 RM espacées d'une minute de repos entre chaque série. Elle est aussi appelée méthode des 10 séries.

## AVANTAGES

→ Originaire de l'Allemagne dans le milieu des années 70, cette technique a été le programme de base du Canadien Jacques Demers, médaillé d'argent aux Jeux olympiques de Los Angeles en haltérophilie. Pour ce sport, cette technique permet de garder une charge modérée (60 %) et de réaliser beaucoup de répétitions sans perdre la qualité technique que requiert l'haltérophilie.

→ Pour les exercices traditionnels, cela permet d'obtenir une haute densité d'entraînement (100 répétitions) en l'espace de 15 minutes.

→ Elle est idéale à des fins d'hypertrophie et très facile à exécuter.

## DÉSAVANTAGE

→ Aucun

## TABLEAU D'ENTRAÎNEMENT

| Charge | Nombre de répétitions par série | Nombre de séries par exercice | Nombre d'exercices par GM* | Repos entre les séries |
|--------|--------|--------|--------|--------|
| 60 % | 10 | 10 | 1 | 1 minute |

*GM : groupe musculaire

 Repos de 1 minute

Si vous n'êtes pas en mesure de compléter vos 10 répétitions, faites-en le plus possible, mais ne diminuez jamais la charge.

| 10 répétitions | 10 répétitions | 10 répétitions | 10 répétitions | 10 répétitions |
|---|---|---|---|---|
| 10 répétitions | 10 répétitions | 10 répétitions | 10 répétitions | 10 répétitions |

# Technique #133

**Effort perçu**

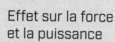

**Effet sur l'hypertrophie**

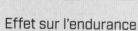

**Effet sur la force et la puissance**

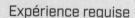

**Effet sur l'endurance musculaire**

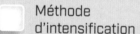

**Expérience requise**

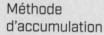 ✓ Méthode d'accumulation

☐ Méthode d'intensification

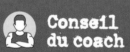

## Conseil du coach

Déterminez avant votre première séance vos vraies 12 RM à l'aide d'une série. Prenez une charge avec laquelle vous pensez être en mesure de faire 12 RM et accomplissez le plus de répétitions possible. Par exemple, si vous en réussissez 14, diminuez la charge légèrement, prenez 3 minutes de pause et commencez votre entraînement.

# GERMAN VOLUME PHASE II

## COMMENT L'APPLIQUER ?

Cette méthode consiste à exécuter 10 séries de 6 répétitions avec une charge équivalente à vos 12 RM espacées d'une minute de repos entre chaque série. Elle est aussi appelée méthode des 10 séries.

## AVANTAGES

→ Cette méthode permet de jumeler une haute densité et une haute intensité d'entraînement qui auront des répercussions autant sur l'amélioration de votre force que sur vos gains en hypertrophie.

→ Elle est facile à appliquer, car vous restez sur la même station avec la même charge pour vos 10 séries.

## DÉSAVANTAGE

→ Il faut toutefois avoir un minimum d'un an d'entraînement afin que vos muscles soient prêts à subir ce volume à haute intensité. Sinon, vous ne serez tout simplement pas capable de compléter vos séries.

## TABLEAU D'ENTRAÎNEMENT

| Charge | Nombre de répétitions par série | Nombre de séries par exercice | Nombre d'exercices par GM* | Repos entre les séries |
|--------|--------------------------------|-------------------------------|----------------------------|------------------------|
| 70 % | 6 | 10 | 1 | 1 minute |

*GM : groupe musculaire

 Repos de 1 minute

Si vous n'êtes pas en mesure de compléter vos 6 répétitions, faites-en le plus possible, mais ne diminuez jamais la charge.

| | | | | |
|---|---|---|---|---|
| 6 répétitions | 6 répétitions | 6 répétitions | 6 répétitions | 6 répétitions |
| 6 répétitions | 6 répétitions | 6 répétitions | 6 répétitions | 6 répétitions |

## Effort perçu

■ ■ ■ ■ □

## Effet sur l'hypertrophie

■ ■ ■ ■ □

## Effet sur la force et la puissance

■ ■ ■ ■ □

## Effet sur l'endurance musculaire

■ ■ ■ ■ □

## Expérience requise

■ ■ □

☑ Méthode d'accumulation

☐ Méthode d'intensification

---

### Conseil du coach

Déterminez avant votre première séance vos vraies 12 RM à l'aide d'une série. Prenez une charge avec laquelle vous pensez être en mesure de faire 12 RM et accomplissez le plus de répétitions possible. Par exemple, si vous en réussissez 14, diminuez la charge légèrement, prenez 3 minutes de pause et commencez votre entraînement.

---

# GERMAN VOLUME PHASE III

## COMMENT L'APPLIQUER ?

Cette méthode consiste à exécuter 10 séries de 6 répétitions avec une charge équivalente à vos 12 RM espacées d'une minute de repos entre chaque série. Toutefois, à chaque nouvel entraînement, vous augmenterez la charge de 4 à 5 % et soustrairez 1 répétition par série de façon à créer deux « vagues ». Elle est aussi appelée méthode des 10 séries.

## AVANTAGE

→ Cette méthode permet de jumeler une haute densité et une haute intensité d'entraînement qui auront des répercussions autant sur l'amélioration de votre force que sur vos gains en hypertrophie.

## DÉSAVANTAGE

→ Il faut toutefois avoir un minimum d'un an d'entraînement afin que le muscle soit prêt à subir ce volume à haute intensité. Sinon, vous ne serez tout simplement pas capable de compléter vos séries.

## TABLEAU D'ENTRAÎNEMENT

| Charge | Nombre de répétitions par série | Nombre de séries par exercice | Nombre d'exercices par GM* | Repos entre les séries |
|--------|--------------------------------|-------------------------------|----------------------------|------------------------|
| 70-80 % | 4-6 | 10 | 1 | 1 minute |

*GM : groupe musculaire

Cette technique est idéalement conçue pour suivre votre évolution sur 6 semaines d'entraînement. Par exemple, cela peut ressembler à ceci si vos 12 RM équivalent à 100 kg :

→ **Entraînement #1** : 10 séries de 6 répétitions avec 100 kg.
→ **Entraînement #2** : 10 séries de 5 répétitions avec 105 kg.
→ **Entraînement #3** : 10 séries de 4 répétitions avec 110 kg.
→ **Entraînement #4** : 10 séries de 6 répétitions avec 105 kg.
→ **Entraînement #5** : 10 séries de 5 répétitions avec 110 kg.
→ **Entraînement #6** : 10 séries de 4 répétitions avec 115 kg.

À ce moment (entraînement #7), vous serez normalement en mesure d'effectuer 10 séries de 10 répétitions avec 110 kg, avec une augmentation de 10 % de force après 6 entraînements.

# Technique #135

**Effort perçu**

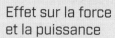

**Effet sur l'hypertrophie**

**Effet sur la force et la puissance**

**Effet sur l'endurance musculaire**

**Expérience requise**

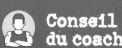

✓ Méthode d'accumulation

✓ Méthode d'intensification

## Conseil du coach

Pour cette version, qui est en fait une de mes adaptations personnelles, si vous n'êtes pas en mesure de compléter vos 6 répétitions, diminuez la charge à la série suivante. L'objectif est de compléter vos 60 répétitions, peu importe la variation de charge. On garde le volume constant, mais on se permet de varier l'intensité.

# GERMAN VOLUME PHASE IV

### COMMENT L'APPLIQUER ?

Cette méthode consiste à exécuter 10 séries de 6 répétitions avec une charge équivalente à vos 9 RM espacées d'une minute de repos entre chaque série. En fait, l'objectif est de toujours faire 6 répétitions à chaque série et de maintenir un repos de 1 minute. La charge commence par 9 RM, mais diminuera au fil des séries. Cette technique est aussi appelée méthode des 10 séries.

### AVANTAGE

→ Cette technique crée une grande fatigue musculaire, car la charge est élevée et jumelée à un faible temps de repos. La récupération incomplète ne permet pas aux fibres musculaires de récupérer totalement et oblige alors le muscle à travailler dans une position de récupération partielle durant 15 minutes. L'une des répercussions importantes à la suite de cette technique est une diminution de la force qui varie de 15 à 25 %, et ce même 15 minutes après l'exercice.

### DÉSAVANTAGE

→ Il faut toutefois avoir un minimum d'un an d'entraînement afin que le muscle soit prêt à subir ce volume à haute intensité. Sinon, vous ne serez tout simplement pas capable de compléter vos séries.

### TABLEAU D'ENTRAÎNEMENT

| Charge | Nombre de répétitions par série | Nombre de séries par exercice | Nombre d'exercices par GM* | Repos entre les séries |
|--------|--------|--------|--------|--------|
| 77 % | 6 | 10 | 1 | 1 minute |

*GM : groupe musculaire

 Repos de 1 minute

Assurez-vous de toujours accomplir 6 répétitions. Si une série est à l'échec, diminuez alors légèrement la charge pour la série suivante.

| 6 répétitions | 6 répétitions | 6 répétitions | 6 répétitions | 6 répétitions |
| 6 répétitions | 6 répétitions | 6 répétitions | 6 répétitions | 6 répétitions |

Effort perçu

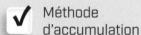

Effet sur
l'hypertrophie

Effet sur la force
et la puissance

Effet sur l'endurance
musculaire

Expérience requise

✓ Méthode
  d'accumulation

☐ Méthode
  d'intensification

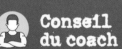

### Conseil du coach

Si vous l'utilisez en début d'entraînement, utilisez une charge plus près de 60 % tandis que, si vous le faites en fin d'entraînement, visez davantage une charge près de 40 % en raison de la fatigue sur vos fibres déjà existante.

# CONCENTRIQUE/ISOMÉTRIQUE RÉGRESSIF

## COMMENT L'APPLIQUER ?

Cette technique consiste à alterner des répétitions concentriques et des répétitions isométriques de façon proportionnelle avec une charge équivalente à 40-60 %. Vous devez exécuter 5 répétitions suivies de 5 secondes isométriques à mi-chemin dans le mouvement, puis 4 répétitions suivies de 4 secondes isométriques à mi-chemin dans le mouvement, etc., jusqu'à la dernière tenue isométrique qui sera jusqu'à la fatigue complète.

## AVANTAGES

→ Elle occasionne un emprisonnement du sang dans le muscle durant toute la durée de la série, créant ainsi l'accumulation d'une acidose métabolique. Celle-ci provoquera la libération de l'hormone de croissance qui sera favorable à la reconstruction musculaire et au gain de masse musculaire.

→ De plus, des adaptations propres au système aérobie seront également observées (capillarisation, mitochondries).

## DÉSAVANTAGE

→ Étant donné la faible charge utilisée, les gains en force ne sont pas favorables.

## TABLEAU D'ENTRAÎNEMENT

| Charge | Nombre de répétitions par série | Nombre de séries par exercice | Nombre d'exercices par GM* | Repos entre les séries |
|--------|--------------------------------|-------------------------------|----------------------------|------------------------|
| 40-60 % | 15 (5 + 4 + 3 + 2+ 1) | 2-4 | 1-3 | 1-3 minutes |

*GM : groupe musculaire

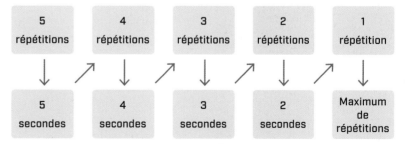

*PHASES CONCENTRIQUES*

*PHASES ISOMÉTRIQUES*

**Effort perçu**

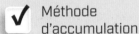

**Effet sur l'hypertrophie**

**Effet sur la force et la puissance**

**Effet sur l'endurance musculaire**

**Expérience requise**

✓ Méthode d'accumulation

☐ Méthode d'intensification

## Conseil du coach

Pour vous aider dans cette technique, emmenez avec vous la charte des pourcentages (annexe 5) afin de repérer rapidement vos charges à utiliser si, par exemple, vous voulez mettre plus lourd que ce que vous aviez calculé au préalable.

# DROPSET À RÉPÉTITIONS PROGRESSIVES

## COMMENT L'APPLIQUER ?

Cette méthode consiste à exécuter 1 répétition à 95 %, suivie de 3 répétitions à 80 %, puis de 5 répétitions à 65 %, suivies de 7 répétitions à 50 % puis de 9 répétitions à 35 %. J'ai créé cette méthode à partir de la méthode pyramidale interne (technique #114) dont j'ai ensuite adapté les pourcentages pour qu'elle soit réalisable à l'intérieur d'une seule série. Son autre nom est donc méthode de charges décroissantes intraséries.

## AVANTAGE

→ Cette technique permet de jumeler un travail en force et en volume. Elle permet également de fatiguer un plus grand éventail de fibres musculaires (rapides (type II) au début grâce aux charges lourdes et lentes (type I) vers la fin de la série). Vous maximisez donc votre potentiel d'hypertrophie en fatiguant plusieurs fibres.

## DÉSAVANTAGE

→ Le seul inconvénient est le changement de charges fréquent. Veillez donc à précalculer vos charges avant votre séance d'entraînement.

## TABLEAU D'ENTRAÎNEMENT

| Charge | Nombre de répétitions par série | Nombre de séries par exercice | Nombre d'exercices par GM* | Repos entre les séries |
|--------|--------|--------|--------|--------|
| 35-95 % | 25 (1 + 3 + 5 + 7 + 9) | 2-4 | 1-2 | 2-4 minutes |

*GM : groupe musculaire

1 répétition à 95 % → 3 répétitions à 80 % → 5 répétitions à 65 %

9 répétitions à 35 % ← 7 répétitions à 50 % ←

# Technique #138

**Effort perçu**

■■□□□

**Effet sur l'hypertrophie**

■■■□□

**Effet sur la force et la puissance**

■■■■□

**Effet sur l'endurance musculaire**

■■■□□

**Expérience requise**

■■■

☑ Méthode d'accumulation

☐ Méthode d'intensification

 **Conseil du coach**

Une fois que le concept est bien acquis et que vous êtes en mesure de maintenir une bonne technique lors des répétitions, utilisez des accessoires d'entraînement comme des chaînes ou des superbands afin d'augmenter la tension en fin de mouvement.

# CONTRASTE EXCENTRIQUE/CONCENTRIQUE

### COMMENT L'APPLIQUER ?

Cette technique est en fait un mélange d'un excentrique et d'un concentrique purs. Vous devez descendre la charge en 5 à 10 secondes sous contrôle et, lorsque la charge atteint la fin de la phase excentrique, prenez une pause de 3 à 5 secondes durant laquelle vous relâcherez vos muscles (ce n'est pas une pause isométrique). Pour ce faire, déposez la charge soit au sol (soulevé de terre), soit sur votre poitrine (développé couché), soit sur des barres de sécurité (squat), etc. Ensuite, faites la portion concentrique avec le plus de vélocité possible.

### AVANTAGE

→ Cette méthode permet d'améliorer la puissance musculaire tout en combinant un temps sous tension plus élevé que lors de la méthode concentrique pur (technique #117).

### DÉSAVANTAGE

→ La charge utilisée est trop légère pour produire des adaptations importantes en hypertrophie. Un partenaire peut toutefois ajouter une pression dans la phase excentrique pour de meilleurs gains.

### TABLEAU D'ENTRAÎNEMENT

| Charge | Nombre de répétitions par série | Nombre de séries par exercice | Nombre d'exercices par GM* | Repos entre les séries |
|---|---|---|---|---|
| 50-70 % | 5-10 | 2-5 | 1-3 | 1-2 minutes |

*GM : groupe musculaire

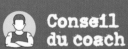

| Phase excentrique en 3 à 5 secondes | **+** | Dépôt de la charge pendant 3 à 5 secondes | **+** | Phase concentrique explosive |

## Technique #139

Effort perçu

▮▮▮▮▮

Effet sur
l'hypertrophie

▮▮▮▮▮

Effet sur la force
et la puissance

▮▮▮▮▮

Effet sur l'endurance
musculaire

▮▮▮▮▮

Expérience requise

▮▮▮

✓ Méthode
d'accumulation

☐ Méthode
d'intensification

 **Conseil du coach**

Lorsque vous arrivez en échec concentrique, vous pouvez demander à votre partenaire de vous aider à soulever la charge afin de faire 1 à 2 répétitions supplémentaires avec cette technique pour atteindre également votre échec excentrique.

# CONTRASTE EXCENTRIQUE/ ISOMÉTRIQUE VERSION I

## COMMENT L'APPLIQUER ?

Cette technique est aussi appelée méthode stato-dynamique excentrique ou excentrique arrêté. Vous devez inclure plusieurs pauses isométriques de 3 à 6 secondes durant la phase excentrique. Plus l'amplitude est grande, plus le nombre de pauses sera important. Pour les gros exercices (squat, soulevé de terre), faites 3 à 4 pauses ; pour les exercices à amplitude moyenne (développé couché, tirage horizontal), faites 2 à 3 pauses ; et pour les exercices à faible amplitude (mollets, haussements des épaules), faites 2 pauses. C'est une version de contractions isométriques post-effort (technique #98), mais répétée à chaque phase.

## AVANTAGE

→ Cette technique permet d'augmenter le temps sous tension, mais également le temps passé en phase excentrique. Cela permettra d'occasionner de plus grandes microdéchirures musculaires et ainsi des gains en hypertrophie.

## DÉSAVANTAGE

→ Aucun.

## TABLEAU D'ENTRAÎNEMENT

| Charge | Nombre de répétitions par série | Nombre de séries par exercice | Nombre d'exercices par GM* | Repos entre les séries |
|---|---|---|---|---|
| 60-75 % | 1-5 | 2-4 | 1-3 | 1-2 minutes |

*GM : groupe musculaire

**Ex. : phase excentrique à chaque répétition**

Phase excentrique en 3 à 5 secondes

**+**

Dépôt de la charge pendant 3 à 5 secondes

**+**

Phase concentrique explosive

Pause de 4 secondes au quart du mouvement

Pause de 4 secondes à la moitié du mouvement

Pause de 4 secondes aux trois quarts du mouvement

## Technique #140

**Effort perçu**

■ ■ ■ □ □

**Effet sur l'hypertrophie**

■ ■ ■ □ □

**Effet sur la force et la puissance**

■ ■ ■ ■ □

**Effet sur l'endurance musculaire**

■ ■ ■ ■ ■

**Expérience requise**

■ ■ □

☑ Méthode d'accumulation

☐ Méthode d'intensification

 **Conseil du coach**

Lorsque vous arrivez en échec concentrique, vous pouvez demander à votre partenaire de vous aider à soulever la charge afin de faire 1 répétition supplémentaire avec cette technique pour atteindre également votre échec excentrique.

# CONTRASTE EXCENTRIQUE/ ISOMÉTRIQUE VERSION II

### COMMENT L'APPLIQUER ?

Cette technique est aussi appelée méthode stato-dynamique excentrique ou excentrique arrêté. C'est en fait la version en force de la méthode contraste excentrique/isométrique version I (technique #139). Vous devez inclure plusieurs pauses isométriques de 1 à 2 secondes durant la phase excentrique. Plus l'amplitude est grande, plus le nombre de pauses sera important. Pour les gros exercices (squat, soulevé de terre), faites 3 à 4 pauses ; pour les exercices à amplitude moyenne (développé couché, tirage horizontal), faites 2 à 3 pauses ; et pour les exercices à faible amplitude (mollets, haussements des épaules), faites 2 pauses.

### AVANTAGE

→ Cette technique permet d'augmenter le temps sous tension, mais également le temps passé en phase excentrique. Cela permettra de stimuler davantage les fibres rapides et d'augmenter ainsi les gains en force.

### DÉSAVANTAGE

→ Aucun.

### TABLEAU D'ENTRAÎNEMENT

| Charge | Nombre de répétitions par série | Nombre de séries par exercice | Nombre d'exercices par GM* | Repos entre les séries |
|--------|--------------------------------|-------------------------------|----------------------------|------------------------|
| 75-90 % | 1-5 | 3-5 | 1-3 | 2-4 minutes |

*GM : groupe musculaire

### Ex. : phase excentrique à chaque répétition

| Pause de 2 secondes au quart du mouvement |  | Pause de 2 secondes à la moitié du mouvement |  | Pause de 2 secondes aux trois quarts du mouvement |

# Technique #141

## Effort perçu

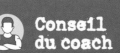

## Effet sur l'hypertrophie

## Effet sur la force et la puissance

## Effet sur l'endurance musculaire

## Expérience requise

 ✓ Méthode d'accumulation

☐ Méthode d'intensification

### Conseil du coach

Vous pouvez varier la position de la pause isométrique si vous le désirez. Par exemple, vous pourriez alterner en boucle une pause au quart du mouvement, une autre à la moitié du mouvement et une dernière aux trois quarts du mouvement à chaque répétition.

# STATO-DYNAMIQUE CONCENTRIQUE

**COMMENT L'APPLIQUER ?**

La technique est similaire au stato-dynamique explosif (technique #182), excepté la propulsion en fin de mouvement. Vous devez inclure une pause de 2 à 3 secondes seulement durant la partie concentrique du mouvement, généralement à mi-chemin. Par la suite, vous terminez l'autre moitié de la phase concentrique de façon explosive.

**AVANTAGE**

→ Cette technique permet d'augmenter le temps sous tension lors d'une série classique par l'introduction d'une pause isométrique en plein milieu du mouvement pour chaque répétition. Une plus grande fatigue musculaire se fera alors sentir par rapport à une série jusqu'à l'échec.

**DÉSAVANTAGE**

→ Aucun.

| Charge | Nombre de répétitions par série | Nombre de séries par exercice | Nombre d'exercices par GM* | Repos entre les séries |
|--------|--------------------------------|-------------------------------|----------------------------|------------------------|
| 60-85 % | 6-12 | 2-4 | 1-3 | 2-3 minutes |

*GM : groupe musculaire

**Phase excentrique à chaque répétition**

| Début de la phase concentrique |  | Pause de 2 secondes à la moitié du mouvement |  | Explosion et fin de la phase concentrique |

# Technique #142

## Effort perçu

## Effet sur l'hypertrophie

## Effet sur la force et la puissance

## Effet sur l'endurance musculaire

## Expérience requise

☑ Méthode d'accumulation

☐ Méthode d'intensification

### Conseil du coach

Vous pouvez varier le nombre de répétitions à vitesses lente et élevée à exécuter en boucle pour une série. Par exemple, vous pourriez faire :

- 3 rapides et 1 lente,
- 3 rapides et 3 lentes,
- 2 rapides et 3 lentes, etc.

# CONTRASTE EN VITESSE INTRASÉRIE

## COMMENT L'APPLIQUER ?

Aussi appelée tempo contrast, cette technique consiste à alterner des répétitions rapides et lentes à l'intérieur d'une même série (méthode de contraste interne). Vous devez exécuter 2 répétitions rapides (tempo 1-0-1-0), suivies de 2 répétitions lentes (tempo 5-0-5-0) jusqu'à l'échec musculaire.

## AVANTAGE

→ Cette méthode permet de stimuler les fibres à contractions rapides lors des mouvements à haute vitesse et en jumelant des répétitions lentes afin d'augmenter le temps sous tension. Les répercussions se retrouveront alors sur les gains en hypertrophie grâce au temps sous tension élevé et à la fatigue des fibres rapides.

## DÉSAVANTAGE

→ Les gains en force sont moindres en raison de l'impossibilité d'utiliser des charges lourdes (incapacité de les accélérer).

## TABLEAU D'ENTRAÎNEMENT

| Charge | Nombre de répétitions par série | Nombre de séries par exercice | Nombre d'exercices par GM* | Repos entre les séries |
|---|---|---|---|---|
| 60-85 % | 6-20 | 2-6 | 1-3 | 1-3 minutes |

*GM : groupe musculaire

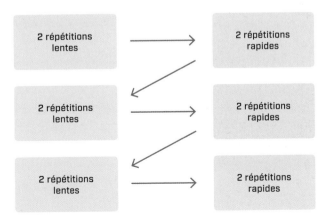

## Effort perçu

▪ ▪ ▪ ▫ ▫

## Effet sur l'hypertrophie

▪ ▪ ▪ ▫ ▫

## Effet sur la force et la puissance

▪ ▪ ▪ ▫ ▫

## Effet sur l'endurance musculaire

▪ ▪ ▪ ▫ ▫

## Expérience requise

▪ ▪ ▪

✓ Méthode d'accumulation

☐ Méthode d'intensification

## Conseil du coach

Sur six semaines, cette méthode vous permettra de devenir plus fort sur les exercices choisis en plus de les maîtriser encore mieux au niveau de la technique du mouvement. Utilisez toujours un tempo de 2 à 3 secondes dans la phase excentrique pour 1 seconde dans la phase concentrique.

# SYSTÈME 6 X 6 X 6

## COMMENT L'APPLIQUER ?

L'objectif de cette technique est d'utiliser 6 séries de 6 répétitions sur tous les exercices pour un groupe musculaire pendant une durée de 6 semaines. La charge idéale ne vous conduira à l'échec musculaire qu'à la dernière série de chaque exercice. L'objectif est d'être en mesure d'augmenter la charge utilisée lors de la dernière semaine d'entraînement.

## AVANTAGES

→ Elle peut s'exécuter sur tous les exercices.
→ Elle permet d'augmenter l'hypertrophie et la force musculaire.
→ Elle est très simple à appliquer en ne choisissant que 1 à 3 exercices pour chaque groupe musculaire.
→ Elle peut se faire facilement sans partenaire d'entraînement.

## DÉSAVANTAGE

→ Aucun.

## TABLEAU D'ENTRAÎNEMENT

| Charge | Nombre de répétitions par série | Nombre de séries par exercice | Nombre d'exercices par GM* | Repos entre les séries |
|--------|--------|--------|--------|--------|
| 75-80 % | 6 | 6 | 1-3 | 2-3 minutes |

*GM : groupe musculaire

## EXEMPLE DE SÉQUENCE POUR LES EXERCICES DE POUSSÉE

| Exercices | Série | Répétitions | Repos |
|-----------|-------|-------------|-------|
| Développé couché | 6 | 6 | 2 minutes |
| Développé décliné avec haltères | 6 | 6 | 2 minutes |
| Tirage vertical à la poulie | 6 | 6 | 2 minutes |
| Élévation latérale avec haltères | 6 | 6 | 2 minutes |
| Dips | 6 | 6 | 2 minutes |
| Push down à la poulie | 6 | 6 | 2 minutes |

# Technique #144

**Effort perçu**

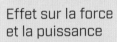

**Effet sur l'hypertrophie**

**Effet sur la force et la puissance**

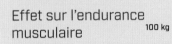

**Effet sur l'endurance musculaire**

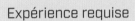

**Expérience requise**

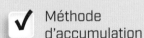

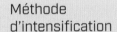

☑ Méthode d'accumulation

☐ Méthode d'intensification

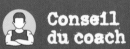

## Conseil du coach

Une fois que vous avez réussi à compléter vos cinq séries de six répétitions, augmentez la charge de 5 à 10 % et refaites la même technique une deuxième fois avec cette nouvelle charge. Une fois que vous l'aurez réussie à nouveau, changez de technique d'entraînement pour les prochaines semaines.

# MÉTHODE DU MÊME POIDS

## COMMENT L'APPLIQUER ?

Cette méthode est simple : vous devez utiliser le même poids (charge) chaque semaine jusqu'à ce que vous soyez en mesure d'accomplir 5 séries de 6 répétitions avec 1 minute de repos entre les séries. Vous utiliserez une charge à 78-80 % de votre 1 RM, pour que vous soyez en mesure d'accomplir environ 7 ou 8 répétitions. Dès que vous arrivez à une série où vous n'êtes pas en mesure de faire les 6 répétitions demandées, changez d'exercice et vous réessaierez d'en faire plus la semaine suivante.

## AVANTAGES

→ Elle permet d'augmenter la force musculaire de 5 à 10 % en l'espace de 6 entraînements.

→ Elle favorise la récupération musculaire en manipulant des charges lourdes.

## DÉSAVANTAGE

→ Aucun.

## TABLEAU D'ENTRAÎNEMENT

| Charge | Nombre de répétitions par série | Nombre de séries par exercice | Nombre d'exercices par GM* | Repos entre les séries |
|--------|--------------------------------|------------------------------|---------------------------|------------------------|
| 78-80 % | 6 | 2-5 | 1 | 1 minute |

*GM : groupe musculaire

| Série | Entraînement 1 Rép. | Entraînement 1 Poids | Entraînement 2 Rép. | Entraînement 2 Poids | Entraînement 3 Rép. | Entraînement 3 Poids |
|-------|------|--------|------|--------|------|--------|
| 1 | 6 | 100 kg | 6 | 100 kg | 6 | 100 kg |
| 2 | 6 | 100 kg | 6 | 100 kg | 6 | 100 kg |
| 3 | 6 | 100 kg | 6 | 100 kg | 6 | 100 kg |
| 4 | 5 | 100 kg | 6 | 100 kg | 6 | 100 kg |
| 5 | | | 4 | 100 kg | 6 | 100 kg |

| Série | Entraînement 4 Rép. | Entraînement 4 Poids | Entraînement 5 Rép. | Entraînement 5 Poids | Entraînement 6 Rép. | Entraînement 6 Poids |
|-------|------|--------|------|--------|------|--------|
| 1 | 6 | 105 kg | 6 | 105 kg | 6 | 105 kg |
| 2 | 6 | 105 kg | 6 | 105 kg | 6 | 105 kg |
| 3 | 4 | 105 kg | 6 | 105 kg | 6 | 105 kg |
| 4 | | | 4 | 105 kg | 6 | 105 kg |
| 5 | | | | | 5 | 105 kg |

# Technique #145

**Effort perçu**

■ ■ ■ ▢ ▢

**Effet sur l'hypertrophie**

■ ■ ■ ■ ▢

**Effet sur la force et la puissance**

■ ■ ■ ■ ▢

**Effet sur l'endurance musculaire**

■ ■ ▢ ▢ ▢

**Expérience requise**

■ ■ ▢

✓ Méthode d'accumulation

▢ Méthode d'intensification

 **Conseil du coach**

Cette méthode vous permettra d'accomplir, au bout de 9 entraînements, 10 répétitions à vos 5-8 RM actuelles. Elle est intéressante à utiliser tant chez les débutants que chez les sportifs intermédiaires ou avancés en musculation.

# MÉTHODE DES 10 X 1/1 X 10

## COMMENT L'APPLIQUER ?

Cette méthode structure vos entraînements pour les neuf semaines à venir. Vous devrez commencer en effectuant 10 séries d'une seule répétition avec 90 secondes de repos entre les séries. Chaque semaine, vous retrancherez entre 5-15 secondes sur votre temps de récupération jusqu'à ne plus avoir de temps de pause, vous obligeant alors à faire vos 10 séries d'une répétition d'un seul coup (c'est-à-dire une série de 10 répétitions). Utilisez, la première semaine, une charge qui vous permet d'accomplir vos 10 séries avec 90 secondes de récupération (environ 78-85 % de votre 1 RM).

## AVANTAGE

→ Elle augmente la force et l'hypertrophie musculaire en amplifiant la densité de l'entraînement (quantité de travail par unité de temps).

## DÉSAVANTAGE

→ Aucun.

## TABLEAU D'ENTRAÎNEMENT

| Charge | Nombre de répétitions par série | Nombre de séries par exercice | Nombre d'exercices par GM* | Repos entre les séries |
|--------|--------|--------|--------|--------|
| 78-85 % | 1 ou 10 | 1 ou 10 | 1 | 0-90 secondes |

*GM : groupe musculaire

| Entraînement | Séries | Répétitions | Repos (en secondes) |
|--------------|--------|-------------|---------------------|
| 1 | 10 | 1 | 90 |
| 2 | 10 | 1 | 75 |
| 3 | 10 | 1 | 60 |
| 4 | 10 | 1 | 45 |
| 5 | 10 | 1 | 30 |
| 6 | 10 | 1 | 15 |
| 7 | 10 | 1 | 10 |
| 8 | 10 | 1 | 8 |
| 9 | 1 | 10 | 0 |

# Technique #146

**Effort perçu**

**Effet sur l'hypertrophie**

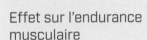

**Effet sur la force et la puissance**

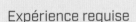

**Effet sur l'endurance musculaire**

**Expérience requise**

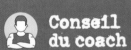

 ✓ Méthode d'accumulation

☐ Méthode d'intensification

---

### Conseil du coach

Cette méthode est particulièrement efficace pour les exercices au poids de corps, tels que les dips, les pull-ups et les push-ups (car vous ne pouvez pas changer votre poids corporel). Elle peut toutefois également être utilisée pour n'importe quel autre exercice.

---

# ENTRAÎNEMENT CIBLÉ SUR LA DENSITÉ

## COMMENT L'APPLIQUER ?

Cette méthode structure vos entraînements sur plusieurs semaines afin que vous puissiez exécuter 12 répétitions continues avec une charge ciblée. L'objectif est de doubler le volume (24 répétitions) à chaque entraînement afin d'y arriver. Vous commencerez par exécuter 12 séries de 2 répétitions en 12 minutes. Une fois ceci accompli, vous passerez la semaine suivante à 8 séries de 3 répétitions en 8 minutes ; ensuite 6 séries de 4 répétitions en 6 minutes ; puis 5 séries de 5 répétitions en 5 minutes ; 4 séries de 6 répétitions en 4 minutes ; 3 séries de 8 répétitions en 3 minutes ; et pour terminer, une seule série de 12 répétitions en 1 minute.

## AVANTAGES

→ Elle est facile à planifier et à exécuter.

→ Elle ne prend pas trop de temps dans la séance d'entraînement.

→ Elle procure des gains en force rapidement.

## DÉSAVANTAGE

→ Aucun.

## TABLEAU D'ENTRAÎNEMENT

| Charge | Nombre de répétitions par série | Nombre de séries par exercice | Nombre d'exercices par GM* | Repos entre les séries |
|--------|--------------------------------|-------------------------------|----------------------------|------------------------|
| 75-85 % | 2-12 | 1-12 | 1 | 0-50 secondes |

*GM : groupe musculaire

| Entraînement | Séries | Répétitions | Repos (en secondes) | Temps total (en minutes) |
|--------------|--------|-------------|---------------------|--------------------------|
| 1 | 12 | 2 | 50 | 12 |
| 2 | 8 | 3 | 45 | 8 |
| 3 | 6 | 4 | 40 | 6 |
| 4 | 5 | 5 | 35 | 5 |
| 5 | 4 | 6 | 30 | 4 |
| 6 | 3 | 8 | 25 | 3 |
| 7 | 1 | 12 | 0 | 1 |

## Technique #147

Effort perçu

▪ ▪ ▪ □ □

Effet sur
l'hypertrophie

▪ ▪ ▪ □ □

Effet sur la force
et la puissance

▪ ▪ ▪ □ □

Effet sur l'endurance
musculaire

▪ ▪ □ □ □

Expérience requise

▪ □ □

✓ Méthode
d'accumulation

☐ Méthode
d'intensification

### Conseil
### du coach

En d'autres mots, selon l'étude[9],
si vous êtes en mesure de
soulever 25 kg avec une barre
pour une répétition à la flexion
des coudes, vous serez alors en
mesure de soulever un poids
de 15 kg dans chacune de vos
mains pour faire une flexion des
coudes un bras à la fois (au lieu
de 12,5 kg, soit 25 kg de la barre
divisées par 2).

# UTILISATION D'EXERCICES UNILATÉRAUX

### COMMENT L'APPLIQUER ?

Cette méthode ne divise pas l'entraînement entre votre côté droit et votre côté gauche comme le fait la méthode d'entraînement unilatéral (technique #64). Elle permet l'entraînement de vos bras ou de vos jambes individuellement afin d'utiliser des charges supérieures. En fait, une étude[9] sur la flexion des coudes pour l'entraînement des biceps a démontré que la force déployée lors d'un travail avec les deux biceps simultanément était de 10 à 20 % inférieure à la somme des forces produites par les flexions du coude du côté gauche et du côté droit individuellement. De ce fait, cette technique vous suggère d'intégrer des exercices unilatéraux dans votre entraînement.

### AVANTAGES

→ Elle permet d'utiliser des charges plus lourdes que lors d'un travail à deux membres.
→ Elle active davantage de fibres rapides.

### DÉSAVANTAGE

→ Elle nécessite une contraction des muscles stabilisateurs et du core sur certains exercices (facteur limitant potentiel).

### TABLEAU D'ENTRAÎNEMENT

| Charge | Nombre de répétitions par série | Nombre de séries par exercice | Nombre d'exercices par GM* | Repos entre les séries |
|---|---|---|---|---|
| 70-100 % | 1-12 | 2-4 | 1-3 | 1-3 minutes |

*GM : groupe musculaire

| Groupes musculaires | Exemples d'exercices unilatéraux |
|---|---|
| Pectoraux | Développé couché à un bras avec poids libre (horizontal, incliné, décliné) |
| | Écarté couché à un bras avec poids libre (horizontal, incliné, décliné) ou machine (cross-over, pec deck) |
| Épaules | Développé (assis ou debout) à un bras avec poids libre |
| | Tirage vertical à un bras avec poids libre |
| | Élévation (avant, latérale, arrière) à un bras avec un poids libre ou à la poulie basse |
| Triceps | Extension du coude (couché, assis) à un bras avec poids libre |
| | Extension du coude à un bras à la poulie haute |
| Dos | Tirage à un bras avec poids libre ou poulie (haute, basse) |
| Biceps | Flexion du coude (pronation, neutre, supination) à la poulie ou avec poids libre (debout, sur scott curl) |
| Jambes | Squat à une jambe (bulgarian, lunge) |
| | Legs (press, extension, curl [assis, couché, debout]) à une jambe |
| | Soulevé de terre (normal, roumain) à une jambe |

# Technique #148

Effort perçu

▮ ▮ ▯ ▯ ▯

Effet sur l'hypertrophie

▮ ▮ ▮ ▮ ▯

Effet sur la force et la puissance

▮ ▮ ▮ ▮ ▯

Effet sur l'endurance musculaire

▮ ▮ ▯ ▯ ▯

Expérience requise

▮ ▮ ▯

☑ Méthode d'accumulation

☐ Méthode d'intensification

 **Conseil du coach**

Pour l'entraînement des pectoraux en exercice fermé, vous pouvez ajouter de la charge sur votre dos lors de vos push-ups (le seul exercice en chaîne fermée). De même, bien que ce ne soit pas un exercice en chaîne fermée, vous pouvez utiliser le développé couché avec la barre en remplacement des push-ups si vous possédez une très grande force musculaire.

# MÉTHODE EX-F-OU

## COMMENT L'APPLIQUER ?

Cette méthode consiste à introduire séparément trois types d'exercices différents commençant par un exercice de nature explosive (EX), suivi d'un exercice en chaîne fermée (F) puis d'un exercice en chaîne ouverte (OU).

→ **Exercice explosif** : exercice pliométrique ou balistique.

→ **Exercice en chaîne fermée** : exercice où vos mains et vos pieds ne bougent pas (ex. : squat, push-up, pull-up).

→ **Exercice en chaîne ouverte** : exercice où la résistance est dans vos mains ou près de vos pieds (ex. : legs extension, poids libres).

## AVANTAGE

→ Elle permet en fait de travailler les fibres rapides sur trois axes : en explosion lorsque le système nerveux est frais (début), en charge lourdes avec l'exercice en chaîne fermée et en isolation avec l'exercice en chaîne ouverte.

## DÉSAVANTAGE

→ Aucun.

## TABLEAU D'ENTRAÎNEMENT

| Charge | Nombre de répétitions par série | Nombre de séries par exercice | Nombre d'exercices par GM* | Repos entre les séries |
|---|---|---|---|---|
| 30-50 % + 83-88 % + 74-78 % | 3 + 4-6 + 8-10 | 3 + 3 + 3 | 3 | 1-3 minutes |

*GM : groupe musculaire

| Groupes musculaires | Exemples d'exercices explosifs (EX) et en chaîne fermée (F) ou ouverte (OU) |
|---|---|
| Pectoraux | **EX** : clap push-ups |
| | **F** : développé couché |
| | **OU** : pec deck |
| Épaules | **EX** : lancer vertical d'un medicine-ball/wall ball |
| | **F** : handstand push-up |
| | **OU** : élévation latérale |
| Quadriceps | **EX** : jump squat |
| | **F** : front squat avec barre |
| | **OU** : legs extension |
| Dos | **EX** : tirage inversé explosif avec changement de prise (large et serrée) |
| | **F** : pull-up |
| | **OU** : tirage horizontal avec poids libres |

# Technique #149

**Effort perçu**

■ ■ ■ ■ ■

**Effet sur l'hypertrophie**

■ ■ ■ ■ ■

**Effet sur la force et la puissance**

■ ■ ■ ■ ■

**Effet sur l'endurance musculaire**

■ ■ ■ ■ ■

**Expérience requise**

■ ■ ■

✓ Méthode d'accumulation

☐ Méthode d'intensification

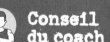

## Conseil du coach

Cette méthode n'est pas nouvelle, car elle provient initialement du bloc de l'Europe de l'Est il y a quelques décennies. De plus, une étude du Connecticut[10] en 2006 a démontré que cette technique accomplie pendant 4 semaines pouvait augmenter votre 1 RM sur le squat et le développé couché de plus de 10 %.

# MÉTHODE D'OVERREACHING

## COMMENT L'APPLIQUER ?

L'objectif de cette technique est d'atteindre un état d'overreaching (en 2 à 4 semaines) afin de provoquer une surcompensation qui occasionnera des gains supérieurs en force musculaire. Pour ce faire, vous devrez entraîner tous vos muscles cinq jours par semaine en augmentant chaque semaine la charge utilisée. En fait, l'overreaching est un état de surentraînement sans en ressentir encore les effets négatifs, et il doit prendre fin juste avant que des changements importants dans la physiologie du corps ne prennent place.

## AVANTAGE

→ Elle peut procurer des gains en force de plus de 10 % en l'espace de 5 semaines d'entraînement.

## DÉSAVANTAGE

→ Il y a un risque de surentraînement si vous exécutez cette technique trop longtemps. De ce fait, surveillez les signes tels que de la fatigue, une perte de force, une perte d'appétit, de l'insomnie ou une dépression.

## TABLEAU D'ENTRAÎNEMENT

| Charge | Nombre de répétitions par série | Nombre de séries par exercice | Nombre d'exercices par GM* | Repos entre les séries |
|--------|--------------------------------|-------------------------------|----------------------------|------------------------|
| 70-88 % | 4-12 | 3 | 1 | 1-3 minutes |

*GM : groupe musculaire

Évolution des répétitions pendant les 4 semaines d'entraînement. À accomplir sur tous les exercices choisis (un par groupe musculaire).

| Semaines | Séries | Répétitions | Repos |
|----------|--------|-------------|-------|
| 1 | 3 | 10 à 12 | 2 minutes |
| 2 | 3 | 8 à 10 | 2 minutes |
| 3 | 3 | 6 à 8 | 2 minutes |
| 4 | 3 | 4 à 6 | 3 minutes |

# Technique #150

## Effort perçu

■■■■□

## Effet sur l'hypertrophie

■■■■□

## Effet sur la force et la puissance

■■■□□

## Effet sur l'endurance musculaire

■■■□□

## Expérience requise

■■□□□

☑ Méthode d'accumulation

☐ Méthode d'intensification

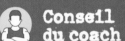

## Conseil du coach

Vous n'êtes pas obligé de suivre l'exemple présenté avec les 10 répétitions. Par exemple, vous pouvez utiliser le même concept pour tenter d'accomplir 5 séries de 8 ou de 12 répétitions avec une charge que vous utilisez actuellement pour faire seulement 4 séries.

# NUBRET PRO-SET

## COMMENT L'APPLIQUER ?

Cette technique, de préférence accomplie en tant que premier exercice de votre entraînement, consiste à compléter une série de plus en gardant la même durée de séance tout au long de vos semaines d'entraînement. Par exemple, si vous faites 3 séries de 10 répétitions en 5 minutes, votre objectif sera alors d'essayer d'accomplir 4 séries de 10 répétitions dans la même durée (5 minutes). La seule façon de réussir le tout est de diminuer le temps de repos entre les séries. Continuez jusqu'à ce que vous soyez en mesure de les accomplir. Cette technique a été nommée ainsi, car le premier à en avoir fait mention a été Serge Nubret, un culturiste professionnel originaire de France.

## AVANTAGES

→ Cette méthode augmente la masse et la force musculaire en augmentant la capacité des muscles à récupérer entre les séries.

→ Elle est facile à utiliser et s'applique à tous les exercices.

## DÉSAVANTAGE

→ Elle évolue à travers les semaines d'entraînement. Il ne faut donc pas manquer un entraînement.

## TABLEAU D'ENTRAÎNEMENT

| Charge | Nombre de répétitions par série | Nombre de séries par exercice | Nombre d'exercices par GM* | Repos entre les séries |
|--------|--------|--------|--------|--------|
| 70-83 % | 6-12 | 3 à 4 | 1 | 30-120 secondes |

*GM : groupe musculaire

| Semaines | Séries | Répétitions | Repos |
|--------|--------|--------|--------|
| 1 | 3 | 10 | 5 minutes |
| 2 | 2 | 10 | 5 minutes |
| | 1 | 9 | |
| | 1 | 7 | |
| 3 | 3 | 10 | 5 minutes |
| | 1 | 8 | |
| 4 | 4 | 10 | 5 minutes |

## Technique #151

**Effort perçu**

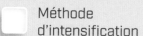

**Effet sur l'hypertrophie**

**Effet sur la force et la puissance**

**Effet sur l'endurance musculaire**

**Expérience requise**

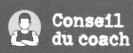

✓ Méthode d'accumulation

☐ Méthode d'intensification

### Conseil du coach

Vous pouvez faire cette technique pour tous les groupes musculaires. L'utilisation de celle-ci pour l'entraînement des jambes est particulièrement efficace, car ces dernières sont majoritairement composées en général de 50 % de fibres lentes et de 50 % de fibres rapides.

# ENTRAÎNEMENT 5-10-20

## COMMENT L'APPLIQUER ?

Cette méthode fait partie des entraînements en trisérie. Vous devez enchaîner sans temps de repos un exercice de base, de préférence accompli avec une barre (les pull-ups et les dips sont également bons) pour 5 répétitions (force), puis un exercice de base accompli avec des poids libres ou sur une machine pour 10 répétitions (hypertrophie musculaire) suivi d'un exercice d'isolation pour 20 répétitions (endurance + hypertrophie musculaire).

**Exercice de base avec barre + exercice de base avec poids libres ou machine + exercice d'isolation.**

## AVANTAGES

→ Elle permet de développer la force, l'hypertrophie et l'endurance musculaire.

→ Elle est très exigeante sur le corps (espacez les séances pour un même groupe musculaire d'au moins 5 jours).

## DÉSAVANTAGE

→ Elle peut nécessiter la réservation de plusieurs équipements (barres, poids libres) ou appareils de musculation.

## TABLEAU D'ENTRAÎNEMENT

| Charge | Nombre de répétitions par série | Nombre de séries par exercice | Nombre d'exercices par GM* | Repos entre les séries |
|--------|--------------------------------|-------------------------------|---------------------------|------------------------|
| 60-85 % | 5 + 10 + 20 | 2-4 | 1-2 triséries | 2-3 minutes |

*GM : groupe musculaire

Développé couché incliné

*5 répétitions*

Développé couché avec haltères

*10 répétitions*

Pec deck

*20 répétitions*

# Technique #152

**Effort perçu**

**Effet sur l'hypertrophie**

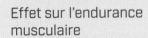

**Effet sur la force et la puissance**

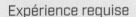

**Effet sur l'endurance musculaire**

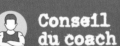

**Expérience requise**

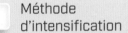

✓ Méthode d'accumulation

☐ Méthode d'intensification

---

## Conseil du coach

Vous pouvez également utiliser cette technique d'une autre façon, soit en 4 séries individuelles. Choisissez alors vos quatre exercices et exécutez 4 séries au total par exercice en utilisant le même schéma de répétitions, soit 4, 8, 12 et 16 répétitions espacées de 2 minutes de récupération.

---

# FOUR-REP SYSTEM

## COMMENT L'APPLIQUER ?

Cette méthode fait partie des entraînements en circuit. Vous devez accomplir, sans repos, 4 répétitions avec un exercice de base, suivies de 8 répétitions avec un exercice de base ou d'isolation, de 12 répétitions sur un exercice d'isolation, puis de 16 répétitions sur un exercice de base ou d'isolation.

**Exercice de base + exercice de base ou d'isolation + exercice d'isolation + exercice de base ou d'isolation.**

## AVANTAGES

→ Elle procure un grand stimulus sur la croissance musculaire.
→ Elle encourage les changements biochimiques dans le muscle qui promeuvent la croissance et l'endurance musculaire.

## DÉSAVANTAGES

→ Elle est très exigeante physiquement.
→ Elle peut demander du temps afin de préparer et de réserver tout le matériel nécessaire.

## TABLEAU D'ENTRAÎNEMENT

| Charge | Nombre de répétitions par série | Nombre de séries par exercice | Nombre d'exercices par GM* | Repos entre les séries |
|--------|--------|--------|--------|--------|
| 60-85 % | 4 + 8 + 12 + 16 | 2-4 | 1 | 2-3 minutes |

*GM : groupe musculaire

## EXEMPLE POUR LES ÉPAULES

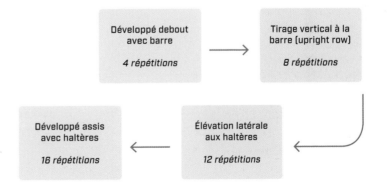

Développé debout avec barre — 4 répétitions → Tirage vertical à la barre (upright row) — 8 répétitions → Élévation latérale aux haltères — 12 répétitions → Développé assis avec haltères — 16 répétitions

# Technique #153

Effort perçu

▪ ▪ ▪ ▪ ▫

Effet sur l'hypertrophie

▪ ▪ ▪ ▪ ▫

Effet sur la force et la puissance

▪ ▪ ▪ ▪ ▫

Effet sur l'endurance musculaire

▪ ▪ ▪ ▫ ▫

Expérience requise

▪ ▪ ▫

☑ Méthode d'accumulation

☐ Méthode d'intensification

## Conseil du coach

Évitez les exercices unilatéraux pour cette technique car, étant donné la durée d'une série, cela occasionnera trop de stress sur vos stabilisateurs et vos muscles du tronc (abdominaux, lombaires). Je recommande l'utilisation de machines (ex. : squat sur smith machine, leg press, etc.) afin de faciliter les répétitions explosives.

# SPEED-SET TRAINING

## COMMENT L'APPLIQUER ?

Cette méthode consiste à exécuter sans repos 15 répétitions avec trois vitesses de mouvement différentes. Vous accomplirez les répétitions 1 à 5 de façon explosive, les répétitions 6 à 10 de façon ultralente (5 secondes en concentrique et 5 secondes en excentrique) et les répétitions 11 à 15 à un rythme normal (1 seconde en concentrique et 2-3 secondes en excentrique).

## AVANTAGES

→ Elle permet d'augmenter la force et l'hypertrophie musculaire ainsi que de diminuer la masse adipeuse.

→ Les répétitions rapides augmentent la puissance, les répétitions lentes augmentent le temps sous tension et les répétitions normales augmentent l'endurance musculaire.

## DÉSAVANTAGE

→ Aucun.

## TABLEAU D'ENTRAÎNEMENT

| Charge | Nombre de répétitions par série | Nombre de séries par exercice | Nombre d'exercices par GM* | Repos entre les séries |
|---|---|---|---|---|
| 55-60 % | 5 rapides + 5 lentes + 5 normales | 2-4 | 1-3 | 1-2 minutes |

*GM : groupe musculaire

### PHASE 1 : RÉPÉTITIONS 1 À 5

Répétitions explosives (tempo < 1 seconde/répétition)

5 répétitions

### PHASE 2 : RÉPÉTITIONS 6 À 10

Répétitions lentes (tempo 5-0-5-0)

5 répétitions

### PHASE 3 : RÉPÉTITIONS 11 À 15

Répétitions normales (tempo 3-0-1-0)

5 répétitions

# Technique #154

**Effort perçu**

**Effet sur l'hypertrophie**

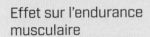

**Effet sur la force et la puissance**

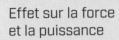

**Effet sur l'endurance musculaire**

**Expérience requise**

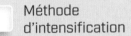

✓ Méthode d'accumulation

☐ Méthode d'intensification

---

## Conseil du coach

Assurez-vous de déterminer vos 15-19 RM véritables avant de débuter cette technique. Une charge plus lourde (< 15 RM) ne vous permettra pas d'atteindre les 60 répétitions tandis qu'une charge trop légère (> 19 RM) vous permettra d'atteindre les 60 répétitions en moins de 4 semaines.

# FOUR-MINUTE MUSCLE

### COMMENT L'APPLIQUER ?

L'objectif de cette technique est de tenter d'accomplir le plus de répétitions possible en 4 minutes avec une charge avoisinant vos 15-19 RM et en prenant de courtes périodes de repos. Vous devriez être en mesure d'accomplir au moins 40 répétitions en 4 minutes la première semaine. Votre objectif est d'atteindre les 60 répétitions en 4 minutes après 4 à 6 semaines d'entraînement avec cette technique.

### AVANTAGES

→ Elle peut s'exécuter sur tous les exercices.

→ Elle permet d'augmenter l'hypertrophie et l'endurance musculaire ainsi que de diminuer la masse adipeuse.

### DÉSAVANTAGE

→ Aucun.

### TABLEAU D'ENTRAÎNEMENT

| Charge | Nombre de répétitions par série | Nombre de séries par exercice | Nombre d'exercices par GM* | Repos entre les séries |
|--------|--------|--------|--------|--------|
| 62-66 % | 40-60 | 1 | 2-4 | 2-3 minutes |

*GM : groupe musculaire

| Semaines | Répétitions | Temps total |
|----------|-------------|-------------|
| 1 | 41 | 4 minutes |
| 2 | 46 | 4 minutes |
| 3 | 49 | 4 minutes |
| 4 | 54 | 4 minutes |
| 5 | 57 | 4 minutes |
| 6 | 60 | 4 minutes |

### Effort perçu

### Effet sur l'hypertrophie

### Effet sur la force et la puissance

### Effet sur l'endurance musculaire

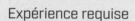

### Expérience requise

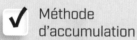

✓ Méthode d'accumulation

☐ Méthode d'intensification

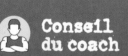

## Conseil du coach

Pour cette technique, il est judicieux d'avoir un partenaire d'entraînement qui chronomètrera vos 15 secondes par exercice et qui pourra vous aider lorsque vous serez sur le point d'arriver à l'échec musculaire. Durant vos 2 minutes de récupération, vous inverserez les rôles.

# POWER CIRCUIT TRAINING

## COMMENT L'APPLIQUER ?

Cette technique consiste à exécuter 30 répétitions par exercice avec une charge avoisinant les 8-10 RM, et ce sous forme de circuit de 4 à 10 exercices différents. En revanche, vous ne pourrez accomplir vos répétitions que pendant une durée de 15 secondes par exercice. L'objectif est de réaliser le plus de répétitions possible lors de ces 15 secondes avant de passer au prochain exercice sans repos. Lorsque vous atteignez 30 répétitions sur un exercice, il est alors éliminé du circuit et remplacé par 15 secondes de récupération. Afin de faciliter le roulement de ce circuit, choisissez des exercices principalement avec des barres et des poids libres et seulement 1 à 3 exercices sur machine. De plus, alternez un exercice pour le haut du corps et un pour le bas du corps afin d'aider votre récupération.

## AVANTAGE

→ Elle permet d'améliorer la force et l'hypertrophie musculaire tout en diminuant la masse adipeuse.

## DÉSAVANTAGE

→ Elle nécessite une bonne préparation de vos exercices avant de commencer le circuit.

## TABLEAU D'ENTRAÎNEMENT

| Charge | Nombre de répétitions par série | Nombre de séries par exercice | Nombre d'exercices par GM* | Repos entre les séries |
|---|---|---|---|---|
| 75-85 % | 30 | 2-5 | 4-10 | 1-2 minutes |

*GM : groupe musculaire

| Exercice | Circuit 1 | | Circuit 2 | | Circuit 3 | | Circuit 4 | |
|---|---|---|---|---|---|---|---|---|
| | Temps (s) | Rép. | Temps (s) | Rép. | Temps (s) | Rép. | Temps (s) | Rép. |
| 1. Développé couché avec haltères | 15 | 8 | 15 | 8 | 15 | 8 | 15 | 6 |
| 2. Leg press | 15 | 8 | 15 | 8 | 15 | 8 | 15 | 6 |
| 3. Tirage horizontal avec haltères | 15 | 8 | 15 | 8 | 15 | 8 | 15 | 6 |
| 4. Leg curl couché | 15 | 10 | 15 | 8 | 15 | 6 | 15 | 6 |
| 5. Curl avec barre | 15 | 10 | 15 | 10 | 15 | 10 | 15 | 0 |
| 6. Extension lombaire | 15 | 10 | 15 | 10 | 15 | 10 | 15 | 0 |
| 7. Développé debout avec haltères | 15 | 8 | 15 | 8 | 15 | 8 | 15 | 6 |
| 8. Mollets assis | 15 | 15 | 15 | 15 | 15 | 0 | 15 | 0 |
| 9. Extension des triceps avec barre | 15 | 10 | 15 | 10 | 15 | 10 | 15 | 0 |
| 10. Lunges sautées alternées | 15 | 9 | 15 | 9 | 15 | 8 | 15 | 4 |
| Repos | 2 minutes | | 2 minutes | | 2 minutes | | 2 minutes | |

# Technique #156

**Effort perçu**

▪▪▪▫▫

**Effet sur l'hypertrophie**

▪▪▪▫▫

**Effet sur la force et la puissance**

▪▪▪▫▫

**Effet sur l'endurance musculaire**

▪▪▫▫▫

**Expérience requise**

▪▫▫▫▫

☑ Méthode d'accumulation

☐ Méthode d'intensification

## Conseil du coach

Pour les exercices du bas du corps (ex. : leg extension, leg curl, squat, mollets à la machine), vous pouvez varier l'angle de travail simplement en ajustant l'ouverture de vos pieds. Par exemple, vous pourriez accomplir des répétitions au leg curl les pieds en rotation interne, en rotation externe et en prise neutre (parallèles).

# SMALL-ANGLE TRAINING

## COMMENT L'APPLIQUER ?

Cette technique est en fait une série jusqu'à l'échec (technique #69) à la différence que, comme son nom l'indique, elle nécessite un faible ajustement de l'angle du mouvement au fur et à mesure que les séries avancent. L'objectif est de maximiser le recrutement de toutes les fibres musculaires en ciblant tous les angles d'un mouvement. Vous pouvez ajuster la hauteur des poulies, l'angle de votre tronc, la largeur de vos mains, la largeur de vos pieds, la position de vos avant-bras, etc.

## AVANTAGES

→ Elle permet d'utiliser davantage de fibres musculaires par les angles de travail variés.

→ Elle s'applique sur une grande variété d'exercices.

## DÉSAVANTAGE

→ Aucun.

## TABLEAU D'ENTRAÎNEMENT

| Charge | Nombre de répétitions par série | Nombre de séries par exercice | Nombre d'exercices par GM* | Repos entre les séries |
|---|---|---|---|---|
| 70-83 % | 6-12 | 2-8 | 1-3 | 2-3 minutes |

*GM : groupe musculaire

Exemple de séquence d'exercices pour les pectoraux

| Exercice | Numéro de la série | Répétitions | Spécificité de l'exercice |
|---|---|---|---|
| Développé couché | 1 | 6 à 12 | Avant-bras perpendiculaires au sol |
| | 2 | 6 à 12 | Mains à la largeur des épaules |
| | 3 | 6 à 12 | 5 centimètres plus large que la 2e série |
| | 4 | 6 à 12 | 10 centimètres plus large que la 2e série |
| | 5 | 6 à 12 | 15 centimètres plus large que la 2e série |
| | 6 | 6 à 12 | 20 centimètres plus large que la 2e série |

Exemple de séquence d'exercices pour les épaules

| Exercice | Numéro de la série | Répétitions | Spécificité de l'exercice |
|---|---|---|---|
| Élévation avec haltères | 1 | 6 à 12 | Élévation avant en prise neutre |
| | 2 | 6 à 12 | Élévation avant/latérale à 45 degrés |
| | 3 | 6 à 12 | Élévation latérale |
| | 4 | 6 à 12 | Élévation latérale à 15 degré vers l'arrière |
| | 5 | 6 à 12 | Élévation latérale, penché à 45 degrés |
| | 6 | 6 à 12 | Élévation arrière |

# Technique #157

**Effort perçu**

▇▇▇ ▇ ▇

**Effet sur l'hypertrophie**

▇▇▇ ▇ ▇

**Effet sur la force et la puissance**

▇▇▇ ▇ ▇

**Effet sur l'endurance musculaire**

▇▇ ▇ ▇ ▇

**Expérience requise**

▇▇ ▇

☑ Méthode d'accumulation

☐ Méthode d'intensification

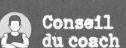 **Conseil du coach**

Cette technique permet d'évaluer également l'impact de votre séance d'entraînement sur la fatigue musculaire engagée. Si vous accomplissez 8 répétitions avec 50 kg au début et seulement 4 répétitions avec la même charge à la fin de votre entraînement, nous pourrons dire que votre séance d'entraînement a occasionné une perte de force de 50 % (communément appelée in-road).

# BOOKEND TRAINING

## COMMENT L'APPLIQUER ?

Cette technique consiste à commencer et à terminer votre séance d'entraînement par le même exercice. Lors du premier exercice, vous ferez 3 séries de 6 à 8 répétitions tandis que, pour le dernier exercice, vous accomplirez 1 série avec la même charge qu'au début suivie de 2 séries de 12 à 15 répétitions.

## AVANTAGE

→ Elle favorise le gain de force avec le premier exercice et la croissance musculaire avec le dernier exercice en utilisant une charge lourde sur un muscle épuisé, ce qui poussera alors les dommages musculaires un peu plus loin.

## DÉSAVANTAGE

→ Elle nécessite un partenaire d'entraînement sur certains exercices (ex. : développé couché, squat) lors de la première série du dernier exercice, car le nombre de répétitions est indéterminé avant de commencer.

## TABLEAU D'ENTRAÎNEMENT

| Charge | Nombre de répétitions par série | Nombre de séries par exercice | Nombre d'exercices par GM* | Repos entre les séries |
|---|---|---|---|---|
| 79-83 % | Premier[1] : 6-8 Dernier[1] : max et 12-15 | 6 (3 au premier[1] et au dernier[1]) | 1 | 1-3 minutes |

1. Premier et dernier exercice (le même) *GM : groupe musculaire

## EXEMPLE DE SÉQUENCE D'EXERCICES POUR LES PECTORAUX

| Exercices | Séries | Répétitions | Repos |
|---|---|---|---|
| Développé couché | 3 | 6 à 8 | 2 minutes |
| Développé incliné avec haltère | 3 | 8 à 10 | 2 minutes |
| Écarté couché | 3 | 10 à 12 | 1 minute |
| Pec deck | 3 | 12 à 15 | 1 minute |
| Développé couché | 1 | Maximum* | 1 minute |
| | 1 | 12 à 15 | 1 minute |

*Avec la même charge qu'au début

## Technique #158

**Effort perçu**

**Effet sur l'hypertrophie**

**Effet sur la force et la puissance**

**Effet sur l'endurance musculaire**

**Expérience requise**

☑ Méthode d'accumulation

☐ Méthode d'intensification

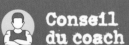

### Conseil du coach

C'est une méthode que j'appelle de « dépannage » afin de continuer à s'entraîner en voyage (des élastiques sont très faciles à transporter dans une valise) ou bien pour commencer à s'entraîner à la maison sans trop investir d'argent dans de l'équipement de musculation. Les femmes sont généralement plus intéressées par cette technique.

# ENTRAÎNEMENT AVEC ÉLASTIQUES

**COMMENT L'APPLIQUER ?**

Cette méthode implique que votre séance d'entraînement ne comprenne que des exercices exécutés avec des élastiques (ex. : élastique à poignées ou superbands[73]). En fonction des élastiques à votre disposition, vous pourrez faire varier le nombre de répétitions au fur et à mesure que les semaines avanceront afin de permettre davantage de gains en hypertrophie et en force musculaire.

**AVANTAGES**

→ Elle ne nécessite pas beaucoup de matériel.

→ Elle est idéale pour des entraînements à l'hôtel ou à la maison.

→ Elle occasionne une variation de la tension à l'intérieur d'un mouvement avec la plus grande résistance en fin de mouvement.

**DÉSAVANTAGE**

→ Les individus avec une grande force musculaire ne répondront pas bien à ce type d'entraînement.

**TABLEAU D'ENTRAÎNEMENT**

| Charge | Nombre de répétitions par série | Nombre de séries par exercice | Nombre d'exercices par GM* | Repos entre les séries |
|---|---|---|---|---|
| Selon l'élastique choisi | 6-20 | 2-3 | 3-4 | 1-2 minutes |

*GM : groupe musculaire

# Technique #159

Effort perçu

■ ■ ■ □ □

Effet sur le système anaérobie alactique

■ ■ ■ ■ □

Effet sur le système anaérobie lactique

■ ■ ■ □ □

Effet sur le système aérobie

■ ■ ■ □ □

Expérience requise

■ ■ ■

☐ Méthode d'accumulation

☑ Méthode d'intensification

## Conseil du coach

Commencez par utiliser les accessoires d'entraînement (chaînes et superbands) sans trop de charges sur la barre durant la première semaine afin de vous y habituer. Vous verrez que la stabilité n'est pas la même et cela demande un temps d'adaptation. Dès la deuxième semaine, augmentez la charge graduellement.

# EN RÉSISTANCE VARIABLE

## COMMENT L'APPLIQUER ?

Vous devez simplement exécuter la technique de séries jusqu'à l'échec (technique #69), mais jumelée à des accessoires d'entraînement tels que des chaînes ou des superbands.

## AVANTAGE

→ Cette méthode permet de profiter de la biomécanique du muscle, car plus un muscle est allongé, plus la tension passive (tendons) est grande et plus la tension active (muscles) est faible. Vous êtes donc moins fort dans cette phase. À l'inverse, plus le muscle est contracté (fin du mouvement), plus la tension active augmente et plus vous êtes fort (jusqu'à un certain degré). La surcharge créée par les chaînes[74] et/ou les superbands[73] permet donc d'augmenter la tension totale reçue par le muscle.

## DÉSAVANTAGE

→ Cette technique n'est toutefois pas possible dans toutes les salles de musculation à cause du matériel nécessaire et des ancrages au sol requis (pour le soulevé de terre avec des superbands par exemple).

## TABLEAU D'ENTRAÎNEMENT

| Charge | Nombre de répétitions par série | Nombre de séries par exercice | Nombre d'exercices par GM* | Repos entre les séries |
|--------|---------------------------------|-------------------------------|----------------------------|------------------------|
| 60-80 % | 6-12 | 2-5 | 1-2 | 3-5 minutes |

*GM : groupe musculaire

## Effort perçu

## Effet sur l'hypertrophie

## Effet sur la force et la puissance

## Effet sur l'endurance musculaire

## Expérience requise

✓ Méthode d'accumulation

☐ Méthode d'intensification

### Conseil du coach

Cette méthode semble très ordinaire a priori et nous aurions tendance à la placer dans les techniques pour débutants, ce qui serait une erreur. Ce que je vous conseille, c'est de choisir un à trois exercices sur machine par groupe musculaire et de les combiner avec une technique d'entraînement dans ce livre. Vous ne verrez plus les machines de la même façon !

# MUSCULATION À LA MACHINE

## COMMENT L'APPLIQUER ?

Cette méthode consiste à n'utiliser que des machines lors de votre programme d'entraînement. Essayez-la sur une semaine ou deux afin de changer votre structure d'entraînement.

## AVANTAGES

→ Elle est facile à utiliser.

→ Elle est pratique lorsque vous êtes pressé par le temps.

→ Elle permet une tension constante dans le muscle, contrairement à un entraînement avec haltères où la tension peut diminuer selon la gravité.

→ Vous pouvez vous entraîner jusqu'à l'échec musculaire sans partenaire d'entraînement.

→ Elle permet d'utiliser plusieurs techniques avec des changements de charges (ex. : dropset).

→ Elle est intéressante pour les sportifs qui souffrent de blessures.

## DÉSAVANTAGE

→ Les muscles stabilisateurs ne sont pas stimulés. Un travail complémentaire de ces muscles (ex. : coiffe des rotateurs) est donc à prévoir.

## TABLEAU D'ENTRAÎNEMENT

| Charge | Nombre de répétitions par série | Nombre de séries par exercice | Nombre d'exercices par GM* | Repos entre les séries |
|---|---|---|---|---|
| 66-83 % | 6-15 | 2-4 | 3-5 | 1-2 minutes |

*GM : groupe musculaire

## EXEMPLES D'EXERCICES SUR MACHINES

| | | |
|---|---|---|
| Presse pectorale horizontale ou inclinée (pectoraux) | Élévation latérale à la machine (épaules) | Tirage horizontal à la machine (dos) |
| Pec deck ou la machine fly (pectoraux) | Tirage vertical à la machine Smith (épaules) | Tirage horizontal à la machine Smith (dos) |
| Dips à la machine (triceps) | Développé assis à la machine (épaules) | Leg curl assis (ischiojambiers) |
| Machine d'extension des coudes au-dessus de la tête (triceps) | Hack squat (quadriceps) | Leg curl couché (ischiojambiers) |
| Crunchs à la machine (abdominaux) | Leg press (quadriceps) | Leg curl debout (ischiojambiers) |
| Flexion des hanches à la machine (abdominaux) | Leg extension (quadriceps) | Flexion des coudes à la machine (biceps) |
| Mollets à la machine debout | Pull-up assisté (dos) | Flexion des coudes alternée à la machine (biceps) |

Effort perçu

Effet sur
l'hypertrophie

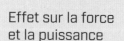

Effet sur la force
et la puissance

Effet sur l'endurance
musculaire

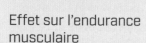

Expérience requise

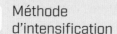

☑ Méthode
d'accumulation

☐ Méthode
d'intensification

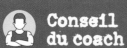 

**Conseil du coach**

Cette excellente méthode vient de mon collègue Christian Thibaudeau, blogueur sur le site de T-Nation (www.t-nation.com). Vous pouvez découvrir toutes les facettes et les variétés de cette technique directement dans son article à ce sujet[79] (en anglais).

# HSS-100

## COMMENT L'APPLIQUER ?

Cette méthode planifie en fait votre séance d'entraînement pour un groupe musculaire. Vous devez accomplir dans l'ordre :

1. **H** : « heavy », un exercice pour stimuler votre force (chapitre 2) ;
2. **S** : « superset », la technique #71 en supersérie agoniste ;
3. **S** : « special », une des techniques du chapitre 3 qui sort d'un entraînement classique jusqu'à l'échec ;
4. **100** : 100 répétitions de la technique #214.

## AVANTAGES

→ C'est une excellente planification d'entraînement pour gagner en masse musculaire.
→ Elle est facile à appliquer.
→ Elle permet de varier les techniques à chaque entraînement.

## DÉSAVANTAGE

→ Aucun.

## TABLEAU D'ENTRAÎNEMENT

| Charge | Nombre de répétitions par série | Nombre de séries par exercice | Nombre d'exercices par GM* | Repos entre les séries |
|---|---|---|---|---|
| Selon les techniques choisies | Selon les techniques choisies | Selon les techniques choisies | 5 | Selon les techniques choisies |

*GM : groupe musculaire

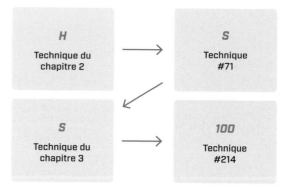

**Effort perçu**

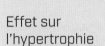

**Effet sur l'hypertrophie**

**Effet sur la force et la puissance**

**Effet sur l'endurance musculaire**

**Expérience requise**

 Méthode d'accumulation

 Méthode d'intensification

## Conseil du coach

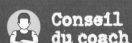

Cette excellente méthode vient de mon collègue Christian Thibaudeau, blogueur sur le site de T-Nation (www.t-nation.com). Vous pouvez découvrir toutes les facettes, les vidéos et les variétés de cette technique directement dans son article à ce sujet[80] (en anglais).

# THE LAYER SYSTEM

## COMMENT L'APPLIQUER ?

Cette méthode est en fait une planification de votre entraînement pour un groupe musculaire, et ce en n'utilisant qu'un seul exercice. L'entraînement par « couches » (traduction française de cette technique) exige que vous travailliez une qualité musculaire à chacune des étapes ou couches de ce système. Vous aurez 5 « layers » ou couches à accomplir :

1. **Couche #1 : activation et potentialisation**. Vous devez accomplir un exercice en isométrie d'une intensité maximale (technique #165). Faites 4 séries de 6 secondes.
2. **Couche #2 : force maximale**. Vous devez accomplir 5 à 7 séries de 2 répétitions en augmentant progressivement la charge jusqu'à l'atteinte de vos 2 RM. Commencez avec une charge de 60-70 %.
3. **Couche #3 : stress mécanique**. Vous devez accomplir un classic cluster (technique #50) à 90 % de vos 2 RM déterminées à la couche #2. Faites 3 séries de 4 à 6 répétitions sous forme de clusters.
4. **Couche #4 : excentriques lents**. Vous devez accomplir 3 séries de 6 à 8 répétitions excentriques en 4 à 5 secondes à 70 % de vos 2 RM (technique #106).
5. **Couche #5 : libération de l'hormone de croissance**. Vous devez accomplir 1 à 2 séries de 45 à 75 secondes sous tension à 50 % des 2 RM. N'utilisez que l'amplitude située entre le quart et les trois quarts du mouvement choisi pour réaliser vos répétitions (technique #127).

| Charge | Nombre de répétitions par série | Nombre de séries par exercice | Nombre d'exercices par GM* | Repos entre les séries |
|---|---|---|---|---|
| 50-110 % | 6-75 secondes ou 2-8 répétitions | 1-4 | 1 | 1-3 minutes |

*GM : groupe musculaire

| |
|---|
| 4 séries de 6 secondes, repos : 1 minute |
| 5-7 séries de 2 répétitions, repos : 2 minutes |
| 3 séries de 4-6 répétitions (90 %**), repos : 3 minutes |
| 3 séries de 6-8 répétitions (70 %**), repos : 90 secondes |
| 1-2 séries de 45-75 secondes (50 %**), repos : 90 secondes |

**Pourcentage des 2 RM déterminé à la deuxième couche

# CHAPITRE 4

## ENTRAÎNEMENT ISOMÉTRIQUE

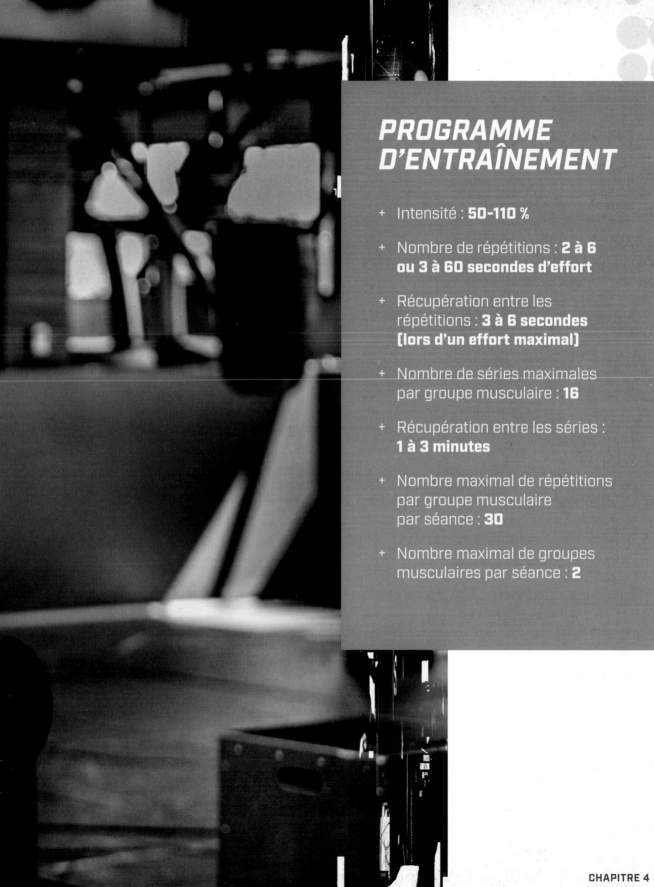

# PROGRAMME D'ENTRAÎNEMENT

+ Intensité : **50-110 %**

+ Nombre de répétitions : **2 à 6 ou 3 à 60 secondes d'effort**

+ Récupération entre les répétitions : **3 à 6 secondes (lors d'un effort maximal)**

+ Nombre de séries maximales par groupe musculaire : **16**

+ Récupération entre les séries : **1 à 3 minutes**

+ Nombre maximal de répétitions par groupe musculaire par séance : **30**

+ Nombre maximal de groupes musculaires par séance : **2**

# #4

## ENTRAÎNEMENT ISOMÉTRIQUE

Les techniques d'entraînement isométrique sont, à mon avis, sous-exploitées et méritent qu'on leur porte une attention particulière. Elles sont réputées pour permettre une meilleure libération de force (entre 10 et 15 % de plus que lors d'une phase concentrique pour un même exercice) et pour accentuer le travail sur des angles précis lors d'un mouvement. Toutefois, Medvedyev a mentionné à la fin des années 80 dans son livre *A System of Multi-Year Training in Weightlifting* que la libération de force n'était pas nécessairement plus grande lors de contractions isométriques, mais que le recrutement d'unités motrices musculaires était quant à lui quasi maximal. On pourrait donc recruter plus de fibres musculaires lors de contractions isométriques menant ultérieurement à des gains en force et même en hypertrophie. Les gains en force sont en revanche applicables seulement sur l'angle de travail à +/- 20 degrés, d'où l'importance, dans ces techniques, de varier l'angle de travail (utilisez plusieurs positions).

L'entraînement isométrique n'est en fait pas très représentatif des actions quotidiennes de la vie de M. et Mme Tout-le-Monde et encore moins de celles des sportifs et athlètes. Le seul athlète qui nécessite des contractions isométriques à 100 % dans son sport est le culturiste, d'où la technique #163 pour améliorer votre masse musculaire (grâce à des poses issues de ce sport). Certains autres sports demandent des temps relativement longs de contraction isométrique, tels que le ski alpin, le snowboard, le ski nautique, etc. On parle ici principalement de contractions isométriques excentriques ou freinatrices. Pour les adeptes de ces sports, l'entraînement quasi isométrique durant la planification annuelle de leur entraînement sera donc à ne pas négliger.

Je le mentionne car, trop souvent, on oublie les techniques isométriques en tant que coach, moi-même inclus. Cela est tout à fait normal car, de façon générale, nous ne sommes pas portés à intégrer ce type de techniques dans nos programmes d'entraînement à cause de leur manque d'applications concrètes dans notre vie. Il est plutôt ironique de penser que, pour améliorer un mouvement, nous pouvons entraîner le corps à ne pas faire de mouvement. Malgré tout, même en l'absence de mouvement, le muscle subit des tensions énormes qui mèneront à des gains ultérieurs et transférables. À vous de l'essayer ! Vous verrez que les techniques qui suivent ne sont pas toutes faciles, car elles demandent une bonne concentration, de la motivation et de la détermination afin de prolonger votre temps sous tension lors d'une série. Je crois qu'elles seront pour vous un nouveau défi dans vos plans d'entraînement tout en introduisant une variété inexploitée dans les modes de contraction musculaire.

## Technique #163

Effort perçu

▪▪▪▫▫

Effet sur
l'hypertrophie

▪▪▪▪▫

Effet sur la force
et la puissance

▪▪▪▫▫

Effet sur l'endurance
musculaire

▪▪▪▫▫

Expérience requise

▪▪▫

 ✓ Méthode
d'accumulation

☐ Méthode
d'intensification

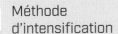 **Conseil
du coach**

Personnellement, j'aime utiliser cette technique en supersérie agoniste. Par exemple, vous pourriez faire un tirage vertical à la poulie (lat pulldown) suivi d'un déploiement avant isométrique (lat spread) tenu pendant 20 à 30 secondes.

# CONTRACTIONS ISOMÉTRIQUES (POSING)

## COMMENT L'APPLIQUER ?

Vous devez exécuter des poses associées au culturisme d'une durée entre 10 et 60 secondes par pose. Choisissez de 1 à 4 poses et exécutez de 8 à 12 répétitions isométriques. Cela peut représenter une séance d'entraînement de 30-40 minutes si vous optez pour des temps de pose de 60 secondes ou alors vous pouvez l'introduire dans votre entraînement régulier.

## AVANTAGES

→ Cette technique ne nécessite aucun équipement et aucune charge externe.

→ Elle est simple et facile à exécuter, peu importe l'endroit où vous vous trouvez.

## DÉSAVANTAGE

→ Cette technique nécessite une bonne connexion muscle-cerveau afin d'être en mesure de contracter le muscle ciblé de façon optimale.

## TABLEAU D'ENTRAÎNEMENT

| Charge | Nombre de répétitions par série | Nombre de séries par exercice | Nombre d'exercices par GM* | Repos entre les séries |
|---|---|---|---|---|
| 10-100 % (volontaire) | 8-12 d'une durée de 0-60 secondes | 1-3 | 1-4 poses | 2-3 minutes |

*GM : groupe musculaire

Cette technique est basée sur le principe que les individus qui exécutent des poses auraient une meilleure densité musculaire par rapport à ceux qui n'en feraient pas. Cette densité musculaire serait créée à partir des gains structurels (et non fonctionnels (provenant de l'hypertrophie des fibres musculaires), à moins que les contractions isométriques soient maximales), en augmentant le nombre d'éléments nécessaires aux systèmes d'énergie (par exemple, le pool de créatine phosphate, la capillarisation, le nombre de mitochondries cellulaires, etc.).

# Technique #164

Effort perçu

Effet sur
l'hypertrophie

Effet sur la force
et la puissance

Effet sur l'endurance
musculaire

Expérience requise

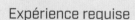

✓ Méthode
d'accumulation

☐ Méthode
d'intensification

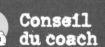

## Conseil du coach

Lors d'une isométrie concentrique, modérez votre production de force, sinon vous ferez une isométrie d'intensité maximale (technique #165, ce qui n'est pas l'objectif ici). Vous devez générer une contraction afin de maintenir une tension constante dans le muscle pendant 20 à 60 secondes.

# ISOMÉTRIE D'UNE DURÉE MAXIMALE

## COMMENT L'APPLIQUER ?

Cette technique est aussi appelée « isométrie totale » et fait partie d'un effort répété. Elle peut être réalisée en isométrique concentrique (pousser ou tirer contre une charge immobile) ou en isométrique excentrique (soutenir un poids et l'empêcher de descendre au sol (voir la technique excentrique isolimite, technique #169). Idéalement, variez les positions à l'intérieur de votre séance en utilisant au moins trois positions différentes.

## AVANTAGE

→ Un muscle qui se contracte de façon isométrique peut produire de 10 à 15 % de force supplémentaire que lors d'une contraction concentrique. De ce fait, cette méthode a comme avantage d'augmenter la tension totale libérée dans le muscle durant un temps précis par rapport à des répétitions standards.

## DÉSAVANTAGE

→ Cette méthode nécessite une bonne connaissance de soi-même afin de bien doser la force générée pour éviter un épuisement prématuré.

## TABLEAU D'ENTRAÎNEMENT

| Charge | Durée d'une série | Nombre de séries par exercice | Nombre d'exercices par GM* | Repos entre les séries |
|--------|-------------------|-------------------------------|----------------------------|------------------------|
| 50-80 %[1] | 20-60 secondes | 2-4 par position | 1 | 1-2 minutes |

*GM : groupe musculaire    1. lors d'isométrie excentrique

Pour cette technique, vous pouvez utiliser deux types d'isométrie, soit concentrique, soit excentrique :

**Isométrie concentrique** : vous devez pousser ou tirer contre une résistance immobile. Par exemple, dans une cage à squat, placez les barrures de sécurité en haut de votre barre de façon qu'elles vous bloquent le chemin dans la phase concentrique. Exercez alors une pression suffisante pendant le temps ciblé.

**Isométrie excentrique** : maintenez simplement une charge afin de l'empêcher de descendre avec la gravité (ex. : maintenez une charge à mi-chemin dans le mouvement lors d'un squat, d'un pull-up, d'un développé couché, etc.)

## Technique #165

Effort perçu

Effet sur l'hypertrophie

Effet sur la force et la puissance

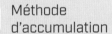

Effet sur l'endurance musculaire

Expérience requise

☐ Méthode d'accumulation

☑ Méthode d'intensification

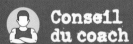

### Conseil du coach

Cette technique demande une certaine expérience de votre part avant de pouvoir l'exécuter, car elle nécessite la manipulation de charges lourdes (100-110 %) et génère donc un risque de blessures si vous n'êtes pas musculairement bien préparé.

# ISOMÉTRIE D'UNE INTENSITÉ MAXIMALE

## COMMENT L'APPLIQUER ?

Cette méthode part du même principe qu'une isométrie d'une durée maximale (technique #164), mais avec un temps d'effort plus court. Elle fait partie d'un effort maximal et peut être fait en isométrique concentrique (pousser ou tirer contre une charge immobile) ou en isométrique excentrique (soutenir un poids et l'empêcher de descendre au sol). Idéalement, les isométriques concentriques sont préférables, mais on peut utiliser les isométriques excentriques également. Pour cela, vous devrez alors prendre 100 à 110 % de 1 RM. N'oubliez pas de varier les positions à l'intérieur de votre séance en utilisant au moins trois positions différentes.

## AVANTAGES

→ Cette technique augmente la densité musculaire.
→ Elle améliore la force dans des angles du mouvement bien précis.

## DÉSAVANTAGES

→ Elle a peu d'impact sur l'hypertrophie musculaire.
→ Elle doit être combinée à des méthodes dynamiques.

## TABLEAU D'ENTRAÎNEMENT

| Charge | Durée d'une série | Durée d'une répétition | Nombre d'exercices par GM* | Repos entre les séries |
|---|---|---|---|---|
| 100-110 %[1] | 3-6 secondes par position | 9-18 secondes | 1 | 30-90 secondes* |

*GM : groupe musculaire    1. lors d'isométrie excentrique

Pour cette technique, vous pouvez utiliser deux types d'isométrie, soit concentrique, soit excentrique :

**Isométrie concentrique :** vous devez pousser ou tirer contre une résistance immobile. Par exemple, dans une cage à squat, placez les barrures de sécurité en haut de votre barre de façon qu'elles vous bloquent le chemin dans la phase concentrique. Exercez alors une pression suffisante pendant le temps ciblé.

**Isométrie excentrique :** maintenez simplement une charge afin de l'empêcher de descendre avec la gravité (ex. : maintenez une charge à mi-chemin dans le mouvement lors d'un squat, d'un pull-up, d'un développé couché, etc.)

# Technique #166

**Effort perçu**

■ ■ ■ ■ ■

**Effet sur l'hypertrophie**

■ ■ ■ ■ ■

**Effet sur la force et la puissance**

■ ■ ■ ■ ■

**Effet sur l'endurance musculaire**

■ ■ ■ ■ ■

**Expérience requise**

■ ■ ■

☐ Méthode d'accumulation

☑ Méthode d'intensification

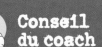

## Conseil du coach

Si votre salle de musculation possède des règles très strictes au niveau du bruit, il se peut que cette technique ne soit pas applicable, car elle est en fait très bruyante (par exemple, lors du contact très fort et rapide de la barre avec les barres de sécurité dans la cage à squat).

# ISOMÉTRIE BALISTIQUE

### COMMENT L'APPLIQUER ?

Vous devez exécuter un temps de contraction isométrique concentrique très court (tentez de passer de 0 % à 100 % de force en 1-2 secondes). L'isométrie excentrique ne s'applique pas ici et il faudra veiller à varier les positions (entre 2 et 4 par mouvement) afin de travailler les muscles agonistes dans l'ensemble de leurs amplitudes.

### AVANTAGES

→ Cette technique est très facile à utiliser si vous avez à portée une cage à squat avec des barres de sécurité qui se fixent.

→ Elle permet d'améliorer la vitesse de recrutement d'un état de détente complet à un état de contraction maximale de courte durée.

### DÉSAVANTAGES

→ À cause du faible temps sous tension, les gains en hypertrophie et en endurance ne sont pas présents.

→ Étant donné la force maximale que générera le muscle, il est important que l'individu qui essaie cette technique ait quelques mois d'entraînement au préalable pour éviter des blessures tendineuses et/ou musculaires.

### TABLEAU D'ENTRAÎNEMENT

| Charge | Durée d'une série | Durée d'une répétition | Nombre d'exercices par GM* | Repos entre les séries |
|--------|-------------------|------------------------|----------------------------|------------------------|
| Aucune | 1-2 secondes | 10-20 secondes (5-10 secondes par position) | 1 | 10-30 secondes |

*GM : groupe musculaire

Dans une cage à squat, vous ajustez les barrures de sécurité à une hauteur qui vous empêchera de compléter votre phase concentrique et où vous provoquerez un contact rapide. Voici quelques exemples d'exercices que vous pouvez faire :

→ **Développé couché** (pectoraux).

→ **Squat** (jambes).

→ **Flexion des coudes avec une barre** (biceps).

→ **Extension des coudes couché avec une barre** (triceps).

→ **Poussée verticale assise avec une barre** (épaules).

→ **Tirage penché** (bent-over row) **à l'abdomen avec une barre** (dos).

## Effort perçu

## Effet sur l'hypertrophie

## Effet sur la force et la puissance

## Effet sur l'endurance musculaire

## Expérience requise

- ☑ Méthode d'accumulation
- ☐ Méthode d'intensification

## Conseil du coach

Demandez à votre partenaire de varier la force des secousses (irrégulière) afin que vous ne puissiez pas deviner celle d'après. Parfois, il vous donnera de petites secousses et, à d'autres moments, de plus grandes, nécessitant un ajustement constant de votre part.

# ISOMÉTRIE AVEC SECOUSSES

## COMMENT L'APPLIQUER ?

Cette technique est aussi appelée pseudo-isométrie. Elle consiste à maintenir une contraction isométrique le plus longtemps possible contre une résistance jusqu'à épuisement complet tout en subissant des vibrations saccadées provoquées par un partenaire sur l'appareil de musculation ou sur vous-même.

## AVANTAGE

→ Cette technique permet d'augmenter le recrutement musculaire par l'introduction d'une variation de tension à l'intérieur de la série. Cela augmentera la fatigue sur un plus grand éventail de fibres musculaires qu'une contraction isométrique sans secousse.

## DÉSAVANTAGE

→ Elle nécessite un partenaire afin d'émettre une variation de pression durant le maintien de la position isométrique.

## TABLEAU D'ENTRAÎNEMENT

| Charge | Durée d'une série | Nombre de séries par exercice | Nombre d'exercices par GM* | Repos entre les séries |
|--------|-------------------|-------------------------------|----------------------------|------------------------|
| 50-80 % | 20-40 secondes | 2-4 par position | 1 | 60-90 secondes |

*GM : groupe musculaire

Cette technique crée de nouveaux patrons moteurs intramusculaires (à l'intérieur du muscle) et intermusculaires (entre les muscles) lors des secousses qui seront utiles et transférables dans la pratique de certains sports comme le football (adversaire instable à contrôler), le ski alpin et le snowboard (gestion des bosses sur la pente de différentes ampleurs), etc. Une bonne utilisation de cette technique est dans le cadre d'une supersérie agoniste (ex. : écarté couché combiné avec un développé couché isométrique à 90 degrés aux coudes où un partenaire exerce des secousses).

# Technique #168

**Effort perçu**

■ ■ ■ □ □

**Effet sur l'hypertrophie**

■ ■ ■ □ □

**Effet sur la force et la puissance**

■ ■ □ □ □

**Effet sur l'endurance musculaire**

■ ■ □ □ □

**Expérience requise**

■ □ □

☑ Méthode d'accumulation

☐ Méthode d'intensification

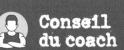

## Conseil du coach

Je vous suggère de faire cette technique à la fin de vos entraînements selon le ou les groupes musculaires travaillés. Cela permettra une meilleure récupération grâce à l'allongement du tissu musculaire après l'exercice et favorisera l'hypertrophie musculaire.

# EXCENTRIQUES QUASI ISOMÉTRIQUES

## COMMENT L'APPLIQUER ?

De manière formelle, ce sont des répétitions excentriques à très basse vitesse. Leur vitesse est tellement lente qu'on croirait voir des répétitions isométriques, d'où son nom. Vous devez prendre des charges légères (5-30 %) et placer le muscle dans une position à moitié contractée (ex. : au milieu du mouvement). Maintenez ensuite cette position le plus longtemps possible. Plus le temps s'écoulera, plus vous serez fatigué et plus la charge descendra tranquillement. Poursuivez la série jusqu'à un épuisement complet.

## AVANTAGE

→ Elle est facile à utiliser et ne nécessite pas de lourdes charges

## DÉSAVANTAGE

→ Lorsque cette technique est accomplie seule, elle ne procure que très peu d'adaptation. Elle est censée être, et devrait être, le dernier exercice de votre séance d'entraînement pour un groupe musculaire.

## TABLEAU D'ENTRAÎNEMENT

| Charge | Durée d'une série | Nombre de séries par exercice | Nombre d'exercices par GM* | Repos entre les séries |
|---|---|---|---|---|
| Poids de corps ou 5-30 % | 1 à 4 minutes | 1 | 1 | 1-2 minutes |

*GM : groupe musculaire

Cette technique permet d'augmenter la flexibilité des composantes en série du muscle (ex. : tendon, titine) par rapport à un étirement classique qui travaille davantage les composantes parallèles (épimysium, périmysium, endomysium). Cela permet donc de diminuer l'écart de la capacité d'étirement entre les composantes en série plutôt que les composantes parallèles et contribuent ainsi à la diminution du risque de blessures dans le sport.

Pour plus d'informations sur les répétitions excentriques quasi isométriques, référez-vous au chapitre 10 du livre *Théorie et application de méthodes modernes de force et de puissance* de Christian Thibaudeau.

## Effort perçu

▪▪▪▪▫

## Effet sur l'hypertrophie

▪▪▪▪▫

## Effet sur la force et la puissance

▪▪▫▫▫

## Effet sur l'endurance musculaire

▪▪▫▫▫

## Expérience requise

▪▪▫

✓ Méthode d'accumulation

☐ Méthode d'intensification

### Conseil du coach

Si vous n'avez pas de partenaire d'entraînement, choisissez des exercices à la poulie ou avec des poids libres afin de faciliter le dépôt de la charge lorsque l'échec musculaire est atteint. Assurez-vous de toujours bien contrôler la phase excentrique afin d'éviter toutes blessures.

# EXCENTRIQUE ISOLIMITE

## COMMENT L'APPLIQUER ?

Cette technique est aussi appelée contraste excentrique/isométrique. Vous devez descendre la barre à votre point le plus fort dans le mouvement et maintenir la position le plus longtemps possible. Ensuite, lorsque l'échec est atteint, descendez tranquillement la charge en pleine amplitude et demandez à un partenaire de vous aider si vous avez à relever une barre. Elle est similaire à la technique isométrie d'une durée maximale (technique #164) avec l'ajout d'une phase excentrique contrôlée suivant l'échec musculaire.

## AVANTAGES

→ Un muscle qui se contracte de façon isométrique peut produire une force supérieure de 10 à 15 % par rapport à une contraction concentrique.

→ La phase excentrique suivant l'échec provoque des gains supplémentaires en hypertrophie.

## DÉSAVANTAGE

→ Elle nécessite, pour certains exercices, un partenaire afin de ne pas rester bloqué sous la barre (ex. : développé couché)

## TABLEAU D'ENTRAÎNEMENT

| Charge | Nombre de répétitions par série | Nombre de séries par exercice | Nombre d'exercices par GM* | Repos entre les séries |
|--------|--------|--------|--------|--------|
| 70-90 % | 1 | 3-7 | 1-3 | 2-3 minutes |

*GM : groupe musculaire

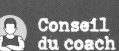

Maintien d'une charge le plus longtemps possible jusqu'à l'échec musculaire

**+**

Terminez la phase excentrique au complet suite à l'échec musculaire

# Technique #170

### Effort perçu

### Effet sur l'hypertrophie

### Effet sur la force et la puissance

### Effet sur l'endurance musculaire

### Expérience requise

☐ Méthode d'accumulation

☑ Méthode d'intensification

## Conseil du coach

L'électrostimulation permet d'activer les fibres rapides et donc de conduire à une fatigue précise sur ces fibres musculaires, ce qui provoque des gains légers en force et en hypertrophie. Elle est utile dans le cas d'athlètes blessés pour éviter une fonte musculaire précoce.

# ÉLECTROSTIMULATION

### COMMENT L'APPLIQUER ?

Cette technique a été développée dans l'Union soviétique à la fin des années 1960 et nécessite l'utilisation d'un appareil à électrostimulation. Vous devez tout d'abord appliquer les électrodes sur le groupe ou la région musculaire que vous souhaitez travailler. Ensuite, ajustez idéalement la fréquence de l'appareil à plus de 2 500 hertz et la modulation à 50 hertz. Vous exécuterez alors des contractions d'une durée de 10 secondes pour un repos de 50 secondes, et ce sur une durée de 10 minutes (10 cycles).

### AVANTAGE

→ Cette technique permet d'isoler des régions musculaires difficiles à recruter (ex. : vaste interne du quadriceps).

### DÉSAVANTAGES

→ Elle permet d'entraîner uniquement les muscles et non les facteurs neuronaux.
→ La recherche concernant l'électrostimulation est manquante, ce qui empêche d'établir des recommandations finales.

### TABLEAU D'ENTRAÎNEMENT

| Charge | Temps d'une contraction | Repos entre les contractions | Nombre de contractions par jour | Nombre de jours d'utilisation par semaine |
|---|---|---|---|---|
| 100 % d'une CVMI* | 10 secondes | 50 secondes | 10 | 5 |

*CVMI : contraction volontaire maximale isométrique

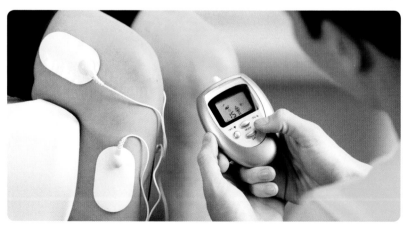

# CHAPITRE 5

## ENTRAÎNEMENT EXCENTRIQUE

# PROGRAMME D'ENTRAÎNEMENT

+ Intensité : **60-130 %**

+ Nombre de répétitions : **1 à 5**

+ Durée de la phase excentrique : **3 à 7 secondes**

+ Nombre de séries maximales par groupe musculaire : **10**

+ Récupération entre les séries : **3 à 5 minutes**

+ Nombre maximal de répétitions par groupe musculaire par séance : **20**

+ Nombre maximal de groupes musculaires par séance : **2**

+ Repos entre 2 séances : **72 à 96 heures**

# #5

## ENTRAÎNEMENT EXCENTRIQUE

Par rapport à un entraînement concentrique ou isométrique, il a été prouvé que l'entraînement en excentrique est une méthode supérieure pour améliorer la force et l'hypertrophie musculaire (Roig et coll., 2009 ; Schoenfeld et coll., 2017 ; Douglas et coll., 2017). Cela est dû, en fait, à plusieurs processus :

1. Vous utiliserez des charges plus lourdes qu'en concentrique ;

2. Vous recruterez moins de fibres musculaires totales, ce qui augmentera la charge totale que chaque fibre devra soutenir (essentiellement des fibres rapides propices au développement de l'hypertrophie) ;

3. Vous aurez donc davantage de microdéchirures, et plusieurs régions musculaires devront récupérer étant donné les deux premiers points ;

4. Votre système nerveux aura une adaptation supérieure permettant un meilleur recrutement des unités motrices et ainsi une meilleure libération de force.

De ces points, vous devrez en conclure que la phase excentrique est extrêmement efficace pour les adaptations du muscle. Malgré cela, je vois encore trop de gens dans les salles d'entraînement qui se concentrent uniquement sur le nombre de répétitions à effectuer au lieu de prioriser le temps sous tension. Je crois que l'introduction de ces techniques dans les programmes d'entraînement de ces sportifs les conscientisera sur l'importance de la phase excentrique. De plus, les techniques dans cette section sont très efficaces pour améliorer votre force

musculaire et peuvent également faire partie intégrante d'un programme en prise de masse musculaire, surtout lorsqu'elles sont placées en début d'entraînement. En revanche, les techniques d'entraînement excentrique sont des méthodes réservées uniquement aux individus avancés en musculation (> 2-3 ans d'expérience en entraînement) étant donné le stress qu'elles imposent aux articulations et aux muscles. De plus, vous devrez vous assurer d'avoir en permanence quelqu'un pour vous aider en cas de difficulté ou simplement pour vous aider dans les phases concentriques du mouvement. De plus, ne soyez pas surpris si vous avez davantage de courbatures les jours suivant l'intégration de ces méthodes ! La phrase « *No soreness, no success* » prend alors tout son sens (une version personnelle dérivée de « *No pain, no gain* »), bien que les courbatures ne soient pas une obligation dans l'atteinte d'adaptations musculaires.

### Déficit de force

Un déficit de force excentrique/concentrique est la différence entre une force excentrique absolue et une force concentrique maximale (Zatsiorsky, 1995). Afin d'évaluer votre pourcentage de déficit de force, vous devrez trouver votre 1 RM concentrique sur l'exercice choisi, puis votre 1 RM excentrique en augmentant la charge graduellement. Une répétition excentrique réussie doit être une répétition qui est descendue (ex. : au squat) sous contrôle pendant 3 à 5 secondes (Siff, 2003). Par la suite, si vous constatez un grand déficit de force (ex. : au développé couché, votre 1 RM excentrique est de 100 kg et votre 1 RM concentrique est de 72 kg, équivalant alors à un déficit de force de 38 % [100/72]), vous devrez intégrer des techniques d'entraînement explosives (ex. : méthodes de potentialisation) afin d'améliorer votre activation neuromusculaire. À l'inverse, si vous avez un petit déficit de force (ex. : aux tractions à la barre ou pull-up où votre 1 RM excentrique est votre poids de corps (ex. : 100 kg) additionné d'une charge de 5 kg par une ceinture de surcharge, et votre 1 RM concentrique est votre poids de corps seulement : déficit de force de 5 % [105/100]). De ce fait, vous devrez entamer des techniques d'hypertrophie (chapitre 3) suivies rapidement de techniques d'efforts maximaux (chapitre 2) puis d'un travail en excentrique (chapitre 5). Un ratio idéal entre la force excentrique et la force concentrique devrait se situer environ à 1,2 : 1,0, soit l'équivalent d'une force supérieure de 15 à 20 % en excentrique par rapport au concentrique.

# Technique #171

**Effort perçu**

■■■□□

**Effet sur l'hypertrophie**

■■■□□

**Effet sur la force et la puissance**

■■■■■

**Effet sur l'endurance musculaire**

■■■□□

**Expérience requise**

■■■

☐ Méthode d'accumulation

☑ Méthode d'intensification

---

## Conseil du coach

Si vous ne connaissez pas votre 1 RM à un bras ou une jambe, vous pouvez utiliser environ 60 % de votre maximum à deux bras ou deux jambes comme point de départ et augmenter la charge graduellement en vous assurant de toujours bien contrôler la phase excentrique en 3 à 5 secondes.

---

# TECHNIQUE 2/1

## COMMENT L'APPLIQUER ?

Cette technique consiste à surcharger un mouvement unilatéral. Pour ce faire, exécutez la portion concentrique avec l'aide de vos deux membres, puis contrôlez la portion excentrique à un membre seulement durant 3 à 5 secondes.

## AVANTAGES

→ Cette technique est très facile à utiliser sur tous les appareils fixes (ex. : biceps curl, legs extension, legs curl, triceps extension, etc.) ainsi que sur les systèmes à poulies.

→ Elle permet d'augmenter le travail excentrique qui occasionne un plus grand stress sur les fibres rapides, vous procurant alors des gains en force transférables dans la phase concentrique du même mouvement (avantage de l'entraînement excentrique).

## DÉSAVANTAGE

→ Elle est impossible (ou très limitée) à réaliser avec des exercices à barre et à poids libres.

## TABLEAU D'ENTRAÎNEMENT

| Charge | Nombre de répétitions par série | Nombre de séries par exercice | Nombre d'exercices par GM* | Repos entre les séries |
|---|---|---|---|---|
| 100-125 % | 1-6 par bras ou jambe | 4-8 | 1-2 | 2-3 minutes |

*GM : groupe musculaire

Phase concentrique à 2 bras ou 2 jambes → Phase excentrique à 1 bras ou 1 jambe

# Technique #172

Effort perçu

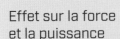

Effet sur
l'hypertrophie

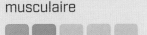

Effet sur la force
et la puissance

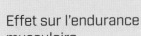

Effet sur l'endurance
musculaire

Expérience requise

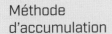

☐ Méthode
d'accumulation

✓ Méthode
d'intensification

## Conseil du coach

Lors de certains exercices (par exemple le tirage vertical à la poulie ou lat pulldown), vous pouvez utiliser la technique de série à la triche afin de compléter la phase concentrique. En revanche, vous devrez immobiliser la charge au moins une seconde en fin de phase concentrique et la contrôler durant toute la phase excentrique.

# TECHNIQUES DES 2 MOUVEMENTS

## COMMENT L'APPLIQUER ?

Cette technique consiste à surcharger (charges supramaximales) un mouvement d'isolation. Exécutez la portion concentrique avec un mouvement de base, puis faites la portion excentrique avec le mouvement d'isolation choisi en 3 à 5 secondes.

## AVANTAGES

→ Cette technique est une alternative à la technique 2/1 (technique #171) pour les exercices avec poids libres et avec barre.

→ Elle permet d'augmenter le travail excentrique qui occasionne un plus grand stress sur les fibres rapides, vous procurant alors des gains en force transférables dans la phase concentrique du même mouvement (avantage de l'entraînement excentrique).

## DÉSAVANTAGE

→ Elle est impossible (ou très difficile) à réaliser avec des exercices sur des machines.

## TABLEAU D'ENTRAÎNEMENT

| Charge | Nombre de répétitions par série | Nombre de séries par exercice | Nombre d'exercices par GM* | Repos entre les séries |
|---|---|---|---|---|
| 100-125 % | 1-6 | 4-8 | 1-2 | 2-3 minutes |

*GM : groupe musculaire

Pour des exemples de mouvements compensatoires combinés aux mouvements d'isolation, vous pourriez utiliser (muscle sollicité : exercice de base [phase concentrique]/exercice d'isolation [phase excentrique]) :

**Brachial** : épaulé/flexion des coudes prise en pronation

**Triceps** : développé couché prise serrée/lying extension

**Épaules** : épaulé + poussée verticale/élévation avant

**Pectoraux** : développé couché avec poids libres/écarté couché

**Haut du dos** : tirage poitrine penché avec haltères/élévation arrière

## Effort perçu

## Effet sur l'hypertrophie

## Effet sur la force et la puissance

## Effet sur l'endurance musculaire

## Expérience requise

☐ Méthode d'accumulation

☑ Méthode d'intensification

### Conseil du coach

Assurez-vous de **TOUJOURS** être en mesure de contrôler votre charge durant la phase excentrique. Si la charge accélère lors de cette phase, arrêtez la série ou diminuez la charge immédiatement, car le risque de vous infliger des blessures augmente grandement.

# EXCENTRIQUES PURS (MAXIMAUX ET SUPRAMAXIMAUX)

## COMMENT L'APPLIQUER ?

Cette technique consiste à exécuter seulement la phase excentrique d'un mouvement pendant un temps donné, tandis qu'un partenaire vous aide à exécuter la portion concentrique. Des *weight releasers*[1] peuvent être utilisés afin de surcharger la phase excentrique si vous êtes seul.

## AVANTAGES

→ Cette technique est très exigeante sur les plans musculo-squelettique et nerveux.

→ Elle englobe tous les exercices qui ne peuvent pas être faits par la technique 2/1 (technique #171) et la technique des 2 mouvements (technique #172) afin de surcharger la phase excentrique d'un mouvement. On peut penser au développé couché, au pull-up et au back squat (avec un partenaire de chaque côté de la barre), etc.

## DÉSAVANTAGE

→ Elle nécessite un ou plusieurs partenaires ou du matériel spécial quasi inexistant dans les salles de musculation (c'est-à-dire des *weight releasers*[76]).

## TABLEAU D'ENTRAÎNEMENT

| Charge | Nombre de répétitions par série | Nombre de séries par exercice | Nombre d'exercices par GM* | Repos entre les séries |
|--------|--------|--------|--------|--------|
| 90-125 % | 1-6 | 4-8 | 1-2 | 2-3 minutes |

*GM : groupe musculaire

Voici la posologie à utiliser selon la charge que vous utiliserez :

**90-95 %** : 5 secondes pour 3 à 4 répétitions.

**95-100 %** : 5 secondes pour 2 à 3 répétitions.

**100-105 %** : 7 secondes pour 2 répétitions.

**105-110 %** : 6 secondes pour 2 répétitions.

**110-115 %** : 5 secondes pour 2 répétitions.

**115-120 %** : 4 secondes pour 2 répétitions.

**120-125 %** : 4 secondes pour 1 répétition.

## Effort perçu

## Effet sur l'hypertrophie

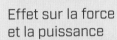

## Effet sur la force et la puissance

## Effet sur l'endurance musculaire

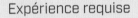

## Expérience requise

☐ Méthode d'accumulation

☑ Méthode d'intensification

---

 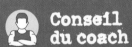

### Conseil du coach

Une fois que votre capacité à atterrir s'est développée, vous pourrez ensuite travailler votre capacité à réutiliser cette force élastique générée afin d'augmenter la puissance lors de la phase concentrique suivante (ex. : depth jump, technique #175).

# ATTERRISSAGE D'ALTITUDE (DEPTH LANDING)

## COMMENT L'APPLIQUER ?

Cette technique consiste à améliorer votre capacité à absorber des impacts. Vous devez donc vous surélever d'une hauteur de chute entre 0,75 et 1,25 mètre et vous laisser tomber en atterrissant le plus possible dans une position en lien avec votre sport ou dans le milieu de l'amplitude pour un développement général.

## AVANTAGES

→ Cette méthode fait partie des entraînements chocs et permet de développer votre capacité à absorber une force externe.

→ Elle est très exigeante sur les plans musculaire et nerveux.

## DÉSAVANTAGES

→ Cette technique comporte toutefois un danger, celui de pouvoir provoquer des contractions allant de 150 à 200 % de votre maximum concentrique (environ 6 fois le poids de votre corps). La progression est donc essentielle sur la sélection de votre hauteur de chute.

→ Elle nécessite plusieurs boîtes afin d'atteindre la hauteur désirée (inaccessibles dans certaines salles de musculation).

## TABLEAU D'ENTRAÎNEMENT

| Charge | Nombre de répétitions par série | Nombre de séries par exercice | Nombre d'exercices par GM* | Repos entre les séries |
|---|---|---|---|---|
| Poids de corps | 3-10 | 3-5 | 1-2 | 2-3 minutes |

*GM : groupe musculaire

Cette technique peut être utilisée pour les exercices avec le poids de corps. Nous pouvons travailler (muscle impliqué : exercice) :

**Les pectoraux** : depth landing push-up (vous vous laissez tomber entre deux boîtes en position push-up et vous réceptionnez votre atterrissage avec vos mains au sol).

**Les jambes** : depth landing squat (vous vous laissez tomber debout d'une boîte et réceptionnez votre atterrissage en squat).

**Le dos** : depth landing pull-up (vous vous laissez tomber d'une barre à pull-up à une autre située juste en dessous).

# Technique #175

## Effort perçu

▪▪▫▫▫

## Effet sur l'hypertrophie

▪▪▪▪▫

## Effet sur la force et la puissance

▪▪▪▪▪

## Effet sur l'endurance musculaire

▪▪▪▫▫

## Expérience requise

▪▪▪

☐ Méthode d'accumulation

☑ Méthode d'intensification

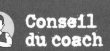

## Conseil du coach

Afin de minimiser le risque de blessures dû à la charge extrême que subissent les articulations et les muscles durant un entraînement de ce type, ne dépassez pas 40 contacts au sol par séance. Vos articulations me remercieront plus tard !

# ENTRAÎNEMENT CHOC (DEPTH JUMP)

## COMMENT L'APPLIQUER ?

Cette technique est la suite logique du depth landing (technique #174). Vous devez donc reconstituer l'énergie cinétique accumulée lors de l'impact au sol et utiliser cette énergie pour potentialiser votre puissance générée lors de la phase concentrique suivante. Vous devrez partir d'une hauteur entre 0,40 et 0,70 mètre, absorber l'impact au sol dans un court laps de temps, puis vous propulser le plus haut possible. Ceci constituera une répétition.

## AVANTAGES

→ Cette technique permet d'améliorer votre capacité à reconstituer l'énergie cinétique accumulée par les tissus conjonctifs et tendineux.
→ Elle est très intéressante pour le développement de la puissance.

## DÉSAVANTAGE

→ Cette technique comporte toutefois un danger, celui de pouvoir provoquer des contractions allant de 100 à 150 % de votre maximum concentrique. La progression est donc essentielle sur la sélection de votre hauteur de chute.

## TABLEAU D'ENTRAÎNEMENT

| Charge | Nombre de répétitions par série | Nombre de séries par exercice | Nombre d'exercices par GM* | Repos entre les séries |
|---|---|---|---|---|
| Poids de corps | 3-10 | 3-5 | 1-2 | 2-3 minutes |

*GM : groupe musculaire

Cette technique peut être utilisée pour les exercices avec le poids de corps. Nous pouvons travailler (muscle impliqué : exercice) :

**Les pectoraux** : depth jump push-up (vous vous laissez tomber entre deux boîtes en position push-up, vous réceptionnez votre atterrissage et vous repropulsez le plus rapidement sur les boîtes).

**Les jambes** : depth jump squat (vous vous laissez tomber debout d'une boîte, réceptionnez votre atterrissage en squat et sautez ensuite le plus haut possible).

**Le dos** : depth jump pull-up (vous vous laissez tomber d'une barre à pull-up, vous réceptionnez sur une autre située juste en dessous et vous repropulsez à la première barre rapidement).

Effort perçu

Effet sur
l'hypertrophie

Effet sur la force
et la puissance

Effet sur l'endurance
musculaire

Expérience requise

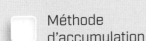

☐ Méthode
d'accumulation

☑ Méthode
d'intensification

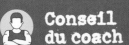

### Conseil du coach

Cette technique est souvent utilisée involontairement et/ou volontairement en haltérophilie en raison de la vitesse du mouvement lors de la réception de la charge. Une initiation à l'haltérophilie serait un bon début pour vous préparer à cette méthode.

# EXCENTRIQUE EN SURVITESSE

## COMMENT L'APPLIQUER ?

Vous devez exécuter la phase excentrique d'un mouvement de façon très rapide ainsi que la transition entre les phases excentrique et concentrique. Les bandes élastiques (superbands) et les *weight releasers* devraient être utilisés afin d'ajouter cette survitesse.

## AVANTAGE

→ Cette technique est l'application en quelque sorte d'un depth jump, mais pour les exercices dont l'utilisation du poids de corps n'est pas possible (ex : développé couché, soulevé de terre, etc.). La surcharge ainsi créée peut équivaloir à environ 150-200 % du maximum concentrique. Cette augmentation de l'énergie cinétique déclenchera une adaptation supérieure des fibres rapides et permettra des gains en force et en hypertrophie.

## DÉSAVANTAGE

→ Les risques de blessures peuvent être plus élevés dans certains exercices (ex. : développé couché et le processus xiphoïde). Soyez prudent dans l'application de cette technique.

## TABLEAU D'ENTRAÎNEMENT

| Charge | Nombre de répétitions par série | Nombre de séries par exercice | Nombre d'exercices par GM* | Repos entre les séries |
|---|---|---|---|---|
| 70-90 % | 3-10 | 3-5 | 1-2 | 2-3 minutes |

*GM : groupe musculaire

Cette technique peut être utilisée pour les exercices avec barre. Nous pouvons travailler (muscle impliqué : exercice) :

**Les pectoraux** : développé couché (vous laissez tomber la barre rapidement vers votre poitrine, la réceptionnez juste avant qu'elle ne la touche et la repoussez le plus rapidement).

**Les jambes** : back squat (vous vous laissez tomber debout avec une barre sur les épaules, réceptionnez votre atterrissage les fesses près de vos chevilles et remontez ensuite le plus rapidement).

**Le dos** : soulevé de terre (vous laissez tomber la barre rapidement vers le sol, exécutez un contact rapide entre la barre et le sol puis vous redressez le plus rapidement).

# Technique #177

Effort perçu

Effet sur
l'hypertrophie

Effet sur la force
et la puissance

Effet sur l'endurance
musculaire

Expérience requise

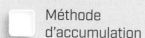

☐ Méthode
d'accumulation

☑ Méthode
d'intensification

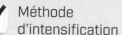
## Conseil
## du coach

Si vous devez freiner la charge
sur une trop grande distance,
cela signifiera que la charge est
trop lourde par rapport à votre
force de décélération. Vous
devrez alors diminuer celle-ci
afin de déterminer la charge
judicieuse que vos muscles sont
en mesure de bien gérer.

# ÉCHAPPE ET ATTRAPE

## COMMENT L'APPLIQUER ?

Cette méthode est similaire au depth landing (technique #174) à la différence qu'elle est utilisée pour le haut du corps. Elle peut être réalisée, par exemple, avec la flexion des coudes à la barre, le tirage horizontal à la barre, le développé couché, le tirage vertical à la barre et l'élévation en avant. À chaque répétition, vous devez lâcher la barre puis la rattraper aussitôt en arrêtant le mouvement pendant 3 à 5 secondes et en contractant vos muscles le plus fort possible.

## AVANTAGES

→ Cette méthode fait partie en quelque sorte des entraînements chocs et permet de développer votre capacité à absorber une force externe. Une fois cette capacité développée, vous pourrez ensuite travailler votre capacité à réutiliser cette force générée afin d'augmenter la puissance créée dans la phase concentrique suivante (ex. : échappe, attrape et soulève [technique #178]).

→ Elle est idéale pour les sports de combat et les sports très physiques, tels le football américain et le rugby.

## DÉSAVANTAGE

→ Elle nécessite une bonne coordination afin de lâcher et de rattraper la barre.

## TABLEAU D'ENTRAÎNEMENT

| Charge | Nombre de répétitions par série | Nombre de séries par exercice | Nombre d'exercices par GM* | Repos entre les séries |
|---|---|---|---|---|
| Selon votre capacité à décélérer la charge | 3-10 | 3-5 | 1-2 | 2-3 minutes |

*GM : groupe musculaire

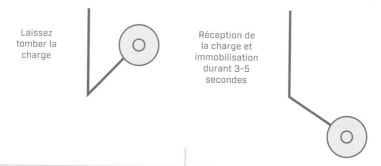

Laissez tomber la charge

Réception de la charge et immobilisation durant 3-5 secondes

Ex. : une répétition à la flexion des coudes à la barre

# Technique #178

Effort perçu

▪▪□□□

Effet sur
l'hypertrophie

▪▪□□□

Effet sur la force
et la puissance

▪▪▪▪▪

Effet sur l'endurance
musculaire

▪▪□□□

Expérience requise

▪▪□

☐ Méthode
d'accumulation

☑ Méthode
d'intensification

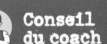

## Conseil du coach

Même conseil que pour la technique précédente, si vous devez freiner la charge sur une trop grande distance, cela signifiera que la charge est trop lourde par rapport à votre force de décélération. Vous devrez alors diminuer celle-ci afin de déterminer la charge judicieuse que vos muscles sont en mesure de bien gérer.

# ÉCHAPPE, ATTRAPE ET SOULÈVE

## COMMENT L'APPLIQUER ?

Cette méthode est similaire au depth jump (technique #175) à la différence qu'elle est utilisée pour le haut du corps. Elle peut être réalisée, par exemple, avec la flexion des coudes à la barre, le tirage horizontal à la barre, le développé couché, le tirage vertical à la barre et l'élévation en avant. À chaque répétition, vous devez lâcher la barre puis la rattraper aussitôt en la soulevant à nouveau vers le haut (phase concentrique) le plus vite possible.

## AVANTAGE

→ Cette technique permet d'améliorer votre capacité à réutiliser l'énergie cinétique accumulée par les tissus conjonctifs et tendineux. Vous pouvez donc l'utiliser également dans les techniques visant à améliorer la force-vitesse.

## DÉSAVANTAGE

→ Elle comporte toutefois un danger, celui de pouvoir provoquer des contractions dépassant votre maximum concentrique. La progression au niveau des charges est donc essentielle.

## TABLEAU D'ENTRAÎNEMENT

| Charge | Nombre de répétitions par série | Nombre de séries par exercice | Nombre d'exercices par GM* | Repos entre les séries |
|---|---|---|---|---|
| Selon votre capacité à décélérer la charge | 3-10 | 3-5 | 1-2 | 2-3 minutes |

*GM : groupe musculaire

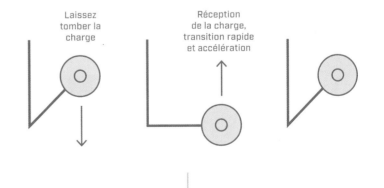

Laissez tomber la charge

Réception de la charge, transition rapide et accélération

Ex. : une répétition à la flexion des coudes à la barre

# Technique #179

**Effort perçu**

**Effet sur l'hypertrophie**

**Effet sur la force et la puissance**

**Effet sur l'endurance musculaire**

**Expérience requise**

☐ Méthode d'accumulation

☑ Méthode d'intensification

## Conseil du coach

Cette technique utilise des charges supramaximales. Par expérience, vous ne devez jamais utiliser des exercices en technique supramaximale sur un muscle qui n'a pas pleinement récupéré du dernier entraînement. Assurez-vous de ne plus avoir de courbatures sur le muscle ciblé avant de vous y aventurer.

# SUPRAMAXIMAL CLUSTER

## COMMENT L'APPLIQUER ?

Cette méthode est dans la lignée des clusters (techniques #49 à #56), mais elle est présentée dans cette section à cause de sa nature entièrement excentrique. Pour l'exécuter, vous devez utiliser des charges supramaximales (100 à 115 %) et ne faire que la portion excentrique du mouvement. Un partenaire devra vous aider lors de la phase concentrique. Une série sera composée de 5 répétitions entrecoupées de 10 à 20 secondes de récupération entre celles-ci. Contrôlez en tout temps la phase excentrique en 3 à 5 secondes.

## AVANTAGES

→ Elle permet un très grand gain en force.

→ Elle permet une adaptation psychologique à la manipulation de charges supérieures à votre maximum réel.

→ C'est une bonne stimulation de l'hypertrophie.

## DÉSAVANTAGES

→ Elle nécessite un partenaire dans certains exercices pour soulever la barre (ex. : développé couché) ou des barrures de sécurité en fin de mouvement pour y déposer la charge (ex. : squat).

→ Il y a un très grand risque de blessures. Elle est n'est conseillée qu'aux individus bien entraînés.

## TABLEAU D'ENTRAÎNEMENT

| Charge | Nombre de répétitions par série | Nombre de séries par exercice | Nombre d'exercices par GM* | Repos entre les séries |
|--------|--------|--------|--------|--------|
| 100-115 % | 5 | 2-4 | 1 | 3-5 minutes |

*GM : groupe musculaire

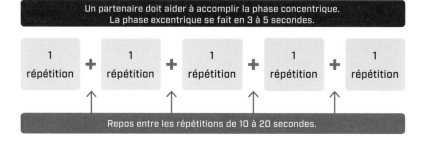

Un partenaire doit aider à accomplir la phase concentrique. La phase excentrique se fait en 3 à 5 secondes.

1 répétition **+** 1 répétition **+** 1 répétition **+** 1 répétition **+** 1 répétition

Repos entre les répétitions de 10 à 20 secondes.

# Technique #180

**Effort perçu**

■ ■ ■ □ □

**Effet sur l'hypertrophie**

■ ■ ■ ■ □

**Effet sur la force et la puissance**

■ ■ ■ ■ □

**Effet sur l'endurance musculaire**

■ ■ □ □ □

**Expérience requise**

■ ■ ■ □

☐ Méthode d'accumulation

✓ Méthode d'intensification

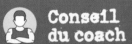

## Conseil du coach

Commencez par vous familiariser avec les *weight releasers*[76] avec une charge plus légère (sur votre barre et sur les *weight releasers*) afin de ne pas prendre un temps de pause trop long lors du dépôt au sol et du retrait de ces supports. Au début, ils risquent de ne pas se déposer en même temps. Améliorez ce point avant d'augmenter les charges.

# CONTRASTE AVEC WEIGHT RELEASERS

### COMMENT L'APPLIQUER ?

Le but de ce type d'entraînement est que la charge soit aussi difficile en excentrique qu'en concentrique. Donc, si vous voulez vous entraîner à 85 % pour 5 répétitions, vous devrez tout d'abord déterminer votre maximum (1 RM) au concentrique et à l'excentrique (contrôlé pendant 5 secondes). Par la suite, pour exécuter cette méthode, l'idéal serait de déposer la charge après chaque répétition (prendre 7-12 secondes de pause) afin de replacer les supports sur la barre (*weight releasers*), car si ce sont deux partenaires qui les placent, sans que vous déposiez la barre, les chances qu'ils ne les déposent pas en même temps sont élevées et les risques de blessures aussi.

### AVANTAGE

→ Cette technique permet d'obtenir une fatigue maximale en concentrique ET en excentrique, ce qui est peu fréquent avec les techniques traditionnelles.

### DÉSAVANTAGES

→ Elle ne peut s'exécuter que sur une très faible variété d'exercices.

→ Elle nécessite un ajustement constant des charges (repositionnement sur la barre) et une bonne connaissance de ses limites.

### TABLEAU D'ENTRAÎNEMENT

| Charge | Nombre de répétitions par série | Nombre de séries par exercice | Nombre d'exercices par GM* | Repos entre les séries |
|---|---|---|---|---|
| 70-95 % (C/E)** | 1-10 | 3-6 | 1 | 2-3 minutes |

*GM : groupe musculaire     ** C/E : du concentrique et de l'excentrique

Exemple pour le développé couché : si vous soulevez par exemple 100 kg en concentrique et 120 kg en excentrique (1 RM), les poids sur les *weight releasers*[76] seront donc de : 80 % x 100 = 80 kg ; 80 % x 120 = 96 kg ; 96 - 80 = 16 kg, soit 8 kg par *weight releaser*[76].

# Technique #181

**Effort perçu**

**Effet sur l'hypertrophie**

**Effet sur la force et la puissance**

**Effet sur l'endurance musculaire**

**Expérience requise**

☐ Méthode d'accumulation

☑ Méthode d'intensification

### Conseil du coach

Commencez par vous familiariser avec les *weight releasers*[76] avec une charge plus légère (sur votre barre et sur les *weight releasers*) afin de ne pas prendre un temps de pause trop long lors du dépôt au sol et du retrait de ces supports. Au début, ils risquent de ne pas se déposer en même temps. Améliorez ce point avant d'augmenter les charges.

# MÉTHODE 120/80

## COMMENT L'APPLIQUER ?

Vous devez utiliser 120 % de votre charge maximale concentrique lors de la phase excentrique et 80 % en phase concentrique de façon enchaînée. Pour ce faire, deux options s'offrent à vous :

1. Vous pouvez utiliser les *weight releasers*[76] (comme pour la méthode précédente, technique #180) ;
2. Un partenaire peut appuyer sur votre barre réglée à 80 % lors de la phase excentrique afin de surcharger cette portion, mais cela est toutefois plus difficile à quantifier.

## AVANTAGE

→ Cette technique permet de combiner une phase excentrique lourde à une phase concentrique. Les excentriques purs n'ont pas de phase concentrique, car c'est le partenaire qui soulève la barre. Dans la version 120/80, vous gérez les deux phases musculairement, ce qui accentue la fatigue nerveuse et musculaire.

## DÉSAVANTAGES

→ Elle ne peut s'exécuter que sur une très faible variété d'exercices.
→ Elle nécessite un ajustement constant des charges (repositionnement des *weight releasers*[1] sur la barre).

## TABLEAU D'ENTRAÎNEMENT

| Charge | Nombre de répétitions par série | Nombre de séries par exercice | Nombre d'exercices par GM* | Repos entre les séries |
|---|---|---|---|---|
| E : 120 %. C : 80 %. | 2-5 | 2-5 | 1 | 3-5 minutes |

*GM : groupe musculaire

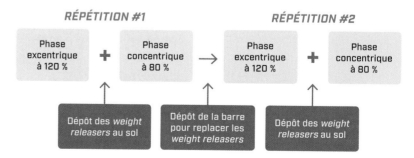

# CHAPITRE 6

## ENTRAÎNEMENT EN FORCE-VITESSE

# PROGRAMME D'ENTRAÎNEMENT

+ Intensité : **50-70 % de puissance-force ou 30-50 % de puissance-vitesse**

+ Nombre de répétitions : **1 à 6**

+ Vitesse d'exécution : **maximale en phases concentrique et/ou excentrique**

+ Nombre de séries maximales par groupe musculaire : **15**

+ Récupération entre les séries : **1 à 5 minutes**

+ Nombre maximal de répétitions par groupe musculaire par séance : **120**

+ Nombre maximal de groupes musculaires par séance : **3**

# #6

## ENTRAÎNEMENT EN FORCE-VITESSE

Cette section vous présentera les différentes techniques d'entraînement en force-vitesse (appelée ainsi puisque la puissance est exprimée par une force multipliée par sa vitesse) qui permettent d'augmenter la vitesse de contraction musculaire avec des charges légères (puissance-vitesse) ou des charges lourdes (puissance-force). Ces techniques sont en fait d'une importance capitale dans la planification de l'entraînement d'un athlète, car elles sont l'un des moyens principaux d'augmenter les qualités musculaires en termes de puissance. Cette dernière est souvent un déterminant majeur dans le sport et se doit d'être prise au sérieux pour le bien de l'athlète. De plus, ces techniques provoqueront des gains en force principalement issus d'une adaptation du système nerveux via des coordinations intra et intermusculaires améliorées. Elles sont donc pertinentes pour le sportif qui désire améliorer sa puissance musculaire sans toutefois prendre 5 à 10 kg en masse musculaire.

En revanche, avant de commencer à intégrer des techniques impliquant des depth landings (atterrissages en hauteur) ou des depth jumps (des sauts provenant d'un atterrissage en hauteur), vous devrez préalablement être en mesure de faire un back squat avec une charge équivalente de 1,5 à 2,0 fois votre poids corporel (Zatsiorsky, 1995) afin de limiter les blessures. N'oubliez pas que la base de la puissance est la force musculaire et que le pourcentage optimal afin de développer le maximum de puissance se situe lorsque vous manipulez une charge entre les 30 à 50 % de votre 1 RM. De ce fait, si vous soulevez 2 fois votre poids de corps au back squat (vous soulevez en fait environ votre poids de corps [vous ne soulevez pas vos mollets] additionné de la charge sur la barre), cela signifiera qu'un travail avec votre poids de corps

correspondra à environ 33 % de votre 1 RM (poids du corps/[poids du corps + 2 fois votre poids du corps en charge sur vos épaules]). Vous serez dans une situation optimale pour faire de l'entraînement en puissance avec des exercices de haute intensité. Toute personne qui n'est pas en mesure de faire un back squat avec 1,5 à 2,0 fois son poids de corps devra alors soit travailler sa force musculaire avant d'intégrer les depth landings ou les depth jumps (pliométrie à haute intensité), soit travailler sur des machines (ex. : leg press propulsé) afin de diminuer la charge à la hauteur de sa force musculaire actuelle. Toutefois, cette deuxième option ne sera que temporaire, car tout sportif doit être en mesure, afin d'exceller dans son sport, de développer une grande puissance sur le terrain impliquant, de ce fait, la gestion de son propre poids corporel. Ainsi, l'atteinte d'un 1 RM au back squat de 1,5 à 2,0 fois le poids corporel est un passage quasi obligé pour un travail optimal de la pliométrie à haute intensité tout en permettant de limiter les blessures, mais cela n'est toutefois pas un prérequis pour le travail de la pliométrie à basse intensité (ex. : saut en longueur, saut de haies, cloche-pied) qui devrait indéniablement être intégré dans la préparation physique de tout sportif.

Dans un aspect plus large, si vous n'êtes pas un athlète et que vous vous adonnez à la musculation à des fins d'hypertrophie, je vous invite tout de même à essayer ces techniques afin de diversifier votre entraînement et de potentialiser vos gains de masse musculaire. Si vous vous rappelez la deuxième loi de Newton, vous saurez que la force est égale à la masse multipliée à l'accélération (F = ma). De ce fait, en effectuant des répétitions à haute vélocité, j'obtiens tout d'abord une haute vitesse de mouvement qui améliorera ma puissance de travail

(P = force x vitesse). Toutefois, pour me rendre à cette haute vitesse, je devrai indéniablement passer par une grande accélération. Donc, si le « a » de ma formule F = ma est élevé, cela signifiera que la force demandée aux muscles sera élevée. Plus le muscle doit générer de force, plus il devra recruter des fibres rapides pour en fournir. De ce fait, un plus grand recrutement de fibres prédispose celles-ci à une plus grande fatigue et ainsi à de meilleurs gains en hypertrophie. Vous vous rappelez ce que je vous ai dit au chapitre 3, non ?

Je ne peux vous cacher que je suis un grand fervent des méthodes explosives dans les programmes de prise de masse musculaire afin d'améliorer la composition corporelle (augmenter la masse maigre), mais également de rendre la personne plus fonctionnelle. À quoi le fait d'être gros musculairement sert-il si vous n'êtes pas en mesure de sauter sur une boîte ou de faire un clap push-up ? Vous êtes capable de faire les deux, il suffit d'entraîner votre capacité à exécuter des mouvements en puissance. Toujours à des fins d'hypertrophie, vous pouvez utiliser les méthodes de ce chapitre durant vos entraînements et/ou vous référer au chapitre 3 pour les techniques incluant des exercices de potentialisation (techniques #84-85-93-94-95-96).

# Technique #182

Effort perçu

Effet sur
l'hypertrophie

Effet sur la force
et la puissance

Effet sur l'endurance
musculaire

Expérience requise

☐ Méthode
d'accumulation

☑ Méthode
d'intensification

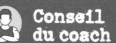 **Conseil du coach**

En fonction de l'exercice choisi, je vous suggère de vous propulser (sauter) en fin de mouvement afin de libérer une plus grande puissance. Pour ce faire, vous aurez besoin d'une charge avoisinant les 30 % de votre maximum.

# STATO-DYNAMIQUE EXPLOSIF

**COMMENT L'APPLIQUER ?**

Cette méthode est aussi appelée concentrique arrêté. Vous devez inclure une pause de 2 à 3 secondes durant la partie concentrique du mouvement, généralement à mi-chemin, puis terminer la phase concentrique de façon explosive (et même par une propulsion).

**AVANTAGES**

→ Elle est facile à utiliser avec tous les exercices.

→ Elle est représentative d'une exigence musculaire présente dans plusieurs sports (ex. : hockey, judo).

**DÉSAVANTAGE**

→ Aucun.

**TABLEAU D'ENTRAÎNEMENT**

| Charge | Nombre de répétitions par série | Nombre de séries par exercice | Nombre d'exercices par GM* | Repos entre les séries |
|--------|--------------------------------|-------------------------------|---------------------------|------------------------|
| 30-60 % | 3-6 | 3-6 | 1-2 | 30-90 secondes |

*GM : groupe musculaire

Cette technique permet de développer le volet « vitesse » de la puissance sous forme de concentrique pur. Cette caractéristique est très représentative, par exemple, du joueur de football au niveau des jambes lorsqu'il attend son adversaire quelques secondes en position fléchie puis bondit dans sa direction afin de l'intercepter. Cela est valide également pour le joueur de rugby, de hockey, etc. Cette technique est également introduite dans les entraînements en hypertrophie avec des charges plus imposantes afin d'augmenter le temps sous tension.

**Effort perçu**

■ ■ ■ □ □

**Effet sur l'hypertrophie**

■ ■ ■ ■ □

**Effet sur la force et la puissance**

■ ■ ■ ■ ■

**Effet sur l'endurance musculaire**

■ ■ ■ □ □

**Expérience requise**

■ ■ ■

☐ Méthode d'accumulation

☑ Méthode d'intensification

## Conseil du coach

Avant d'utiliser les exercices d'haltérophilie, je vous suggère fortement de vous faire former ou de vous faire corriger la technique par un entraîneur ayant reçu une formation dans ce domaine (ex. : Fédération d'haltérophilie du Québec).

# VARIANTES DES MOUVEMENTS D'HALTÉROPHILIE

## COMMENT L'APPLIQUER ?

Cette technique consiste à utiliser les exercices propres à l'haltérophilie afin de développer la puissance. On parle ici de l'épaulé, de l'arraché et du jeté ainsi que de leurs variantes.

## AVANTAGES

→ Les exercices d'haltérophilie répondent bien aux besoins et aux exigences des sports à dominance force-vitesse.

→ Ils permettent un travail à haute vélocité et demandent une grande coordination générale et musculaire.

→ Ce type d'effort est très semblable aux gestes sportifs contrairement à un travail sur un appareil avec un mouvement contrôlé.

## DÉSAVANTAGE

→ La complexité technique de ces exercices risque de les rendre inaccessibles pour certains d'entre vous car, s'ils sont réalisés de façon incorrecte, vous risquez de vous blesser et d'apprendre un mauvais patron moteur, ce qui limitera vos progrès.

## TABLEAU D'ENTRAÎNEMENT

| Charge | Nombre de répétitions par série | Nombre de séries par exercice | Nombre d'exercices par GM* | Repos entre les séries |
|--------|--------------------------------|-------------------------------|----------------------------|------------------------|
| 70-90 % | 1-6 | 4-10 | 1-3 | 1-4 minutes |

*GM : groupe musculaire

Effort perçu

■ ■ ■ ■ ■

Effet sur
l'hypertrophie

■ ■ ■ ■ ■

Effet sur la force
et la puissance

■ ■ ■ ■ ■

Effet sur l'endurance
musculaire

■ ■ ■ ■ ■

Expérience requise

■ ■ ■

☐ Méthode
   d'accumulation

☑ Méthode
   d'intensification

## Conseil du coach

Pour le haut du corps, vous pouvez essayer les push-ups et le tirage inversé avec une variation dans la largeur de la prise. Vous alternez donc un push-up avec tirage inversé en prise serrée et un push-up avec tirage inversé en prise large de façon dynamique et continue.

# PLIOMÉTRIE AVEC OU SANS CHARGE

### COMMENT L'APPLIQUER ?

On parle de pliométrie lorsqu'une contraction concentrique explosive est précédée d'une phase de préétirement (excentrique rapide). En termes d'exercices, vous pouvez utiliser des sauts en profondeur, sur un pied, à pieds joints, en longueur, en fente avant, sur le côté, en arrière, des sauts d'obstacles, etc.

### AVANTAGE

→ La pliométrie développe la puissance par des modifications structurales (musculaire et tendineuse) et nerveuses (coordinations intra et intermusculaires, récupération de l'énergie élastique). Les avantages de la pliométrie sont nombreux et beaucoup de livres (ex. : NSCA) sont consacrés justement à la présentation d'un éventail d'exercices pliométriques possibles.

### DÉSAVANTAGE

→ Elle utilise parfois du matériel spécial (ex. : haies).

### TABLEAU D'ENTRAÎNEMENT

| Charge | Nombre de répétitions par série | Nombre de séries par exercice | Nombre d'exercices par GM* | Repos entre les séries |
|---|---|---|---|---|
| Poids de corps + 0-13 % | 6-10 | 2-10 | 3-4 | 2-3 minutes |

*GM : groupe musculaire

# Technique #185

Effort perçu

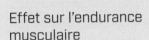

Effet sur l'hypertrophie

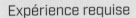

Effet sur la force et la puissance

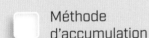

Effet sur l'endurance musculaire

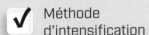

Expérience requise

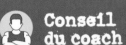

☐ Méthode d'accumulation

☑ Méthode d'intensification

## Conseil du coach

Dans une étude d'Adams et coll. (1992), un entraînement sur 6 semaines a démontré que le fait de combiner un squat avec des exercices pliométriques augmentait davantage les gains en puissance sur un saut vertical (+10,67 cm) par rapport à un entraînement seulement avec le squat (+3,30 cm) ou seulement avec des exercices pliométriques (+3,81 cm).

# CONTRASTE ACCENTUÉ ET ORIENTÉ

## COMMENT L'APPLIQUER ?

Dans cette méthode d'entraînement, les exercices sont sélectionnés en fonction du sport pratiqué par l'individu. Vous devez exécuter un mouvement en force sollicitant une partie du corps concernée par le sport suivi d'un exercice explosif (souvent à teneur pliométrique et qui peut avoir un lien avec le geste de compétition), ce qui donne une forme de supersérie.

## AVANTAGES

→ Cette technique permet de solliciter les deux aspects de la puissance : le premier exercice augmente les qualités de force tandis que le second travaille la vitesse de contraction musculaire de l'individu.

→ C'est une technique facile à utiliser.

## DÉSAVANTAGES

→ Elle peut nécessiter certains équipements non conventionnels (ex. : haie, boîtes de pliométrie).

## TABLEAU D'ENTRAÎNEMENT

| Charge | Nombre de répétitions par série | Nombre de séries par exercice | Nombre d'exercices par GM* | Repos entre les séries |
|---|---|---|---|---|
| 80-100 % et poids de corps | 1-6 + 1-6 | 2-5 | 2-6 | 3-5 minutes |

*GM : groupe musculaire

## EXEMPLE POUR UN JOUEUR DE BASKETBALL

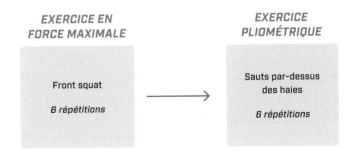

*EXERCICE EN FORCE MAXIMALE*

Front squat

*6 répétitions*

*EXERCICE PLIOMÉTRIQUE*

Sauts par-dessus des haies

*6 répétitions*

# Technique #186

Effort perçu

■ ■ ■ ■ ■

Effet sur
l'hypertrophie

■ ■ ■ ■ ■

Effet sur la force
et la puissance

■ ■ ■ ■ ■

Effet sur l'endurance
musculaire

■ ■ ■ ■ ■

Expérience requise

■ ■ ■

☐ Méthode
d'accumulation

☑ Méthode
d'intensification

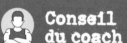 **Conseil
du coach**

Chaque répétition doit être faite
à haute vélocité. Dès que vous
remarquez une perte de vitesse
dans l'une de vos répétitions,
arrêtez la série sur-le-champ !
Vous ne cherchez pas à atteindre
l'échec musculaire, mais plutôt
à travailler constamment en
puissance.

# EXERCICES RÉGULIERS AVEC PUISSANCE MAXIMALE

## COMMENT L'APPLIQUER ?

Vous devez exécuter un exercice régulier, mais le faire de façon explosive sans projection d'objet ou de votre corps. De ce fait, vous devez contrôler la phase excentrique, mais exploser la phase concentrique avec une charge oscillant entre 40 et 65 % de votre maximum. C'est une variation du contraste excentrique/concentrique (technique #138), mais sans la pause entre les deux phases.

## AVANTAGE

→ Cette technique permet un travail sur la vitesse de recrutement des fibres musculaires rapides. Ainsi, vous adapterez votre système nerveux à recruter plus rapidement vos fibres (en diminuant légèrement leur seuil d'activation) tout en favorisant les adaptations anaérobies alactiques (augmentation du pool de créatine phosphate).

## DÉSAVANTAGE

→ Aucun.

## TABLEAU D'ENTRAÎNEMENT

| Charge | Nombre de répétitions par série | Nombre de séries par exercice | Nombre d'exercices par GM* | Repos entre les séries |
|--------|--------------------------------|-------------------------------|----------------------------|------------------------|
| 40-65 % | 1-6 | 4-10 | 1-3 | 1-2 minutes |

*GM : groupe musculaire

Contrôle
de la phase
excentrique

(2-4 secondes)

→

Phase
concentrique
explosive

# Technique #187

**Effort perçu**

▣▣▢▢▢

**Effet sur l'hypertrophie**

▣▣▢▢▢

**Effet sur la force et la puissance**

▣▣▣▣▢

**Effet sur l'endurance musculaire**

▣▢▢▢▢

**Expérience requise**

▣▣▢

☐ Méthode d'accumulation

☑ Méthode d'intensification

---

## Conseil du coach

Chaque répétition doit être accomplie à haute vélocité. Dès que vous remarquez une perte de vitesse dans l'une de vos répétitions, arrêtez la série sur-le-champ ! Vous ne cherchez pas à atteindre l'échec musculaire, mais plutôt à travailler en puissance.

---

# ACCÉLÉRATION MAXIMALE (AVEC SUPERBANDS)

### COMMENT L'APPLIQUER ?

Vous devez exécuter un exercice régulier avec l'ajout d'élastiques ou de super-bands[73], mais le faire de façon explosive (phases concentrique et excentrique) sans une projection d'objet ou de votre corps. Utilisez une charge oscillante entre les 40 et 65 % incluant la tension de l'élastique.

### AVANTAGES

→ Cette technique permet un travail de la vitesse de recrutement des fibres musculaires rapides. Vous adapterez donc votre système nerveux à recruter plus rapidement vos fibres (en diminuant légèrement leur seuil d'activation).

→ Vos muscles antagonistes n'auront pas besoin de se contracter fortement afin de freiner le mouvement à haute vitesse, car les superbands s'occuperont de cette fonction.

### DÉSAVANTAGE

→ Elle nécessite des superbands, un accessoire que vous devrez vous procurer, à moins que votre salle de musculation n'en possède.

### TABLEAU D'ENTRAÎNEMENT

| Charge | Nombre de répétitions par série | Nombre de séries par exercice | Nombre d'exercices par GM* | Repos entre les séries |
|---|---|---|---|---|
| 40-65 % | 1-6 | 4-10 | 1-3 | 1-2 minutes |

*GM : groupe musculaire

# Technique #188

**Effort perçu**

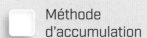

**Effet sur l'hypertrophie**

**Effet sur la force et la puissance**

**Effet sur l'endurance musculaire**

**Expérience requise**

☐ Méthode d'accumulation

☑ Méthode d'intensification

## Conseil du coach

Pour les plus téméraires, je vous suggère la projection de la barre au développé couché à la Smith machine. La barre étant guidée, cela vous permettra de vous assurer qu'elle retombera à l'endroit où elle a quitté vos mains ! Une variante des clap push-ups très appréciée.

# EXERCICES BALISTIQUES

## COMMENT L'APPLIQUER ?

Un exercice balistique correspond à une projection d'un objet ou de son propre corps dans l'espace. Ainsi, dans cette technique, les exercices à caractère pliométrique en font partie ainsi que tous les exercices qui incluent des accessoires (medicine-balls rigides ou mous, barres, etc.).

## AVANTAGES

→ Ces exercices permettent d'augmenter la vitesse du mouvement et d'exploiter votre puissance maximale. Outre les exercices pliométriques, les exercices balistiques avec matériel sont encore moins connus dans les salles de musculation traditionnelles en raison de l'absence du type de matériel nécessaire.

→ Elle est facile à utiliser, ne nécessite pas de matériel trop coûteux et procure de nouvelles adaptations en puissance.

## DÉSAVANTAGE

→ Elle peut nécessiter du matériel spécifique (ex. : medicine-ball, Smith machine).

## TABLEAU D'ENTRAÎNEMENT

| Charge | Nombre de répétitions par série | Nombre de séries par exercice | Nombre d'exercices par GM* | Repos entre les séries |
|--------|--------|--------|--------|--------|
| 10-25 % | 5-10 | 3-6 | 1-3 | 1-2 minutes |

*GM : groupe musculaire

# Technique #189

Effort perçu

▪▪▪□□

Effet sur
l'hypertrophie

▪▪□□□

Effet sur la force
et la puissance

▪▪▪□□

Effet sur l'endurance
musculaire

▪▪□□

Expérience requise

▪▪□

☐ Méthode
d'accumulation

☑ Méthode
d'intensification

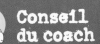

## Conseil du coach

Pour surcharger le geste de sprint, vous pouvez utiliser une course sur gazon synthétique avec un traîneau (sled) accroché derrière vous. Pour les courses extérieures, il existe également des miniparachutes qui peuvent accomplir le même travail (chapitre 1).

# RÉPÉTITION DU GESTE AVEC SURCHARGE

## COMMENT L'APPLIQUER ?

Cette technique s'applique principalement avec les outils manipulés dans le sport respectif. Il suffit d'augmenter la charge de l'objet manipulé (ex. : javelot, bâton de baseball, gants de boxe, etc.) au maximum de 10 % du poids de l'objet afin de potentialiser les gains en puissance et de ne pas détruire le patron moteur du geste spécifique.

## AVANTAGES

→ Cette technique permet de gagner une puissance qui est directement transférable sur le terrain de compétition en utilisant un geste commun dans le sport.

→ Il est préférable de l'utiliser en fin de période hors saison et sur une courte période de temps.

## DÉSAVANTAGE

→ Il faudra veiller à ne pas changer le patron moteur du mouvement avec l'introduction d'une charge plus lourde (augmentez la charge de 2 % par semaine jusqu'à un maximum de 10 %). Si cela se produisait, la technique deviendrait contre-productive.

## TABLEAU D'ENTRAÎNEMENT

| Charge | Nombre de répétitions par série | Nombre de séries par exercice | Nombre d'exercices par GM* | Repos entre les séries |
|---|---|---|---|---|
| 0-10 % de plus que l'objet | 5-10 | 3-6 | 1-3 | 1-2 minutes |

*GM : groupe musculaire

## VOICI QUELQUES EXEMPLES :

→ Un lanceur de poids pourrait utiliser un poids plus lourd pour ses lancers ;

→ Un frappeur au baseball pourrait utiliser un bâton plus lourd ;

→ Un pompier dans les jeux de FireFit pourrait utiliser un « donut » (enroulade de tuyau) ou un mannequin plus lourd dans ses entraînements plus techniques.

# Technique #190

Effort perçu

Effet sur l'hypertrophie

Effet sur la force et la puissance

Effet sur l'endurance musculaire

Expérience requise

☐ Méthode d'accumulation

☑ Méthode d'intensification

---

 **Conseil du coach**

L'entraînement de la force de démarrage est peu commun dans les salles d'entraînement, car il nécessite une projection du corps sur une certaine distance ou un lancer d'un medicine-ball contre un mur. Un centre de performance ou des centres d'entraînement fonctionnel sont généralement plus appropriés pour ce type d'entraînement.

---

# FORCE DE DÉMARRAGE OU DE DÉTENTE

## COMMENT L'APPLIQUER ?

Cette méthode consiste à exécuter des mouvements du haut ou du bas du corps à partir d'une position immobile vers une vitesse maximale de courte distance (< 1 mètre). En termes de progression au fil des programmes d'entraînement (ou mésocycles), vous pouvez commencer par travailler votre force de démarrage ou de détente et ensuite travailler votre endurance de force de démarrage (sous le même format que la capacité à répéter sauts, impulsions, lancers, technique #192). La détente se réfère davantage à la capacité à sauter haut et nécessite un travail de la force musculaire (techniques du chapitre 2) et de la vitesse de contraction (travaillée grâce à cette technique).

## AVANTAGE

→ Elle est très utile pour les sports nécessitant un déplacement, un saut ou un tirage rapide, tels que le badminton, le volley-ball et le judo.

## DÉSAVANTAGES

→ Elle nécessite du matériel spécial tel que des boîtes, des haies, etc.
→ Elle peut nécessiter une distance libre sur 20-30 mètres pour faire des foulées bondissantes ou aller à cloche-pied.

## TABLEAU D'ENTRAÎNEMENT

| Charge | Nombre de répétitions par série | Nombre de séries par exercice | Nombre d'exercices par GM* | Repos entre les séries |
|---|---|---|---|---|
| Poids de corps | 2-8 | 1-3 | 90-180 secondes | 5-10 minutes |

*GM : groupe musculaire

## EXEMPLES DE FORCE DE DÉMARRAGE OU DE DÉTENTE

(départ arrêté à votre vitesse maximale le plus rapidement possible)

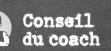

| Saut sur banc, départ assis (sauter le plus haut) | Foulées bondissantes alternées | Cloche-pied (sauter à un pied) |

## Technique #191

**Effort perçu**

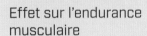

**Effet sur l'hypertrophie**

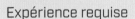

**Effet sur la force et la puissance**

**Effet sur l'endurance musculaire**

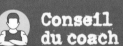

**Expérience requise**

☐ Méthode d'accumulation

☑ Méthode d'intensification

### Conseil du coach

Cette technique est conseillée aux sportifs avancés seulement puisque la charge à manipuler une fois les *weight releasers* installés peut dépasser votre capacité musculaire maximale en concentrique. Le risque de blessure est présent et vous devez en tout temps avoir le contrôle sur la vitesse excentrique de votre barre.

# EN DÉPASSEMENT/OVERSHOOT AVEC WEIGHT RELEASERS

## COMMENT L'APPLIQUER ?

Cette méthode consiste à profiter de la surcharge neurologique qu'occasionnera la première répétition (potentialisation). Vous devez tout d'abord placer sur la barre environ 50 % de votre maximum concentrique, puis ajouter 30 à 70 % répartie sur les *weight releasers*. Abaissez ensuite la charge en 2 à 4 secondes, puis soulevez-la aussi rapidement que possible après le dépôt des supports. Poursuivez alors en redescendant la charge rapidement, mais toujours sous contrôle, et en la repoussant de façon explosive. L'objectif est de maintenir l'accélération la plus élevée possible durant les 2 à 5 répétitions suivantes.

## AVANTAGE

→ Elle permet d'obtenir une grande libération de puissance grâce à la première répétition (recrutement élevé de fibres rapides).

## DÉSAVANTAGE

→ Elle se limite seulement au développé couché et au squat, car les autres exercices ne possèdent pas une amplitude de mouvement suffisamment éloignée du sol pour permettre l'utilisation des *weight releasers*.

## TABLEAU D'ENTRAÎNEMENT

| Charge | Nombre de répétitions par série | Nombre de séries par exercice | Nombre d'exercices par GM* | Repos entre les séries |
|--------|--------|--------|--------|--------|
| 50-120 % | 2-5 | 4-8 | 1-2 | 2-3 minutes |

*GM : groupe musculaire

**EXEMPLE :** si votre 100 % au squat est de 200 kg et que vous choisissez d'utiliser votre 100 % avec les *weight releasers*

**100 KG + 50 KG PAR WEIGHT RELEASER**

1 répétition excentrique à 80-120 % (100 % dans l'exemple)

→

**100 KG AU TOTAL SUR LA BARRE**

2 à 5 répétitions explosives à 50 %

# Technique #192

**Effort perçu**

▪▪▪□□

**Effet sur l'hypertrophie**

▪▪▪▪□

**Effet sur la force et la puissance**

▪▪▪▪▪

**Effet sur l'endurance musculaire**

▪▪▪▪□

**Expérience requise**

▪▪□

☐ Méthode d'accumulation

☑ Méthode d'intensification

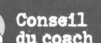

## Conseil du coach

Par exemple, dans le circuit présenté, vous pourriez accomplir l'exercice pendant une durée de 10 secondes suivi par 15 secondes de récupération avant de passer à la station suivante. Une fois les 6 stations accomplies, vous pourrez alors prendre un repos de 4 minutes.

# CAPACITÉ À RÉPÉTER SAUTS, IMPULSIONS, LANCERS

## COMMENT L'APPLIQUER ?

Cette technique inclut :

1. **La capacité à répéter des sauts** : nécessaire dans les sports tels que le basket-ball et le volley-ball. L'utilisation de sauts (verticaux, sur boîte, en longueur) et de mouvements d'haltérophilie est à privilégier.

2. **La capacité à répéter des lancers ou des frappes** : nécessaire dans des sports tels que le baseball, le tennis et le golf. L'utilisation de lancers de medicine-balls (assis, à genoux, debout, en avançant, avec un saut, en ligne droite, avec rotation du tronc) est à privilégier.

3. **La capacité à répéter des impulsions** : nécessaire dans les sports tels que la natation, le kayak et la boxe. L'utilisation de push-ups et de mouvements en puissance (ex. : propulsion à la Smith machine) et de tractions explosives est à privilégier.

Dans les trois cas, vous devrez accomplir un circuit de 6 à 8 exercices de 6 à 8 répétitions par exercice avec 10 à 40 secondes de récupération entre les stations. La différence entre ces trois éléments se situe dans la sélection et la nature des exercices.

## TABLEAU D'ENTRAÎNEMENT

| Charge | Nombre de répétitions par série | Nombre de séries par exercice | Nombre d'exercices par GM* | Repos entre les séries |
|---|---|---|---|---|
| 5-10 secondes* | 6-8 | 2-5 | 30 secondes et moins | 4-5 minutes |

*GM : groupe musculaire

## EXEMPLE D'UN ENTRAÎNEMENT DE LA CAPACITÉ À RÉPÉTER DES SAUTS

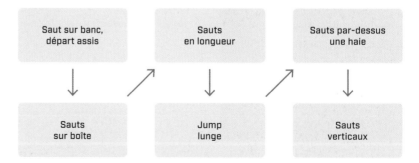

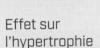

## Technique #193

Effort perçu

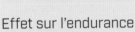

Effet sur l'hypertrophie

Effet sur la force et la puissance

Effet sur l'endurance musculaire

Expérience requise

☐ Méthode d'accumulation

☑ Méthode d'intensification

### Conseil du coach

Un exemple ascendant pourrait être un depth landing sur 5 répétitions (exercice choc) ; des sauts sur boîte sur 8 répétitions (exercice balistique) ; un box squat explosif à 45 % avec un dépôt de 2 secondes assis sur la boîte sur 8 répétitions (exercice en force-vitesse) et un leg press sur 5 répétitions (exercice en force à vitesse lente).

# ENTRAÎNEMENT ASCENDANT-DESCENDANT CANADIEN

## COMMENT L'APPLIQUER ?

Il s'agit en fait d'une version modifiée de l'entraînement en complexe bulgare avec 4 exercices (technique #197). La différence est que vous devrez faire deux séances d'entraînement pour chaque groupe musculaire. La première séance sera faite sous forme ascendante et la seconde sous forme descendante. La forme ascendante évoque une suite d'exercices du plus léger au plus lourd et la forme descendante évoque une suite d'exercices du plus lourd au plus léger (voir ci-dessous pour l'ordre). Prenez note que, à l'inverse du complexe bulgare, vous devrez exécuter toutes les séries d'un exercice avant de passer au suivant.

## AVANTAGE

→ Cette méthode est considérée comme étant la meilleure façon de travailler en complexe en exploitant la force-vitesse sous tous ses angles et avec des niveaux de fatigue différents à chaque entraînement.

## DÉSAVANTAGE

→ Aucun.

## TABLEAU D'ENTRAÎNEMENT

| Charge | Nombre de répétitions par série | Nombre de séries par exercice | Nombre d'exercices par GM* | Repos entre les séries |
|--------|--------|--------|--------|--------|
| Poids de corps à 95 % | 1-15 | 1-3 | 1 | 2-4 minutes |

*GM : groupe musculaire

**SÉANCE #1**
Entraînement ascendant

Exercice en force à vitesse lente

Repos de 2 à 4 minutes

Exercice en force-vitesse

Repos de 2 à 4 minutes

Exercice balistique

Repos de 2 à 4 minutes

Exercice choc/force réactive

**SÉANCE #2**
Entraînement descendant

# Technique #194

**Effort perçu**

▪▪▪▪▪

**Effet sur l'hypertrophie**

▪▪▪▪▪

**Effet sur la force et la puissance**

▪▪▪▪▪

**Effet sur l'endurance musculaire**

▪▪▪▪▪

**Expérience requise**

▪▪▪

☐ Méthode d'accumulation

☑ Méthode d'intensification

## Conseil du coach

Cette technique est très intéressante pour tout athlète qui désire améliorer ses capacités physiques et athlétiques. Elle travaille à la fois les composantes de force et de vitesse qui composent la puissance.

# ENTRAÎNEMENT EN COMPLEXE RUSSE

## COMMENT L'APPLIQUER ?

Vous devez exécuter deux exercices en alternance avec un temps de repos de 2 à 4 minutes entre chacun d'entre eux. L'un doit être à dominance de force (3 à 5 répétitions de 85 à 95 %) et le second à dominance de vitesse (8 à 10 répétitions de 15 à 20 %). Les versions en supersérie (accent sur la force, technique #195, et accent sur la vitesse, technique #196) sont un dérivé de cette technique, mais exécutées sans repos entre les exercices à des fins d'économie de temps et procurant alors des résultats légèrement inférieurs.

## AVANTAGE

→ Tel que mentionné, cette technique repose sur le même principe que la méthode d'entraînement en complexe russe (accent sur la force ou sur la vitesse), à la différence que le temps de repos entre les exercices est plus long. Cela permet donc une pleine récupération des phosphagènes (ATP-CP), procurant ainsi de meilleurs gains en puissance.

## DÉSAVANTAGE

→ Aucun.

## TABLEAU D'ENTRAÎNEMENT

| Charge | Nombre de répétitions par série | Nombre de séries par exercice | Nombre d'exercices par GM* | Repos entre les séries |
|---|---|---|---|---|
| Impaires[1] : 85-95 % Paires : 15-20 % | Impaires : 3-5 Paires : 8-10 | 4-8 | 1-3 | 2-4 minutes |

1. Séries impaires/paires *GM : groupe musculaire

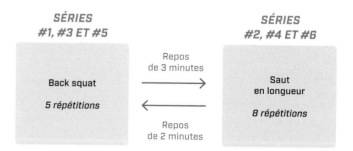

**SÉRIES #1, #3 ET #5**

Back squat

5 répétitions

Repos de 3 minutes →

← Repos de 2 minutes

**SÉRIES #2, #4 ET #6**

Saut en longueur

8 répétitions

## Effort perçu

▮▮▮▯▯

## Effet sur l'hypertrophie

▮▮▮▯▯

## Effet sur la force et la puissance

▮▮▮▮▯

## Effet sur l'endurance musculaire

▮▮▮▯▯

## Expérience requise

▮▮▯▯▯

☐ Méthode d'accumulation

☑ Méthode d'intensification

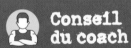 **Conseil du coach**

Malgré la petite perte de capacité sur l'exercice en vitesse, je considère que cette technique est très intéressante afin de rendre les séances d'entraînement moins longues tout en maintenant un bon degré d'efficacité et d'adaptations musculaires.

# ENTRAÎNEMENT EN COMPLEXE RUSSE (ACCENT SUR LA FORCE)

## COMMENT L'APPLIQUER ?

Vous devez exécuter deux exercices en supersérie sans temps de repos. Le premier doit être à dominance de force et le second à dominance de vitesse. Cette technique est identique à la technique postpotentialisation (#85), mais accomplie dans un souci de développement de la puissance (incluant alors un premier exercice en force).

## AVANTAGE

→ Cette technique permet d'économiser du temps par rapport à la version standard. Toutefois, l'Union soviétique, qui a initié cette technique, n'utilisait pas la version en supersérie. C'est plutôt une déformation de l'application de celle-ci qui a donné naissance à la forme en enchaînement sans repos.

## DÉSAVANTAGE

→ Elle est un peu moins efficace dans le développement de la puissance parce que l'individu ne peut exprimer son plein potentiel dans l'exercice de vitesse.

## TABLEAU D'ENTRAÎNEMENT

| Charge | Nombre de répétitions par série | Nombre de séries par exercice | Nombre d'exercices par GM* | Repos entre les séries |
|---|---|---|---|---|
| 1er: 85-95 %<br>2e : 15-20 % | 1er : 3-5<br>2e : 6-10 | 2-5 | 1-3 | 2-4 minutes |

*GM : groupe musculaire

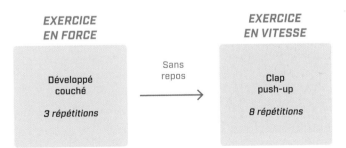

**EXERCICE EN FORCE**

Développé couché

*3 répétitions*

Sans repos →

**EXERCICE EN VITESSE**

Clap push-up

*8 répétitions*

# Technique #196

**Effort perçu**

▮▮▮▯▯

**Effet sur l'hypertrophie**

▮▮▮▯▯

**Effet sur la force et la puissance**

▮▮▮▮▯

**Effet sur l'endurance musculaire**

▮▮▮▯▯

**Expérience requise**

▮▮▮

☐ Méthode d'accumulation

☑ Méthode d'intensification

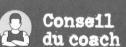

## Conseil du coach

Malgré la petite perte de capacité sur l'exercice en force, je considère que cette technique est très intéressante afin de rendre les séances d'entraînement moins longues tout en maintenant un bon degré d'efficacité et d'adaptations musculaires.

# ENTRAÎNEMENT EN COMPLEXE RUSSE (ACCENT SUR LA VITESSE)

## COMMENT L'APPLIQUER ?

Vous devez exécuter deux exercices en supersérie sans temps de repos. Le premier doit être à dominance de vitesse et le second à dominance de force. Cette technique est identique à la technique prépotentialisation (#84), mais accomplie dans un souci de développement de la puissance (incluant alors un second exercice en force).

## AVANTAGE

→ Cette technique permet d'économiser du temps par rapport à la version standard. Toutefois, l'Union soviétique, qui a initié cette technique, n'utilisait pas la version en supersérie. C'est plutôt une déformation de l'application de celle-ci qui a donné naissance à la forme en enchaînement sans repos.

## DÉSAVANTAGE

→ Elle est un peu moins efficace dans le développement de la puissance parce que l'individu ne peut exprimer son plein potentiel dans l'exercice de force à cause de la légère fatigue engagée par l'exercice en vitesse.

## TABLEAU D'ENTRAÎNEMENT

| Charge | Nombre de répétitions par série | Nombre de séries par exercice | Nombre d'exercices par GM* | Repos entre les séries |
|---|---|---|---|---|
| 1er: 15-20 %<br>2e : 85-95 % | 1er : 6-10<br>2e : 3-5 | 2-5 | 1-3 | 2-4 minutes |

*GM : groupe musculaire

**EXERCICE EN VITESSE**

Saut sur boîte

*8 répétitions*

Sans repos →

**EXERCICE EN FORCE**

Front squat

*4 répétitions*

Effort perçu

■ ■ ■ □ □

Effet sur
l'hypertrophie

■ ■ ■ □ □

Effet sur la force
et la puissance

■ ■ ■ ■ ■

Effet sur l'endurance
musculaire

■ ■ □ □ □

Expérience requise

■ ■ ■

☐ Méthode
d'accumulation

☑ Méthode
d'intensification

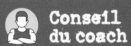

## Conseil du coach

Cette technique permet de toucher un très grand éventail de paramètres sur le développement de la puissance. On commence par développer la force, puis la vitesse à différents degrés. Plus les exercices avanceront, plus la charge diminuera et la vitesse du mouvement augmentera. À essayer pour tout athlète !

# ENTRAÎNEMENT EN COMPLEXE BULGARE

## COMMENT L'APPLIQUER ?

Cette technique est en fait une version allongée de l'entraînement en complexe russe (technique #194). Au lieu de faire un complexe de 2 exercices, vous enchaînerez un complexe de 4 à 5 exercices, passant de l'exercice le plus lourd à celui le plus léger. Vous devrez exécuter les exercices en alternance avec un temps de repos de 2 à 4 minutes.

## AVANTAGES

→ Le muscle s'entraîne à déplacer à haute vélocité des charges de différentes intensités.
→ Cette technique est très efficace afin d'obtenir des gains en puissance et maximise la qualité du travail par un temps de repos adéquat.

## DÉSAVANTAGE

→ Aucun.

## TABLEAU D'ENTRAÎNEMENT

| Charge | Nombre de répétitions par série | Nombre de séries par exercice | Nombre d'exercices par GM* | Repos entre les séries |
|---|---|---|---|---|
| Poids de corps à 95 % | 1-10 | 1-3 | 1 | 2-4 minutes |

*GM : groupe musculaire

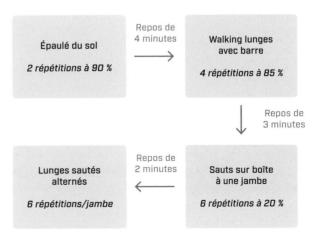

# Technique #198

**Effort perçu**

**Effet sur l'hypertrophie**

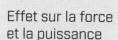

**Effet sur la force et la puissance**

**Effet sur l'endurance musculaire**

**Expérience requise**

☐ Méthode d'accumulation

☑ Méthode d'intensification

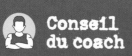

## Conseil du coach

Une de mes techniques préférées qui n'est pas trop longue à accomplir, surtout sur les appareils de musculation, et qui occasionne une très grande fatigue musculaire. Vous le constaterez lors des répétitions lentes que vous accomplirez au fur et à mesure que les séries avanceront.

# BIG KAHUNA, VERSION STANDARD

## COMMENT L'APPLIQUER ?

Cette technique a été développée par Christian Thibaudeau et nommée ainsi en référence au film *Back to the Beach*. C'est une méthode en contraste interne qui consiste à exécuter 2 répétitions à 85-90 %, puis 3 répétitions explosives à 60 % pour ensuite poursuivre avec des répétitions lentes (tempo 3-1-3-0) jusqu'à l'échec avec la même charge, soit 60 %.

## AVANTAGES

→ Cette technique est très efficace pour gagner de la masse musculaire en raison de la grande fatigue des fibres rapides (charges à haute intensité et accomplies à haute vélocité) combinée au temps sous tension élevé.

→ Elle améliore la force et la puissance grâce aux charges utilisées (90 %) et aux répétitions explosives.

## DÉSAVANTAGE

→ Elle nécessite un changement de la charge, donc moins pratique pour les exercices avec une barre (ex. : développé couché, squat, soulevé de terre).

## TABLEAU D'ENTRAÎNEMENT

| Charge | Nombre de répétitions par série | Nombre de séries par exercice | Nombre d'exercices par GM* | Repos entre les séries |
|---|---|---|---|---|
| 90 % + 60 % | 2 + 3 + maximum | 3-5 | 1-3 | 2-4 minutes |

*GM : groupe musculaire

*RÉPÉTITIONS # 1 ET #2 :*
lourdes à 85-90 %

Ex. : 2 x 100 kg

*RÉPÉTITIONS #3, #4 ET #5 :*
explosives à 60 %

Ex. : 3 x 70 kg

*RÉPÉTITION #6 À L'ÉCHEC :*
lente à 60 %

Ex. : maximum x 70 kg

# Technique #199

**Effort perçu**

**Effet sur l'hypertrophie**

**Effet sur la force et la puissance**

**Effet sur l'endurance musculaire**

**Expérience requise**

☐ Méthode d'accumulation

☑ Méthode d'intensification

 **Conseil du coach**

Cette technique se pratique de préférence sur des appareils de musculation, car le changement de la charge se fait rapidement et de façon fluide. Je déteste appliquer cette technique sur des exercices avec des barres chargées de poids (ex.: développé couché, squat). À vous de l'expérimenter !

## BIG KAHUNA, VERSION PARESSEUSE

### COMMENT L'APPLIQUER ?

C'est une version plus facile que le big Kahuna, version standard (technique #198). Elle consiste à faire 2 répétitions à 80 %, puis 2 répétitions explosives à 50 %, puis 2 répétitions à 80 % suivies de 2 répétitions explosives à 50 % pour un total de 8 répétitions par série.

### AVANTAGE

→ Cette méthode est efficace pour gagner de la masse et de la puissance à la fois, même si elle le fait un peu moins bien que ses consœurs, grâce à l'introduction de répétitions explosives (elle augmente la fatigue des fibres rapides).

### DÉSAVANTAGE

→ En revanche, son inconvénient, comme pour toute technique en contraste interne, est qu'elle nécessite un changement de charge à l'intérieur d'une série. Cela demandera préalablement un peu de calcul et/ou l'aide d'un partenaire afin de décharger la barre.

### TABLEAU D'ENTRAÎNEMENT

| Charge | Nombre de répétitions par série | Nombre de séries par exercice | Nombre d'exercices par GM* | Repos entre les séries |
|---|---|---|---|---|
| 50 % + 80 % + 50 % + 80 % | 2 + 2 + 2 + 2 | 3-5 | 2-4 | 2-3 minutes |

*GM : groupe musculaire

*RÉPÉTITIONS #1, #2, #5 ET #6 :* lourdes à 80 %  → Ex. : 2 x 80 kg

*RÉPÉTITIONS #3, #4, #7 ET #8 :* explosives à 50 %  → Ex. : 3 x 50 kg

# Technique #200

## Effort perçu

## Effet sur l'hypertrophie
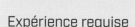

## Effet sur la force et la puissance

## Effet sur l'endurance musculaire
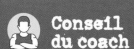

## Expérience requise

☐ Méthode d'accumulation

☑ Méthode d'intensification

---

### Conseil du coach

Une de mes techniques préférées qui n'est pas trop longue à accomplir, surtout sur les appareils de musculation, et qui occasionne une très grande fatigue musculaire. Êtes-vous tolérant à la douleur ? Dans cette technique, vous arriverez à l'échec à plusieurs reprises, ce qui nécessite une bonne gestion de la douleur lactique de votre part.

---

# BIG KAHUNA, VERSION DOULOUREUSE

## COMMENT L'APPLIQUER ?

C'est une version prolongée de la version standard du big Kahuna (technique #198). Elle consiste à faire 2 répétitions à 85-90 %, puis 3 répétitions explosives à 60 % suivies de répétitions lentes (tempo 3-1-3-0) jusqu'à l'échec à 60 %, puis 3 répétitions explosives à 30 % suivies de répétitions lentes (tempo 3-1-3-0) jusqu'à l'échec à 30 %, et enfin une contraction isométrique au point faible à 30 %.

## AVANTAGES

→ Cette technique est très efficace pour gagner de la masse musculaire en raison de la grande fatigue des fibres rapides (charges à haute intensité et accomplies à haute vélocité) combinée au temps sous tension élevé.

→ Elle améliore la force et la puissance grâce aux charges utilisées (90 %) et aux répétitions explosives.

## DÉSAVANTAGE

→ Elle nécessite un changement de la charge, donc moins pratique pour les exercices avec une barre (ex. : développé couché, squat, soulevé de terre).

## TABLEAU D'ENTRAÎNEMENT

| Charge | Nombre de répétitions par série | Nombre de séries par exercice | Nombre d'exercices par GM* | Repos entre les séries |
|---|---|---|---|---|
| 90 % + 60 % + 30 % | 2 + 3 + maximum + 3 + maximum + isométrie | 1-3 | 1-3 | 2-4 minutes |

*GM : groupe musculaire

**RÉPÉTITIONS #1 ET #2 :** lourdes à 85-90 %

Ex. : 2 x 100 kg

**RÉPÉTITIONS #3, #4 ET #5 :** explosives à 60 % + maximum tempo lent

Ex. : 3 + maximum x 70 kg

**RÉPÉTITIONS (EX.) #13, #14, #15 :** explosives à 30 % + maximum tempo lent + isométrique

Ex. : 3 + maximum + isométrie x 40 kg

# CHAPITRE 7

## ENTRAÎNEMENT EN ENDURANCE DE FORCE-VITESSE

# PROGRAMME D'ENTRAÎNEMENT

+ Intensité : **50-70 % de puissance-force ou 30-50 % de puissance-vitesse**

+ Nombre de répétitions : **1 à 6**

+ Vitesse d'exécution : **maximale en phases concentrique et/ou excentrique**

+ Nombre de séries maximales par groupe musculaire : **12**

+ Récupération entre les séries : **3 à 5 minutes**

+ Nombre maximal de répétitions par groupe musculaire par séance : **200**

+ Nombre maximal de groupes musculaires par séance : **2**

# ENTRAÎNEMENT EN ENDURANCE DE FORCE-VITESSE

L'entraînement en endurance de force-vitesse (ou de puissance) est principalement réservé aux individus qui pratiquent un sport requérant cette qualité musculaire. Par exemple, nous pouvons penser aux joueurs de hockey, aux skieurs alpins, aux snowboarders, aux joueurs de volley-ball, etc. Ces sportifs ont besoin de générer une haute puissance musculaire, et ce du début à la fin de la partie ou de la course (ex. : le 120ᵉ saut du joueur de volley-ball placé près du filet doit être aussi haut en fin de partie qu'au début, au risque de ne plus être en mesure de faire les arrêts essentiels pour son équipe). D'un autre côté, les techniques de cette catégorie sont peu utilisées à des fins d'hypertrophie ou de force brute chez la population générale, et avec raison. Toutefois, vous pouvez les introduire dans vos entraînements à des fins de variété et/ou pour simplement les expérimenter avant de les prescrire à vos clients (entraîneurs et kinésiologues). Dans ce cas, il est impératif, selon moi, de les appliquer d'abord sur vous-même. Cela vous permettra de mieux comprendre le niveau de difficulté de chaque technique et d'ajuster les modalités d'entraînement en fonction de votre client.

L'entraînement en endurance de puissance nécessite majoritairement du matériel qu'on ne retrouve pas toujours dans les salles de musculation classiques (haies, blocs de pliométrie, etc.). Vous devrez donc vous équiper afin d'obtenir une séance de meilleure qualité. De plus, ce type de technique demande de l'espace, pour des sauts en continu, pour l'utilisation de plusieurs stations ou pour une combinaison d'appareils cardio-vasculaires et musculaires. Ce sera à vous de choisir, si possible, les plages horaires les moins achalandées de votre salle afin de potentialiser votre entraînement ou de concentrer les exercices à l'intérieur d'une même station (ex. : cage à squat).

Par ailleurs, je ne peux vous cacher que, avant de mettre en œuvre ces méthodes, il vous faudra tout d'abord développer votre force (chapitre 2, qui est la base de la puissance) et ensuite votre puissance (chapitre 6, qui est la base des techniques en endurance de force-vitesse). C'est une progression essentielle car, dans le cas contraire, vous n'aurez pas acquis les aptitudes adéquates afin de développer une puissance dans un court laps de temps. Vous soumettre alors aux techniques de ce chapitre ne développera en aucun cas votre capacité à répéter des actions de nature explosive **DE QUALITÉ** dans le temps. Vous ne ferez que survivre à votre entraînement. Soyez intelligent dans votre approche et progressez depuis la base selon votre niveau.

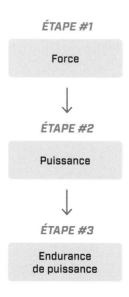

# Technique #201

**Effort perçu**

**Effet sur
l'hypertrophie**

**Effet sur la force
et la puissance**

**Effet sur l'endurance
musculaire**

**Expérience requise**

☐ Méthode
d'accumulation

☑ Méthode
d'intensification

 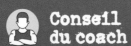

## Conseil du coach

Pour des démonstrations d'exercices en pliométrie (haut du corps et bas du corps), je vous recommande fortement le DVD *Exercices d'agilité et de renforcement musculaire* par Raymond Veillette ou le livre de Human Kinetics, *High-Powered Plyometrics*.

# CIRCUIT INTERMITTENT EN PLIOMÉTRIE

### COMMENT L'APPLIQUER ?

Vous devez exécuter un enchaînement de 6 à 8 exercices pliométriques (de façon à exécuter 5 à 10 secondes d'effort continu) entrecoupées de 25 à 50 secondes de repos.

### AVANTAGES

→ Cette méthode peut être utilisée pour l'entraînement du bas du corps (depth jump, sauts en longueur, etc.) ainsi que pour le haut du corps (push-ups explosifs, tractions explosives, etc.).

→ Elle est facile d'utilisation.

### DÉSAVANTAGES

→ Elle requiert une force et une puissance préalables et essentielles. Il faut que l'individu soit en mesure de bien gérer son poids de corps dans les exercices tels que les push-ups et les tractions.

→ Un premier atout préalable serait d'être en mesure d'exécuter 5 clap push-ups ou 5 tractions inversées explosives (inverted row) en moins de 5 secondes.

### TABLEAU D'ENTRAÎNEMENT

| Charge | Nombre de répétitions par série | Nombre de séries par exercice | Nombre d'exercices par GM* | Repos entre les séries |
|--------|-------------------------------|------------------------------|---------------------------|----------------------|
| Poids de corps | 6-8 exercices de 5-10 secondes | 2-8 | 6-8 | 3-5 minutes ou 20-50 secondes |

*GM : groupe musculaire

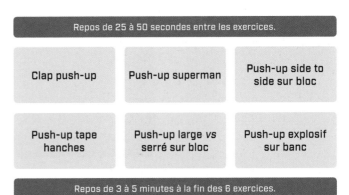

Repos de 25 à 50 secondes entre les exercices.

| Clap push-up | Push-up superman | Push-up side to side sur bloc |
| Push-up tape hanches | Push-up large *vs* serré sur bloc | Push-up explosif sur banc |

Repos de 3 à 5 minutes à la fin des 6 exercices.

## Effort perçu

■ ■ ■ ■ □

## Effet sur l'hypertrophie

■ ■ ■ □ □

## Effet sur la force et la puissance

■ ■ ■ ■ □

## Effet sur l'endurance musculaire

■ ■ ■ □ □

## Expérience requise

■ ■ □

☑ Méthode d'accumulation

☑ Méthode d'intensification

---

**Conseil du coach**

Introduisez une variété de sauts différents dans votre circuit afin de varier la stimulation et les adaptations (ex. : sauts latéraux, haies plus basses, haies plus hautes, sauts à une jambe, sauts avec plus de flexion du genou, etc.).

---

# CIRCUIT CONTINU EN PLIOMÉTRIE

## COMMENT L'APPLIQUER ?

Vous devez effectuer un parcours de haies, ou de sauts, d'une durée de 20 à 40 secondes sans temps de repos. Idéalement, le parcours doit représenter le temps d'action que le sport exige.

## AVANTAGE

→ Cette technique est excellente pour recréer les exigences au niveau des contractions musculaires des jambes chez le sportif.

## DÉSAVANTAGES

→ Elle demande toutefois un bon niveau préalable de préparation et d'acquisition de force-vitesse afin d'exécuter le circuit avec la meilleure qualité possible. Elle est donc réservée aux sportifs avancés et davantage utilisée avec les athlètes (skieurs, snowboarders, etc.).

→ Cette méthode est exclusivement réservée pour un entraînement du bas du corps.

## TABLEAU D'ENTRAÎNEMENT

| Charge | Nombre de répétitions par série | Nombre de séries par exercice | Nombre d'exercices par GM* | Repos entre les séries |
|---|---|---|---|---|
| Poids de corps | 20-40 secondes | 4-6 | 1 | 3-5 minutes |

*GM : groupe musculaire

Pendant 20 à 40 secondes

# Technique #203

Effort perçu

■ ■ ■ □ □

Effet sur
l'hypertrophie

■ ■ □ ■ ■

Effet sur la force
et la puissance

■ ■ ■ ■ ■

Effet sur l'endurance
musculaire

■ ■ ■ ■ □

Expérience requise

■ ■ ■

✓ Méthode
d'accumulation

✓ Méthode
d'intensification

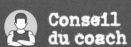

## Conseil du coach

Comme variante, cette technique est un classique pour bien terminer un entraînement en hypertrophie. Essayez-le ! Faites votre séance d'entraînement pour un groupe musculaire et intégrez cette technique sur le dernier exercice. Plaisir garanti !

# FORCE-VITESSE INTERMITTENTE

## COMMENT L'APPLIQUER ?

Cette technique consiste à faire 3 à 4 fois une séquence de 6 à 8 répétitions d'un exercice dynamique, idéalement en projection avec une charge de 10 à 30 %, entrecoupées de 10 à 15 secondes de récupération. Cet enchaînement ne représente qu'une seule série.

## AVANTAGE

→ Cette technique est la base d'un entraînement d'endurance en force-vitesse, car elle ne nécessite pas une grosse préparation de différentes stations ou du matériel souvent absent des salles de musculation traditionnelles (haies, boîtes hautes, etc.) avant de commencer l'entraînement. Tout se fait sur un seul exercice.

## DÉSAVANTAGES

→ Elle requiert une force et une puissance préalables et essentielles. Il faut que l'individu soit en mesure de bien gérer son poids de corps dans les exercices tels que les push-ups et les tractions.

→ Un premier atout préalable serait d'être en mesure d'exécuter 5 clap push-ups ou 5 tractions inversées explosives (inverted row) en moins de 5 secondes.

## TABLEAU D'ENTRAÎNEMENT

| Charge | Nombre de répétitions par série | Nombre de séries par exercice | Nombre d'exercices par GM* | Repos entre les séries |
|---|---|---|---|---|
| 10-30 % | 3-4 x 6-8 répétitions | 2-3 | 1-3 | 3-5 minutes |

*GM : groupe musculaire

CHAPITRE 7 | 249

# Technique #204

### Effort perçu

### Effet sur l'hypertrophie

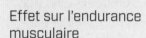

### Effet sur la force et la puissance

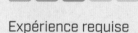

### Effet sur l'endurance musculaire

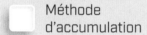

### Expérience requise

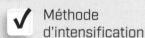

☐ Méthode d'accumulation

☑ Méthode d'intensification

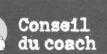

**Conseil du coach**

Vous pouvez varier les groupes musculaires à travailler à l'intérieur du circuit. Par exemple, vous pourriez faire les trois premiers exercices pour les quadriceps et les trois derniers pour un travail localisé sur les ischiojambiers.

# CIRCUIT 45 SECONDES

## COMMENT L'APPLIQUER ?

Vous devez exécuter six exercices en continu de façon à cibler les composantes de la puissance, soit la force et la vitesse. Idéalement, commencez par un exercice ayant un développement sur la FORCE-vitesse (ex. : mouvement d'haltérophilie à 70-90 %), suivi d'un exercice à dominance de vitesse (pliométrie basse de 8-10 secondes), puis d'un exercice en force (3-5 RM). Répétez le même enchaînement de qualités musculaires une deuxième fois avec des exercices différents afin de totaliser six exercices. Après chaque exercice, une pause de 45 secondes est requise avant de poursuivre l'exercice suivant.

## AVANTAGE

→ Cette technique permet de travailler, à l'intérieur d'une seule série, les qualités de puissance-force, de puissance-vitesse et de force. Elle est très utilisée chez le sportif (ex. : au football, au rugby, au hockey, etc.) étant donné sa grande efficacité.

## DÉSAVANTAGE

→ Vous devez avoir travaillé préalablement votre technique d'haltérophilie avant de suivre cette séquence (exercices #1 et #4).

## TABLEAU D'ENTRAÎNEMENT

| Charge | Nombre de répétitions par série | Nombre de séries par exercice | Nombre d'exercices par GM* | Repos entre les séries |
|---|---|---|---|---|
| Poids de corps et 70-90 % | 3-6 répétitions ou 5-10 secondes | 3-4 | 6 | 3-5 minutes |

*GM : groupe musculaire

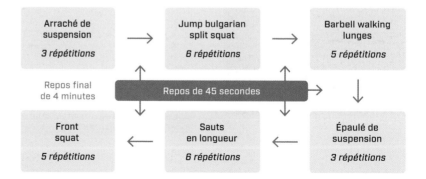

Arraché de suspension — *3 répétitions* → Jump bulgarian split squat — *6 répétitions* → Barbell walking lunges — *5 répétitions*

Repos final de 4 minutes — Repos de 45 secondes

Front squat — *5 répétitions* ← Sauts en longueur — *6 répétitions* ← Épaulé de suspension — *3 répétitions*

## Technique #205

Effort perçu

Effet sur
l'hypertrophie

Effet sur la force
et la puissance

Effet sur l'endurance
musculaire

Expérience requise

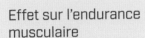

☐ Méthode
d'accumulation

☑ Méthode
d'intensification

### Conseil du coach

Vous pouvez varier les groupes musculaires à travailler à l'intérieur du circuit. Par exemple, vous pourriez faire les trois premiers exercices en poussée (pectoraux, épaules, triceps) et les trois derniers pour un travail localisé sur le dos, le haut du dos et les biceps (tirage).

# CIRCUIT LANDMINE

### COMMENT L'APPLIQUER ?

Vous devez exécuter six exercices en continu de façon à cibler les composantes de la puissance, soit la force et la vitesse. Idéalement, commencez par un exercice ayant un développement sur la FORCE-vitesse (3 à 5 répétitions lourdes au landmine), suivi d'un exercice à dominance de VITESSE-force (exercice très dynamique au poids de corps), puis d'un exercice en force incluant haut et bas du corps (ex. : barbell thrusters). Répétez le même enchaînement de qualités musculaires une deuxième fois avec des exercices différents afin de totaliser six exercices. Après chaque exercice, une pause de 45 secondes est requise avant de poursuivre l'exercice suivant.

### AVANTAGE

→ Le circuit landmine est similaire au circuit 45 secondes (technique #204) à la différence qu'il axe ses exercices sur un travail simultané du haut et du bas du corps (idéal pour le sportif) en favorisant toutefois celui du haut du corps. Vous pouvez vous procurer un landmine chez un bon fournisseur d'équipement.

### DÉSAVANTAGE

→ Elle nécessite un landmine.

### TABLEAU D'ENTRAÎNEMENT

| Charge | Nombre de répétitions par série | Nombre de séries par exercice | Nombre d'exercices par GM* | Repos entre les séries |
|---|---|---|---|---|
| Poids de corps et 70-90 % | 3-6 répétitions ou 5-10 secondes | 3-4 | 6 | 3-5 minutes |

*GM : groupe musculaire

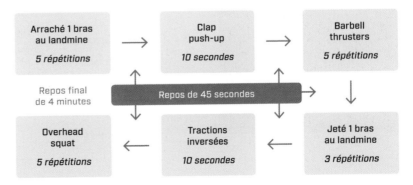

# Technique #206

Effort perçu

Effet sur l'hypertrophie

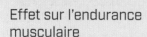

Effet sur la force et la puissance

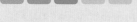

Effet sur l'endurance musculaire

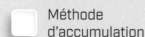

Expérience requise

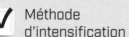

☐ Méthode d'accumulation

☑ Méthode d'intensification

## Conseil du coach

J'aime utiliser cette technique afin de maximiser mon temps dans le développement d'un athlète qui possède des contraintes temporelles pour l'entraînement. Elle est également idéale pour inclure des rappels musculaires dans le microcycle (ou semaine d'entraînement).

# MULTIFORME

## COMMENT L'APPLIQUER ?

Cette méthode est en fait une supersérie de deux entraînements en complexe russe avec un accent sur la force (technique #195). Vous devez donc exécuter 4 exercices consécutifs de deux groupes musculaires antagonistes (ex. : pousser/tirer), en alternant un exercice axé sur la charge maximale (3-5 RM) et un exercice axé sur la vitesse de mouvement (de type pliométrique) pour chacun des groupes musculaires sollicités.

## AVANTAGE

→ Cette méthode n'est pas une méthode d'endurance de force-vitesse « pure » pour un groupe musculaire en particulier (à l'inverse des autres techniques). Elle sollicite en fait les qualités de force et de vitesse réparties dans le temps pour deux groupes musculaires et permet d'économiser du temps lors de l'application de ces complexes russes.

## DÉSAVANTAGE

→ Elle est moins efficace pour l'amélioration de l'endurance de puissance spécifique à un muscle si on la compare aux techniques précédentes de ce chapitre, mais agit plutôt sur une endurance de puissance générale.

## TABLEAU D'ENTRAÎNEMENT

| Charge | Nombre de répétitions par série | Nombre de séries par exercice | Nombre d'exercices par GM* | Repos entre les séries |
|---|---|---|---|---|
| 85-90 % + poids de corps | 2 x (3-5 répétitions + 5-10 secondes) | 2-4 | 2-4 | 3-5 minutes |

*GM : groupe musculaire

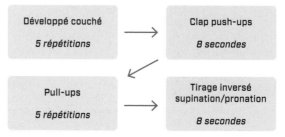

*EXERCICES DE POUSSÉE*

| Développé couché | → | Clap push-ups |
|---|---|---|
| 5 répétitions | | 8 secondes |

| Pull-ups | → | Tirage inversé supination/pronation |
|---|---|---|
| 5 répétitions | | 8 secondes |

*EXERCICES DE TIRAGE*

# Technique #207

## Effort perçu

## Effet sur l'hypertrophie

## Effet sur la force et la puissance

## Effet sur l'endurance musculaire

## Expérience requise

✓ Méthode d'accumulation

✓ Méthode d'intensification

### Conseil du coach

Ce type d'entraînement est idéal pour les sports de combat. Vous pouvez commencer par exécuter des circuits de 6 minutes et tentez de les faire en moins de 5 minutes au fur et à mesure que les semaines avancent. Les entraînements de groupe style CrossFit sont de bons exemples d'application d'un metabolic training.

# METABOLIC TRAINING

## COMMENT L'APPLIQUER ?

Cette méthode est constituée d'un enchaînement de contractions soutenues à haute vitesse qui favorise l'acidose métabolique. Elle consiste à exécuter de 2 à 5 exercices en circuit avec un temps de repos incomplet (travail : repos = 3 : 1). Le circuit doit être plus long que 30 secondes au total et peut atteindre des durées de plus de 5 minutes ! Les autres noms donnés à cette technique sont : le flush set lorsqu'elle est réalisée à la fin d'un entraînement en hypertrophie ; le post-workout conditioning lorsqu'elle est réalisée après un entraînement de force ; et le metabolic training lorsqu'elle est réalisée à l'intérieur d'un programme d'endurance de puissance.

## AVANTAGE

→ En raison de l'acidose créée, elle permet une meilleure libération de l'hormone de croissance. Cela est donc excellent pour la perte de poids et l'hypertrophie. De plus, cette technique permet d'évaluer la volonté et la capacité de l'individu ou de l'athlète à s'automotiver pour surmonter la difficulté.

## DÉSAVANTAGE

→ Aucun.

## TABLEAU D'ENTRAÎNEMENT

| Charge | Nombre de répétitions par série | Nombre de séries par exercice | Nombre d'exercices par GM* | Repos entre les séries |
|---|---|---|---|---|
| Poids de corps et élastiques | > 30 secondes | 2-5 | 2-5 | Travail : repos 3 : 1 |

*GM : groupe musculaire

## PAR SOUCI DE PROGRESSION, VOUS DEVREZ FAIRE :

1. Des circuits plus courts (2-3 exercices) vers des circuits plus longs (4-5 exercices) ;
2. Moins de répétitions explosives par exercice (8-10) vers plus de répétitions explosives par exercice (15-10) ;
3. Une vitesse de mouvement rapide vers une vitesse de mouvement très rapide.

**Exemple** : 20 speed squats suivis de 20 jump squats, de 15 burpees et de 10 sauts en longueur.

Pour plus d'informations sur cette méthode, visionnez la vidéo « Metabolic Training for Fat Loss » par Juan Carlos Santana (NSCA).

# Technique #208

**Effort perçu**

**Effet sur l'hypertrophie**

**Effet sur la force et la puissance**

**Effet sur l'endurance musculaire**

**Expérience requise**

☐ Méthode d'accumulation

☑ Méthode d'intensification

## Conseil du coach

Pour des idées d'exercices métaboliques et de potentialisation, référez-vous au livre : *Musculation à haut seuil d'activation*. Il vous servira de plus pour une multitude de techniques impliquant, par exemple, des exercices d'activation.

# POTENTIALISATION + MÉTABOLIQUE

## COMMENT L'APPLIQUER ?

Cette technique consiste à exécuter sans temps de repos (une supersérie) un mouvement en puissance suivi d'un mouvement métabolique pour un même groupe musculaire. L'exercice de potentialisation peut être fait avec des charges (ex. : haltérophilie) ou bien sans charge (ex. : push-up) pour 3 à 8 répétitions tandis que le deuxième exercice sera réalisé avec le poids de corps ou avec des élastiques. La durée de ce dernier variera entre 20 et 40 secondes selon la qualité du mouvement.

## AVANTAGE

→ Cette méthode enchaîne successivement soit un exercice de puissance-force (haltérophilie), soit un exercice de puissance-vitesse (push-up, tractions, etc.) suivi d'un exercice de puissance-vitesse (élastiques, poids de corps). Les deux enchaînements procurent de bons résultats.

## DÉSAVANTAGE

→ Si deux exercices de puissance-vitesse se succèdent, les gains en force seront moins présents.

## TABLEAU D'ENTRAÎNEMENT

| Charge | Nombre de répétitions par série | Nombre de séries par exercice | Nombre d'exercices par GM* | Repos entre les séries |
|---|---|---|---|---|
| Poids de corps et élastique | 3-8 + 20-40 secondes | 3-6 | 2-6 | 2-3 minutes |

*GM : groupe musculaire

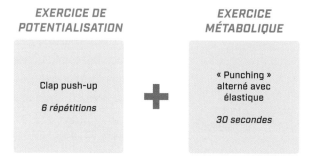

**EXERCICE DE POTENTIALISATION**

Clap push-up

*6 répétitions*

**+**

**EXERCICE MÉTABOLIQUE**

« Punching » alterné avec élastique

*30 secondes*

# CHAPITRE 8
## ENTRAÎNEMENT EN FORCE-ENDURANCE

# PROGRAMME D'ENTRAÎNEMENT

+ Intensité : **30-70 %**

+ Nombre de répétitions :
  **13 à 100**

+ Temps d'effort :
  **8 à 10 secondes**

+ Vitesse d'exécution :
  **contrôlée en phases
  concentrique et excentrique**

+ Nombre de séries maximales
  par groupe musculaire : **20**

+ Récupération entre les séries :
  **30 secondes à 8 minutes**

+ Durée maximale de la séance :
  **45 à 75 minutes**

+ Repos entre 2 séances :
  **24 à 48 heures**

# #8
## ENTRAÎNEMENT EN FORCE-ENDURANCE

L'entraînement en force-endurance (ou endurance de force) correspond à l'amélioration musculaire de plusieurs composantes afin de prolonger un effort à faible intensité. On parle principalement d'adaptations de type aérobie afin d'obtenir un meilleur apport et une meilleure utilisation en oxygène. Cela se traduit par une :

1. Augmentation du nombre de mitochondries ;

2. Augmentation de la capillarisation ;

3. Légère hypertrophie des fibres de type I ;

4. Amélioration de l'efficacité technique d'un mouvement ;

5. Amélioration de l'organisme à stocker et à utiliser les différents substrats énergétiques.

Ce type d'entraînement est principalement réservé aux muscles riches en fibres lentes, à savoir les muscles stabilisateurs (abdominaux, lombaires, coiffe des rotateurs, etc.). L'erreur fréquente est que les individus qui exercent un sport d'endurance viennent en salle d'entraînement travailler… leur endurance. Cela semble logique à première vue, mais en fait, l'endurance musculaire est déjà majoritairement stimulée durant leur sport. Il n'est donc pas nécessaire de la stimuler à nouveau en salle de musculation. Par exemple, un cycliste travaille son endurance lors de ses sorties à vélo et n'a pas besoin de la retravailler en salle d'entraînement étant donné le volume important de sorties qu'il peut accomplir en une semaine. L'entraînement avec poids et haltères devrait alors être consacré à l'amélioration des qualités sous-stimulées sur piste, telles que la force et la puissance musculaire, des composantes

essentielles lors d'ascension en montagne et lors du sprint final. Ces éléments sont les mêmes pour le coureur de fond, à la différence que, pour celui-ci, l'entraînement en force-endurance sera très utile pour les abdominaux et les muscles lombaires, des muscles très impliqués lors de la mécanique de course.

Pour ma part, j'utilise beaucoup les techniques de force-endurance pour favoriser les gains en hypertrophie de mes clients par la stimulation des fibres de type I. En fonction de la typologie musculaire, certains muscles réagiront plus fortement à ces méthodes que d'autres. Par exemple, un quadriceps est composé en moyenne de 50 % de fibres rapides et de 50 % de fibres lentes. Un ajout de techniques en force-endurance aura donc un grand impact sur son développement musculaire. De plus, certaines études[8] ont démontré de meilleurs gains en force lorsque la séance d'entraînement était conclue par des méthodes en force-endurance. Ainsi, je les utilise généralement à ce moment (fin d'entraînement) à raison d'une seule technique à la fois, ma préférée étant la technique des 100 répétitions (technique #214) que j'accomplis en alternance avec mon partenaire d'entraînement.

# Technique #209

Effort perçu

■ □ □ □ □

Effet sur
l'hypertrophie

■ ■ □ □ □

Effet sur la force
et la puissance

■ □ □ □ □

Effet sur l'endurance
musculaire

■ ■ □ □ □

Expérience requise

■ □ □

☑ Méthode
d'accumulation

☐ Méthode
d'intensification

### Conseil du coach

Vous pouvez jouer sur la densité de votre entraînement en variant votre temps de repos entre les séries à chaque semaine. Par exemple :
**Semaine #1 : 90 secondes ;**
**Semaine #2 : 80 secondes ;**
**Semaine #3 : 70 secondes.**

# NORMES GÉNÉRALES 13-30 RM

## COMMENT L'APPLIQUER ?
Cette méthode consiste à exécuter de 13 à 30 répétitions maximales.

## AVANTAGES
→ C'est une technique de base pour s'initier à l'entraînement en endurance de force.
→ Vous pouvez également débuter vos séances par des séries sous-maximales afin de faciliter davantage votre introduction à ce mode d'entraînement.
→ C'est en fait une des techniques les moins difficiles à effectuer.

## DÉSAVANTAGE
→ Aucun.

## TABLEAU D'ENTRAÎNEMENT

| Charge | Nombre de répétitions par série | Nombre de séries par exercice | Nombre d'exercices par GM* | Repos entre les séries |
|--------|--------------------------------|-------------------------------|----------------------------|------------------------|
| 50-70 % | 13-30 | 3-8 | 1-3 | 45-120 secondes |

*GM : groupe musculaire

Voici des exemples de séances en force-endurance avec la technique de normes générales 13-30 RM.

| SÉANCE #1 | 4 x 15 RM, repos : 90 secondes |
|-----------|--------------------------------|

| SÉANCE #2 | 6 x 20 RM, repos : 60 secondes |
|-----------|--------------------------------|

| SÉANCE #3 | 8 x 30 RM, repos : 45 secondes |
|-----------|--------------------------------|

# Technique #210

### Effort perçu

### Effet sur l'hypertrophie

### Effet sur la force et la puissance

### Effet sur l'endurance musculaire

### Expérience requise

✓ Méthode d'accumulation

☐ Méthode d'intensification

## Conseil du coach

Vous pouvez varier la longueur des paliers ainsi que le nombre de répétitions pour chaque série tant que vous restez entre 13 et 30 répétitions. Voici des exemples :

1. 15-15-20-20-30-30 ;
2. 15-15-15-25-25-25 ;
3. 13-13-13-20-20.

# PALIER 20-20-20-30-30 RM

### COMMENT L'APPLIQUER ?

Vous devez exécuter 3 séries de 20 répétitions maximales, suivies de deux séries de 30 répétitions maximales.

### AVANTAGES

→ Cette technique est présentée sous forme de palier. Ce n'est pas une technique révolutionnaire, mais vous pourrez stimuler et fatiguer un plus grand éventail de fibres lentes de cette façon qu'en maintenant vos répétitions constantes.

→ Elle fait, entre autres, partie des méthodes de base pour s'initier aux techniques en endurance de force.

### DÉSAVANTAGE

→ Aucun.

### TABLEAU D'ENTRAÎNEMENT

| Charge | Nombre de répétitions par série | Nombre de séries par exercice | Nombre d'exercices par GM* | Repos entre les séries |
|---|---|---|---|---|
| 60 %, 60 %, 60 %, 50 %, 50 % | 20, 20, 20, 30, 30 | 5 | 1-3 | 45-75 secondes |

*GM : groupe musculaire

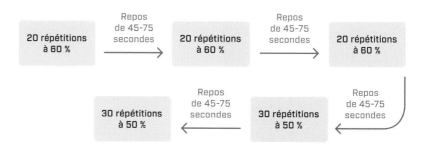

# Technique #211

**Effort perçu**

**Effet sur l'hypertrophie**

**Effet sur la force et la puissance**

**Effet sur l'endurance musculaire**

**Expérience requise**

✓ Méthode d'accumulation

☐ Méthode d'intensification

 **Conseil du coach**

Vous pouvez varier le nombre de répétitions pour chaque série tant que vous restez entre 12 et 20 répétitions. Voici des exemples :
1. 19-16-13-19 RM ;
2. 18-16-14-18 RM ;
3. 17-15-13-17 RM ;
4. 16-14-12-16 RM.

# 20-15-12-20 RM

## COMMENT L'APPLIQUER ?

Vous devez appliquer une surcharge progressive au fil des séries. Commencez avec 20 répétitions maximales, suivies de 15 répétitions maximales, puis de 12 répétitions maximales. La dernière série sera un retour à vos 20 RM. Plus les séries avancent, plus le temps de repos augmentera étant donné la surcharge appliquée.

## AVANTAGE

→ Cette technique utilise le principe de potentialisation, mais à petite échelle. L'effet d'activation du système nerveux ne sera pas à son maximum (en raison des charges qui sont loin d'être maximales), mais vous ressentirez tout de même le contraste entre vos 12 RM (3e série) et vos 20 RM (4e série), permettant possiblement une légère augmentation de vos 20 RM à la quatrième série par rapport à votre première série.

## DÉSAVANTAGE

→ Aucun.

## TABLEAU D'ENTRAÎNEMENT

| Charge | Nombre de répétitions par série | Nombre de séries par exercice | Nombre d'exercices par GM* | Repos entre les séries |
|---|---|---|---|---|
| 60 %, 65 % 70 %, 61 %-63 % | 20, 15, 12, 20 | 4 | 1-3 | 45-120 secondes |

*GM : groupe musculaire

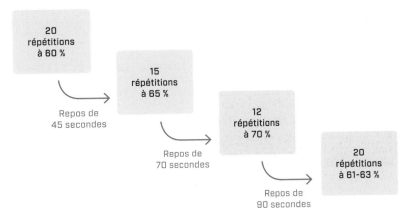

20 répétitions à 60 %

Repos de 45 secondes

15 répétitions à 65 %

Repos de 70 secondes

12 répétitions à 70 %

Repos de 90 secondes

20 répétitions à 61-63 %

# Technique #212

**Effort perçu**

▬▬▬▬▬

**Effet sur l'hypertrophie**

▬▬▬▬▬

**Effet sur la force et la puissance**

▬▬▬▬▬

**Effet sur l'endurance musculaire**

▬▬▬▬▬

**Expérience requise**

▬▬▬

✓ Méthode d'accumulation

☐ Méthode d'intensification

## Conseil du coach

Vous pouvez utiliser cette technique avec les débutants, mais en évitant les exercices pliométriques trop brusques. Alternez idéalement un exercice de base, un autre d'abdominaux ou de lombaires puis un exercice cardio-vasculaire dans l'ordre ou dans le désordre.

# CIRCUIT

## COMMENT L'APPLIQUER ?

Durant votre séance d'entraînement, vous devez exécuter 2 à 3 circuits de 6 à 12 exercices consécutifs sans temps de repos. Le nombre de répétitions pour chaque exercice doit se situer entre 6 et 30. De même, à l'intérieur d'un seul circuit, vous pouvez cibler différents groupes musculaires ou bien vous attaquer à un groupe en particulier (ex. : les jambes). De plus, variez le type d'exercice dans un circuit en introduisant des exercices pliométriques et des exercices cardio-vasculaires (ex. : corde à danser).

## AVANTAGE

→ Cette technique permet de stimuler plusieurs composantes musculaires de façon enchaînée, accentuant la fatigue musculaire et la dépense énergétique. Elle est donc intéressante à des fins de perte de masse adipeuse.

## DÉSAVANTAGE

→ Selon les exercices sélectionnés, elle peut être difficile à effectuer si vous choisissez par exemple plusieurs appareils (conflit avec d'autres utilisateurs). Utilisez davantage des barres ou des poids libres pour faciliter le roulement des circuits.

## TABLEAU D'ENTRAÎNEMENT

| Charge | Nombre de répétitions par série | Nombre de séries par exercice | Nombre d'exercices par GM* | Repos entre les séries |
|---|---|---|---|---|
| 30-70 % | 6-30 | 3-6 | 1-3 | 45-120 secondes |

*GM : groupe musculaire

## EXEMPLE : CIRCUIT DE 8 EXERCICES SANS REPOS

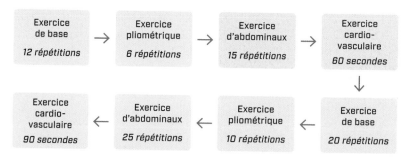

**Effort perçu**

**Effet sur l'hypertrophie**

**Effet sur la force et la puissance**

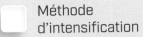

**Effet sur l'endurance musculaire**

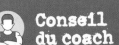

**Expérience requise**

☑ Méthode d'accumulation

☐ Méthode d'intensification

## Conseil du coach

Vous pouvez utiliser cette technique avec les débutants, mais en évitant les exercices pliométriques trop brusques. Alternez idéalement un exercice de base, un autre d'abdominaux ou de lombaires puis un exercice cardio-vasculaire dans l'ordre ou dans le désordre.

# MINICIRCUIT

## COMMENT L'APPLIQUER ?

Durant votre séance d'entraînement, vous devez exécuter 2 à 3 circuits de 4 à 5 exercices consécutifs sans temps de repos. Le nombre de répétitions pour chaque exercice devra se situer entre 6 et 20. De même, à l'intérieur d'un seul circuit, vous pouvez cibler différents groupes musculaires ou bien vous attaquer à un groupe en particulier (ex. : les jambes). De plus, variez le type d'exercices (pliométriques, cardio-vasculaires, etc.).

## AVANTAGE

→ Puisque le nombre d'exercices est réduit par rapport à l'entraînement en circuit (technique #212), l'intensité des charges sera augmentée (on parle ici de 20 RM maximum par rapport aux 30 RM dans les circuits).

## DÉSAVANTAGE

→ Selon les exercices sélectionnés, elle peut être difficile à effectuer si vous choisissez par exemple plusieurs appareils (conflit avec d'autres utilisateurs). Utilisez davantage des barres ou des poids libres pour faciliter le roulement des minicircuits.

## TABLEAU D'ENTRAÎNEMENT

| Charge | Nombre de répétitions par série | Nombre de séries par exercice | Nombre d'exercices par GM* | Repos entre les séries |
|--------|--------|--------|--------|--------|
| 30-70 % | 6-20 | 2-4 | 1-3 | 45-120 secondes |

*GM : groupe musculaire

## EXEMPLE : CIRCUIT DE 4 EXERCICES SANS REPOS

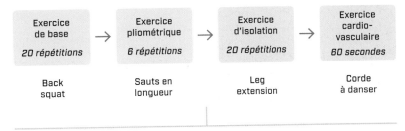

Exercice de base — 20 répétitions — Back squat → Exercice pliométrique — 6 répétitions — Sauts en longueur → Exercice d'isolation — 20 répétitions — Leg extension → Exercice cardio-vasculaire — 60 secondes — Corde à danser

Exemple pour les jambes

# Technique #214

## Effort perçu

## Effet sur l'hypertrophie

## Effet sur la force et la puissance

## Effet sur l'endurance musculaire

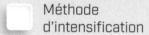

## Expérience requise

✓ Méthode d'accumulation

☐ Méthode d'intensification

---

## Conseil du coach

C'est l'une de mes techniques favorites en fin d'entraînement en hypertrophie afin de stimuler mes fibres lentes, souvent moins fatiguées durant les exercices précédents. Elle est en l'occurrence très efficace pour les jambes. Essayez-la au leg press ou au back squat lors de votre prochaine séance pour le bas du corps !

---

# LES 100 RÉPÉTITIONS (I GO, YOU GO)

## COMMENT L'APPLIQUER ?

Avec un partenaire, exécutez à tour de rôle 100 répétitions cumulatives en un minimum de séries avec une charge initiale de 20 à 40 RM. Vous ne pouvez vous reposer que lorsque votre partenaire exécute ses répétitions. Quand il ne parvient plus à faire une répétition, cela signifie que c'est à vous d'y aller et vice versa jusqu'à ce que l'un d'entre vous atteigne les 100 répétitions. Au début, il vous faudra peut-être 7 séries pour accomplir les 100 répétitions, mais plus les semaines avanceront, plus le nombre de séries nécessaires diminuera. Une fois que vous êtes capable d'exécuter les 100 répétitions en moins de quatre séries, augmentez la charge de 5 à 7 % pour la séance suivante.

## AVANTAGE

→ C'est une technique très motivante et difficile à la fois, car vous êtes en période de compétition avec votre partenaire, surtout si vous avez la même charge ! Elle est excellente à introduire en fin d'entraînement en hypertrophie ou en force.

## DÉSAVANTAGE

→ Aucun

## TABLEAU D'ENTRAÎNEMENT

| Charge | Nombre de répétitions par série | Nombre de séries par exercice | Nombre d'exercices par GM* | Repos entre les séries |
|---|---|---|---|---|
| 40-60 % | 20-40 RM initiales | Le minimum pour atteindre 100 répétitions | 1 | Selon votre partenaire |

*GM : groupe musculaire

## EXEMPLE DE SÉQUENCES POSSIBLES AVEC VOS 20-40 RM

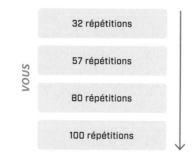

VOUS
- 32 répétitions
- 57 répétitions
- 80 répétitions
- 100 répétitions

VOTRE PARTENAIRE
- 26 répétitions
- 50 répétitions
- 70 répétitions
- 86 répétitions

Effort perçu

▮▮▮▮▯

Effet sur
l'hypertrophie

▮▮▮▯

Effet sur la force
et la puissance

▮▮▮▯▯

Effet sur l'endurance
musculaire ◦

▮▮▮▮

Expérience requise

▮▮▮

☑ Méthode
d'accumulation

☐ Méthode
d'intensification

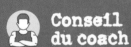

## Conseil du coach

C'est l'une de mes techniques favorites en fin d'entraînement en hypertrophie afin de stimuler mes fibres lentes, souvent moins fatiguées durant les exercices précédents. Elle est plus difficile que la technique des 100 répétitions (technique #214) et peut se faire facilement avec un partenaire d'entraînement.

# MÉTHODE DES 70 RÉP.

## COMMENT L'APPLIQUER ?

Cette méthode consiste à exécuter 70 répétitions à vos 20 RM avec 2 minutes de repos entre chaque série. Vous atteindrez probablement les 70 répétitions en 6 à 8 séries lors de la première semaine. Votre objectif est d'accomplir les 70 répétitions en 4 séries ou moins. Lorsque cela sera réussi, augmentez alors la charge de 5 à 10 %.

## AVANTAGES

→ Elle permet d'améliorer l'endurance, la force et l'hypertrophie musculaire en altérant les voies biochimiques dans les fibres musculaires (les fibres deviendront plus habiles afin de générer de l'énergie pour les contractions musculaires).

→ Elle est facile à utiliser sur n'importe quels exercices

## DÉSAVANTAGE

→ Aucun.

## TABLEAU D'ENTRAÎNEMENT

| Charge | Nombre de répétitions par série | Nombre de séries par exercice | Nombre d'exercices par GM* | Repos entre les séries |
|--------|--------|--------|--------|--------|
| 60 % | 70 | 2-7 | 1-2 | 2 minutes |

*GM : groupe musculaire

## VOICI UN EXEMPLE DE CE QUI POURRAIT SE PRODUIRE SUR UN EXERCICE :

| Série | Poids | Repos | Nombre de répétitions accomplies | | | |
|-------|-------|-------|-----------|-----------|-----------|-----------|
| | | | Semaine 1 | Semaine 2 | Semaine 3 | Semaine 4 |
| 1 | 50 kg | 2 minutes | 20 | 22 | 23 | 24 |
| 2 | 50 kg | 2 minutes | 17 | 17 | 18 | 19 |
| 3 | 50 kg | 2 minutes | 13 | 13 | 14 | 15 |
| 4 | 50 kg | 2 minutes | 8 | 9 | 9 | 12 |
| 5 | 50 kg | 2 minutes | 6 | 7 | 6 | |
| 6 | 50 kg | 2 minutes | 4 | 2 | | |
| 7 | 50 kg | 2 minutes | 2 | | | |
| Nombre total de répétitions | | | 70 | 70 | 70 | 70 |

# Technique #216

## Effort perçu

## Effet sur l'hypertrophie

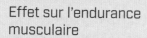

## Effet sur la force et la puissance

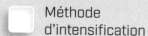

## Effet sur l'endurance musculaire

## Expérience requise

✓ Méthode d'accumulation

☐ Méthode d'intensification

### Conseil du coach

Vous pouvez augmenter le nombre d'exercices à accomplir dans la partie musculaire (supersérie, trisérie) afin d'augmenter la difficulté. De même, pour une force intermittente pour le haut du corps, vous pouvez remplacer le vélo par le rameur, le SciFit ou le SkiErg.

# FORCE INTERMITTENTE

## COMMENT L'APPLIQUER ?

Vous devez exécuter sans arrêt, entre 2 et 4 reprises, un circuit composé de 4 phases :

1. Récupération active sur appareil cardio-vasculaire (10-45 secondes) ;
2. Exercice musculaire spécifique sur appareil cardio-vasculaire (10-30 secondes) (ex. : augmentez la résistance ou la vitesse sur votre vélo) ;
3. Récupération active sur appareil cardio-vasculaire (10-45 secondes) ;
4. Exercice musculaire sur appareil de musculation ou avec barre ou poids libres (3 à 12 RM).

## AVANTAGES

→ Cette technique permet de combiner l'entraînement en force et en force-endurance.
→ Elle permet de stimuler un grand éventail de fibres grâce à sa variation de charges jumelée à une récupération partielle.

## DÉSAVANTAGE

→ Elle est difficile à exécuter si votre section cardio est loin de votre section musculation dans votre centre d'entraînement.

## TABLEAU D'ENTRAÎNEMENT

| Charge | Nombre de répétitions par série | Nombre de séries par exercice | Nombre d'exercices par GM* | Repos entre les séries |
|---|---|---|---|---|
| 70-90 % | 3-12 | 2-4 | 2-4 | 0 minute ou 3-5 minutes |

*GM : groupe musculaire

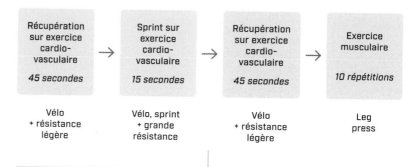

| Récupération sur exercice cardio-vasculaire | | Sprint sur exercice cardio-vasculaire | | Récupération sur exercice cardio-vasculaire | | Exercice musculaire |
|---|---|---|---|---|---|---|
| 45 secondes | → | 15 secondes | → | 45 secondes | → | 10 répétitions |
| Vélo + résistance légère | | Vélo, sprint + grande résistance | | Vélo + résistance légère | | Leg press |

Refaites la séquence 2 à 4 fois avant de prendre un repos de 3 à 5 minutes

**Effort perçu**

**Effet sur l'hypertrophie**

**Effet sur la force et la puissance**

**Effet sur l'endurance musculaire**

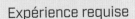

**Expérience requise**

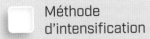

 ✓ Méthode d'accumulation

☐ Méthode d'intensification

### Conseil du coach

Dans le cadre de l'utilisation de cette technique pour le développement de la puissance, dès que la vitesse diminue, c'est la fin de la série tandis que, dans le cadre d'une amélioration de la force-endurance, vous pouvez continuer même à basse vitesse jusqu'à l'échec maximal.

# INTERMITTENT COURT À 60 %

## COMMENT L'APPLIQUER ?

Vous devez exécuter des contractions le plus rapidement possible en utilisant une charge de 60 %. Une série est constituée de 4 à 6 enchaînements de 6 à 8 répétitions et le temps de récupération entre les répétitions équivaut au temps de travail.

## AVANTAGES

→ Cette technique développe une force-endurance, mais permet également de stimuler des adaptations d'endurance de force-vitesse grâce aux répétitions explosives échelonnées dans le temps.

→ Cette technique peut donc être utilisée pour développer la puissance tant que vous axez l'importance sur la vitesse du mouvement (qualité) et non sur le nombre de répétitions accomplies (volume).

## DÉSAVANTAGE

→ Aucune.

## TABLEAU D'ENTRAÎNEMENT

| Charge | Nombre de répétitions par série | Nombre de séries par exercice | Nombre d'exercices par GM* | Repos entre les séries |
|---|---|---|---|---|
| 60 % | 24-48 (4 à 6 x 6 à 8) | 2-5 | 2-3 | 2-3 minutes |

*GM : groupe musculaire

## CET EXEMPLE REPRÉSENTE UNE SÉRIE

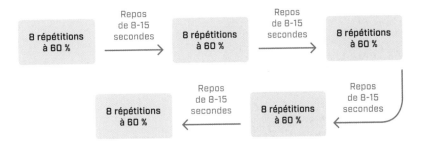

# Technique #218

**Effort perçu**

▮▮▮▯▯

**Effet sur l'hypertrophie**

▮▮▮▮▯

**Effet sur la force et la puissance**

▮▮▮▮▯

**Effet sur l'endurance musculaire**

▮▮▮▮▮

**Expérience requise**

▮▮▯

☑ Méthode d'accumulation

☐ Méthode d'intensification

## Conseil du coach

Dans le cadre de l'utilisation de cette technique pour le développement de la puissance, dès que la vitesse diminue, c'est la fin de la série tandis que, dans le cadre d'une amélioration de la force-endurance, vous pouvez continuer même à basse vitesse jusqu'à l'échec maximal.

# INTERMITTENT LONG À 60 %

## COMMENT L'APPLIQUER ?

Vous devez exécuter des contractions le plus rapidement possible en utilisant une charge de 60 %. Une série est constituée de 3 à 4 enchaînements de 12 à 15 répétitions et où le temps de récupération entre les répétitions équivaut au temps de travail.

## AVANTAGES

→ Cette technique développe une force-endurance, mais permet également de stimuler des adaptations d'endurance de force-vitesse grâce aux répétitions explosives échelonnées dans le temps.

→ Cette technique peut donc être utilisée pour développer la puissance tant que vous axez l'importance sur la vitesse du mouvement (qualité) et non sur le nombre de répétitions accomplies (volume).

## DÉSAVANTAGE

→ Aucun.

## TABLEAU D'ENTRAÎNEMENT

| Charge | Nombre de répétitions par série | Nombre de séries par exercice | Nombre d'exercices par GM* | Repos entre les séries |
|--------|--------------------------------|-------------------------------|----------------------------|------------------------|
| 60 % | 36-60 (3 à 4 x 12 à 15) | 2-5 | 2-3 | 2-3 minutes |

*GM : groupe musculaire

## CET EXEMPLE REPRÉSENTE UNE SÉRIE

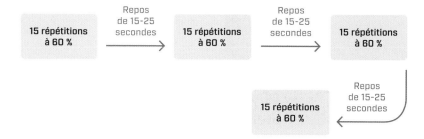

# Technique #219

Effort perçu

■ ■ ■ □ □

Effet sur
l'hypertrophie

■ □ □ □ □

Effet sur la force
et la puissance

■ ■ ■ □ □

Effet sur l'endurance
musculaire

■ ■ ■ ■ □

Expérience requise

■ ■ □

☑ Méthode
d'accumulation

☐ Méthode
d'intensification

## Conseil du coach

Cette technique est l'équivalent des 100 répétitions (technique #214), mais vous pouvez l'effectuer lorsque vous n'avez pas de partenaire (une seule séquence). Tentez alors de battre votre nombre de répétitions maximales à chaque entraînement !

# TRAVAIL CONTINU À 40 %

## COMMENT L'APPLIQUER ?

Vous devez utiliser 40 % de votre 1 RM et ensuite faire autant de répétitions que possible le plus rapidement possible jusqu'à l'échec maximal. À des fins d'endurance de force-vitesse, arrêtez la série lorsque la vitesse diminue.

## AVANTAGE

→ Cette technique développe une force-endurance, mais permet également de stimuler des adaptations d'endurance de force-vitesse grâce aux répétitions explosives échelonnées dans le temps. Cette technique peut donc être utilisée à cet effet tant que vous mettez l'accent et l'importance sur la vitesse du mouvement. Ainsi, dès que celle-ci diminue, cela signifie que c'est la fin de la série, tandis que, dans une application en vue de l'amélioration de la force-endurance, vous pouvez continuer même à basse vitesse jusqu'à l'échec maximal.

## DÉSAVANTAGE

→ Aucun.

## TABLEAU D'ENTRAÎNEMENT

| Charge | Nombre de répétitions par série | Nombre de séries par exercice | Nombre d'exercices par GM* | Repos entre les séries |
|--------|--------------------------------|-------------------------------|----------------------------|------------------------|
| 40 % | Maximum | 3-4 | 1-3 | 2-3 minutes |

*GM : groupe musculaire

L'atteinte d'un grand nombre de répétitions dans cette technique dépend principalement de deux facteurs : votre capacité physique et votre capacité mentale puisque votre corps vous enverra plusieurs signaux de douleur dus à l'acidose métabolique.

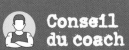

# Technique #220

**Effort perçu**

◻◻◻◻◻

**Effet sur l'hypertrophie**

◻◻◻◻◻

**Effet sur la force et la puissance**

◻◻◻◻◻

**Effet sur l'endurance musculaire**

◻◻◻◻◻

**Expérience requise**

◻◻◻

- ☑ Méthode d'accumulation
- ☐ Méthode d'intensification

## Conseil du coach

J'aime bien utiliser cette technique pour l'entraînement des mollets. Un petit truc pour ceux-ci : prenez une pause de 2 à 3 secondes en fin de phase excentrique afin d'enlever l'énergie élastique accumulée dans le tendon d'Achille. Vous ferez ainsi plus de progrès !

# PAUSE-REPOS 15 RM

## COMMENT L'APPLIQUER ?

Cette méthode consiste à exécuter le double de répétitions (30) avec 15 RM entrecoupées de plusieurs pauses de 5 à 10 secondes.

## AVANTAGES

→ Cette technique permet d'augmenter le volume de travail tout en maintenant une charge à intensité plus élevée que pour 30 RM véritables. Les minipauses permettent un afflux de sang dans les muscles (hyperhémie réactive), engageant une pression musculaire interne qui peut résulter en des gains en hypertrophie.

→ La combinaison de la fatigue des fibres lentes et rapides avec cette technique est très efficace pour les muscles à typologie musculaire équivalente (50 % de fibres rapides et 50 % de fibres lentes). Le muscle quadriceps en est un bel exemple. Si vous introduisez cette technique à des fins d'hypertrophie, placez-la de préférence en fin d'entraînement.

## DÉSAVANTAGE

→ Aucun.

## TABLEAU D'ENTRAÎNEMENT

| Charge | Nombre de répétitions par série | Nombre de séries par exercice | Nombre d'exercices par GM* | Repos entre les séries |
|--------|--------|--------|--------|--------|
| 65 % | 30 | 3-5 | 1-3 | 1-2 minutes |

*GM : groupe musculaire

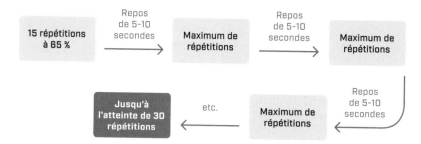

# Technique #221

## Effort perçu

## Effet sur l'hypertrophie

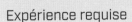

## Effet sur la force et la puissance

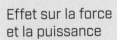

## Effet sur l'endurance musculaire

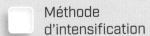

## Expérience requise

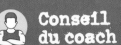

✓ Méthode d'accumulation

☐ Méthode d'intensification

### Conseil du coach

Cette technique a été inventée par un chercheur japonais, le Dr. Izumi Tabata, qui cherchait une meilleure façon d'entraîner les athlètes de l'équipe de patin de vitesse. Il a constaté que les athlètes qui accomplissaient huit intervalles de 20 secondes d'effort avec 10 secondes de repos augmentaient leurs capacités aérobie et anaérobie[26, 27].

# MÉTHODE TABATA EN MUSCULATION

## COMMENT L'APPLIQUER ?

Cette technique consiste à utiliser le concept Tabata pour l'entraînement du cardio-vasculaire, mais avec des exercices musculaires. Les intervalles Tabata utilisent un ratio 2 : 1 (travail : repos), généralement en utilisant la formule de 20 secondes d'effort pour 10 secondes de repos accomplie sur 8 cycles pour une durée totale de 4 minutes. L'objectif dans cet entraînement est d'augmenter le nombre de répétitions totales accomplies en 4 minutes ou d'augmenter la charge utilisée. Un bon départ serait de trouver une charge qui vous permet d'accomplir les 6 premières séquences de 20 secondes tout en éprouvant des difficultés à terminer les séquences 7 et 8.

## AVANTAGES

→ Elle permet d'améliorer l'endurance musculaire.

→ Elle permet de brûler davantage de masse adipeuse.

→ Elle augmente la capillarisation musculaire, c'est-à-dire le nombre de vaisseaux sanguins qui alimentent vos muscles.

## DÉSAVANTAGE

→ Aucun.

## TABLEAU D'ENTRAÎNEMENT

| Charge | Nombre de répétitions par série | Nombre de séries par exercice | Nombre d'exercices par GM* | Repos entre les séries |
|---|---|---|---|---|
| 40 % | 20 secondes d'effort et 10 secondes repos | 8 | 1-2 | 1-2 minutes |

*GM : groupe musculaire

## EXEMPLES D'ENTRAÎNEMENT TABATA EN MUSCULATION SUR TOUT LE CORPS

| Exercices | Séries | Répétions | Repos |
|---|---|---|---|
| Épaulé de suspension avec barre | 8 | 20 secondes | 10 secondes |
| Soulevé de terre | 8 | 20 secondes | 10 secondes |
| Leg press | 8 | 20 secondes | 10 secondes |
| Lunges en marchant | 8 | 20 secondes | 10 secondes |
| Développé couché | 8 | 20 secondes | 10 secondes |
| Tirage horizontal avec barre | 8 | 20 secondes | 10 secondes |
| Élévation latérale avec haltères | 8 | 20 secondes | 10 secondes |
| Crunchs croisés | 8 | 20 secondes | 10 secondes |

# Technique #222

Effort perçu

▪ ▪ ▪ ▫ ▫

Effet sur
l'hypertrophie

▪ ▪ ▫ ▫ ▫

Effet sur la force
et la puissance

▪ ▪ ▪ ▫ ▫

Effet sur l'endurance
musculaire

▪ ▪ ▪ ▪ ▫

Expérience requise

▪ ▪ ▫

☑ Méthode
d'accumulation

☐ Méthode
d'intensification

 **Conseil
du coach**

Lors d'un powerwalking (marche en puissance), effectuez des pas vigoureux en accentuant le contact du talon vers les orteils tout en restant penché légèrement vers l'avant. Utilisez idéalement une surface plane. Vous pouvez appliquer cette technique jusqu'à trois fois par semaine.

# POWERWALKING

## COMMENT L'APPLIQUER ?

Cette technique consiste à tirer un traîneau (sled) avec un harnais ou attaché à votre ceinture d'entraînement pendant plusieurs minutes. Une charge de départ optimale devrait être de 10 kg pour les femmes et de 20 kg pour les hommes. Idéalement, pour de très longues distances, vous devrez fractionner votre entraînement en intervalles. Par exemple, une personne qui s'entraîne pour 5 ou 10 kilomètres pourrait marcher sans arrêt avec le traîneau pendant 20 à 40 minutes. Toutefois, une personne qui complète un demi-marathon en 90 minutes devrait accomplir dans son entraînement trois intervalles de 30 minutes avec un temps de récupération entre les séquences qui permet à la fréquence cardiaque de redescendre en dessous de 75 % de la fréquence cardiaque maximale. Augmentez ensuite graduellement la durée d'effort à 45, 60 et même 90 minutes sans arrêt.

## AVANTAGE

→ Cette technique améliore l'endurance musculaire pour des épreuves de longue durée à la course.

## DÉSAVANTAGE

→ Elle exige l'accès à une surface de pelouse (entraînement intérieur) et à un traîneau.

## TABLEAU D'ENTRAÎNEMENT

| Charge | Nombre de répétitions par série | Nombre de séries par exercice | Nombre d'exercices par GM* | Repos entre les séries |
|--------|--------|--------|--------|--------|
| 10-30 kg sur le traîneau | 1-6 | 1 | Seulement applicable pour les jambes | < 75 % FCmax |

*GM : groupe musculaire    FCmax : fréquence cardiaque maximale

Le powerwalking peut également être utilisé avec les sprinteurs de 60 à 800 mètres. Pour les sprints de moins de 200 mètres, courez la même durée que votre course, mais avec de plus en plus de poids sur le traîneau (vous pouvez même utiliser une charge au-delà de 50 kg). Pour les sprints de 400 et 800 mètres, tentez de compléter la moitié de votre distance avec une charge, et ce dans le même temps que votre épreuve initiale (ex. : vous courez 400 mètres avec une charge de 30 kg dans le même temps que les 800 mètres sans charge). Pour un powerwalking de 200 à 800 mètres, utilisez un traîneau de 20 kg pour les femmes et de 30 à 50 kg pour les hommes.

# CHAPITRE 9
## ENTRAÎNEMENT
## DE LA FLEXIBILITÉ

# PROGRAMME D'ENTRAÎNEMENT

+ **Charge** : aucune ou pression par un partenaire

+ **Durée d'une répétition** : 10 à 60 secondes

+ **Nombre de répétitions par série** : 10 à 15

+ **Récupération entre les répétitions** : 10 à 30 secondes

+ **Nombre de séries par exercice** : 3 à 5

+ **Récupération entre les séries** : 1 à 3 minutes

+ **Repos entre 2 séances** : aucune restriction

# #9

# ENTRAÎNEMENT DE LA FLEXIBILITÉ

Le développement de la flexibilité est essentiel pour obtenir une amplitude articulaire adéquate, tant pour le sportif (selon les besoins de son sport) que pour l'individu qui souhaite maintenir une aisance dans les activités de la vie quotidienne. En général, afin d'améliorer l'amplitude articulaire, nous devrons procéder à des étirements sous différentes formes afin de réduire les tensions musculaires et d'augmenter l'extensibilité des tissus conjonctifs dans les muscles et les articulations. Toutefois, plusieurs facteurs peuvent en fait influencer la flexibilité, tels que :

→   Les tensions musculaires.
→   Les hormones.
→   La structure du bassin.
→   L'obésité.
→   Les limitations articulaires.
→   Un mauvais alignement postural (ex. : scoliose).
→   Un manque d'élasticité des tissus conjonctifs.
→   Une courte longueur des tendons et des ligaments.
→   Une inflammation.
→   La masse musculaire (un gros biceps diminuera la flexion du coude).
→   La température.
→   L'âge.
→   La peur.
→   La tolérance à la douleur.
→   Le niveau d'entraînement.
→   etc.

Les avantages des étirements sont multiples : ils peuvent se pratiquer partout, atténuent les crispations musculaires, étirent les muscles raccourcis et peuvent se pratiquer individuellement. Idéalement, vous devriez vous étirer après cinq minutes d'échauffement afin de favoriser le glissement des composantes musculaires l'une sur l'autre (ex. : actine et myosine). Pensez à du miel chaud et du miel froid dans une seringue. Lequel bougera le plus facilement? C'est un peu la même chose avec votre muscle. Échauffez-le avant de commencer un effort musculaire ou un étirement. Par la suite, augmentez l'intensité de l'étirement progressivement sans donner de coups et maintenez la position au moins 10 secondes (sinon le réflexe d'étirement myotatique ne sera pas inhibé, voir plus loin). L'étirement doit se faire avec une respiration régulière, profonde et calme.

## L'impact du système nerveux dans la flexibilité

Le système nerveux joue un rôle protecteur au niveau des muscles et des articulations par l'intermédiaire de trois mécanismes principaux : le réflexe myotatique, le réflexe myotatique inverse et l'inhibition réciproque. En premier lieu, **le réflexe myotatique** est un mécanisme qui protège les articulations en envoyant une contraction musculaire dans le muscle soumis à un étirement rapide. Le test du réflexe rotulien (lorsque le médecin tape sur votre genou avec un marteau et que vous en faites l'extension) reflète ce mode d'action. À l'intérieur d'un muscle, il y a des fibres spécialisées appelées fuseaux neuromusculaires qui régissent ce mécanisme. Lors d'un étirement soudain, elles se contractent afin de protéger l'articulation d'une lésion potentielle. C'est la contraction que vous sentez lorsque vous commencez votre étirement statique. Après quelques secondes, le système nerveux comprend que cela n'est pas dangereux et désengagera la contraction de ses fuseaux neuromusculaires, vous donnant alors d'un coup plus d'amplitude articulaire.

En deuxième lieu, **le réflexe myotatique inverse** implique, quant à lui, des éléments dans le tendon appelés organes tendineux de Golgi. Ces mécanorécepteurs analysent la tension dans le tendon et, lorsque celle-ci devient trop importante, un signal est envoyé à la moelle épinière afin d'occasionner un arrêt de la contraction musculaire, évitant ainsi une trop grande tension et un déchirement potentiel du tendon. C'est un réflexe que nous tenterons d'activer, afin d'obtenir un gain supérieur dans l'amplitude de mouvement, lors de différentes techniques de facilitation neuro-proprioceptive (FNP) que vous découvrirez dans ce chapitre.

En troisième lieu, **l'inhibition réciproque** est très simple. Lors de la contraction d'un muscle, votre cerveau diminue la contraction du muscle opposé afin de faciliter le mouvement. Par exemple, lorsque vous contractez votre biceps, votre cerveau inhibera votre triceps pour favoriser le mouvement du coude. De ce fait, si vous tentez d'étirer vos ischiojambiers, le fait de contracter vos quadriceps favorisera l'atteinte d'une amplitude de mouvement plus grande par la diminution de la contraction dans vos ischiojambiers. Vous verrez le tout plus en détail dans certaines techniques de FNP.

L'amélioration de la flexibilité nécessite du temps, car vous demanderez à votre corps d'ajuster, premièrement, l'intensité (à la baisse) des mécanismes de protection de votre système nerveux et d'augmenter, deuxièmement, le nombre de sarcomères en série (petites unités musculaires) dans le muscle (vous augmentez donc la longueur

de vos fibres musculaires). Et malheureusement, si vous arrêtez de vous étirer pendant quelques semaines, vous perdrez une partie de vos acquis au même titre que vos qualités musculaires si vous arrêtez de vous entraîner pendant plus de deux semaines. La rigueur et la constance sont donc de mise afin de permettre une évolution favorable de votre flexibilité. Pour y arriver, ne vous dites pas que vous ferez vos étirements à la maison, car très peu d'entre nous le font réellement. Ne faites pas non plus vos étirements (outre une mobilisation articulaire) en début d'entraînement, car cela risque d'altérer vos performances en termes de force et de puissance. De ce fait, les meilleurs moments pour s'étirer sont à la fin de l'entraînement (une fois que le corps est chaud) ou dans les temps de repos entre les séries. Personnellement, je préfère cette dernière option, car elle ne rallonge pas mes séances d'entraînement. L'inconvénient est, en revanche, de se trouver un endroit pour s'installer au sol près des équipements de musculation que vous utilisez.

Au début, vous ferez des étirements à raison de 2 à 3 fois par semaine et vous obtiendrez des gains substantiels. Cependant, plus les semaines avanceront, plus l'évolution de votre amplitude articulaire sera faible. Ainsi, pour augmenter la progression à nouveau, vous devrez augmenter la fréquence de vos séances de flexibilité par semaine (ex. : s'étirer 5 jours par semaine au lieu de 3 jours) et par jour (ex. : s'étirer le matin et le soir au lieu du matin seulement). Pour concevoir chacune de vos séances, les techniques de ce chapitre vous guideront amplement. Variez les techniques à chaque séance afin de trouver celles qui fonctionnent le mieux pour vous. De façon générale et comme vous le verrez dans le tableau d'entraînement, entraîner sa flexibilité nécessite 3 à 5

séries de 10 à 15 répétitions où chaque répétition durera entre 10 et 60 secondes. L'une des raisons pour lesquelles nous nous démotivons rapidement à faire des exercices de flexibilité est que nous ne voyons pas de résultats suite à un étirement de seulement 30 secondes par muscle après nos entraînements. Le volume est en fait trop faible. Par exemple, accomplissez trois séries de 15 x 10 secondes d'étirement pour 10 secondes de repos (pendant lesquelles vous ferez l'étirement de l'autre membre et vice versa). Cela totalisera alors une séance de 900 secondes (3 x 15 x 20), soit 15 minutes. Il faut prendre le temps de vous étirer comme vous prenez le temps de vous entraîner. Vous en retirerez plusieurs bénéfices, faites-moi confiance !

# Technique #223

Effort perçu

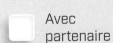

Effet sur la flexibilité passive

Effet sur la flexibilité active

Effet sur l'endurance musculaire

Expérience requise

☐ Avec partenaire

☑ Sans partenaire

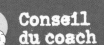

## Conseil du coach

Les exercices d'étirement sont réservés à la fin de l'entraînement ou aux journées de repos. En fait, plusieurs études ont démontré que des étirements sur les groupes musculaires qui seront travaillés durant la séance diminuent leur capacité musculaire en force et en puissance[12,19].

# *ÉTIREMENT STATIQUE PASSIF*

## COMMENT L'APPLIQUER ?

Cette technique consiste à exécuter un étirement en gardant une position isométrique en fin de mouvement durant une période prolongée. La position désirée peut être atteinte par un partenaire ou un appareil, par la contraction de muscles avoisinant l'articulation mobilisée ou par la gravité. Grâce à la lenteur du mouvement, le réflexe à l'étirement ne sera pas impliqué, à l'inverse, par exemple, des étirements balistiques (technique #227).

## AVANTAGES

→ Elle est idéale à intégrer en fin d'entraînement pour un retour au calme ou bien dans les temps de repos durant la séance d'entraînement.

→ Elle permet d'augmenter la flexibilité avec un maximum de contrôle sur le mouvement et une vélocité articulaire minimale ou absente.

## DÉSAVANTAGE

→ Elle ne permet pas un renforcement des muscles agonistes afin que l'articulation puisse, de façon active, se rendre dans la nouvelle amplitude acquise.

## TABLEAU D'ENTRAÎNEMENT

| Charge | Durée de chaque répétition | Nombre de répétitions par série | Repos entre les répétitions | Nombre de séries par exercice |
|--------|----------------------------|--------------------------------|-----------------------------|-------------------------------|
| Aucune | 10-60 secondes | 10-15 | 10-30 secondes | 3-5 |

# Technique #224

**Effort perçu**

▮▮▮▯▯

**Effet sur la flexibilité passive**

▮▮▮▯▯

**Effet sur la flexibilité active**

▮▮▮▮▯

**Effet sur l'endurance musculaire**

▮▮▯▯▯

**Expérience requise**

▮▮▮

☑ Avec partenaire

☑ Sans partenaire

## *ÉTIREMENT STATIQUE ACTIF*

### COMMENT L'APPLIQUER ?

Cette méthode consiste à exécuter un étirement avec seulement l'utilisation de vos muscles agonistes sans aide et sans mouvement balistique. Vous maintenez ensuite la position pendant plusieurs secondes.

### AVANTAGES

→ Elle permet de renforcer le ou les muscles agonistes faibles qui opposent le ou les muscles tendus à étirer.

→ Elle est utile pour des sports tels que le ballet ou la danse où des positions dans de grandes amplitudes articulaires doivent être maintenues plusieurs secondes.

### DÉSAVANTAGE

→ Elle ne permet pas d'améliorer la flexibilité passive et ne contribue donc pas à l'amélioration de l'amplitude de mouvement.

### TABLEAU D'ENTRAÎNEMENT

| Charge | Durée de chaque répétition | Nombre de répétitions par série | Repos entre les répétitions | Nombre de séries par exercice |
|---|---|---|---|---|
| 0-10 % | 10-60 secondes | 10-15 | 10-30 secondes | 3-5 |

Maintenez la position avec vos muscles

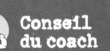

## Conseil du coach

Ce type d'étirement est très simple à réaliser, mais demande habituellement une surface pour se maintenir en équilibre. Placez alors simplement votre main sur une chaise ou un mur afin de vous positionner adéquatement et de poursuivre l'exercice sans perdre l'équilibre.

## Effort perçu

▮▮▯▯▯

## Effet sur la flexibilité passive

▮▮▮▮▯

## Effet sur la flexibilité active

▮▮▮▮▯

## Effet sur l'endurance musculaire

▮▮▯▯▯

## Expérience requise

▮▮▯

☑ Avec partenaire

☐ Sans partenaire

### Conseil du coach

Comme je l'ai mentionné dans la technique d'étirement statique actif, vous pourrez avoir besoin d'un appui, mais encore davantage dans cette version puisqu'un partenaire exercera une pression sur vous risquant alors de vous faire basculer. Un mur ou un appareil de musculation suffiront.

# ÉTIREMENT STATIQUE ACTIF ASSISTÉ

## COMMENT L'APPLIQUER ?

Cette méthode consiste à effectuer un étirement statique actif pour commencer. Lorsque la limite de la flexibilité active est atteinte, le reste de flexibilité passive est accompli par un partenaire.

## AVANTAGES

→ Elle permet de renforcer le ou les muscles agonistes faibles qui opposent le ou les muscles tendus à étirer.

→ Elle est utile pour des sports tels que le ballet ou la danse où des positions dans de grandes amplitudes articulaires doivent être maintenues plusieurs secondes.

## DÉSAVANTAGE

→ Elle nécessite un partenaire.

## TABLEAU D'ENTRAÎNEMENT

| Charge | Durée de chaque répétition | Nombre de répétitions par série | Repos entre les répétitions | Nombre de séries par exercice |
|--------|---------------------------|--------------------------------|-----------------------------|-------------------------------|
| Aucune | 10-60 secondes | 10-15 | 10-30 secondes | 3-5 |

Atteignez votre flexibilité active

Utilisez l'aide d'un partenaire pour compléter le reste de l'amplitude

## Technique #226

Effort perçu

▰▰▱▱▱

Effet sur la flexibilité passive

▰▰▰▰▱

Effet sur la flexibilité active

▰▰▰▱▱

Effet sur l'endurance musculaire

▰▱▱▱▱

Expérience requise

▰▱▱

☐ Avec partenaire

☑ Sans partenaire

### Conseil du coach

M. Mattes mentionne de tenir la position au maximum 2 secondes pour ne pas faire intervenir le réflexe myotatique. Pourtant, ce réflexe peut répondre dans certains muscles en moins de 0,03 seconde. Cette affirmation ne tient donc pas la route et devrait être corrigée par l'auteur.

# ÉTIREMENT ACTIF ISOLÉ

## COMMENT L'APPLIQUER ?

Cette méthode a été développée par Aaron L. Mattes[43] et est aussi appelée la méthode Mattes. D'autres auteurs en font mention[62], bien qu'elle ne soit pas la méthode la plus efficace pour gagner en flexibilité. Tsatsouline (2001) croit que cette technique permet d'améliorer les flexibilités active et passive. Elle consiste à :

1. Cibler un muscle à la fois.
2. Contracter le muscle opposé (agoniste) afin de relaxer le muscle que vous étirez.
3. Étirer le muscle rapidement et tenir l'étirement durant au maximum 2 secondes.
4. Relâcher l'étirement avant que le muscle provoque une contraction protectrice et retourner en position initiale.
5. Répéter l'étirement huit à dix fois en dépassant toujours de 1 à 4 degrés le mouvement précédent.

## AVANTAGE

→ Elle utilise l'inhibition réciproque afin d'obtenir des gains dans l'amplitude.

## DÉSAVANTAGE

→ Il est difficile de quantifier le 1 à 4 degrés de façon subjective sur certains exercices.

## TABLEAU D'ENTRAÎNEMENT

| Charge | Durée de chaque répétition | Nombre de répétitions par série | Repos entre les répétitions | Nombre de séries par exercice |
|--------|----------------------------|--------------------------------|-----------------------------|-------------------------------|
| Aucune | < 2 secondes | 8-10 | 5-10 secondes | 1 |

### EXEMPLE SUR L'ÉTIREMENT DU TRICEPS

→ Contractez votre biceps en étirant votre triceps (favorise l'inhibition réciproque).

→ Montez et descendez 8-10 fois votre épaule en allant un peu plus loin à chaque fois (diminue l'intensité du réflexe myotatique).

# Technique #227

Effort perçu

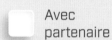

Effet sur la
flexibilité passive

Effet sur la
flexibilité active

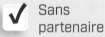

Effet sur l'endurance
musculaire

Expérience requise

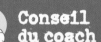

☐ Avec
partenaire

☑ Sans
partenaire

## Conseil du coach

Zachazewski (1990)[84] recommande les étirements balistiques (ÉB) présentés dans un certain ordre à l'intérieur de son programme de flexibilité à vélocité progressive (PFVP). Après un échauffement, vous devrez faire des étirements statiques, puis des ÉB lents de faible amplitude, ensuite des ÉB lents de pleine amplitude, puis des ÉB rapides de faible amplitude et des ÉB rapides en pleine amplitude.

## ÉTIREMENT BALISTIQUE

### COMMENT L'APPLIQUER ?

Cette méthode consiste à exécuter un exercice de flexibilité en utilisant un balancement ou un rebond dans le mouvement. Dans un étirement balistique, il n'y a pas de moment où l'on doit maintenir la position de façon statique. Des balancements de jambes de l'avant vers l'arrière ou de la droite vers la gauche en sont des exemples.

### AVANTAGES

→ Elle permet de développer une flexibilité active (dynamique).

→ Elle permet d'induire des adaptations neuronales impliquées dans les réponses des réflexes[33].

→ L'étirement balistique est moins monotone que l'étirement statique.

### DÉSAVANTAGE

→ Il existe un risque de blessure si l'individu provoque un balancement trop grand ou trop loin en fonction de sa capacité individuelle. Le PFVP est donc à privilégier (voir conseil du coach).

### TABLEAU D'ENTRAÎNEMENT

| Charge | Durée de chaque répétition | Nombre de répétitions par série | Repos entre les répétitions | Nombre de séries par exercice |
|--------|---------------------------|--------------------------------|-----------------------------|-------------------------------|
| Aucune | < 2 secondes | 8-10 | < 2 secondes | 2-4 |

# Technique #228

Effort perçu

■■■□□

Effet sur la
flexibilité passive

■■■■■

Effet sur la
flexibilité active

■■■□□

Effet sur l'endurance
musculaire

■■□□□

Expérience requise

■□□

☑ Avec
partenaire

☐ Sans
partenaire

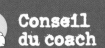

## Conseil du coach

Dans les techniques de FNP, faites attention de ne pas exécuter la manœuvre de Valsalva, c'est-à-dire de forcer en bloquant la trachée, occasionnant alors une hausse de la pression artérielle qui pourrait atteindre plus de 200 mmHg. Lorsque vous forcez, tentez d'expirer afin d'éviter ce phénomène.

# FACILITATION NEURO-PROPRIOCEPTIVE (FNP)

## COMMENT L'APPLIQUER ?

La facilitation neuro-proprioceptive est une méthode qui promeut ou inhibe les mécanismes neuromusculaires par la stimulation des propriocepteurs. Elle a été développée à la fin des années 1940 par Herman Kabat, un médecin neurologue, afin de traiter ses patients atteints de troubles neurologiques. Elle implique les trois mécanismes expliqués au début de ce chapitre, le réflexe myotatique, le réflexe myotatique inverse et l'inhibition réciproque. Les neuf prochaines techniques exploitent l'un ou plusieurs de ces mécanismes afin de potentialiser les gains dans la flexibilité.

## AVANTAGES

→ Elle est l'une des meilleures façons d'améliorer la flexibilité passive.
→ Les contractions musculaires augmentent la température intramusculaire et diminue la raideur du muscle.

## DÉSAVANTAGE

→ Elle nécessite dans la plupart des cas un partenaire d'entraînement afin d'exercer une pression pour atteindre une plus grande amplitude ou contre laquelle nous devrons résister par une contraction volontaire.

## TABLEAU D'ENTRAÎNEMENT

| Charge | Durée de chaque répétition | Nombre de répétitions par série | Repos entre les répétitions | Nombre de séries par exercice |
|---|---|---|---|---|
| Aucune ou produite par le partenaire | 10-60 secondes | 10-15 | Aucun | 3-5 |

# Technique #229

**Effort perçu**

**Effet sur la flexibilité passive**

**Effet sur la flexibilité active**

**Effet sur l'endurance musculaire**

**Expérience requise**

☑ Avec partenaire

☐ Sans partenaire

## Conseil du coach

De façon pratique, étirez le muscle ciblé pendant 20 à 30 secondes de façon passive. Ensuite, exécutez une contraction du muscle opposé pendant 3 secondes avec l'aide de votre partenaire, suivie de 3 secondes sans aide, puis de 3 secondes avec une pression additionnelle. Recommencez le cycle 10 à 15 fois.

# FNP, INITIATION RYTHMIQUE

## COMMENT L'APPLIQUER ?

Cette méthode de FNP consiste à :

1. Étirer passivement l'antagoniste (ex. : ischiojambiers).
2. Contracter l'agoniste (ex. : quadriceps) avec un peu d'aide (ex. : alléger la jambe).
3. Contracter l'agoniste sans aide.
4. Contracter l'agoniste avec une résistance (ex. : le partenaire pousse sur le genou légèrement).
5. Recommencer le cycle.

## AVANTAGES

→ Elle améliore la capacité à initier le mouvement.
→ Elle améliore la coordination et le sens du mouvement.
→ Elle aide à la relaxation.

## DÉSAVANTAGE

→ Elle peut nécessiter un partenaire.

## TABLEAU D'ENTRAÎNEMENT

| Charge | Durée de chaque répétition | Nombre de répétitions par série | Repos entre les répétitions | Nombre de séries par exercice |
|---|---|---|---|---|
| Aucune ou selon le partenaire | 10-60 secondes | 10-15 | Aucun | 3-5 |

Trait plein : flexibilité active

Trait en pointillé : flexibilité passive

Trait noir : contraction isométrique

Trait rouge : contraction isotonique

# Technique #230

## Effort perçu

▮▮▮▯▯

## Effet sur la flexibilité passive

▮▮▮▮▮

## Effet sur la flexibilité active

▮▮▮▯▯

## Effet sur l'endurance musculaire

▮▮▮▯▯

## Expérience requise

▮▮▯

☑ Avec partenaire

☐ Sans partenaire

### Conseil du coach

De façon pratique, contractez le muscle que vous désirez étirer pendant 3 à 5 secondes avec un léger mouvement articulaire (résisté par un partenaire), puis relâchez pour contracter son muscle opposé pendant la même durée, mais avec une amplitude un peu plus grande. Alternez ces deux contractions 10 à 15 fois en essayant d'amener l'articulation un peu plus loin à chaque fois.

# FNP, INVERSION LENTE

## COMMENT L'APPLIQUER ?

Cette méthode de FNP consiste à :

1. Contracter l'antagoniste (ex. : ischiojambiers) avec un mouvement de l'articulation (ex. : extension de la hanche).
2. Contracter l'agoniste (ex. : quadriceps) avec un mouvement de l'articulation (ex. : flexion de la hanche).

## AVANTAGES

→ Elle développe la fonction des muscles agonistes.
→ Elle facilite l'inhibition réciproque des muscles antagonistes.
→ Elle développe la force des muscles antagonistes.

## DÉSAVANTAGE

→ Elle peut nécessiter un partenaire.

## TABLEAU D'ENTRAÎNEMENT

| Charge | Durée de chaque répétition | Nombre de répétitions par série | Repos entre les répétitions | Nombre de séries par exercice |
|---|---|---|---|---|
| Aucune | 6-10 secondes | 10-15 | Aucun | 3-5 |

→ Trait plein : flexibilité active

┈┈┈> Trait en pointillé : flexibilité passive

→ Trait noir : contraction isométrique

→ Trait rouge : contraction isotonique

# Technique #231

## Effort perçu

▮▮▮▯▯

## Effet sur la flexibilité passive

▮▮▮▮▮

## Effet sur la flexibilité active

▮▮▮▮▮

## Effet sur l'endurance musculaire

▮▮▮▯▮

## Expérience requise

▮▮▯

☑ Avec partenaire

☐ Sans partenaire

## Conseil du coach

De façon pratique, contractez le muscle que vous désirez étirer pendant 3 à 5 secondes (résisté par un partenaire), maintenez la position en tension pendant 3 à 5 secondes, puis relâchez pour contracter son muscle opposé pendant la même durée avec la phase isométrique. Alternez ces quatre contractions 10 à 15 fois en essayant d'amener l'articulation un peu plus loin à chaque fois.

# FNP, INVERSION LENTE + TENUE

## COMMENT L'APPLIQUER ?

Cette méthode de FNP consiste à :

1. Contracter l'antagoniste (ex. : ischiojambiers) avec un mouvement de l'articulation (ex. : extension de la hanche).
2. Maintenir la contraction de l'antagoniste de façon isométrique.
3. Contracter l'agoniste (ex. : quadriceps) avec un mouvement de l'articulation (ex. : flexion de la hanche).
4. Maintenir la contraction de l'agoniste de façon isométrique.
5. Répéter le cycle.

## AVANTAGES

→ Elle développe la fonction des muscles agonistes.
→ Elle facilite l'inhibition réciproque des muscles antagonistes.
→ Elle développe la force des muscles antagonistes.

## DÉSAVANTAGE

→ Elle peut nécessiter un partenaire.

## TABLEAU D'ENTRAÎNEMENT

| Charge | Durée de chaque répétition | Nombre de répétitions par série | Repos entre les répétitions | Nombre de séries par exercice |
|--------|----------------------------|----------------------------------|-------------------------------|-------------------------------|
| Aucune | 12-20 secondes | 10-15 | Aucun | 3-5 |

→ Trait plein : flexibilité active

┈┈┈> Trait en pointillé : flexibilité passive

→ Trait noir : contraction isométrique

→ Trait rouge : contraction isotonique

# Technique #232

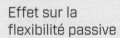

## Effort perçu

▬ ▬ ▯ ▯ ▯

## Effet sur la flexibilité passive

▬ ▬ ▬ ▬ ▬

## Effet sur la flexibilité active

▬ ▬ ▬ ▯ ▯

## Effet sur l'endurance musculaire

▬ ▬ ▬ ▯ ▯

## Expérience requise

▬ ▯ ▯

☑ Avec partenaire

☐ Sans partenaire

### Conseil du coach

De façon pratique, contractez le muscle opposé à celui que vous désirez étirer pendant 3 à 5 secondes (résisté par un partenaire), puis relâchez pour contracter le muscle que vous souhaitez étirer pendant la même durée. Alternez ces deux contractions 10 à 15 fois en essayant d'amener l'articulation un peu plus loin à chaque fois.

# FNP, STABILISATION RYTHMIQUE

## COMMENT L'APPLIQUER ?

Cette méthode FNP consiste à alterner des contractions isométriques des agonistes et des antagonistes :

1. Contractez l'agoniste (ex. : quadriceps) sans mouvement de l'articulation.
2. Contractez l'antagoniste (ex. : ischiojambiers) sans mouvement de l'articulation.
3. Alternez ces deux étapes en augmentant graduellement la force de vos contractions tout en augmentant l'amplitude de mouvement atteinte.

## AVANTAGES

→ Cette technique améliore les flexibilités passive et active.
→ Elle améliore la stabilité et l'équilibre.
→ Elle améliore la circulation locale et aide à la relaxation.

## DÉSAVANTAGE

→ Elle peut nécessiter un partenaire.

## TABLEAU D'ENTRAÎNEMENT

| Charge | Durée de chaque répétition | Nombre de répétitions par série | Repos entre les répétitions | Nombre de séries par exercice |
|--------|----------------------------|--------------------------------|----------------------------|------------------------------|
| Aucune | 6-10 secondes | 10-15 | Aucun | 3-5 |

→ Trait plein : flexibilité active

┈┈> Trait en pointillé : flexibilité passive

→ Trait noir : contraction isométrique

→ Trait rouge : contraction isotonique

## Technique #233

Effort perçu

■ ■ ■ □ □

Effet sur la
flexibilité passive

■ ■ ■ ■ ■

Effet sur la
flexibilité active

■ □ □ □ □

Effet sur l'endurance
musculaire

■ ■ □ □ □

Expérience requise

■ ■ □

☑ Avec
partenaire

☐ Sans
partenaire

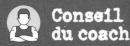

### Conseil du coach

Une technique FNP similaire peut être utilisée : le CRCA (contracte, relaxe, contracte l'agoniste) qui consiste à exécuter la même séquence, à la différence que, durant la phase finale d'étirement, le muscle agoniste (ex. : quadriceps) est contracté pendant 3 à 5 secondes.

# FNP, CONTRACTE, RELAXE

## COMMENT L'APPLIQUER ?

Cette méthode FNP consiste à exécuter une **contraction maximale** du muscle antagoniste (ex. : ischiojambiers) contre une résistance (produite par un partenaire) à la limite de l'amplitude articulaire, suivie d'une période de repos. Par la suite, le partenaire amène alors le membre (ex. : la jambe) passivement sur une plus grande amplitude de mouvement jusqu'à ce qu'une nouvelle limite articulaire soit atteinte.

1. Contraction de l'antagoniste (ex. : ischiojambiers) avec un mouvement de l'articulation (ex. : extension de la hanche) pendant 3 à 5 secondes.
2. Relaxation des muscles.
3. Étirement passif du muscle antagoniste (ex. : ischiojambiers) pendant 15 à 30 secondes.

## AVANTAGE

→ Cette technique améliore l'amplitude de mouvement passive.

## DÉSAVANTAGES

→ Elle peut nécessiter un partenaire.
→ Elle génère un plus grand risque de blessure par rapport à un étirement statique à cause de l'augmentation de la tension dans le muscle (contraction maximale).

## TABLEAU D'ENTRAÎNEMENT

| Charge | Durée de chaque répétition | Nombre de répétitions par série | Repos entre les répétitions | Nombre de séries par exercice |
|--------|---------------------------|--------------------------------|----------------------------|-------------------------------|
| Aucune | 18-35 secondes | 10-15 | Aucun | 3-5 |

**3**

**2** Relaxation passive

**1**

→ Trait plein : flexibilité active

┈┈> Trait en pointillé : flexibilité passive

→ Trait noir : contraction isométrique

→ Trait rouge : contraction isotonique

# Technique #234

**Effort perçu**

**Effet sur la flexibilité passive**

**Effet sur la flexibilité active**

**Effet sur l'endurance musculaire**

**Expérience requise**

☑ Avec partenaire

☐ Sans partenaire

 **Conseil du coach**

Cette technique ressemble à la technique CRCA (contracte, relaxe et contracte l'agoniste), qui est une variante du FNP, contracte, relaxe (technique #233), à la différence que la première étape est un mode de contraction isotonique (mouvement de l'articulation) au lieu d'isométrique.

# FNP, TIENS, RELAXE

## COMMENT L'APPLIQUER ?

Cette méthode FNP consiste à exécuter une contraction isométrique du muscle antagoniste (ex. : ischiojambiers) contre une résistance (produite par un partenaire) à la limite de l'amplitude articulaire, suivie d'une période de repos. Par la suite, vous contractez le muscle agoniste (ex. : quadriceps) contre une faible résistance (produite par le partenaire) à travers la nouvelle amplitude acquise et jusqu'au nouveau point limite de votre flexibilité.

1. Contraction de l'antagoniste (ex. : ischiojambiers) sans mouvement de l'articulation pendant 3 à 5 secondes.
2. Relaxation des muscles.
3. Contraction du muscle agoniste (ex. : quadriceps) avec un mouvement de l'articulation (ex. : flexion de la hanche) pendant 3 à 5 secondes.

## AVANTAGE

→ Cette technique est efficace lorsque l'amplitude de mouvement a diminué parce que l'un des muscles de part et d'autre d'une articulation est tendu.

## DÉSAVANTAGE

→ Elle peut nécessiter un partenaire.

## TABLEAU D'ENTRAÎNEMENT

| Charge | Durée de chaque répétition | Nombre de répétitions par série | Repos entre les répétitions | Nombre de séries par exercice |
|---|---|---|---|---|
| Aucune | 6-10 secondes | 10-15 | Aucun | 3-5 |

Relaxation passive

→ Trait plein : flexibilité active

┈→ Trait en pointillé : flexibilité passive

→ Trait noir : contraction isométrique

→ Trait rouge : contraction isotonique

# Technique #235

**Effort perçu**

■■■□□

**Effet sur la flexibilité passive**

■■■■■

**Effet sur la flexibilité active**

■■□□□

**Effet sur l'endurance musculaire**

■■□□□

**Expérience requise**

■■□

☑ Avec partenaire

☐ Sans partenaire

### Conseil du coach

Comme toutes les techniques de FNP, chaque phase doit durer entre 3 et 5 secondes autant pour la contraction isométrique et la phase de relaxation que pour les contractions isotoniques. Comptez à voix haute pour vous assurer de respecter les temps prescrits.

# FNP, INVERSION LENTE, TIENS, RELAXE

**COMMENT L'APPLIQUER ?**

Cette méthode FNP consiste à :

1. Contracter l'antagoniste (ex. : ischiojambiers) avec un mouvement de l'articulation (ex. : extension de la hanche).
2. Maintenir la contraction de l'antagoniste de façon isométrique.
3. Faire une relaxation volontaire des muscles.
4. Contracter l'agoniste (ex. : quadriceps) avec un mouvement de l'articulation (ex. : flexion de la hanche).
5. Répéter le cycle.

**AVANTAGE**

→ Cette technique développe de la force dans les muscles antagonistes.

**DÉSAVANTAGE**

→ Elle peut nécessiter un partenaire.

**TABLEAU D'ENTRAÎNEMENT**

| Charge | Durée de chaque répétition | Nombre de répétitions par série | Repos entre les répétitions | Nombre de séries par exercice |
|--------|---------------------------|--------------------------------|----------------------------|------------------------------|
| Aucune | 12-20 secondes | 10-15 | Aucun | 3-5 |

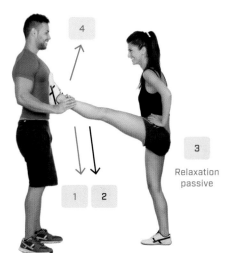

Relaxation passive

→ Trait plein : flexibilité active

········> Trait en pointillé : flexibilité passive

→ Trait noir : contraction isométrique

→ Trait rouge : contraction isotonique

# Technique #236

Effort perçu

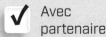

Effet sur la
flexibilité passive

Effet sur la
flexibilité active

Effet sur l'endurance
musculaire

Expérience requise

☑ Avec
partenaire

☐ Sans
partenaire

 **Conseil
du coach**

Cette technique implique des
contractions excentriques. Cela
dit, vous pourrez commencer
par bouger votre articulation
en sens inverse afin d'améliorer
la force et l'endurance de vos
muscles agonistes dans cette
amplitude. Par la suite, vous
pourrez demander à votre
partenaire d'appliquer
une légère résistance.

# FNP, INVERSION DE L'AGONISTE

## COMMENT L'APPLIQUER ?

Cette méthode FNP consiste à :

1. Contracter l'agoniste (ex. : quadriceps) avec un mouvement de l'articulation (ex. : flexion de la hanche) jusqu'à la fin de l'amplitude concentrique.
2. Exécuter ensuite une contraction excentrique lente et contrôlée (ex. : sans ou avec une pression du partenaire en extension).
3. Faire une relaxation musculaire (ex. : dépôt du pied sur le partenaire).
4. Exécuter à nouveau une contraction excentrique lente et contrôlée (ex. : pression du partenaire en extension).
5. Répéter le cycle.

## AVANTAGE

→ Cette technique améliore la force musculaire de l'agoniste en fin de mouvement concentrique, ce qui est bénéfique pour la flexibilité active.

## DÉSAVANTAGE

→ Elle nécessite un partenaire.

## TABLEAU D'ENTRAÎNEMENT

| Charge | Durée de chaque répétition | Nombre de répétitions par série | Repos entre les répétitions | Nombre de séries par exercice |
|--------|----------------------------|---------------------------------|------------------------------|-------------------------------|
| Aucune | 12-20 secondes | 10-15 | Aucun | 3-5 |

Relaxation
passive

→ Trait plein :
flexibilité active

┈→ Trait en pointillé :
flexibilité passive

→ Trait noir :
contraction isométrique

→ Trait rouge :
contraction isotonique

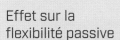

# Technique #237

**Effort perçu**

▪▪▪▫▫

**Effet sur la flexibilité passive**

▪▪▪▪▪

**Effet sur la flexibilité active**

▪▪▪▫▫

**Effet sur l'endurance musculaire**

▪▪▪▪▫

**Expérience requise**

▪▪▫

☐ Avec partenaire

☑ Sans partenaire

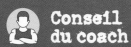

## Conseil du coach

Comme vous venez de le voir, il existe plusieurs méthodes d'étirement en FNP. Pour avoir davantage d'explications sur la neurophysiologie et les bénéfices du FNP, consultez le chapitre 13 de la troisième édition du livre de Michael J. Alter intitulé *Science of Flexibility* chez Human Kinetics.

# FNP, CONTRACTIONS RÉPÉTÉES

## COMMENT L'APPLIQUER ?

Cette méthode FNP consiste à :

1. Contracter l'antagoniste (ex. : ischiojambiers) avec un mouvement de l'articulation (ex. : extension de la hanche) pendant 3 à 5 secondes.
2. Contracter l'agoniste (ex. : quadriceps) avec un mouvement de l'articulation (ex. : flexion de la hanche) jusqu'à la fin de l'amplitude pendant 3 à 5 secondes.
3. Maintenir la position isométriquement pendant 3 à 5 secondes.
4. Répéter le cycle.

## AVANTAGE

→ Cette technique aide à développer la force et l'endurance musculaire.

## DÉSAVANTAGE

→ Elle peut nécessiter un partenaire.

## TABLEAU D'ENTRAÎNEMENT

| Charge | Durée de chaque répétition | Nombre de répétitions par série | Repos entre les répétitions | Nombre de séries par exercice |
|--------|----------------------------|----------------------------------|------------------------------|-------------------------------|
| Aucune | 9-15 secondes | 10-15 | Aucun | 3-5 |

→ Trait plein : flexibilité active

┈┈┈→ Trait en pointillé : flexibilité passive

→ Trait noir : contraction isométrique

→ Trait rouge : contraction isotonique

# CHAPITRE 10
## VOS MÉTHODES

+ Ce chapitre vous permettra, à l'aide des fiches vierges incluses, d'inscrire ou de créer vos propres techniques d'entraînement. Bien que ce livre en possède une très grande variété, il est possible que vous en utilisiez actuellement une ou plusieurs qui ne s'y trouvent pas. Je vous invite donc à les détailler ici. De plus, si vous le désirez, vous pouvez me faire parvenir une copie de vos fiches personnelles par courriel à l'adresse suivante : info@kevenarseneault.com. Ainsi, avec les années, nous pourrons créer ensemble un corpus de techniques d'entraînement de plus en plus complet.

Effort perçu

☐ ☐ ☐ ☐ ☐

Effet sur
l'hypertrophie

☐ ☐ ☐ ☐ ☐

Effet sur la force
et la puissance

☐ ☐ ☐ ☐ ☐

Effet sur l'endurance
musculaire

☐ ☐ ☐ ☐ ☐

Expérience requise

☐ ☐ ☐

☐ Méthode
d'accumulation

☐ Méthode
d'intensification

**Vos conseils**

**NOM DE VOTRE TECHNIQUE**

**COMMENT L'APPLIQUER ?**

**AVANTAGE(S)**

**DÉSAVANTAGE(S)**

**TABLEAU D'ENTRAÎNEMENT**

| Charge | Nombre de répétitions par série | Nombre de séries par exercice | Nombre d'exercices par GM* | Repos entre les séries |
|--------|--------|--------|--------|--------|
|        |        |        |        |        |

*GM : groupe musculaire

**ASPECT VISUEL DE VOTRE TECHNIQUE**

Effort perçu

☐ ☐ ☐ ☐ ☐

Effet sur
l'hypertrophie

☐ ☐ ☐ ☐ ☐

Effet sur la force
et la puissance

☐ ☐ ☐ ☐ ☐

Effet sur l'endurance
musculaire

☐ ☐ ☐ ☐ ☐

Expérience requise

☐ ☐ ☐

☐ Méthode
d'accumulation

☐ Méthode
d'intensification

**Vos conseils**

**NOM DE VOTRE TECHNIQUE**

**COMMENT L'APPLIQUER ?**

**AVANTAGE(S)**

**DÉSAVANTAGE(S)**

**TABLEAU D'ENTRAÎNEMENT**

| Charge | Nombre de répétitions par série | Nombre de séries par exercice | Nombre d'exercices par GM* | Repos entre les séries |
|--------|--------|--------|--------|--------|
|  |  |  |  |  |

*GM : groupe musculaire

**ASPECT VISUEL DE VOTRE TECHNIQUE**

Effort perçu

☐☐☐☐☐

Effet sur
l'hypertrophie

☐☐☐☐☐

Effet sur la force
et la puissance

☐☐☐☐☐

Effet sur l'endurance
musculaire

☐☐☐☐☐

Expérience requise

☐☐☐

☐ Méthode
   d'accumulation

☐ Méthode
   d'intensification

**Vos conseils**

---

**NOM DE VOTRE TECHNIQUE**

**COMMENT L'APPLIQUER ?**

**AVANTAGE(S)**

**DÉSAVANTAGE(S)**

**TABLEAU D'ENTRAÎNEMENT**

| Charge | Nombre de répétitions par série | Nombre de séries par exercice | Nombre d'exercices par GM* | Repos entre les séries |
|--------|--------------------------------|-------------------------------|----------------------------|------------------------|
|        |                                |                               |                            |                        |

*GM : groupe musculaire

**ASPECT VISUEL DE VOTRE TECHNIQUE**

Effort perçu

☐☐☐☐☐

Effet sur
l'hypertrophie

☐☐☐☐☐

Effet sur la force
et la puissance

☐☐☐☐☐

Effet sur l'endurance
musculaire

☐☐☐☐☐

Expérience requise

☐☐☐

☐ Méthode
d'accumulation

☐ Méthode
d'intensification

**Vos conseils**

**NOM DE VOTRE TECHNIQUE**

**COMMENT L'APPLIQUER ?**

**AVANTAGE(S)**

**DÉSAVANTAGE(S)**

**TABLEAU D'ENTRAÎNEMENT**

| Charge | Nombre de répétitions par série | Nombre de séries par exercice | Nombre d'exercices par GM* | Repos entre les séries |
|---|---|---|---|---|
|  |  |  |  |  |

*GM : groupe musculaire

**ASPECT VISUEL DE VOTRE TECHNIQUE**

Effort perçu

☐ ☐ ☐ ☐ ☐

Effet sur
l'hypertrophie

☐ ☐ ☐ ☐ ☐

Effet sur la force
et la puissance

☐ ☐ ☐ ☐ ☐

Effet sur l'endurance
musculaire

☐ ☐ ☐ ☐ ☐

Expérience requise

☐ ☐ ☐

☐ Méthode
d'accumulation

☐ Méthode
d'intensification

**Vos conseils**

### NOM DE VOTRE TECHNIQUE

### COMMENT L'APPLIQUER ?

### AVANTAGE(S)

### DÉSAVANTAGE(S)

### TABLEAU D'ENTRAÎNEMENT

| Charge | Nombre de répétitions par série | Nombre de séries par exercice | Nombre d'exercices par GM* | Repos entre les séries |
|---|---|---|---|---|
|  |  |  |  |  |

*GM : groupe musculaire

### ASPECT VISUEL DE VOTRE TECHNIQUE

Effort perçu

☐☐☐☐☐

Effet sur
l'hypertrophie

☐☐☐☐☐

Effet sur la force
et la puissance

☐☐☐☐☐

Effet sur l'endurance
musculaire

☐☐☐☐☐

Expérience requise

☐☐☐

☐ Méthode
   d'accumulation

☐ Méthode
   d'intensification

**Vos conseils**

## NOM DE VOTRE TECHNIQUE

## COMMENT L'APPLIQUER ?

## AVANTAGE(S)

## DÉSAVANTAGE(S)

### TABLEAU D'ENTRAÎNEMENT

| Charge | Nombre de répétitions par série | Nombre de séries par exercice | Nombre d'exercices par GM* | Repos entre les séries |
|--------|--------------------------------|-------------------------------|----------------------------|------------------------|
|        |                                |                               |                            |                        |

*GM : groupe musculaire

### ASPECT VISUEL DE VOTRE TECHNIQUE

Effort perçu

☐☐☐☐☐

Effet sur
l'hypertrophie

☐☐☐☐☐

Effet sur la force
et la puissance

☐☐☐☐☐

Effet sur l'endurance
musculaire

☐☐☐☐☐

Expérience requise

☐☐☐

☐ Méthode
d'accumulation

☐ Méthode
d'intensification

**Vos conseils**

## NOM DE VOTRE TECHNIQUE

## COMMENT L'APPLIQUER ?

## AVANTAGE(S)

## DÉSAVANTAGE(S)

## TABLEAU D'ENTRAÎNEMENT

| Charge | Nombre de répétitions par série | Nombre de séries par exercice | Nombre d'exercices par GM* | Repos entre les séries |
|--------|--------------------------------|-------------------------------|----------------------------|------------------------|
|        |                                |                               |                            |                        |

*GM : groupe musculaire

## ASPECT VISUEL DE VOTRE TECHNIQUE

Effort perçu

☐☐☐☐☐

Effet sur
l'hypertrophie

☐☐☐☐☐

Effet sur la force
et la puissance

☐☐☐☐☐

Effet sur l'endurance
musculaire

☐☐☐☐☐

Expérience requise

☐☐☐

☐ Méthode
d'accumulation

☐ Méthode
d'intensification

**Vos conseils**

**NOM DE VOTRE TECHNIQUE**

**COMMENT L'APPLIQUER ?**

**AVANTAGE(S)**

**DÉSAVANTAGE(S)**

**TABLEAU D'ENTRAÎNEMENT**

| Charge | Nombre de répétitions par série | Nombre de séries par exercice | Nombre d'exercices par GM* | Repos entre les séries |
|--------|--------------------------------|-------------------------------|----------------------------|------------------------|
|        |                                |                               |                            |                        |

*GM : groupe musculaire

**ASPECT VISUEL DE VOTRE TECHNIQUE**

Effort perçu

☐☐☐☐☐

Effet sur
l'hypertrophie

☐☐☐☐☐

Effet sur la force
et la puissance

☐☐☐☐☐

Effet sur l'endurance
musculaire

☐☐☐☐☐

Expérience requise

☐☐☐

☐ Méthode
d'accumulation

☐ Méthode
d'intensification

**Vos conseils**

**NOM DE VOTRE TECHNIQUE**

**COMMENT L'APPLIQUER ?**

**AVANTAGE(S)**

**DÉSAVANTAGE(S)**

**TABLEAU D'ENTRAÎNEMENT**

| Charge | Nombre de répétitions par série | Nombre de séries par exercice | Nombre d'exercices par GM* | Repos entre les séries |
|--------|--------------------------------|-------------------------------|----------------------------|------------------------|
|        |                                |                               |                            |                        |

*GM : groupe musculaire

**ASPECT VISUEL DE VOTRE TECHNIQUE**

Effort perçu

☐ ☐ ☐ ☐ ☐

Effet sur
l'hypertrophie

☐ ☐ ☐ ☐ ☐

Effet sur la force
et la puissance

☐ ☐ ☐ ☐ ☐

Effet sur l'endurance
musculaire

☐ ☐ ☐ ☐ ☐

Expérience requise

☐ ☐ ☐

☐ Méthode
  d'accumulation

☐ Méthode
  d'intensification

## Vos conseils

---

**NOM DE VOTRE TECHNIQUE**

**COMMENT L'APPLIQUER ?**

**AVANTAGE(S)**

**DÉSAVANTAGE(S)**

**TABLEAU D'ENTRAÎNEMENT**

| Charge | Nombre de répétitions par série | Nombre de séries par exercice | Nombre d'exercices par GM* | Repos entre les séries |
|--------|--------------------------------|-------------------------------|----------------------------|------------------------|
|        |                                |                               |                            |                        |

*GM : groupe musculaire

**ASPECT VISUEL DE VOTRE TECHNIQUE**

Effort perçu

☐☐☐☐☐

Effet sur
l'hypertrophie

☐☐☐☐☐

Effet sur la force
et la puissance

☐☐☐☐☐

Effet sur l'endurance
musculaire

☐☐☐☐☐

Expérience requise

☐☐☐

☐ Méthode
d'accumulation

☐ Méthode
d'intensification

**Vos conseils**

---

**NOM DE VOTRE TECHNIQUE**

**COMMENT L'APPLIQUER ?**

**AVANTAGE(S)**

**DÉSAVANTAGE(S)**

**TABLEAU D'ENTRAÎNEMENT**

| Charge | Nombre de répétitions par série | Nombre de séries par exercice | Nombre d'exercices par GM* | Repos entre les séries |
|--------|--------|--------|--------|--------|
|  |  |  |  |  |

*GM : groupe musculaire

**ASPECT VISUEL DE VOTRE TECHNIQUE**

Effort perçu

☐ ☐ ☐ ☐ ☐

Effet sur
l'hypertrophie

☐ ☐ ☐ ☐ ☐

Effet sur la force
et la puissance

☐ ☐ ☐ ☐ ☐

Effet sur l'endurance
musculaire

☐ ☐ ☐ ☐ ☐

Expérience requise

☐ ☐ ☐

☐ Méthode
d'accumulation

☐ Méthode
d'intensification

**Vos conseils**

---

**NOM DE VOTRE TECHNIQUE**

**COMMENT L'APPLIQUER ?**

**AVANTAGE(S)**

**DÉSAVANTAGE(S)**

**TABLEAU D'ENTRAÎNEMENT**

| Charge | Nombre de répétitions par série | Nombre de séries par exercice | Nombre d'exercices par GM* | Repos entre les séries |
|--------|--------|--------|--------|--------|
|        |        |        |        |        |

*GM : groupe musculaire

**ASPECT VISUEL DE VOTRE TECHNIQUE**

Effort perçu

☐ ☐ ☐ ☐ ☐

Effet sur
l'hypertrophie

☐ ☐ ☐ ☐ ☐

Effet sur la force
et la puissance

☐ ☐ ☐ ☐ ☐

Effet sur l'endurance
musculaire

☐ ☐ ☐ ☐ ☐

Expérience requise

☐ ☐ ☐

☐ Méthode
d'accumulation

☐ Méthode
d'intensification

**Vos conseils**

**NOM DE VOTRE TECHNIQUE**

**COMMENT L'APPLIQUER ?**

**AVANTAGE(S)**

**DÉSAVANTAGE(S)**

**TABLEAU D'ENTRAÎNEMENT**

| Charge | Nombre de répétitions par série | Nombre de séries par exercice | Nombre d'exercices par GM* | Repos entre les séries |
|--------|--------|--------|--------|--------|
|        |        |        |        |        |

*GM : groupe musculaire

**ASPECT VISUEL DE VOTRE TECHNIQUE**

Effort perçu

☐ ☐ ☐ ☐ ☐

Effet sur
l'hypertrophie

☐ ☐ ☐ ☐ ☐

Effet sur la force
et la puissance

☐ ☐ ☐ ☐ ☐

Effet sur l'endurance
musculaire

☐ ☐ ☐ ☐ ☐

Expérience requise

☐ ☐ ☐

☐ Méthode
d'accumulation

☐ Méthode
d'intensification

**Vos conseils**

**NOM DE VOTRE TECHNIQUE**

**COMMENT L'APPLIQUER ?**

**AVANTAGE(S)**

**DÉSAVANTAGE(S)**

**TABLEAU D'ENTRAÎNEMENT**

| Charge | Nombre de répétitions par série | Nombre de séries par exercice | Nombre d'exercices par GM* | Repos entre les séries |
|--------|--------------------------------|-------------------------------|----------------------------|------------------------|
|        |                                |                               |                            |                        |

*GM : groupe musculaire

**ASPECT VISUEL DE VOTRE TECHNIQUE**

Effort perçu

☐☐☐☐☐

Effet sur
l'hypertrophie

☐☐☐☐☐

Effet sur la force
et la puissance

☐☐☐☐☐

Effet sur l'endurance
musculaire

☐☐☐☐☐

Expérience requise

☐☐☐

☐ Méthode
d'accumulation

☐ Méthode
d'intensification

**Vos conseils**

---

**NOM DE VOTRE TECHNIQUE**

**COMMENT L'APPLIQUER ?**

**AVANTAGE(S)**

**DÉSAVANTAGE(S)**

**TABLEAU D'ENTRAÎNEMENT**

| Charge | Nombre de répétitions par série | Nombre de séries par exercice | Nombre d'exercices par GM* | Repos entre les séries |
|---|---|---|---|---|
| | | | | |

*GM : groupe musculaire

**ASPECT VISUEL DE VOTRE TECHNIQUE**

Effort perçu

☐☐☐☐☐

Effet sur
l'hypertrophie

☐☐☐☐☐

Effet sur la force
et la puissance

☐☐☐☐☐

Effet sur l'endurance
musculaire

☐☐☐☐☐

Expérience requise

☐☐☐

☐ Méthode
   d'accumulation

☐ Méthode
   d'intensification

 **Vos conseils**

**NOM DE VOTRE TECHNIQUE**

**COMMENT L'APPLIQUER ?**

**AVANTAGE(S)**

**DÉSAVANTAGE(S)**

**TABLEAU D'ENTRAÎNEMENT**

| Charge | Nombre de répétitions par série | Nombre de séries par exercice | Nombre d'exercices par GM* | Repos entre les séries |
|--------|--------|--------|--------|--------|
|        |        |        |        |        |

*GM : groupe musculaire

**ASPECT VISUEL DE VOTRE TECHNIQUE**

# CHAPITRE 11

## EXEMPLES DE PROGRAMMES D'ENTRAÎNEMENT

# PROGRAMME D'ENTRAÎNEMENT

+ **Programme #1** : hypertrophie musculaire sur 3 séances.

+ **Programme #2** : hypertrophie musculaire sur 4 séances.

+ **Programme #3** : hypertrophie musculaire sur 4 séances en style HSS-100.

+ **Programme #4** : force musculaire sur 4 séances (sportifs intermédiaires).

+ **Programme #5** : force musculaire sur 4 séances (sportifs avancés).

+ **Programme #6** : puissance musculaire sur 4 séances.

+ **Programme #7** : perte de masse adipeuse sur 3 séances.

+ **Programme #8** : perte de masse adipeuse sur 4 séances.

# #11

## PROGRAMME #1

### HYPERTROPHIE MUSCULAIRE SUR 3 SÉANCES

Les techniques utilisées dans ce programme sont le 4 x 10 à la minute [#110],
le mouvement et demi [# 108], la supersérie agoniste [#71] et le dropset [#74].

| JOUR 1 - pectoraux, épaules, triceps | | | | |
|---|---|---|---|---|
| | Exercices | Séries | Répétitions | Repos |
| A | Développé couché avec la barre [#110] | 4 | 10 | 1 min |
| B1 | Développé couché avec haltères [#108] | 3 | 8 à 10 | 0 min |
| B2 | Écarté debout aux poulies cross-over | 3 | 8 à 10 | 2 min |
| C | Presse pectorale [#74] | 3 | 8 à 10 +8 à 10 | 2 min |
| D1 | Élévation latérale avec haltères [#108] | 4 | 8 à 10 | 0 min |
| D2 | Développé assis avec haltères | 4 | 8 à 10 | 2 min |
| E1 | Extension des coudes en arrière de la tête avec 2 haltères [#108] | 4 | 8 à 10 | 0 min |
| E2 | Extension des coudes à la poulie haute [#71] | 4 | 8 à 10 | 2 min |

| JOUR 2 - quadriceps, ischiojambiers, adducteurs | | | | |
|---|---|---|---|---|
| | Exercices | Séries | Répétitions | Repos |
| A | Hack squat [#110] | 4 | 10 | 1 min |
| B1 | Leg extension [#108] | 3 | 8 à 10 | 0 min |
| B2 | Fentes en avançant | 3 | 8 à 10 par jambe | 0 min |
| C | Leg press [#74] | 3 | 8 à 10 + 8 à 10 | 2 min |
| D | Flexion des genoux assis à la machine [#110] | 4 | 10 | 1 min |
| E1 | Flexion des genoux couché à la machine [#108] | 4 | 8 à 10 | 0 min |
| E2 | Soulevé de terre roumain avec haltères | 4 | 8 à 10 | 2 min |
| F | Adducteurs à la machine [#74] | 4 | 8 à 10 + 8 à 10 | 2 min |

| JOUR 3 - dos, haut du dos, biceps | | | | |
|---|---|---|---|---|
| | Exercices | Séries | Répétitions | Repos |
| A | Traction à la barre assistée (gravitron) [#110] | 4 | 10 | 1 min |
| B1 | Tirage horizontal assis à l'abdomen, à la poulie [#108] | 3 | 8 à 10 | 0 min |
| B2 | Tirage horizontal à l'abdomen avec haltères | 3 | 8 à 10 | 2 min |
| C | Tirage, poitrine en appui, mains en prise neutre [#74] | 3 | 8 à 10 + 8 à 10 | 2 min |
| D1 | Tirage horizontal assis à la poitrine, à la poulie [#108] | 4 | 8 à 10 | 0 min |
| D2 | Développé assis avec haltères | 4 | 8 à 10 | 2 min |
| E1 | Extension des coudes en arrière de la tête avec 2 haltères [#108] | 4 | 8 à 10 | 0 min |
| E2 | Extension des coudes à la poulie haute | 4 | 8 à 10 | 2 min |

## PROGRAMME #2

### HYPERTROPHIE MUSCULAIRE SUR 4 SÉANCES

Les techniques utilisées dans ce programme sont l'isométrie d'une durée maximale [#164], la pliométrie sans charge [#184], la supersérie agoniste [#71] et les répétitions UL 10E-4C [#103].

| JOUR 1 - pectoraux, biceps | | | | |
|---|---|---|---|---|
| | Exercices | Séries | Répétitions | Repos |
| A1 | Développé couché à la barre [#164] | 4 | 2 x 10 s par position* | 1 min |
| A2 | Développé couché avec haltères | 4 | 6 à 8 | 2 min |
| B1 | Clap push-ups [#184] | 3 | 8 à 10 rapides | 0 min |
| B2 | Machine pec deck [#103] | 3 | 4 à 5 | 2 min |
| C1 | Flexion des coudes à la barre [#164] | 4 | 2 x 10 s par position* | 1 min |
| C2 | Flexion des coudes aux haltères en prise neutre (marteau) | 4 | 6 à 8 | 2 min |
| D1 | Flexion des coudes explosive avec élastique (tension modérée) | 3 | 8 à 10 rapides | 0 min |
| D2 | Flexion des coudes à la barre au banc Scott, en pronation [#103] | 3 | 4 à 5 | 2 min |

| JOUR 2 - quadriceps, ischiojambiers | | | | |
|---|---|---|---|---|
| | Exercices | Séries | Répétitions | Repos |
| A1 | Leg press [#164] | 4 | 2 x 10 s par position* | 1 min |
| A2 | Back squat | 4 | 6 à 8 | 2 min |
| B1 | Depth jump entre deux boîtes [#184] | 3 | 8 à 10 rapides | 0 min |
| B2 | Front squat [#103] | 3 | 4 à 5 | 2 min |
| C1 | Flexion des genoux couché à la machine [#164] | 4 | 2 x 10 s par position* | 1 min |
| C2 | Soulevé de terre roumain avec barre | 4 | 6 à 8 | 2 min |
| D1 | Flexion d'une jambe explosive (alternée), couché à la machine [#184] | 3 | 8 à 10 rapides par jambe | 0 min |
| D2 | Good morning [#103] | 3 | 4 à 5 | 2 min |

| JOUR 3 - épaules, triceps | | | | |
|---|---|---|---|---|
| | Exercices | Séries | Répétitions | Repos |
| A1 | Développé incliné 30 degrés avec haltères [#164] | 4 | 2 x 10 s par position* | 1 min |
| A2 | Élévation latérale avec haltères | 4 | 6 à 8 | 2 min |
| B1 | Développé debout explosif à un bras [#184] | 3 | 8 à 10 rapides par bras | 0 min |
| B2 | Tirage vertical avec la barre [#103] | 3 | 4 à 5 | 2 min |
| C1 | Extension des coudes à la poulie haute [#164] | 4 | 2 x 10 s par position* | 1 min |
| C2 | Extension des coudes couché sur un banc avec une barre | 4 | 6 à 8 | 2 min |
| D1 | Push-ups explosifs en prises large et étroite alternées [#184] | 3 | 8 à 10 rapides au total | 0 min |
| D2 | Extension des coudes à la poulie haute avec une corde [#103] | 3 | 4 à 5 | 2 min |

| JOUR 4 - haut du dos, abdominaux | | | | |
|---|---|---|---|---|
| | Exercices | Séries | Répétitions | Repos |
| A1 | Tirage, poitrine en appui, mains en pronation [#164] | 4 | 2 x 10 s par position* | 1 min |
| A2 | Élévation arrière avec haltères | 4 | 6 à 8 | 2 min |
| B1 | Tractions inversées explosives en pronation (alterner une prise large et une prise serrée) [#184] | 3 | 8 à 10 rapides au total | 0 min |
| B2 | Tirage horizontal assis à la poitrine, à la poulie [#103] | 3 | 4 à 5 | 2 min |
| C1 | Crunchs à genoux à la poulie haute [#164] | 4 | 2 x 10 s par position* | 1 min |
| C2 | Crunchs inversés | 4 | 6 à 8 | 2 min |
| D1 | V sit-up [#184] | 3 | 8 à 10 rapides | 0 min |
| D2 | Relevés de jambes à la chaise romaine [#103] | 3 | 4 à 5 | 2 min |

*Les 2 positions à utiliser sont généralement au début et à mi-chemin dans le mouvement.
**Pour une cinquième séance, ajoutez une journée qui inclut le travail des fessiers et des grands dorsaux.

## PROGRAMME #3

### HYPERTROPHIE MUSCULAIRE SUR 4 SÉANCES (HSS-100)

La technique utilisée dans ce programme est le HSS-100 [#161].
La partie lourde (H) sera réalisée lors de l'entraînement par groupement [#33]
et la technique spéciale (2e S) avec la trisérie uniangulaire [#89].

| | JOUR 1 - pectoraux, biceps | | | |
|---|---|---|---|---|
| | Exercices | Séries | Répétitions | Repos |
| A | Presse pectorale [#33] | 3 | 4(10 s) 1(10 s) 1 | 3 min |
| B1 | Développé incliné 30 degrés avec haltères | 3 | 8 à 10 | 2 min |
| B2 | Machine pec deck | 3 | 8 à 10 | 2 min |
| C | Développé couché prises serrée, moyenne, large [#89] | 3 | 5/5/5 | 2 min |
| D | Push-up, mains sur un banc [#214] | 1 | 100 | 2 min |
| E | Flexion des coudes à la barre [#33] | 3 | 4(10 s) 1(10 s) 1 | 3 min |
| F1 | Traction à la barre en supination (chin-up) | 3 | 8 à 10 | 2 min |
| F2 | Flexion des coudes avec haltères en prise neutre (marteau) | 3 | 8 à 10 | 2 min |
| G | Développé couché prises serrée, moyenne, large [#89] | 3 | 5/5/5 | 2 min |
| H | Flexion des coudes à la machine [#214] | 1 | 100 | 2 min |

| | JOUR 2 - quadriceps, ischiojambiers | | | |
|---|---|---|---|---|
| | Exercices | Séries | Répétitions | Repos |
| A | Back squat [#33] | 3 | 4(10 s) 1(10 s) 1 | 3 min |
| B1 | Squat à une jambe, dos en appui sur ballon suisse | 3 | 8 à 10 par jambe | 2 min |
| B2 | Leg extension à une jambe (faire la supersérie pour chaque jambe) | 3 | 8 à 10 par jambe | 2 min |
| C | Hack squats demi-bas, complet, demi-haut [#89] | 3 | 5/5/5 | 2 min |
| D | Leg press [#214] | 1 | 100 | 2 min |
| E | Flexion du genou debout à la machine [#33] | 3 | 4(10 s) 1(10 s) 1 | 3 min |
| F1 | Flexion des genoux assis à la machine | 3 | 8 à 10 | 2 min |
| F2 | Redressement dorsal | 3 | 8 à 10 | 2 min |
| G | Flexion des genoux couché à la machine pieds en rotation interne, en rotation externe, neutres [#89] | 3 | 5/5/5 | 2 min |
| H | Mollets debout à la machine [#214] | 1 | 100 | 2 min |

| | JOUR 3 - épaules, triceps | | | |
|---|---|---|---|---|
| | Exercices | Séries | Répétitions | Repos |
| A | Tirage horizontal vers l'abdomen avec la barre (bent-over) | 3 | 4(10 s) 1(10 s) 1 | 3 min |
| B1 | Traction à la barre en prise neutre | 3 | 8 à 10 | 2 min |
| B2 | Tirage vers l'abdomen en appui sur banc incliné avec haltères | 3 | 8 à 10 | 2 min |
| C | Tirage vertical lat pulldown en prises serrée, moyenne, large | 3 | 5/5/5 | 2 min |
| D | Tirage horizontal assis à l'abdomen, à la poulie [#214] | 1 | 100 | 2 min |
| E | Flexion des coudes à la barre [#33] | 3 | 4(10 s) 1(10 s) 1 | 3 min |
| F1 | Traction à la barre en supination (chin-up) | 3 | 8 à 10 | 2 min |
| F2 | Flexion des coudes avec haltères en prise neutre (marteau) | 3 | 8 à 10 | 2 min |
| G | Flexion des coudes à la barre prises serrée, moyenne, large [#89] | 3 | 5/5/5 | 2 min |
| H | Flexion des coudes à la machine [#214] | 1 | 100 | 2 min |

| | JOUR 4 - dos, abdominaux | | | |
|---|---|---|---|---|
| | Exercices | Séries | Répétitions | Repos |
| A | Tirage horizontal vers l'abdomen avec la barre (bent-over) | 3 | 4(10 s) 1(10 s) 1 | 3 min |
| B1 | Traction à la barre en prise neutre | 3 | 8 à 10 | 2 min |
| B2 | Tirage vers l'abdomen en appui sur banc incliné avec haltères | 3 | 8 à 10 | 2 min |
| C | Tirage vertical lat pulldown en prises serrée, moyenne, large | 3 | 5/5/5 | 2 min |
| D | Tirage horizontal assis à l'abdomen, à la poulie [#214] | 1 | 100 | 2 min |
| E | Crunchs à genoux à la poulie haute [#33] | 3 | 4(10 s) 1(10 s) 1 | 3 min |
| F1 | Ab slide | 3 | 8 à 10 | 2 min |
| F2 | Crunchs croisés | 3 | 8 à 10/côté | 2 min |
| G | Relevés de jambes à la chaise romaine demi-bas, complet, demi-haut [#89] | 3 | 5/5/5 | 2 min |
| H | Crunchs au sol (toucher les genoux avec les doigts) [#214] | 1 | 100 | 2 min |

# PROGRAMME #4

## FORCE MUSCULAIRE SUR 4 SÉANCES (INTERMÉDIAIRES)

Les techniques utilisées dans ce programme sont la surcharge par grosses vagues [#111] adaptée pour la force musculaire et évolutive au fil des semaines, les normes générales 1-5 RM [#22] et le concentrique pur [#117].

### JOUR 1 - force du haut du corps #1

| | Exercices | Séries | Répétitions | Repos |
|---|---|---|---|---|
| A | Développé couché à la barre [#111] | 6 | 8-6-4-8-6-4* | 3 min |
| B | Développé couché avec haltères | 3 | 3 à 5 | 2 min |
| C | Tirage horizontal assis à la poitrine, à la poulie [#111] | 6 | 8-6-4-8-6-4* | 3 min |
| D | Tirage horizontal à la poitrine en appui sur un banc incliné avec haltères | 3 | 3 à 5 | 2 min |
| E1 | Machine pec deck, pour l'arrière des épaules | 5 | 4 à 6 | 0 min |
| E2 | Élévation latérale, dépôt des haltères sur un banc [#117] | 5 | 4 à 6 | 2 min |

### JOUR 2 - force du bas du corps #1

| | Exercices | Séries | Répétitions | Repos |
|---|---|---|---|---|
| A | Back squat [#111] | 6 | 8-6-4-8-6-4* | 3 min |
| B | Leg press | 3 | 3 à 5 | 2 min |
| C | Flexion des genoux couché à la machine [#111] | 6 | 8-6-4-8-6-4* | 3 min |
| D | Hip thrusts avec la barre | 3 | 3 à 5 | 2 min |
| E1 | Good morning | 5 | 4 à 6 | 0 min |
| E2 | Mollets debout à la machine | 5 | 4 à 6 | 2 min |

### JOUR 3 - force du haut du corps #2

| | Exercices | Séries | Répétitions | Repos |
|---|---|---|---|---|
| A1 | Développé couché à la barre | 4 | 5** | 1 min |
| A2 | Développé couché à la barre à 50 %, dépôt sur la poitrine [#117] | 4 | 6 | 2 min |
| B | Écarté couché avec haltères | 3 | 4 à 6 | 2 min |
| C | Extension des coudes couché sur un banc avec une barre | 3 | 5** | 3 min |
| D1 | Tirage vertical lat pulldown en prise neutre | 4 | 5** | 1 min |
| D2 | Tirage vertical lat pulldown en prise neutre à 50 % [#117] | 4 | 6 | 2 min |
| E | Tirage horizontal à l'abdomen, mains en supination | 3 | 4 à 6 | 2 min |
| F | Flexion des coudes à la barre | 4 | 5** | 2 min |

### JOUR 4 - force du bas du corps #2

| | Exercices | Séries | Répétitions | Repos |
|---|---|---|---|---|
| A1 | Back squat | 4 | 5** | 1 min |
| A2 | Box squat à 50 %, dépôt 3 secondes sur la boîte [#117] | 4 | 6 | 2 min |
| B1 | Leg extension | 4 | 4 à 6 | 1 min |
| B2 | Adduction des hanches à la machine | 4 | 4 à 6 | 2 min |
| C1 | Soulevé de terre roumain à la barre | 4 | 5** | 1 min |
| C2 | Flexion des genoux couché à la machine, dépôt 3 secondes [#117] | 4 | 6 | 2 min |
| D1 | Redressement dorsal | 3 | 4 à 6 | 1 min |
| D2 | Abduction des hanches à la machine | 3 | 5** | 2 min |

*Faire évoluer les répétitions selon les semaines. Par exemple, lors de la semaine #1, vous ferez 8-6-4-8-6-4 ; lors de la semaine #2, vous ferez 7-5-3-7-5-3 ; lors de la semaine #3, vous ferez 6-4-2-6-4-2 ; lors de la semaine #4, vous ferez 5-3-1-5-3-1 ; et lors de la semaine #5, vous retournerez à 8-6-4-8-6-4 afin de comparer vos gains en force.
**Faire évoluer les répétitions selon les semaines. Par exemple, lors de la semaine #1, vous ferez 5 répétitions ; lors de la semaine #2, vous ferez 4 répétitions ; lors de la semaine #3, vous ferez 3 répétitions ; lors de la semaine #4, vous ferez 2 répétitions ; et lors de la semaine #5, vous retournerez à 5 répétitions afin de comparer vos gains en force.

# #11

## PROGRAMME #5

### FORCE MUSCULAIRE SUR 4 SÉANCES (SPORTIFS AVANCÉS)

Les techniques utilisées dans ce programme sont le functional isometric cluster [#55], le super-Pletnev [#36] et le pré-postfatigue en force [#87].

| JOUR 1 - force des pectoraux, biceps | | | | |
|---|---|---|---|---|
| | Exercices | Séries | Répétitions | Repos |
| A | Développé couché à la barre [#55] | 3 | 6 (2 x 5 s par position*) | 3 min |
| B1 | Presse pectorale excentrique en 3 à 5 secondes (se faire aider pour la phase concentrique) | 3 | 4 | 0 min |
| B2 | Clap push-ups | 3 | 6 | 0 min |
| B3 | Push-up isométrique à 90 degrés aux coudes | 3 | 30 s | 0 min |
| B4 | Développé couché avec haltères | 3 | 4 à 6 | 3 min |
| C | Flexion des coudes à la barre [#55] | 3 | 6 (2 x 5 s par position*) | 2 min |
| D1 | Flexion des coudes à la barre au banc Scott | 4 | 4 à 6 | 0 min |
| D2 | Traction à la barre en supination (chin-up) | 4 | 4 à 6 | 0 min |
| D3 | Flexion des coudes avec haltères en prise neutre (marteau) | 4 | 4 à 6 | 3 min |

| JOUR 2 - force des quadriceps, ischiojambiers | | | | |
|---|---|---|---|---|
| | Exercices | Séries | Répétitions | Repos |
| A | Leg press [#55] | 3 | 6 (2 x 5 s par position*) | 3 min |
| B1 | Leg press à une jambe excentrique en 3 à 5 secondes (s'aider de son autre jambe en concentrique) | 3 | 4 | 0 min |
| B2 | Squat sauté avec haltères | 3 | 6 | 0 min |
| B3 | Leg extension isométrique (pleine extension des genoux) | 3 | 30 s | 0 min |
| B4 | Fentes en avançant | 3 | 4 à 6 | 3 min |
| C | Flexion des genoux couché à la machine [#55] | 3 | 6 (2 x 5 s par position*) | 2 min |
| D1 | Flexion des genoux assis à la machine | 4 | 4 à 6 | 0 min |
| D2 | Soulevé de terre roumain à la barre | 4 | 4 à 6 | 0 min |
| D3 | Redressement dorsal | 4 | 4 à 6 | 3 min |

| JOUR 3 - force des épaules, abdominaux | | | | |
|---|---|---|---|---|
| | Exercices | Séries | Répétitions | Repos |
| A | Développé assis à la barre dans la machine Smith [#55] | 3 | 6 (2 x 5 s par position*) | 3 min |
| B1 | Élévation latérale excentrique en 3 à 5 secondes à un bras à la poulie basse (s'aider de son autre bras) | 3 | 4 | 0 min |
| B2 | Développé debout explosif avec la barre | 3 | 6 | 0 min |
| B3 | Tirage vertical isométrique au-dessus du nombril avec haltères | 3 | 30 s | 0 min |
| B4 | Élévation latérale avec haltères | 3 | 4 à 6 | 3 min |
| C | Crunchs à genoux à la poulie haute [#55] | 3 | 6 (2 x 5 s par position*) | 2 min |
| D1 | Crunchs inversés | 4 | 4 à 6 | 0 min |
| D2 | Ab slide | 4 | 4 à 6 | 0 min |
| D3 | Crunchs au sol avec haltères | 4 | 4 à 6 | 3 min |

| JOUR 4 - force du dos, triceps | | | | |
|---|---|---|---|---|
| | Exercices | Séries | Répétitions | Repos |
| A | Tirage vertical lat pulldown [#55] | 3 | 6 (2 x 5 s par position*) | 3 min |
| B1 | Traction à la barre (pull-ups) excentrique en 3 à 5 secondes | 3 | 4 | 0 min |
| B2 | Tirage horizontal à l'abdomen rapide avec haltères | 3 | 6 | 0 min |
| B3 | Tirage horizontal à l'abdomen isométrique avec barre | 3 | 30 s | 0 min |
| B4 | Tirage horizontal à l'abdomen en appui sur un banc incliné avec haltères | 3 | 4 à 6 | 3 min |
| C | Extension des coudes à la poulie haute [#55] | 3 | 6 (2 x 5 s par position*) | 2 min |
| D1 | Extension des coudes à la barre couché sur un banc [#55] | 4 | 4 à 6 | 0 min |
| D2 | Répulsions aux barres parallèles (dips), coudes vers l'extérieur | 4 | 4 à 6 | 0 min |
| D3 | Extension des coudes au-dessus de la tête avec un haltère | 4 | 4 à 6 | 3 min |

*Les 3 positions pour le functional isometric cluster sont dans le bas (au quart), à mi-chemin (à la moitié) et dans le haut (aux trois quarts) du mouvement. Prendre 10 secondes de repos toutes les 5 secondes d'effort isométrique. Vous ferez alors 2 répétitions (tenir 5 secondes, espacées de 10 secondes) à un quart du mouvement, 2 répétitions à la moitié du mouvement et 2 répétitions aux trois quarts du mouvement. Ceci complète une série.

## PROGRAMME #6

Les techniques utilisées dans ce programme sont le big Kahuna version standard [#198], l'accélération maximale avec superbands [#187], le stato-dynamique explosif [#182], la pliométrie [#184] et les exercices balistiques [#188].

| JOUR 1 - force des pectoraux, biceps | | | | |
|---|---|---|---|---|
| | Exercices | Séries | Répétitions | Repos |
| A | Développé couché à la barre [#198] | 3 | 2 + 3 + max* | 3 min |
| B | Développé couché avec haltères [#182] | 3 | 6 à 8 | 2 min |
| C | Tirage vertical lat pulldown [#198] | 3 | 2 + 3 + max* | 3 min |
| D | Tirage horizontal avec haltères (pause à la mi-cuisse) [#182] | 3 | 6 à 8 | 2 min |
| E1 | Extension des coudes à la barre couché sur un banc [#182] | 3 | 6 à 8 | 0 min |
| E2 | Flexion des coudes à la barre [#182] | 3 | 6 à 8 | 2 min |
| F | Crunchs à genoux à la poulie haute | 4 | 2 + 3 + max* | 2 min |

| JOUR 2 - force des quadriceps, ischiojambiers | | | | |
|---|---|---|---|---|
| | Exercices | Séries | Répétitions | Repos |
| A | Hack squat [#198] | 3 | 2 + 3 + max* | 3 min |
| B | Back squat + saut suite aux 3 secondes de pause [#182] | 3 | 6 à 8 | 2 min |
| C | Flexion des genoux couché à la machine [#198] | 3 | 2 + 3 + max* | 3 min |
| D | Soulevé de terre roumain à la barre (pause aux genoux) [#182] | 3 | 6 à 8 | 2 min |
| E | Abduction des hanches à la machine [#198] | 3 | 2 + 3 + max* | 2 min |
| F | Machine Reverse hyper [#182] | 3 | 6 à 8 | 2 min |
| G | Mollets assis à la machine | 3 | 4 à 6 | 1 min |
| D2 | Soulevé de terre roumain à la barre | 4 | 4 à 6 | 0 min |
| D3 | Redressement dorsal | 4 | 4 à 6 | 3 min |

| JOUR 3 - force des épaules, abdominaux | | | | |
|---|---|---|---|---|
| | Exercices | Séries | Répétitions | Repos |
| A | Développé couché à la barre avec superbands à 50 % [#187] | 8 | 3 | 1 min |
| B | Développé couché projeté à la barre Smith à 30 % [#188] | 5 | 8 | 1 min |
| C | Tirage horizontal à l'abdomen avec barre à 50 % (pieds sur le milieu du superband et les extrémités sur la barre) [#187] | 8 | 3 | 1 min |
| D | Tractions inversées en alternant une prise large et une prise serrée [#184] | 5 | 8 au total | 1 min |
| E1 | Rotation du tronc debout avec landmine | 3 | 6 à 8 par côté | 0 min |
| E2 | V sit-up | 3 | 6 à 8 | 1 min |

| JOUR 4 - force du dos, triceps | | | | |
|---|---|---|---|---|
| | Exercices | Séries | Répétitions | Repos |
| A | Épaulé de suspension en puissance à 50 % | 8 | 2 | 1 min |
| B | Box squat avec superbands à 50 % [#187] | 8 | 2 | 1 min |
| C | Box jump [#184] | 5 | 8 | 1 min |
| D | Soulevé de terre à 50 % avec superbands [#187] | 8 | 1 | 1 min |
| E1 | Adduction des hanches à la machine | 3 | 6 à 8 | 0 min |
| E2 | Mollets debout à la machine | 3 | 6 à 8 | 1 min |

*2 répétitions à 90 % + 3 répétitions rapides à 60 % + le maximum de répétitions lentes (5-0-5-0) à 60 %.

**PROGRAMME #7**

## PERTE DE MASSE ADIPEUSE SUR 3 SÉANCES

Les techniques utilisées dans ce programme sont la supersérie antagoniste [#72], la méthode Tabata en musculation [#221] et le metabolic training [#207].

| | JOUR 1 - superséries antagonistes et cardio-vasculaires | | | |
|---|---|---|---|---|
| | Exercices | Séries | Répétitions | Repos |
| A1 | Back squat | 4 | 12 à 15 | 0 min |
| A2 | Flexion des genoux couché à la machine | 4 | 12 à 15 | 1 min |
| B | Exercice cardio-vasculaire en intervalles | 2 | 8 x 15 s/15 s* | 2 min |
| C1 | Développé couché à la barre | 4 | 12 à 15 | 0 min |
| C2 | Tirage horizontal vers l'abdomen à la barre | 4 | 12 à 15 | 1 min |
| D | Exercice cardio-vasculaire en intervalles | 2 | 8 x 15 s/15 s* | 2 min |
| E1 | Tirage vertical lat pulldown | 4 | 12 à 15 | 0 min |
| E2 | Développé debout avec haltères | 4 | 12 à 15 | 1 min |
| F | Exercice cardio-vasculaire en intervalles | 2 | 8 x 15 s/15 s* | 2 min |

| | JOUR 2 - méthode Tabata en musculation | | | |
|---|---|---|---|---|
| | Exercices | Séries | Rép. | Repos |
| A | Épaulé de suspension avec une barre | 8 | 20 s | 10 s/2 min** |
| B | Soulevé de terre roumain avec haltères | 8 | 20 s | 10 s/2 min** |
| C | Air squat | 8 | 20 s | 10 s/2 min** |
| D | Fentes en avançant | 8 | 20 s | 10 s/2 min** |
| E | Développé couché avec haltères | 8 | 20 s | 10 s/2 min** |
| F | Tirage horizontal à l'abdomen assis à la poulie | 8 | 20 s | 10 s/2 min** |
| G | Élévation latérale avec haltères | 8 | 20 s | 10 s/2 min** |
| H | Flexion des coudes + poussée verticale avec haltères | 8 | 20 s | 10 s/2 min** |
| I | Crunchs au sol | 8 | 20 s | 10 s/2 min** |

| | JOUR 3 - metabolic training | | | |
|---|---|---|---|---|
| | Exercices | Séries | Répétitions | Repos |
| A1 | Push-up | 10 | 10 | 0 min |
| A2 | Genoux aux coudes en suspension (abdominaux) | 10 | 10 | 0 min |
| A3 | Soulevé de terre avec barre | 10 | 10 | 0 min |
| A4 | Burpees | 10 | 10 | 0 min |
| A5 | V sit-up | 10 | 10 | 0 min |
| A6 | Thrusters avec haltères | 10 | 10 | 0 min |
| A7 | Tractions à la barre sautées (jumping pull-ups) | 10 | 10 | 0 min |

*8 x 15 secondes rapides/15 secondes de repos (course à pied, elliptique, vélo, rameur).
**Lorsque les 8 répétitions de 20 secondes d'effort/10 secondes de repos sont accomplies, prenez 2 minutes de récupération avant d'entreprendre le prochain exercice.

# PROGRAMME #8

Les techniques utilisées dans ce programme sont la force intermittente [#216] et la trisérie [#86].

| JOUR 1 - entraînement du bas du corps #1 | | | | |
|---|---|---|---|---|
| | Exercices | Séries | Répétitions | Repos |
| A | Exercice cardio-vasculaire en intervalles | 2 | 10 x 30 s/ 30 s* | 2 min |
| B1 | Bench step-up and over | 3 | 12 à 15 par côté | 0 min |
| B2 | Bulgarian split squat [#216] | 3 | 12 à 15 par côté | 2 min** |
| C1 | Jump over the bench | 3 | 12 à 15 allers-retours | 0 min |
| C2 | Fentes en avançant [#216] | 3 | 12 à 15 par jambe | 2 min** |
| D1 | Hip thrusts au sol à une jambe | 3 | 12 à 15 par côté | 0 min |
| D2 | Air squat [#216] | 3 | 12 à 15 | 2 min** |

| JOUR 3 - entraînement du bas du corps #2 | | | | |
|---|---|---|---|---|
| | Exercices | Séries | Répétitions | Repos |
| A | Exercice cardio-vasculaire en intervalles | 2 | 10 x 30 s/ 30 s* | 2 min |
| B1 | Squat en appui sur un ballon suisse | 5 | 12 à 15 | 0 min |
| B2 | Lever du bassin + flexion des genoux avec ballon suisse | 5 | 12 à 15 par côté | 0 min |
| B3 | Crunchs sur ballon suisse | 5 | 12 à 15 | 1 min |
| C1 | Squat sauté | 5 | 12 à 15 | 0 min |
| C2 | Redressement dorsal | 5 | 12 à 15 | 0 min |
| C3 | Chaise au mur + lever un pied | 5 | 12 à 15 par côté | 1 min |

| JOUR 2 - entraînement du haut du corps #1 | | | | |
|---|---|---|---|---|
| | Exercices | Séries | Répétitions | Repos |
| A | Exercice cardio-vasculaire en intervalles | 2 | 10 x 30 s/ 30 s* | 2 min |
| B1 | Push-up, mains sur un banc | 5 | 12 à 15 | 0 min |
| B2 | Tirage 1 bras, genou sur un banc | 5 | 12 à 15 par côté | 0 min |
| B3 | Développé couché avec haltères | 5 | 12 à 15 | 1 min |
| C1 | Presse pectorale | 5 | 12 à 15 | 0 min |
| C2 | Tirage vertical avec haltères | 5 | 12 à 15 | 0 min |
| C3 | Tirage horizontal à la poitrine avec une barre | 5 | 12 à 15 | 1 min |

| JOUR 4 - entraînement du haut du corps #2 | | | | |
|---|---|---|---|---|
| | Exercices | Séries | Répétitions | Repos |
| A | Exercice cardio-vasculaire en intervalles | 2 | 10 x 30 s/ 30 s* | 2 min |
| B1 | Développé incliné avec haltères | 3 | 12 à 15 | 0 min |
| B2 | Tirage horizontal à l'abdomen en appui sur un banc incliné | 3 | 12 à 15 | 2 min** |
| C1 | Tirage vertical lat pulldown | 3 | 12 à 15 | 0 min |
| C2 | Flexion des coudes + poussée verticale avec une barre | 3 | 12 à 15 | 2 min** |
| D1 | Crunchs au sol | 3 | 12 à 15 par côté | 0 min |
| D2 | Planche + toucher le mur avec la main (3 points d'appui) | 3 | 12 à 15 par côté | 2 min** |

*10 x 30 secondes rapides et 30 secondes repos (course à pied, elliptique, vélo, rameur).
**Cette supersérie fait partie d'une force intermittente [#216]. Vous devez donc travailler sur un appareil cardio-vasculaire pendant les 2 minutes de pause avec une augmentation de l'intensité pendant 15-20 secondes à la moitié (après environ 40 à 60 secondes plus léger). Une fois les trois séries accomplies, prenez 3 minutes de pause avant de passer à la supersérie suivante.

# EXEMPLE D'UNE ÉVOLUTION DES TECHNIQUES D'ENTRAÎNEMENT EN HYPERTROPHIE SUR UNE PÉRIODE DE 5 ANS

| P | ANNÉE 1<br>Débutant | ANNÉE 2<br>Intermédiaire | ANNÉE 3<br>Avancé I | ANNÉE 4<br>Avancé II | ANNÉE 5<br>Élite |
|---|---|---|---|---|---|
| 1 | Séries jusqu'à l'échec | Normes générales 1-5 RM, surcharge par petites vagues 6-1 RM | Entraînement en complexe russe, poids maximaux 1, concentrique pur | Extended 5s, méthode bulgare | Mentzer cluster, palier 5-3 RM |
| 2 | Superséries antagonistes | 4 x 10 à la minute, postmétabolique | German volume phase I, nubret pro-set | German volume phase II, speed-set training | German Volume Phase III, contraste en vitesse intrasérie |
| 3 | Superséries agonistes, hypertrophie 12-10-8-6 | Stato-dynamique concentrique, répétitions négatives | Contraction maximale, post-potentialisation | Breathing squat, intervalle à 1 min à 85 %, big Kahuna standard | Série géante 5, les 21 |
| | SEMAINE OFF | | | | |
| 4 | Squat-développé-deadlift split, mouvement et demi | Palier 10-6 RM, postactivation | HSS-100, S : trisérie uniangulaire | The layer system | Séries descendantes version 2, série géante 4 |
| 5 | Dropset, répétitions lentes 5E-5C | Surcharge par grosses vagues, pliométrie basse | Méthode Kulesza, force par groupement régressif | Variantes des mouvements d'haltérophilie, classic cluster, isométrie balistique | Dropset cluster, depth landing |
| 6 | Tension continue, série brûlante | Super-pompe version courte, isométrie avec secousses | Isométrie d'une durée maximale, répétitions lentes 10E-4C | Série descendante version 1, contractions isométriques | Pause-repos 7 RM, résistance variable, bookend training |
| | SEMAINE OFF | | | | |
| 7 | 10-6-10-6, préfatigue, séries forcées | Contraste excentrique/isométrique version 1, travail continu à 40 % | Potentialisation + métabolique, contraste excentrique/concentrique | Big Kahuna douloureux, série holistique, postfatigue | Répétitions supernégatives, méthode bulgare |
| 8 | Double dropset, 5 x 5 RM | Palier 6-10 RM, dropset à répétitions progressives | Entraînement 5 par 10, série géante 1 | Force par groupement, série géante 2 | Série géante complète |
| 9 | Méthode pyramidale interne, préactivation, intermittent court à 60 % | 5 x 5 higher strength, exercices réguliers avec puissance maximale | Force par groupement, méthode Wendler 5/3/1 | Antagonist cluster, depth jump, technique 2/1 | Excentriques maximaux purs, isométrie d'une intensité maximale, échappe, attrape, soulève |
| | SEMAINE OFF | | | | |
| 10 | Triséries, travail métabolique | Repos incomplet, postmétabolique | Le non-stop (traditionnel, mouvement et demi, fatigue maximale) | Série géante 3, stato-dynamique explosif, force intermittente 1 exercice | Confusion musculaire des 4 derniers entraînements |
| 11 | Fatigue maximale, méthode du même poids | Répétitions partielles en force limite, super-pompe version régressive, excentrique super-lent | Contraste concentrique/isométrique version 2, intermittent force-vitesse | Intervalle à 1 min 90 %, dropset à répétitions progressives | Pause-repos alternée, four-minute muscle |
| 12 | Méthode double progression, small-angle training, intermittent long à 60% | Soulevé lourd + isométrie manuelle, prépotentialisation | Charges décroissantes interséries, technique des 2 mouvements | Metabolic training, mechanical dropset, entraînement unilatéral | Functional isometric cluster, super-Pletnev, pré-postfatigue |
| | SEMAINE OFF | | | | |

Chaque programme (P dans le tableau) est d'une durée suggérée de 4 semaines.

ANNEXES

Dans cette section, vous trouverez plusieurs outils intéressants afin de faciliter vos entraînements et/ou l'application des techniques d'entraînement de ce livre. Voici un petit descriptif de chacun de ces outils pour vous aider à mieux les utiliser.

## Annexe 1
### Détermination des besoins

Ce document de deux pages vous permet d'établir concrètement les besoins de votre sport et/ou de celui de votre client. Il vous oblige un temps d'arrêt afin de réfléchir davantage sous divers angles à la question des besoins réels de ce sport. Vous devrez peut-être rechercher des informations afin de bien répondre à toutes les questions et cela est tout à fait normal. L'objectif est d'établir une bonne base de travail pour ensuite s'assurer du développement des bonnes qualités physiques pour le sport en question. Une fois les diverses composantes importantes déterminées, vous pourrez alors concevoir les programmes d'entraînement en tenant compte de celles-ci et avec les techniques associées au chapitre respectif (mentionné entre parenthèses).

## Annexe 2
### Échauffement russe

L'échauffement russe est en fait une séquence d'échauffement planifiée pour exécuter des séances d'accélération ou de course à très haute intensité tout en minimisant le risque de blessures ou de claquages. L'échauffement peut durer en moyenne entre 10 et 20 minutes avant que la séance de sprints ne commence. Il consiste à faire dans l'ordre :

→ Un échauffement global du corps tel qu'une course à pied ;
→ Une mobilisation globale du corps grâce à des allers-retours sur 4 mètres ;

→ Une mobilisation articulaire plus précise dans une plus grande amplitude de mouvement, toujours sur 4 mètres et sous forme d'allers-retours ;
→ Des éducatifs de course favorisant la coordination et le contrôle de ses pieds sur 4 mètres, l'aller en exécutant les éducatifs et le retour en jogging léger ;
→ Des exercices musculaires (généralement au sol) combinés à des courses les jambes tendues (pour un recrutement plus important des ischiojambiers) sur 4 mètres ;
→ Des accélérations progressives (70, 80, 90 et 100 % de votre vitesse maximale) afin de préparer votre corps à courir à sa vitesse maximale lors de la séance d'entraînement.

## Annexe 3
### Test aérobie sur tapis roulant

En hiver ou à défaut d'avoir un gymnase où exécuter le test Léger-Lambert (navette), un test cardio-vasculaire sur tapis roulant peut toujours être une bonne alternative pour débuter des entraînements de course avec des directives plus personnalisées. En fait, en déterminant votre vitesse aérobie maximale (VAM), ce test vous permettra d'obtenir les vitesses de course à adopter lors de vos entraînements en fonction de votre système cardio-vasculaire (ex. : entraînement de la PAM, endurance aérobie limite, endurance aérobie de longue durée). Vous travaillerez alors en fonction de votre capacité aérobie maximale et non aléatoirement. De plus, je vous ai joint des normes sur lesquels vous pourrez évaluer votre condition si vous êtes, par exemple, en dessous ou au-dessus de la moyenne pour votre sexe et votre âge.

Le test consiste en des paliers de 3 minutes d'effort pour 3 minutes de repos à une inclinaison du tapis roulant de 0 %. Si vous regardez le tableau du test, vous avez, pour chaque palier, la vitesse en miles par heure et en kilomètres par heure. Par ailleurs, si vous êtes un coureur expérimenté, vous n'êtes pas obligé de commencer au palier 1. L'objectif pour que le test soit valide est que vous ayez complété au moins 4 paliers. En guise de référence, la majorité des coureurs commenceront le test au palier 4 ou 5. De même, pour votre suivi ou celui de votre client, je vous ai laissé une case dans laquelle vous pourrez inscrire votre fréquence cardiaque à la fin de chaque palier. Si vous avez déterminé préalablement votre fréquence cardiaque maximale estimée (ex. : 207 - [70 % x âge]), vous pourrez ainsi percevoir l'approche du palier final.

De ce fait, si vous êtes un bon coureur, vous commencerez donc le test au palier 5, soit à 10,3 km par heure. Vous courrez pendant 3 minutes. Une fois le palier franchi, prenez 3 minutes de repos en marchant lentement. Ainsi, à 6 minutes, vous entamerez le prochain palier à 11,9 km par heure pendant 3 autres minutes suivi de 3 minutes de repos, et ainsi de suite jusqu'à ce que vous ne soyez plus en mesure de suivre le rythme. Par exemple, au palier 10, vous n'êtes plus en mesure de suivre et vous ne complétez que 2 minutes et 3 secondes de ce palier. Cela signifiera alors que votre VAM est de 15,8 METS (jonction entre le palier 10 et la colonne de 2 : 00). Un METS est un équivalent métabolique correspondant à votre consommation d'oxygène (1 METS = 3,5 ml d'oxygène/minute/kilogramme de poids corporel). Outre cela, 15,8 METS signifient aussi que votre VAM (100 %) est de 15,8 km/h. Ainsi, si on vous demande par la suite de courir à 90 % de votre VAM, la vitesse à utiliser sur le tapis roulant sera donc de 14,2 km/h (15,8 x 0,9). N'oubliez pas de réévaluer ensuite votre condition cardio-vasculaire 3 mois plus tard afin d'ajuster les valeurs au besoin, car l'entraînement aérobie devrait normalement la faire progresser.

# Annexe 4
## Entraînement de la PAM

Ces tableaux vous permettent de repérer rapidement les vitesses ou les distances à utiliser pour accomplir des intervalles de courses moyennes, courtes ou très courtes à partir de votre résultat de Léger-Boucher, Léger-Lambert ou de votre VAM. Vous avez les vitesses en miles par heure et en kilomètres par heure ainsi que les distances à parcourir selon la durée de l'effort en mètres.

# Annexe 5
## Charte des pourcentages sous-maximaux

Cette charte permet de vous aider à repérer rapidement les pourcentages en lien avec votre 1 RM (100 %) et variant entre 5 et 95 %. Elle est très pratique pour les techniques où une diminution de charge est demandée (ex. : dropset, série descendante, etc.).

# Annexe 6
## Charte des pourcentages supramaximaux

Cette charte vous permet de repérer rapidement les pourcentages en lien avec votre 1 RM (100 %) et variant entre 105 et 145 %. Elle est donc réservée aux entraînements en force, principalement au chapitre 5 sur l'entraînement excentrique.

# Annexe 7
## Prédiction du maximum absolu à partir d'un nombre de répétitions

Cette charte permet de repérer rapidement et de façon subjective un nombre de répétitions en fonction d'un autre (ex. : si vous faites 6 répétitions avec 50 kg, vous risquez d'utiliser environ 35 kg pour effectuer 12 répétitions maximales). Cette charte est issue des données statistiques de plusieurs entraîneurs ainsi que de la table de Berger modifiée. Le nombre de répétitions peut toutefois varier d'un muscle à un autre, car il dépend principalement de la typologie musculaire et de la fréquence d'entraînement du muscle ciblé.

## Annexe 8
### Formule de Wilks (coefficient de force selon votre poids de corps)

Les tableaux de cette section vous présentent les coefficients de force selon votre poids de corps en kilogrammes afin de pouvoir comparer votre degré de force à l'un de vos amis et/ou clients (par pur plaisir). Ils sont fréquemment utilisés dans des concours de force, comme les compétitions de dynamophilie (powerlifting) de la CPA (Canadian Powerlifting Association), car les formules (provenant de Robert Wilks dans les années 1990) tiennent compte des records mondiaux des trois levées (squat, développé couché et soulevé de terre). Cela évite alors les erreurs que peut donner l'indice de force (annexe 9) qui ne tient pas compte des levées maximales humainement possibles.

Pour l'utiliser, prenez, par exemple, deux individus pesant 80,4 kg et 100,1 kg et soulevant, lors de l'exercice du soulevé de terre, 200 kg et 220 kg respectivement. Si nous regardons la force brute, l'individu de 100,1 kg remporte la compétition. Toutefois, si nous utilisons la formule de Wilks (en force relative), reste-t-il toujours vainqueur? Calculons-le en regardant les tableaux de l'annexe 8.

*Individu de 80,4 kg* : *coefficient de force trouvé dans le tableau = 0,6806. Si nous multiplions le coefficient et la* charge soulevée, nous obtenons **136,12** *(0,6806 x 200).*
*Individu de 100,1 kg* : *coefficient de force trouvé dans le tableau = 0,6083. Si nous multiplions le coefficient et la charge soulevée, nous obtenons* **133,83** *(0,6083 x 220).*

Avec la formule de Wilks, nous remarquons qu'en termes de force relative l'individu de 80,4 kg est plus fort que l'individu de 100,1 kg. De plus, vous pourrez également vous comparer avec des individus féminins en utilisant simplement les coefficients issus des tableaux pour femmes. En revanche, prenez note qu'il n'existe aucune formule parfaite pour réellement comparer la force relative entre deux individus. Même la formule de Wilks favorise certains compétiteurs et n'a pas été actualisée depuis 1994. Une autre formule a toutefois été proposée en 2016 : l'indice de Nuckols (par Greg Nuckols), qui semble encore plus approprié.

## Annexe 9
### Indice de force

Cet outil est une table simpliste utilisée pendant plusieurs années avant l'apparition de la formule de Wilks pour analyser le ratio entre votre charge soulevée et votre poids de corps. Elle est rapide à utiliser, mais possède des biais. Si nous tenons compte de la force humaine ou plutôt de l'évolution de la force chez l'humain, elle est tout simplement irréaliste. À titre de comparaison facile, un individu de 160 kg devrait soulever 460 kg au soulevé de terre afin d'équivaloir à l'indice de force de 2,9 d'un individu de 80 kg qui aurait soulevé 232 kg. Ceci est simplement absurde puisque l'individu de 160 kg devrait en fait soulever le record mondial au soulevé de terre détenue par Benedikt Magnùsson. À utiliser par plaisir.

# Annexe 10
## Tableau de Prilepin
Le tableau de Prilepin a été créé après l'analyse des livres d'entraînement de plus de mille champions nationaux et internationaux en haltérophilie afin de déterminer l'intensité avec laquelle un athlète devrait s'entraîner, le nombre de répétitions par entraînement ainsi que le nombre de séries à accomplir sans trop placer de stress sur leur système nerveux. Les analyses d'Alexander Prilepin ont alors donné un tableau intéressant pour optimiser le volume de vos entraînements ou ceux de vos clients.

# Annexe 11
## Dropset cluster
Ces tableaux vous aideront à appliquer la technique #53, dropset cluster, incluse dans le chapitre 2, «Entraînement concentrique (efforts maximaux)». Cette version sera utile pour les exercices traditionnels (ex. : développé couché, tirage horizontal à la barre ou bent-over row). Toutefois, pour un exercice tel que le squat, il vous faudra prendre en compte votre poids de corps, que vous soulevez, dans vos calculs. Pour vous donner un exemple, un individu de 80 kg qui peut soulever 150 kg au squat soulève en fait 230 kg (un petit peu moins en fait, car il ne soulève pas ses mollets). Afin de calculer le pourcentage à utiliser, il devra alors considérer son poids de corps dans l'équation.

Utiliser une charge de 90 % sans calcul équivaudrait à utiliser 135 kg tandis que, en tenant compte du poids de l'individu (ici 80 kg), la charge plus judicieuse à utiliser serait de 127 kg ([80 + 150] x 90 % - 80).

*Charge à utiliser au squat = ([poids de corps + charge soulevée] x pourcentage désiré) – poids de corps.*

# Annexe 12
## Classification des techniques d'entraînement selon l'expérience
Ces tableaux présentent un répertoire des techniques d'entraînement selon l'expérience requise.

# Annexe 13
## Table de conversion de livres en kilogrammes
Cette table permet de convertir rapidement des données, souvent utilisées dans les salles de musculation (ex. : utilisation de plaques en livres plutôt qu'en kilogrammes).

# Annexe 14
## Table de conversion de pouces en centimètres
Cette table permet de convertir rapidement des données, souvent utilisées dans les salles de musculation (ex. : hauteur d'un saut vertical ou distance d'un saut en longueur).

# ANNEXE #1 - DÉTERMINATION DES BESOINS

## Analyse de la tâche

Sport : _____

Niveau : ☐ amateur ☐ élite ☐ pro ☐ tous

### Charge externe
(identifier les contraintes mécaniques des actions motrices principales)

#### Répartition du temps actif et du temps d'arrêt

→ Durée de la discipline .............................
→ % d'actions à intensité élevée .............................
→ % d'actions à intensité modérée .............................
→ % d'actions à intensité faible .............................
→ Durée des repos entre les actions .............................

### Charge interne
(connaître les répercussions physiologiques et biologiques du match)

#### Répartition du temps actif et du temps d'arrêt

→ % de fréquence cardiaque .............................
→ Lactatémie .............................
→ % de $VO_2$ .............................

### Caractéristiques supplémentaires sur la discipline sportive

.............................................................................................................
.............................................................................................................
.............................................................................................................
.............................................................................................................

## Qualités physiques requises

Déterminer l'importance relative et la contribution de chacune de ces qualités physiques à la réalisation de la performance.

**1 = important ; 2 = secondaire ; 3 = complémentaire ; NA = non applicable**

| Système anaérobie alactique (SAA), course (chapitre 1) | | | | |
|---|---|---|---|---|
| → Accélération *(ex. : football, soccer)* | 1 | 2 | 3 | NA |
| → Vitesse maximale (cyclique) *(ex. : sprint de 50 m)* | 1 | 2 | 3 | NA |
| → Vitesse maximale (acyclique) *(ex. : boxe, baseball, judo)* | 1 | 2 | 3 | NA |
| → Endurance-vitesse *(ex. : sprint de 100 m, de 200 m)* | 1 | 2 | 3 | NA |
| → Capacité à répéter des sprints *(ex. : football)* | 1 | 2 | 3 | NA |

| Système anaérobie alactique (SAA), saut + lancer + impulsions (chapitres 6 et 7) | | | | |
|---|---|---|---|---|
| → Détente, impulsions *(ex. : volley-ball)* | 1 | 2 | 3 | NA |
| → Force de démarrage *(ex. : badminton, volley-ball, judo)* | 1 | 2 | 3 | NA |
| → Capacité à répéter des sauts *(ex. : basket-ball, volley-ball)* | 1 | 2 | 3 | NA |
| → Capacité à répéter des lancers, frappes *(ex. : baseball, golf, tennis)* | 1 | 2 | 3 | NA |
| → Capacités à répéter des impulsions (haut) *(ex. : natation, kayak, boxe)* | 1 | 2 | 3 | NA |

## Qualités physiques requises (suite)

Déterminer l'importance relative et la contribution de chacune de ces qualités physiques à la réalisation de la performance.

**1 = important ; 2 = secondaire ; 3 = complémentaire ; NA = non applicable**

| Système anaérobie lactique (SAL) [chapitre 1] | | | | |
|---|---|---|---|---|
| → Puissance anaérobie lactique (activité cyclique de 20 à 50 secondes) *(ex. : sprint de 400 m, athlétisme)* | 1 | 2 | 3 | NA |
| → Puissance anaérobie lactique (sport intermittent) *(ex. : hockey)* | 1 | 2 | 3 | NA |
| → Capacité anaérobie lactique (activité cyclique de 50 à 120 secondes) *(ex. : ski alpin, FireFit)* | 1 | 2 | 3 | NA |
| → Capacité à répéter des impulsions du bas du corps *(ex. : ski alpin, snowboard)* et du haut du corps *(ex. : natation, aviron)* en continu | 1 | 2 | 3 | NA |

| Système aérobie (SA) [chapitre 1] | | | | |
|---|---|---|---|---|
| → Puissance aérobie maximale (PAM), vitesse aérobie maximale (VAM) (activité cyclique de 2 à 8 minutes) | 1 | 2 | 3 | NA |
| → Puissance aérobie maximale (PAM), intermittent très court (ITC) (récupération sport intermittent, pouvoir oxydatif) | 1 | 2 | 3 | NA |
| → Endurance aérobie limite (activité cyclique de 30 à 60 minutes) | 1 | 2 | 3 | NA |
| → Endurance aérobie | 1 | 2 | 3 | NA |

| Qualités musculaires | | | | |
|---|---|---|---|---|
| → Force maximale 1-5 RM (force absolue) [chapitres 2, 4 et 5] | 1 | 2 | 3 | NA |
| → Force maximale 6-12 RM (hypertrophie) [chapitres 3, 4 et 5] | 1 | 2 | 3 | NA |
| → Force-vitesse (puissance-force ; F x v) [chapitre 6] | 1 | 2 | 3 | NA |
| → Force-vitesse (puissance-vitesse ; F x V) [chapitre 6] | 1 | 2 | 3 | NA |
| → Endurance de force-vitesse [chapitre 7] | 1 | 2 | 3 | NA |
| → Endurance de force [chapitre 8] | 1 | 2 | 3 | NA |
| → Amplitude articulo-musculaire (flexibilité) [chapitre 9] | 1 | 2 | 3 | NA |

| Qualités musculaires | | | | |
|---|---|---|---|---|
| → Temps de réaction (accélération) | 1 | 2 | 3 | NA |
| → Vitesse de mouvement (lancer, impulsion) | 1 | 2 | 3 | NA |
| → Coordination (pliométrie basse, puissance-vitesse) | 1 | 2 | 3 | NA |
| → Agilité (pliométrie basse, puissance-vitesse) | 1 | 2 | 3 | NA |
| → Mobilité (savoir se déplacer ; ex. : cône à cône) | 1 | 2 | 3 | NA |
| → Rythme artistique (non cyclique), cadence cyclique *(ex. : vélo)* | 1 | 2 | 3 | NA |
| → Orientation spatio-temporelle *(ex. : gymnastique/plongeon)* | 1 | 2 | 3 | NA |
| → Équilibre moteur (proprioception) | 1 | 2 | 3 | NA |

# ANNEXE #2 - ÉCHAUFFEMENT RUSSE

**Avant un entraînement en accélération, en cône à cône ou du système anaérobie lactique (SAL)**

Pour un exemple plus concret, regardez ma vidéo réalisée avec FD Fitness sur YouTube en tapant « Sprint et techniques d'accélération avec Keven Arseneault »

| 400 M JOGGING |
|---|

| SUR 4 MÈTRES |
|---|
| **ALLER-RETOUR - ÉCHAUFFEMENT GÉNÉRAL** |

| | |
|---|---|
| → Talon-talon (marche sur les talons) | → Danse grecque sur la gauche |
| → Pointe-pointe (marche sur la pointe des pieds) | → Danse grecque sur la droite |
| → Pas chassés avec rotation des bras sur la droite | → Alterner jog + 4 twists en sautant |
| → Pas chassés avec rotation des bras sur la gauche | → Jog arrière + rotation des bras |
| → Jog pieds en rotation interne | |

| SUR 4 MÈTRES |
|---|
| **ALLER-RETOUR - MOBILISATION ARTICULAIRE (AMPLITUDE)** |

| | |
|---|---|
| → Marcher + flexion de la hanche | → Flexion + abduction de la hanche |
| → Marcher + étirer les quadriceps | → Balancier de la hanche droite ou gauche |
| → Marcher + étirer les fessiers (genou à épaule opposée) | → Balancier de la hanche devant ou derrière |
| → Déroulé des ischiojambiers (jambe tendue + penché vers l'avant) | |

| SUR 4 MÈTRES |
|---|
| **ALLER-RETOUR - ÉDUCATIFS DE COURSE** |

| | |
|---|---|
| → Talon-fesse de la jambe gauche | → Genoux hauts |
| → Talon-fesse de la jambe droite | → Talons-fesses en 3 temps (2 pas au sol + talons-fesses) |
| → Genou haut de la jambe gauche | |
| → Genou haut de la jambe droite | → Genoux haut en 3 temps (2 pas au sol + lever un genou) |
| → Talons-fesses | |

| SUR 4 MÈTRES |
|---|
| **EXERCICES SUR PLACE + ACCÉLÉRATION JAMBES TENDUES** |

| | |
|---|---|
| → Ischiojambiers en concentrique (6 par jambe) | → Ischiojambiers en excentrique (6/jambe) |
| → Étire-étire + bassin-bassin (6 x) | → Tape les pieds au sol rapide (2 x 10 secondes) |
| → Lever du bassin 1 jambe (6 par jambe) | → Combiné finlandais (6 x) |

| SUR 15-45 MÈTRES |
|---|
| **ACCÉLÉRATION PROGRESSIVE ET RETOUR À LA MARCHE** |

| |
|---|
| → 70 % sur 15 mètres |
| → 80 % sur 25 mètres |
| → 90 % sur 35 mètres |
| → 100 % sur 45 mètres |

# ANNEXE #3 - TEST AÉROBIE SUR TAPIS ROULANT

## TEST MERCIER 3 MIN/3 MIN SUR TAPIS ROULANT

Date: _____  Nom: _____

| Palier | Vitesse (km/h) | Vitesse (miles/h) | Fréquence cardiaque (bpm) | Nombre de METS | | | | | | | | |
|--------|------|------|------|-------|-------|-------|-------|-------|-------|-------|-------|-------|
| | | | | 01:00 | 01:15 | 01:30 | 01:45 | 02:00 | 02:15 | 02:30 | 02:45 | 03:00 |
| 1 | 3,9 | 2,5 | | 0,2 | 0,5 | 0,9 | 1,2 | 1,6 | 1,9 | 2,3 | 2,6 | 3,0 |
| 2 | 5,5 | 3,4 | | 3,1 | 3,3 | 3,4 | 3,6 | 3,8 | 4,0 | 4,1 | 4,3 | 4,5 |
| 3 | 7,1 | 4,4 | | 4,6 | 4,8 | 4,9 | 5,1 | 5,3 | 5,5 | 5,6 | 5,8 | 6,0 |
| 4 | 8,7 | 5,4 | | 6,1 | 6,3 | 6,4 | 6,6 | 6,8 | 7,0 | 7,1 | 7,3 | 7,5 |
| 5 | 10,3 | 6,4 | | 7,6 | 7,8 | 7,9 | 8,1 | 8,3 | 8,5 | 8,6 | 8,8 | 9,0 |
| 6 | 11,9 | 7,4 | | 9,1 | 9,3 | 9,4 | 9,6 | 9,8 | 10,0 | 10,1 | 10,3 | 10,5 |
| 7 | 13,4 | 8,4 | | 10,6 | 10,8 | 10,9 | 11,1 | 11,3 | 11,5 | 11,6 | 11,8 | 12,0 |
| 8 | 15,0 | 9,3 | | 12,1 | 12,3 | 12,4 | 12,6 | 12,8 | 13,0 | 13,1 | 13,3 | 13,5 |
| 9 | 16,6 | 10,3 | | 13,6 | 13,8 | 13,9 | 14,1 | 14,3 | 14,5 | 14,6 | 14,8 | 15,0 |
| 10 | 18,2 | 11,3 | | 15,1 | 15,3 | 15,4 | 15,6 | 15,8 | 16,0 | 16,1 | 16,3 | 16,5 |
| 11 | 19,8 | 12,3 | | 16,6 | 16,8 | 16,9 | 17,1 | 17,3 | 17,5 | 17,6 | 17,8 | 18,0 |
| 12 | 21,4 | 13,3 | | 18,1 | 18,3 | 18,4 | 18,6 | 18,8 | 19,0 | 19,1 | 19,3 | 19,5 |
| 13 | 22,9 | 13,3 | | 19,6 | 19,8 | 19,9 | 20,1 | 20,3 | 20,5 | 20,6 | 20,8 | 21,0 |
| 14 | 24,5 | 14,3 | | 21,1 | 21,3 | 21,4 | 21,6 | 21,8 | 22,0 | 22,1 | 22,3 | 22,5 |
| 15 | 26,1 | 16,2 | | 22,6 | 22,8 | 22,9 | 23,1 | 23,3 | 23,5 | 23,6 | 23,8 | 24,0 |

# ANNEXE #4 - ENTRAÎNEMENT DE LA PAM

## Entraînement de la PAM par rapport au résultat obtenu au Léger-Lambert (LL), au Léger-Boucher (LB) ou au test Mercier sur tapis roulant

| Paliers LL | Vitesse LL [km/h] | VAM, METS ou vitesse LB [km/h] | VO₂MAX (1 METS = 3,5 ml O₂/kg/min) | Intermittent très court 10/10 (125 %) | | Intermittent très court 15/15 (120 %) | | Intermittent très court 20/20 (110 %) | | Intermittent très court 30/30 (100 %) | |
|---|---|---|---|---|---|---|---|---|---|---|---|
| | | | | km/h | mètres | km/h | mètres | km/h | mètres | km/h | mètres |
| 1 | 8,5 | 8,5 | 29,8 | 10,6 | 30 | 10,2 | 43 | 9,4 | 52 | 8,5 | 71 |
| 2 | 9,0 | 9,0 | 31,5 | 11,3 | 31 | 10,8 | 45 | 9,9 | 55 | 9,0 | 75 |
| 3 | 9,5 | 9,5 | 33,3 | 11,9 | 33 | 11,4 | 48 | 10,5 | 58 | 9,5 | 79 |
| 4 | 10,0 | 10,0 | 35,0 | 12,5 | 35 | 12,0 | 50 | 11,0 | 61 | 10,0 | 83 |
| 5 | 10,5 | 10,5 | 36,8 | 13,1 | 36 | 12,6 | 53 | 11,6 | 64 | 10,5 | 88 |
| 6 | 11,0 | 11,0 | 38,5 | 13,8 | 38 | 13,2 | 55 | 12,1 | 67 | 11,0 | 92 |
| | | 11,5 | 40,3 | 14,4 | 40 | 13,8 | 58 | 12,7 | 70 | 11,5 | 96 |
| 7 | 11,5 | 11,9 | 41,7 | 14,9 | 41 | 14,3 | 60 | 13,1 | 73 | 11,9 | 99 |
| | | 12,0 | 42,0 | 15,0 | 42 | 14,4 | 60 | 13,2 | 73 | 12,0 | 100 |
| | | 12,5 | 43,8 | 15,6 | 43 | 15,0 | 63 | 13,8 | 76 | 12,5 | 104 |
| 8 | 12,0 | 12,7 | 44,5 | 15,9 | 44 | 15,2 | 64 | 14,0 | 78 | 12,7 | 106 |
| | | 13,0 | 45,5 | 16,3 | 45 | 15,6 | 65 | 14,3 | 79 | 13,0 | 108 |
| | | 13,5 | 47,3 | 16,9 | 47 | 16,2 | 68 | 14,9 | 83 | 13,5 | 113 |
| 9 | 12,5 | 13,6 | 47,6 | 17,0 | 47 | 16,3 | 68 | 15,0 | 83 | 13,6 | 113 |
| | | 14,0 | 49,0 | 17,5 | 49 | 16,8 | 70 | 15,4 | 86 | 14,0 | 117 |
| 10 | 13,0 | 14,5 | 50,8 | 18,1 | 50 | 17,4 | 73 | 16,0 | 89 | 14,5 | 121 |
| | | 15,0 | 52,5 | 18,8 | 52 | 18,0 | 75 | 16,5 | 92 | 15,0 | 125 |
| 11 | 13,5 | 15,3 | 53,6 | 19,1 | 53 | 18,4 | 77 | 16,8 | 94 | 15,3 | 128 |
| | | 15,5 | 54,3 | 19,4 | 54 | 18,6 | 78 | 17,1 | 95 | 15,5 | 129 |
| | | 16,0 | 56,0 | 20,0 | 56 | 19,2 | 80 | 17,6 | 98 | 16,0 | 133 |
| 12 | 14,0 | 16,2 | 56,7 | 20,3 | 56 | 19,4 | 81 | 17,8 | 99 | 16,2 | 135 |
| | | 16,5 | 57,8 | 20,6 | 57 | 19,8 | 83 | 18,2 | 101 | 16,5 | 138 |
| 13 | 14,5 | 17,0 | 59,5 | 21,3 | 59 | 20,4 | 85 | 18,7 | 104 | 17,0 | 142 |
| | | 17,5 | 61,3 | 21,9 | 61 | 21,0 | 88 | 19,3 | 107 | 17,5 | 146 |
| 14 | 15,0 | 17,9 | 62,7 | 22,4 | 62 | 21,5 | 90 | 19,7 | 109 | 17,9 | 149 |
| | | 18,0 | 63,0 | 22,5 | 63 | 21,6 | 90 | 19,8 | 110 | 18,0 | 150 |
| | | 18,5 | 64,8 | 23,1 | 64 | 22,2 | 93 | 20,4 | 113 | 18,5 | 154 |
| 15 | 15,5 | 18,7 | 65,5 | 23,4 | 65 | 22,4 | 94 | 20,6 | 114 | 18,7 | 156 |
| | | 19,0 | 66,5 | 23,8 | 66 | 22,8 | 95 | 20,9 | 116 | 19,0 | 158 |
| | | 19,5 | 68,3 | 24,4 | 68 | 23,4 | 98 | 21,5 | 119 | 19,5 | 163 |
| 16 | 16,0 | 19,6 | 68,6 | 24,5 | 68 | 23,5 | 98 | 21,6 | 120 | 19,6 | 163 |
| | | 20,0 | 70,0 | 25,0 | 69 | 24,0 | 100 | 22,0 | 122 | 20,0 | 167 |
| 17 | 16,5 | 20,5 | 71,8 | 25,6 | 71 | 24,6 | 103 | 22,6 | 125 | 20,5 | 171 |
| | | 21,0 | 73,5 | 26,3 | 73 | 25,2 | 105 | 23,1 | 128 | 21,0 | 175 |
| 18 | 17,0 | 21,3 | 74,6 | 26,6 | 74 | 25,6 | 107 | 23,4 | 130 | 21,3 | 178 |
| | | 21,5 | 75,3 | 26,9 | 75 | 25,8 | 108 | 23,7 | 131 | 21,5 | 179 |
| | | 22,0 | 77,0 | 27,5 | 76 | 26,4 | 110 | 24,2 | 134 | 22,0 | 183 |
| 19 | 17,5 | 22,2 | 77,7 | 27,8 | 77 | 26,6 | 111 | 24,4 | 136 | 22,2 | 185 |
| | | 22,5 | 78,8 | 28,1 | 78 | 27,0 | 113 | 24,8 | 138 | 22,5 | 188 |
| 20 | 18,0 | 23,0 | 80,5 | 28,8 | 80 | 27,6 | 115 | 25,3 | 141 | 23,0 | 192 |

## Entraînement de la PAM par rapport au résultat obtenu au Léger-Lambert (LL), au Léger-Boucher (LB) ou au test Mercier sur tapis roulant

| Paliers LL | Vitesse LL [km/h] | VAM, METS ou vitesse LB [km/h] | $VO_2MAX$ (1 METS = 3,5 ml $O_2$/kg/min) | Intermittent court [110 %] | | Intermittent court [105 %] | | Intermittent court [100 %] | |
|---|---|---|---|---|---|---|---|---|---|
| | | | | km/h | mètres | km/h | mètres | km/h | mètres |
| 1 | 8,5 | 8,5 | 29,8 | 9,4 | 156 | 8,9 | 149 | 8,5 | 142 |
| 2 | 9,0 | 9,0 | 31,5 | 9,9 | 165 | 9,5 | 158 | 9,0 | 150 |
| 3 | 9,5 | 9,5 | 33,3 | 10,5 | 174 | 10,0 | 166 | 9,5 | 158 |
| 4 | 10,0 | 10,0 | 35,0 | 11,0 | 183 | 10,5 | 175 | 10,0 | 167 |
| 5 | 10,5 | 10,5 | 36,8 | 11,6 | 193 | 11,0 | 184 | 10,5 | 175 |
| 6 | 11,0 | 11,0 | 38,5 | 12,1 | 202 | 11,6 | 193 | 11,0 | 183 |
| | | 11,5 | 40,3 | 12,7 | 211 | 12,1 | 201 | 11,5 | 192 |
| 7 | 11,5 | 11,9 | 41,7 | 13,1 | 218 | 12,5 | 208 | 11,9 | 198 |
| | | 12,0 | 42,0 | 13,2 | 220 | 12,6 | 210 | 12,0 | 200 |
| | | 12,5 | 43,8 | 13,8 | 229 | 13,1 | 219 | 12,5 | 208 |
| 8 | 12,0 | 12,7 | 44,5 | 14,0 | 233 | 13,3 | 222 | 12,7 | 212 |
| | | 13,0 | 45,5 | 14,3 | 238 | 13,7 | 228 | 13,0 | 217 |
| | | 13,5 | 47,3 | 14,9 | 248 | 14,2 | 236 | 13,5 | 225 |
| 9 | 12,5 | 13,6 | 47,6 | 15,0 | 249 | 14,3 | 238 | 13,6 | 227 |
| | | 14,0 | 49,0 | 15,4 | 257 | 14,7 | 245 | 14,0 | 233 |
| 10 | 13,0 | 14,5 | 50,8 | 16,0 | 266 | 15,2 | 254 | 14,5 | 242 |
| | | 15,0 | 52,5 | 16,5 | 275 | 15,8 | 263 | 15,0 | 250 |
| 11 | 13,5 | 15,3 | 53,6 | 16,8 | 281 | 16,1 | 268 | 15,3 | 255 |
| | | 15,5 | 54,3 | 17,1 | 284 | 16,3 | 271 | 15,5 | 258 |
| | | 16,0 | 56,0 | 17,6 | 293 | 16,8 | 280 | 16,0 | 267 |
| 12 | 14,0 | 16,2 | 56,7 | 17,8 | 297 | 17,0 | 284 | 16,2 | 270 |
| | | 16,5 | 57,8 | 18,2 | 303 | 17,3 | 289 | 16,5 | 275 |
| 13 | 14,5 | 17,0 | 59,5 | 18,7 | 312 | 17,9 | 298 | 17,0 | 283 |
| | | 17,5 | 61,3 | 19,3 | 321 | 18,4 | 306 | 17,5 | 292 |
| 14 | 15,0 | 17,9 | 62,7 | 19,7 | 328 | 18,8 | 313 | 17,9 | 298 |
| | | 18,0 | 63,0 | 19,8 | 330 | 18,9 | 315 | 18,0 | 300 |
| | | 18,5 | 64,8 | 20,4 | 339 | 19,4 | 324 | 18,5 | 308 |
| 15 | 15,5 | 18,7 | 65,5 | 20,6 | 343 | 19,6 | 327 | 18,7 | 312 |
| | | 19,0 | 66,5 | 20,9 | 348 | 20,0 | 333 | 19,0 | 317 |
| | | 19,5 | 68,3 | 21,5 | 358 | 20,5 | 341 | 19,5 | 325 |
| 16 | 16,0 | 19,6 | 68,6 | 21,6 | 359 | 20,6 | 343 | 19,6 | 327 |
| | | 20,0 | 70,0 | 22,0 | 367 | 21,0 | 350 | 20,0 | 333 |
| 17 | 16,5 | 20,5 | 71,8 | 22,6 | 376 | 21,5 | 359 | 20,5 | 342 |
| | | 21,0 | 73,5 | 23,1 | 385 | 22,1 | 368 | 21,0 | 350 |
| 18 | 17,0 | 21,3 | 74,6 | 23,4 | 391 | 22,4 | 373 | 21,3 | 355 |
| | | 21,5 | 75,3 | 23,7 | 394 | 22,6 | 376 | 21,5 | 358 |
| | | 22,0 | 77,0 | 24,2 | 403 | 23,1 | 385 | 22,0 | 367 |
| 19 | 17,5 | 22,2 | 77,7 | 24,4 | 407 | 23,3 | 389 | 22,2 | 370 |
| | | 22,5 | 78,8 | 24,8 | 413 | 23,6 | 394 | 22,5 | 375 |
| 20 | 18,0 | 23,0 | 80,5 | 25,3 | 422 | 24,2 | 403 | 23,0 | 383 |

| Paliers LL | Vitesse LL [km/h] | VAM, METS ou vitesse LB [km/h] | VO₂MAX (1 METS = 3,5 ml O₂/kg/min) | Intermittent moyen (95 %) | | Intermittent moyen (90 %) | | Intermittent moyen (85 %) | |
|---|---|---|---|---|---|---|---|---|---|
| | | | | km/h | mètres | km/h | mètres | km/h | mètres |
| 1 | 8,5 | 8,5 | 29,8 | 8,1 | 135 | 7,7 | 128 | 7,2 | 120 |
| 2 | 9,0 | 9,0 | 31,5 | 8,6 | 143 | 8,1 | 135 | 7,7 | 128 |
| 3 | 9,5 | 9,5 | 33,3 | 9,0 | 150 | 8,6 | 143 | 8,1 | 135 |
| 4 | 10,0 | 10,0 | 35,0 | 9,5 | 158 | 9,0 | 150 | 8,5 | 142 |
| 5 | 10,5 | 10,5 | 36,8 | 10,0 | 166 | 9,5 | 158 | 8,9 | 149 |
| 6 | 11,0 | 11,0 | 38,5 | 10,5 | 174 | 9,9 | 165 | 9,4 | 156 |
| | | 11,5 | 40,3 | 10,9 | 182 | 10,4 | 173 | 9,8 | 163 |
| 7 | 11,5 | 11,9 | 41,7 | 11,3 | 188 | 10,7 | 179 | 10,1 | 169 |
| | | 12,0 | 42,0 | 11,4 | 190 | 10,8 | 180 | 10,2 | 170 |
| | | 12,5 | 43,8 | 11,9 | 198 | 11,3 | 188 | 10,6 | 177 |
| 8 | 12,0 | 12,7 | 44,5 | 12,1 | 201 | 11,4 | 191 | 10,8 | 180 |
| | | 13,0 | 45,5 | 12,4 | 206 | 11,7 | 195 | 11,1 | 184 |
| | | 13,5 | 47,3 | 12,8 | 214 | 12,2 | 203 | 11,5 | 191 |
| 9 | 12,5 | 13,6 | 47,6 | 12,9 | 215 | 12,2 | 204 | 11,6 | 193 |
| | | 14,0 | 49,0 | 13,3 | 222 | 12,6 | 210 | 11,9 | 198 |
| 10 | 13,0 | 14,5 | 50,8 | 13,8 | 230 | 13,1 | 218 | 12,3 | 205 |
| | | 15,0 | 52,5 | 14,3 | 238 | 13,5 | 225 | 12,8 | 213 |
| 11 | 13,5 | 15,3 | 53,6 | 14,5 | 242 | 13,8 | 230 | 13,0 | 217 |
| | | 15,5 | 54,3 | 14,7 | 245 | 14,0 | 233 | 13,2 | 220 |
| | | 16,0 | 56,0 | 15,2 | 253 | 14,4 | 240 | 13,6 | 227 |
| 12 | 14,0 | 16,2 | 56,7 | 15,4 | 257 | 14,6 | 243 | 13,8 | 230 |
| | | 16,5 | 57,8 | 15,7 | 261 | 14,9 | 248 | 14,0 | 234 |
| 13 | 14,5 | 17,0 | 59,5 | 16,2 | 269 | 15,3 | 255 | 14,5 | 241 |
| | | 17,5 | 61,3 | 16,6 | 277 | 15,8 | 263 | 14,9 | 248 |
| 14 | 15,0 | 17,9 | 62,7 | 17,0 | 283 | 16,1 | 269 | 15,2 | 254 |
| | | 18,0 | 63,0 | 17,1 | 285 | 16,2 | 270 | 15,3 | 255 |
| | | 18,5 | 64,8 | 17,6 | 293 | 16,7 | 278 | 15,7 | 262 |
| 15 | 15,5 | 18,7 | 65,5 | 17,8 | 296 | 16,8 | 281 | 15,9 | 265 |
| | | 19,0 | 66,5 | 18,1 | 301 | 17,1 | 285 | 16,2 | 269 |
| | | 19,5 | 68,3 | 18,5 | 309 | 17,6 | 293 | 16,6 | 276 |
| 16 | 16,0 | 19,6 | 68,6 | 18,6 | 310 | 17,6 | 294 | 16,7 | 278 |
| | | 20,0 | 70,0 | 19,0 | 317 | 18,0 | 300 | 17,0 | 283 |
| 17 | 16,5 | 20,5 | 71,8 | 19,5 | 325 | 18,5 | 308 | 17,4 | 290 |
| | | 21,0 | 73,5 | 20,0 | 333 | 18,9 | 315 | 17,9 | 298 |
| 18 | 17,0 | 21,3 | 74,6 | 20,2 | 337 | 19,2 | 320 | 18,1 | 302 |
| | | 21,5 | 75,3 | 20,4 | 340 | 19,4 | 323 | 18,3 | 305 |
| | | 22,0 | 77,0 | 20,9 | 348 | 19,8 | 330 | 18,7 | 312 |
| 19 | 17,5 | 22,2 | 77,7 | 21,1 | 352 | 20,0 | 333 | 18,9 | 315 |
| | | 22,5 | 78,8 | 21,4 | 356 | 20,3 | 338 | 19,1 | 319 |
| 20 | 18,0 | 23,0 | 80,5 | 21,9 | 364 | 20,7 | 345 | 19,6 | 326 |

# CHARTE DES POURCENTAGES SOUS-MAXIMAUX

| | 100 % | 95 % | 90 % | 85 % | 80 % | 75 % | 70 % | 65 % | 60 % | 55 % | 50 % | 45 % | 40 % | 35 % | 30 % | 25 % | 20 % | 15 % | 10 % | 5 % |
|---|---|---|---|---|---|---|---|---|---|---|---|---|---|---|---|---|---|---|---|---|
| 30 | 28,5 | 27,0 | 25,5 | 24,0 | 22,5 | 21,0 | 19,5 | 18,0 | 16,5 | 15,0 | 13,5 | 12,0 | 10,5 | 9,0 | 7,5 | 6,0 | 4,5 | 3,0 | 1,5 | |
| 40 | 38,0 | 36,0 | 34,0 | 32,0 | 30,0 | 28,0 | 26,0 | 24,0 | 22,0 | 20,0 | 18,0 | 16,0 | 14,0 | 12,0 | 10,0 | 8,0 | 6,0 | 4,0 | 2,0 | |
| 50 | 47,5 | 45,0 | 42,5 | 40,0 | 37,5 | 35,0 | 32,5 | 30,0 | 27,5 | 25,0 | 22,5 | 20,0 | 17,5 | 15,0 | 12,5 | 10,0 | 7,5 | 5,0 | 2,5 | |
| 60 | 57,0 | 54,0 | 51,0 | 48,0 | 45,0 | 42,0 | 39,0 | 36,0 | 33,0 | 30,0 | 27,0 | 24,0 | 21,0 | 18,0 | 15,0 | 12,0 | 9,0 | 6,0 | 3,0 | |
| 70 | 66,5 | 63,0 | 59,5 | 56,0 | 52,5 | 49,0 | 45,5 | 42,0 | 38,5 | 35,0 | 31,5 | 28,0 | 24,5 | 21,0 | 17,5 | 14,0 | 10,5 | 7,0 | 3,5 | |
| 80 | 76,0 | 72,0 | 68,0 | 64,0 | 60,0 | 56,0 | 52,0 | 48,0 | 44,0 | 40,0 | 36,0 | 32,0 | 28,0 | 24,0 | 20,0 | 16,0 | 12,0 | 8,0 | 4,0 | |
| 90 | 85,5 | 81,0 | 76,5 | 72,0 | 67,5 | 63,0 | 58,5 | 54,0 | 49,5 | 45,0 | 40,5 | 36,0 | 31,5 | 27,0 | 22,5 | 18,0 | 13,5 | 9,0 | 4,5 | |
| 100 | 95,0 | 90,0 | 85,0 | 80,0 | 75,0 | 70,0 | 65,0 | 60,0 | 55,0 | 50,0 | 45,0 | 40,0 | 35,0 | 30,0 | 25,0 | 20,0 | 15,0 | 10,0 | 5,0 | |
| 110 | 104,5 | 99,0 | 93,5 | 88,0 | 82,5 | 77,0 | 71,5 | 66,0 | 60,5 | 55,0 | 49,5 | 44,0 | 38,5 | 33,0 | 27,5 | 22,0 | 16,5 | 11,0 | 5,5 | |
| 120 | 114,0 | 108,0 | 102,0 | 96,0 | 90,0 | 84,0 | 78,0 | 72,0 | 66,0 | 60,0 | 54,0 | 48,0 | 42,0 | 36,0 | 30,0 | 24,0 | 18,0 | 12,0 | 6,0 | |
| 130 | 123,5 | 117,0 | 110,5 | 104,0 | 97,5 | 91,0 | 84,5 | 78,0 | 71,5 | 65,0 | 58,5 | 52,0 | 45,5 | 39,0 | 32,5 | 26,0 | 19,5 | 13,0 | 6,5 | |
| 140 | 133,0 | 126,0 | 119,0 | 112,0 | 105,0 | 98,0 | 91,0 | 84,0 | 77,0 | 70,0 | 63,0 | 56,0 | 49,0 | 42,0 | 35,0 | 28,0 | 21,0 | 14,0 | 7,0 | |
| 150 | 142,5 | 135,0 | 127,5 | 120,0 | 112,5 | 105,0 | 97,5 | 90,0 | 82,5 | 75,0 | 67,5 | 60,0 | 52,5 | 45,0 | 37,5 | 30,0 | 22,5 | 15,0 | 7,5 | |
| 160 | 152,0 | 144,0 | 136,0 | 128,0 | 120,0 | 112,0 | 104,0 | 96,0 | 88,0 | 80,0 | 72,0 | 64,0 | 56,0 | 48,0 | 40,0 | 32,0 | 24,0 | 16,0 | 8,0 | |
| 170 | 161,5 | 153,0 | 144,5 | 136,0 | 127,5 | 119,0 | 110,5 | 102,0 | 93,5 | 85,0 | 76,5 | 68,0 | 59,5 | 51,0 | 42,5 | 34,0 | 25,5 | 17,0 | 8,5 | |
| 180 | 171,0 | 162,0 | 153,0 | 144,0 | 135,0 | 126,0 | 117,0 | 108,0 | 99,0 | 90,0 | 81,0 | 72,0 | 63,0 | 54,0 | 45,0 | 36,0 | 27,0 | 18,0 | 9,0 | |
| 190 | 180,5 | 171,0 | 161,5 | 152,0 | 142,5 | 133,0 | 123,5 | 114,0 | 104,5 | 95,0 | 85,5 | 76,0 | 66,5 | 57,0 | 47,5 | 38,0 | 28,5 | 19,0 | 9,5 | |
| 200 | 190,0 | 180,0 | 170,0 | 160,0 | 150,0 | 140,0 | 130,0 | 120,0 | 110,0 | 100,0 | 90,0 | 80,0 | 70,0 | 60,0 | 50,0 | 40,0 | 30,0 | 20,0 | 10,0 | |
| 210 | 199,5 | 189,0 | 178,5 | 168,0 | 157,5 | 147,0 | 136,5 | 126,0 | 115,5 | 105,0 | 94,5 | 84,0 | 73,5 | 63,0 | 52,5 | 42,0 | 31,5 | 21,0 | 10,5 | |
| 220 | 209,0 | 198,0 | 187,0 | 176,0 | 165,0 | 154,0 | 143,0 | 132,0 | 121,0 | 110,0 | 99,0 | 88,0 | 77,0 | 66,0 | 55,0 | 44,0 | 33,0 | 22,0 | 11,0 | |
| 230 | 218,5 | 207,0 | 195,5 | 184,0 | 172,5 | 161,0 | 149,5 | 138,0 | 126,5 | 115,0 | 103,5 | 92,0 | 80,5 | 69,0 | 57,5 | 46,0 | 34,5 | 23,0 | 11,5 | |
| 240 | 228,0 | 216,0 | 204,0 | 192,0 | 180,0 | 168,0 | 156,0 | 144,0 | 132,0 | 120,0 | 108,0 | 96,0 | 84,0 | 72,0 | 60,0 | 48,0 | 36,0 | 24,0 | 12,0 | |
| 250 | 237,5 | 225,0 | 212,5 | 200,0 | 187,5 | 175,0 | 162,5 | 150,0 | 137,5 | 125,0 | 112,5 | 100,0 | 87,5 | 75,0 | 62,5 | 50,0 | 37,5 | 25,0 | 12,5 | |
| 260 | 247,0 | 234,0 | 221,0 | 208,0 | 195,0 | 182,0 | 169,0 | 156,0 | 143,0 | 130,0 | 117,0 | 104,0 | 91,0 | 78,0 | 65,0 | 52,0 | 39,0 | 26,0 | 13,0 | |
| 270 | 256,5 | 243,0 | 229,5 | 216,0 | 202,5 | 189,0 | 175,5 | 162,0 | 148,5 | 135,0 | 121,5 | 108,0 | 94,5 | 81,0 | 67,5 | 54,0 | 40,5 | 27,0 | 13,5 | |
| 280 | 266,0 | 252,0 | 238,0 | 224,0 | 210,0 | 196,0 | 182,0 | 168,0 | 154,0 | 140,0 | 126,0 | 112,0 | 98,0 | 84,0 | 70,0 | 56,0 | 42,0 | 28,0 | 14,0 | |
| 290 | 275,5 | 261,0 | 246,5 | 232,0 | 217,5 | 203,0 | 188,5 | 174,0 | 159,5 | 145,0 | 130,5 | 116,0 | 101,5 | 87,0 | 72,5 | 58,0 | 43,5 | 29,0 | 14,5 | |
| 300 | 285,0 | 270,0 | 255,0 | 240,0 | 225,0 | 210,0 | 195,0 | 180,0 | 165,0 | 150,0 | 135,0 | 120,0 | 105,0 | 90,0 | 75,0 | 60,0 | 45,0 | 30,0 | 15,0 | |
| 310 | 294,5 | 279,0 | 263,5 | 248,0 | 232,5 | 217,0 | 201,5 | 186,0 | 170,5 | 155,0 | 139,5 | 124,0 | 108,5 | 93,0 | 77,5 | 62,0 | 46,5 | 31,0 | 15,5 | |
| 320 | 304,0 | 288,0 | 272,0 | 256,0 | 240,0 | 224,0 | 208,0 | 192,0 | 176,0 | 160,0 | 144,0 | 128,0 | 112,0 | 96,0 | 80,0 | 64,0 | 48,0 | 32,0 | 16,0 | |
| 330 | 313,5 | 297,0 | 280,5 | 264,0 | 247,5 | 231,0 | 214,5 | 198,0 | 181,5 | 165,0 | 148,5 | 132,0 | 115,5 | 99,0 | 82,5 | 66,0 | 49,5 | 33,0 | 16,5 | |
| 340 | 323,0 | 306,0 | 289,0 | 272,0 | 255,0 | 238,0 | 221,0 | 204,0 | 187,0 | 170,0 | 153,0 | 136,0 | 119,0 | 102,0 | 85,0 | 68,0 | 51,0 | 34,0 | 17,0 | |
| 350 | 332,5 | 315,0 | 297,5 | 280,0 | 262,5 | 245,0 | 227,5 | 210,0 | 192,5 | 175,0 | 157,5 | 140,0 | 122,5 | 105,0 | 87,5 | 70,0 | 52,5 | 35,0 | 17,5 | |
| 360 | 342,0 | 324,0 | 306,0 | 288,0 | 270,0 | 252,0 | 234,0 | 216,0 | 198,0 | 180,0 | 162,0 | 144,0 | 126,0 | 108,0 | 90,0 | 72,0 | 54,0 | 36,0 | 18,0 | |
| 370 | 351,5 | 333,0 | 314,5 | 296,0 | 277,5 | 259,0 | 240,5 | 222,0 | 203,5 | 185,0 | 166,5 | 148,0 | 129,5 | 111,0 | 92,5 | 74,0 | 55,5 | 37,0 | 18,5 | |
| 380 | 361,0 | 342,0 | 323,0 | 304,0 | 285,0 | 266,0 | 247,0 | 228,0 | 209,0 | 190,0 | 171,0 | 152,0 | 133,0 | 114,0 | 95,0 | 76,0 | 57,0 | 38,0 | 19,0 | |
| 390 | 370,5 | 351,0 | 331,5 | 312,0 | 292,5 | 273,0 | 253,5 | 234,0 | 214,5 | 195,0 | 175,5 | 156,0 | 136,5 | 117,0 | 97,5 | 78,0 | 58,5 | 39,0 | 19,5 | |
| 400 | 380,0 | 360,0 | 340,0 | 320,0 | 300,0 | 280,0 | 260,0 | 240,0 | 220,0 | 200,0 | 180,0 | 160,0 | 140,0 | 120,0 | 100,0 | 80,0 | 60,0 | 40,0 | 20,0 | |

| 100 % | 95 % | 90 % | 85 % | 80 % | 75 % | 70 % | 65 % | 60 % | 55 % | 50 % | 45 % | 40 % | 35 % | 30 % | 25 % | 20 % | 15 % | 10 % | 5 % |
|---|---|---|---|---|---|---|---|---|---|---|---|---|---|---|---|---|---|---|---|
| 410 | 389,5 | 369,0 | 348,5 | 328,0 | 307,5 | 287,0 | 266,5 | 246,0 | 225,5 | 205,0 | 184,5 | 164,0 | 143,5 | 123,0 | 102,5 | 82,0 | 61,5 | 41,0 | 20,5 |
| 420 | 399,0 | 378,0 | 357,0 | 336,0 | 315,0 | 294,0 | 273,0 | 252,0 | 231,0 | 210,0 | 189,0 | 168,0 | 147,0 | 126,0 | 105,0 | 84,0 | 63,0 | 42,0 | 21,0 |
| 430 | 408,5 | 387,0 | 365,5 | 344,0 | 322,5 | 301,0 | 279,5 | 258,0 | 236,5 | 215,0 | 193,5 | 172,0 | 150,5 | 129,0 | 107,5 | 86,0 | 64,5 | 43,0 | 21,5 |
| 440 | 418,0 | 396,0 | 374,0 | 352,0 | 330,0 | 308,0 | 286,0 | 264,0 | 242,0 | 220,0 | 198,0 | 176,0 | 154,0 | 132,0 | 110,0 | 88,0 | 66,0 | 44,0 | 22,0 |
| 450 | 427,5 | 405,0 | 382,5 | 360,0 | 337,5 | 315,0 | 292,5 | 270,0 | 247,5 | 225,0 | 202,5 | 180,0 | 157,5 | 135,0 | 112,5 | 90,0 | 67,5 | 45,0 | 22,5 |
| 460 | 437,0 | 414,0 | 391,0 | 368,0 | 345,0 | 322,0 | 299,0 | 276,0 | 253,0 | 230,0 | 207,0 | 184,0 | 161,0 | 138,0 | 115,0 | 92,0 | 69,0 | 46,0 | 23,0 |
| 470 | 446,5 | 423,0 | 399,5 | 376,0 | 352,5 | 329,0 | 305,5 | 282,0 | 258,5 | 235,0 | 211,5 | 188,0 | 164,5 | 141,0 | 117,5 | 94,0 | 70,5 | 47,0 | 23,5 |
| 480 | 456,0 | 432,0 | 408,0 | 384,0 | 360,0 | 336,0 | 312,0 | 288,0 | 264,0 | 240,0 | 216,0 | 192,0 | 168,0 | 144,0 | 120,0 | 96,0 | 72,0 | 48,0 | 24,0 |
| 490 | 465,5 | 441,0 | 416,5 | 392,0 | 367,5 | 343,0 | 318,5 | 294,0 | 269,5 | 245,0 | 220,5 | 196,0 | 171,5 | 147,0 | 122,5 | 98,0 | 73,5 | 49,0 | 24,5 |
| 500 | 475,0 | 450,0 | 425,0 | 400,0 | 375,0 | 350,0 | 325,0 | 300,0 | 275,0 | 250,0 | 225,0 | 200,0 | 175,0 | 150,0 | 125,0 | 100,0 | 75,0 | 50,0 | 25,0 |
| 510 | 484,5 | 459,0 | 433,5 | 408,0 | 382,5 | 357,0 | 331,5 | 306,0 | 280,5 | 255,0 | 229,5 | 204,0 | 178,5 | 153,0 | 127,5 | 102,0 | 76,5 | 51,0 | 25,5 |
| 520 | 494,0 | 468,0 | 442,0 | 416,0 | 390,0 | 364,0 | 338,0 | 312,0 | 286,0 | 260,0 | 234,0 | 208,0 | 182,0 | 156,0 | 130,0 | 104,0 | 78,0 | 52,0 | 26,0 |
| 530 | 503,5 | 477,0 | 450,5 | 424,0 | 397,5 | 371,0 | 344,5 | 318,0 | 291,5 | 265,0 | 238,5 | 212,0 | 185,5 | 159,0 | 132,5 | 106,0 | 79,5 | 53,0 | 26,5 |
| 540 | 513,0 | 486,0 | 459,0 | 432,0 | 405,0 | 378,0 | 351,0 | 324,0 | 297,0 | 270,0 | 243,0 | 216,0 | 189,0 | 162,0 | 135,0 | 108,0 | 81,0 | 54,0 | 27,0 |
| 550 | 522,5 | 495,0 | 467,5 | 440,0 | 412,5 | 385,0 | 357,5 | 330,0 | 302,5 | 275,0 | 247,5 | 220,0 | 192,5 | 165,0 | 137,5 | 110,0 | 82,5 | 55,0 | 27,5 |
| 560 | 532,0 | 504,0 | 476,0 | 448,0 | 420,0 | 392,0 | 364,0 | 336,0 | 308,0 | 280,0 | 252,0 | 224,0 | 196,0 | 168,0 | 140,0 | 112,0 | 84,0 | 56,0 | 28,0 |
| 570 | 541,5 | 513,0 | 484,5 | 456,0 | 427,5 | 399,0 | 370,5 | 342,0 | 313,5 | 285,0 | 256,5 | 228,0 | 199,5 | 171,0 | 142,5 | 114,0 | 85,5 | 57,0 | 28,5 |
| 580 | 551,0 | 522,0 | 493,0 | 464,0 | 435,0 | 406,0 | 377,0 | 348,0 | 319,0 | 290,0 | 261,0 | 232,0 | 203,0 | 174,0 | 145,0 | 116,0 | 87,0 | 58,0 | 29,0 |
| 590 | 560,5 | 531,0 | 501,5 | 472,0 | 442,5 | 413,0 | 383,5 | 354,0 | 324,5 | 295,0 | 265,5 | 236,0 | 206,5 | 177,0 | 147,5 | 118,0 | 88,5 | 59,0 | 29,5 |
| 600 | 570,0 | 540,0 | 510,0 | 480,0 | 450,0 | 420,0 | 390,0 | 360,0 | 330,0 | 300,0 | 270,0 | 240,0 | 210,0 | 180,0 | 150,0 | 120,0 | 90,0 | 60,0 | 30,0 |
| 610 | 579,5 | 549,0 | 518,5 | 488,0 | 457,5 | 427,0 | 396,5 | 366,0 | 335,5 | 305,0 | 274,5 | 244,0 | 213,5 | 183,0 | 152,5 | 122,0 | 91,5 | 61,0 | 30,5 |
| 620 | 589,0 | 558,0 | 527,0 | 496,0 | 465,0 | 434,0 | 403,0 | 372,0 | 341,0 | 310,0 | 279,0 | 248,0 | 217,0 | 186,0 | 155,0 | 124,0 | 93,0 | 62,0 | 31,0 |
| 630 | 598,5 | 567,0 | 535,5 | 504,0 | 472,5 | 441,0 | 409,5 | 378,0 | 346,5 | 315,0 | 283,5 | 252,0 | 220,5 | 189,0 | 157,5 | 126,0 | 94,5 | 63,0 | 31,5 |
| 640 | 608,0 | 576,0 | 544,0 | 512,0 | 480,0 | 448,0 | 416,0 | 384,0 | 352,0 | 320,0 | 288,0 | 256,0 | 224,0 | 192,0 | 160,0 | 128,0 | 96,0 | 64,0 | 32,0 |
| 650 | 617,5 | 585,0 | 552,5 | 520,0 | 487,5 | 455,0 | 422,5 | 390,0 | 357,5 | 325,0 | 292,5 | 260,0 | 227,5 | 195,0 | 162,5 | 130,0 | 97,5 | 65,0 | 32,5 |
| 660 | 627,0 | 594,0 | 561,0 | 528,0 | 495,0 | 462,0 | 429,0 | 396,0 | 363,0 | 330,0 | 297,0 | 264,0 | 231,0 | 198,0 | 165,0 | 132,0 | 99,0 | 66,0 | 33,0 |
| 670 | 636,5 | 603,0 | 569,5 | 536,0 | 502,5 | 469,0 | 435,5 | 402,0 | 368,5 | 335,0 | 301,5 | 268,0 | 234,5 | 201,0 | 167,5 | 134,0 | 100,5 | 67,0 | 33,5 |
| 680 | 646,0 | 612,0 | 578,0 | 544,0 | 510,0 | 476,0 | 442,0 | 408,0 | 374,0 | 340,0 | 306,0 | 272,0 | 238,0 | 204,0 | 170,0 | 136,0 | 102,0 | 68,0 | 34,0 |
| 690 | 655,5 | 621,0 | 586,5 | 552,0 | 517,5 | 483,0 | 448,5 | 414,0 | 379,5 | 345,0 | 310,5 | 276,0 | 241,5 | 207,0 | 172,5 | 138,0 | 103,5 | 69,0 | 34,5 |
| 700 | 665,0 | 630,0 | 595,0 | 560,0 | 525,0 | 490,0 | 455,0 | 420,0 | 385,0 | 350,0 | 315,0 | 280,0 | 245,0 | 210,0 | 175,0 | 140,0 | 105,0 | 70,0 | 35,0 |
| 710 | 674,5 | 639,0 | 603,5 | 568,0 | 532,5 | 497,0 | 461,5 | 426,0 | 390,5 | 355,0 | 319,5 | 284,0 | 248,5 | 213,0 | 177,5 | 142,0 | 106,5 | 71,0 | 35,5 |
| 720 | 684,0 | 648,0 | 612,0 | 576,0 | 540,0 | 504,0 | 468,0 | 432,0 | 396,0 | 360,0 | 324,0 | 288,0 | 252,0 | 216,0 | 180,0 | 144,0 | 108,0 | 72,0 | 36,0 |
| 730 | 693,5 | 657,0 | 620,5 | 584,0 | 547,5 | 511,0 | 474,5 | 438,0 | 401,5 | 365,0 | 328,5 | 292,0 | 255,5 | 219,0 | 182,5 | 146,0 | 109,5 | 73,0 | 36,5 |
| 740 | 703,0 | 666,0 | 629,0 | 592,0 | 555,0 | 518,0 | 481,0 | 444,0 | 407,0 | 370,0 | 333,0 | 296,0 | 259,0 | 222,0 | 185,0 | 148,0 | 111,0 | 74,0 | 37,0 |
| 750 | 712,5 | 675,0 | 637,5 | 600,0 | 562,5 | 525,0 | 487,5 | 450,0 | 412,5 | 375,0 | 337,5 | 300,0 | 262,5 | 225,0 | 187,5 | 150,0 | 112,5 | 75,0 | 37,5 |
| 760 | 722,0 | 684,0 | 646,0 | 608,0 | 570,0 | 532,0 | 494,0 | 456,0 | 418,0 | 380,0 | 342,0 | 304,0 | 266,0 | 228,0 | 190,0 | 152,0 | 114,0 | 76,0 | 38,0 |
| 770 | 731,5 | 693,0 | 654,5 | 616,0 | 577,5 | 539,0 | 500,5 | 462,0 | 423,5 | 385,0 | 346,5 | 308,0 | 269,5 | 231,0 | 192,5 | 154,0 | 115,5 | 77,0 | 38,5 |

# CHARTE DES POURCENTAGES SUPRAMAXIMAUX

| 100 % | 105 % | 110 % | 115 % | 120 % | 125 % | 130% | 135 % | 140 % | 145 % | 100 % | 105 % | 110 % | 115 % | 120 % | 125 % | 130 % | 135 % | 140 % | 145 % |
|---|---|---|---|---|---|---|---|---|---|---|---|---|---|---|---|---|---|---|---|
| 30 | 31,5 | 33,0 | 34,5 | 36,0 | 37,5 | 39,0 | 40,5 | 42,0 | 43,5 | 410 | 430,5 | 451,0 | 471,5 | 492,0 | 512,5 | 533,0 | 553,5 | 574,0 | 594,5 |
| 40 | 42,0 | 44,0 | 46,0 | 48,0 | 50,0 | 52,0 | 54,0 | 56,0 | 58,0 | 420 | 441,0 | 462,0 | 483,0 | 504,0 | 525,0 | 546,0 | 567,0 | 588,0 | 609,0 |
| 50 | 52,5 | 55,0 | 57,5 | 60,0 | 62,5 | 65,0 | 67,5 | 70,0 | 72,5 | 430 | 451,5 | 473,0 | 494,5 | 516,0 | 537,5 | 559,0 | 580,5 | 602,0 | 623,5 |
| 60 | 63,0 | 66,0 | 69,0 | 72,0 | 75,0 | 78,0 | 81,0 | 84,0 | 87,0 | 440 | 462,0 | 484,0 | 506,0 | 528,0 | 550,0 | 572,0 | 594,0 | 616,0 | 638,0 |
| 70 | 73,5 | 77,0 | 80,5 | 84,0 | 87,5 | 91,0 | 94,5 | 98,0 | 101,5 | 450 | 472,5 | 495,0 | 517,5 | 540,0 | 562,5 | 585,0 | 607,5 | 630,0 | 652,5 |
| 80 | 84,0 | 88,0 | 92,0 | 96,0 | 100,0 | 104,0 | 108,0 | 112,0 | 116,0 | 460 | 483,0 | 506,0 | 529,0 | 552,0 | 575,0 | 598,0 | 621,0 | 644,0 | 667,0 |
| 90 | 94,5 | 99,0 | 103,5 | 108,0 | 112,5 | 117,0 | 121,5 | 126,0 | 130,5 | 470 | 493,5 | 517,0 | 540,5 | 564,0 | 587,5 | 611,0 | 634,5 | 658,0 | 681,5 |
| 100 | 105,0 | 110,0 | 115,0 | 120,0 | 125,0 | 130,0 | 135,0 | 140,0 | 145,0 | 480 | 504,0 | 528,0 | 552,0 | 576,0 | 600,0 | 624,0 | 648,0 | 672,0 | 696,0 |
| 110 | 115,5 | 121,0 | 126,5 | 132,0 | 137,5 | 143,0 | 148,5 | 154,0 | 159,5 | 490 | 514,5 | 539,0 | 563,5 | 588,0 | 612,5 | 637,0 | 661,5 | 686,0 | 710,5 |
| 120 | 126,0 | 132,0 | 138,0 | 144,0 | 150,0 | 156,0 | 162,0 | 168,0 | 174,0 | 500 | 525,0 | 550,0 | 575,0 | 600,0 | 625,0 | 650,0 | 675,0 | 700,0 | 725,0 |
| 130 | 136,5 | 143,0 | 149,5 | 156,0 | 162,5 | 169,0 | 175,5 | 182,0 | 188,5 | 510 | 535,5 | 561,0 | 586,5 | 612,0 | 637,5 | 663,0 | 688,5 | 714,0 | 739,5 |
| 140 | 147,0 | 154,0 | 161,0 | 168,0 | 175,0 | 182,0 | 189,0 | 196,0 | 203,0 | 520 | 546,0 | 572,0 | 598,0 | 624,0 | 650,0 | 676,0 | 702,0 | 728,0 | 754,0 |
| 150 | 157,5 | 165,0 | 172,5 | 180,0 | 187,5 | 195,0 | 202,5 | 210,0 | 217,5 | 530 | 556,5 | 583,0 | 609,5 | 636,0 | 662,5 | 689,0 | 715,5 | 742,0 | 768,5 |
| 160 | 168,0 | 176,0 | 184,0 | 192,0 | 200,0 | 208,0 | 216,0 | 224,0 | 232,0 | 540 | 567,0 | 594,0 | 621,0 | 648,0 | 675,0 | 702,0 | 729,0 | 756,0 | 783,0 |
| 170 | 178,5 | 187,0 | 195,5 | 204,0 | 212,5 | 221,0 | 229,5 | 238,0 | 246,5 | 550 | 577,5 | 605,0 | 632,5 | 660,0 | 687,5 | 715,0 | 742,5 | 770,0 | 797,5 |
| 180 | 189,0 | 198,0 | 207,0 | 216,0 | 225,0 | 234,0 | 243,0 | 252,0 | 261,0 | 560 | 588,0 | 616,0 | 644,0 | 672,0 | 700,0 | 728,0 | 756,0 | 784,0 | 812,0 |
| 190 | 199,5 | 209,0 | 218,5 | 228,0 | 237,5 | 247,0 | 256,5 | 266,0 | 275,5 | 570 | 598,5 | 627,0 | 655,5 | 684,0 | 712,5 | 741,0 | 769,5 | 798,0 | 826,5 |
| 200 | 210,0 | 220,0 | 230,0 | 240,0 | 250,0 | 260,0 | 270,0 | 280,0 | 290,0 | 580 | 609,0 | 638,0 | 667,0 | 696,0 | 725,0 | 754,0 | 783,0 | 812,0 | 841,0 |
| 210 | 220,5 | 231,0 | 241,5 | 252,0 | 262,5 | 273,0 | 283,5 | 294,0 | 304,5 | 590 | 619,5 | 649,0 | 678,5 | 708,0 | 737,5 | 767,0 | 796,5 | 826,0 | 855,5 |
| 220 | 231,0 | 242,0 | 253,0 | 264,0 | 275,0 | 286,0 | 297,0 | 308,0 | 319,0 | 600 | 630,0 | 660,0 | 690,0 | 720,0 | 750,0 | 780,0 | 810,0 | 840,0 | 870,0 |
| 230 | 241,5 | 253,0 | 264,5 | 276,0 | 287,5 | 299,0 | 310,5 | 322,0 | 333,5 | 610 | 640,5 | 671,0 | 701,5 | 732,0 | 762,5 | 793,0 | 823,5 | 854,0 | 884,5 |
| 240 | 252,0 | 264,0 | 276,0 | 288,0 | 300,0 | 312,0 | 324,0 | 336,0 | 348,0 | 620 | 651,0 | 682,0 | 713,0 | 744,0 | 775,0 | 806,0 | 837,0 | 868,0 | 899,0 |
| 250 | 262,5 | 275,0 | 287,5 | 300,0 | 312,5 | 325,0 | 337,5 | 350,0 | 362,5 | 630 | 661,5 | 693,0 | 724,5 | 756,0 | 787,5 | 819,0 | 850,5 | 882,0 | 913,5 |
| 260 | 273,0 | 286,0 | 299,0 | 312,0 | 325,0 | 338,0 | 351,0 | 364,0 | 377,0 | 640 | 672,0 | 704,0 | 736,0 | 768,0 | 800,0 | 832,0 | 864,0 | 896,0 | 928,0 |
| 270 | 283,5 | 297,0 | 310,5 | 324,0 | 337,5 | 351,0 | 364,5 | 378,0 | 391,5 | 650 | 682,5 | 715,0 | 747,5 | 780,0 | 812,5 | 845,0 | 877,5 | 910,0 | 942,5 |
| 280 | 294,0 | 308,0 | 322,0 | 336,0 | 350,0 | 364,0 | 378,0 | 392,0 | 406,0 | 660 | 693,0 | 726,0 | 759,0 | 792,0 | 825,0 | 858,0 | 891,0 | 924,0 | 957,0 |
| 290 | 304,5 | 319,0 | 333,5 | 348,0 | 362,5 | 377,0 | 391,5 | 406,0 | 420,5 | 670 | 703,5 | 737,0 | 770,5 | 804,0 | 837,5 | 871,0 | 904,5 | 938,0 | 971,5 |
| 300 | 315,0 | 330,0 | 345,0 | 360,0 | 375,0 | 390,0 | 405,0 | 420,0 | 435,0 | 680 | 714,0 | 748,0 | 782,0 | 816,0 | 850,0 | 884,0 | 918,0 | 952,0 | 986,0 |
| 310 | 325,5 | 341,0 | 356,5 | 372,0 | 387,5 | 403,0 | 418,5 | 434,0 | 449,5 | 690 | 724,5 | 759,0 | 793,5 | 828,0 | 862,5 | 897,0 | 931,5 | 966,0 | 1000,5 |
| 320 | 336,0 | 352,0 | 368,0 | 384,0 | 400,0 | 416,0 | 432,0 | 448,0 | 464,0 | 700 | 735,0 | 770,0 | 805,0 | 840,0 | 875,0 | 910,0 | 945,0 | 980,0 | 1015,0 |
| 330 | 346,5 | 363,0 | 379,5 | 396,0 | 412,5 | 429,0 | 445,5 | 462,0 | 478,5 | 710 | 745,5 | 781,0 | 816,5 | 852,0 | 887,5 | 923,0 | 958,5 | 994,0 | 1029,5 |
| 340 | 357,0 | 374,0 | 391,0 | 408,0 | 425,0 | 442,0 | 459,0 | 476,0 | 493,0 | 720 | 756,0 | 792,0 | 828,0 | 864,0 | 900,0 | 936,0 | 972,0 | 1008,0 | 1044,0 |
| 350 | 367,5 | 385,0 | 402,5 | 420,0 | 437,5 | 455,0 | 472,5 | 490,0 | 507,5 | 730 | 766,5 | 803,0 | 839,5 | 876,0 | 912,5 | 949,0 | 985,5 | 1022,0 | 1058,5 |
| 360 | 378,0 | 396,0 | 414,0 | 432,0 | 450,0 | 468,0 | 486,0 | 504,0 | 522,0 | 740 | 777,0 | 814,0 | 851,0 | 888,0 | 925,0 | 962,0 | 999,0 | 1036,0 | 1073,0 |
| 370 | 388,5 | 407,0 | 425,5 | 444,0 | 462,5 | 481,0 | 499,5 | 518,0 | 536,5 | 750 | 787,5 | 825,0 | 862,5 | 900,0 | 937,5 | 975,0 | 1012,5 | 1050,0 | 1087,5 |
| 380 | 399,0 | 418,0 | 437,0 | 456,0 | 475,0 | 494,0 | 513,0 | 532,0 | 551,0 | 760 | 798,0 | 836,0 | 874,0 | 912,0 | 950,0 | 988,0 | 1026,0 | 1064,0 | 1102,0 |
| 390 | 409,5 | 429,0 | 448,5 | 468,0 | 487,5 | 507,0 | 526,5 | 546,0 | 565,5 | 770 | 808,5 | 847,0 | 885,5 | 924,0 | 962,5 | 1001,0 | 1039,5 | 1078,0 | 1116,5 |
| 400 | 420,0 | 440,0 | 460,0 | 480,0 | 500,0 | 520,0 | 540,0 | 560,0 | 580,0 | 780 | 819,0 | 858,0 | 897,0 | 936,0 | 975,0 | 1014,0 | 1053,0 | 1092,0 | 1131,0 |

| 100 % | 94,3 % | 90,6 % | 88,1 % | 85,6 % | 83,1 % | 80,7 % | 78,6 % | 76,5 % | 74,4 % | 72,3 % | 70,3 % | 68,8 % | 67,5 % | 66,2 % | 65,0 % | 63,8 % | 62,7 % | 61,6 % | 60,6 % |
|---|---|---|---|---|---|---|---|---|---|---|---|---|---|---|---|---|---|---|---|
| 30 | 28,3 | 27,2 | 26,4 | 25,7 | 24,9 | 24,2 | 23,6 | 23,0 | 22,3 | 21,7 | 21,1 | 20,6 | 20,3 | 19,9 | 19,5 | 19,1 | 18,8 | 18,5 | 18,2 |
| 40 | 37,7 | 36,2 | 35,2 | 34,2 | 33,2 | 32,3 | 31,4 | 30,6 | 29,8 | 28,9 | 28,1 | 27,5 | 27,0 | 26,5 | 26,0 | 25,5 | 25,1 | 24,6 | 24,2 |
| 50 | 47,2 | 45,3 | 44,1 | 42,8 | 41,6 | 40,4 | 39,3 | 38,3 | 37,2 | 36,2 | 35,2 | 34,4 | 33,8 | 33,1 | 32,5 | 31,9 | 31,4 | 30,8 | 30,3 |
| 60 | 56,6 | 54,4 | 52,9 | 51,4 | 49,9 | 48,4 | 47,2 | 45,9 | 44,6 | 43,4 | 42,2 | 41,3 | 40,5 | 39,7 | 39,0 | 38,3 | 37,6 | 37,0 | 36,4 |
| 70 | 66,0 | 63,4 | 61,7 | 59,9 | 58,2 | 56,5 | 55,0 | 53,6 | 52,1 | 50,6 | 49,2 | 48,2 | 47,3 | 46,3 | 45,5 | 44,7 | 43,9 | 43,1 | 42,4 |
| 80 | 75,4 | 72,5 | 70,5 | 68,5 | 66,5 | 64,6 | 62,9 | 61,2 | 59,5 | 57,8 | 56,2 | 55,0 | 54,0 | 53,0 | 52,0 | 51,0 | 50,2 | 49,3 | 48,5 |
| 90 | 84,9 | 81,5 | 79,3 | 77,0 | 74,8 | 72,6 | 70,7 | 68,9 | 67,0 | 65,1 | 63,3 | 61,9 | 60,8 | 59,6 | 58,5 | 57,4 | 56,4 | 55,4 | 54,5 |
| 100 | 94,3 | 90,6 | 88,1 | 85,6 | 83,1 | 80,7 | 78,6 | 76,5 | 74,4 | 72,3 | 70,3 | 68,8 | 67,5 | 66,2 | 65,0 | 63,8 | 62,7 | 61,6 | 60,6 |
| 110 | 103,7 | 99,7 | 96,9 | 94,2 | 91,4 | 88,8 | 86,5 | 84,2 | 81,8 | 79,5 | 77,3 | 75,7 | 74,3 | 72,8 | 71,5 | 70,2 | 69,0 | 67,8 | 66,7 |
| 120 | 113,2 | 108,7 | 105,7 | 102,7 | 99,7 | 96,8 | 94,3 | 91,8 | 89,3 | 86,8 | 84,4 | 82,6 | 81,0 | 79,4 | 78,0 | 76,6 | 75,2 | 73,9 | 72,7 |
| 130 | 122,6 | 117,8 | 114,5 | 111,3 | 108,0 | 104,9 | 102,2 | 99,5 | 96,7 | 94,0 | 91,4 | 89,4 | 87,8 | 86,1 | 84,5 | 82,9 | 81,5 | 80,1 | 78,8 |
| 140 | 132,0 | 126,8 | 123,3 | 119,8 | 116,3 | 113,0 | 110,0 | 107,1 | 104,2 | 101,2 | 98,4 | 96,3 | 94,5 | 92,7 | 91,0 | 89,3 | 87,8 | 86,2 | 84,8 |
| 150 | 141,5 | 135,9 | 132,2 | 128,4 | 124,7 | 121,1 | 117,9 | 114,8 | 111,6 | 108,5 | 105,5 | 103,2 | 101,3 | 99,3 | 97,5 | 95,7 | 94,1 | 92,4 | 90,9 |
| 160 | 150,9 | 145,0 | 141,0 | 137,0 | 133,0 | 129,1 | 125,8 | 122,4 | 119,0 | 115,7 | 112,5 | 110,1 | 108,0 | 105,9 | 104,0 | 102,1 | 100,3 | 98,6 | 97,0 |
| 170 | 160,3 | 154,0 | 149,8 | 145,5 | 141,3 | 137,2 | 133,6 | 130,1 | 126,5 | 122,9 | 119,5 | 117,0 | 114,8 | 112,5 | 110,5 | 108,5 | 106,6 | 104,7 | 103,0 |
| 180 | 169,7 | 163,1 | 158,6 | 154,1 | 149,6 | 145,3 | 141,5 | 137,7 | 133,9 | 130,1 | 126,5 | 123,8 | 121,5 | 119,2 | 117,0 | 114,8 | 112,9 | 110,9 | 109,1 |
| 190 | 179,2 | 172,1 | 167,4 | 162,6 | 157,9 | 153,3 | 149,3 | 145,4 | 141,4 | 137,4 | 133,6 | 130,7 | 128,3 | 125,8 | 123,5 | 121,2 | 119,1 | 117,0 | 115,1 |
| 200 | 188,6 | 181,2 | 176,2 | 171,2 | 166,2 | 161,4 | 157,2 | 153,0 | 148,8 | 144,6 | 140,6 | 137,5 | 135,0 | 132,4 | 130,0 | 127,6 | 125,4 | 123,2 | 121,2 |
| 210 | 198,0 | 190,3 | 185,0 | 179,8 | 174,5 | 169,5 | 165,1 | 160,7 | 156,2 | 151,8 | 147,6 | 144,5 | 141,8 | 139,0 | 136,5 | 134,0 | 131,7 | 129,4 | 127,3 |
| 220 | 207,5 | 199,3 | 193,8 | 188,3 | 182,8 | 177,5 | 172,9 | 168,3 | 163,7 | 159,1 | 154,7 | 151,4 | 148,5 | 145,6 | 143,0 | 140,4 | 137,9 | 135,5 | 133,3 |
| 230 | 216,9 | 208,4 | 202,6 | 196,9 | 191,1 | 185,6 | 180,8 | 176,0 | 171,1 | 166,3 | 161,7 | 158,2 | 155,3 | 152,3 | 149,5 | 146,7 | 144,2 | 141,7 | 139,4 |
| 240 | 226,3 | 217,4 | 211,4 | 205,4 | 199,4 | 193,7 | 188,6 | 183,6 | 178,6 | 173,5 | 168,7 | 165,1 | 162,0 | 158,9 | 156,0 | 153,1 | 150,5 | 147,8 | 145,4 |
| 250 | 235,8 | 226,5 | 220,3 | 214,0 | 207,8 | 201,8 | 172,9 | 168,3 | 163,7 | 159,1 | 154,7 | 151,4 | 148,5 | 145,6 | 143,0 | 140,4 | 137,9 | 135,5 | 133,3 |
| 260 | 245,2 | 235,6 | 229,1 | 222,6 | 216,1 | 209,8 | 180,8 | 176,0 | 171,1 | 166,3 | 161,7 | 158,2 | 155,3 | 152,3 | 149,5 | 146,7 | 144,2 | 141,7 | 139,4 |
| 270 | 254,6 | 244,6 | 237,9 | 231,1 | 224,4 | 217,9 | 212,2 | 206,6 | 200,9 | 195,2 | 189,8 | 185,8 | 182,3 | 178,7 | 175,5 | 172,3 | 169,3 | 166,3 | 163,6 |
| 280 | 264,0 | 253,7 | 246,7 | 239,7 | 232,7 | 226,0 | 220,1 | 214,2 | 208,3 | 202,4 | 196,8 | 192,6 | 189,0 | 185,4 | 182,0 | 178,6 | 175,6 | 172,5 | 169,7 |
| 290 | 273,5 | 262,7 | 255,5 | 248,2 | 241,0 | 234,0 | 227,9 | 221,9 | 215,8 | 209,7 | 203,9 | 199,5 | 195,8 | 192,0 | 188,5 | 185,0 | 181,8 | 178,6 | 175,7 |
| 300 | 282,9 | 271,8 | 264,3 | 256,8 | 249,3 | 242,1 | 235,8 | 229,5 | 223,2 | 216,9 | 210,9 | 206,4 | 202,5 | 198,6 | 195,0 | 191,4 | 188,1 | 184,8 | 181,8 |
| 310 | 292,3 | 280,9 | 273,1 | 265,4 | 257,6 | 250,2 | 243,7 | 237,2 | 230,6 | 224,1 | 217,9 | 213,3 | 209,3 | 205,2 | 201,5 | 197,8 | 194,4 | 191,0 | 187,9 |
| 320 | 301,8 | 289,9 | 281,9 | 273,9 | 265,9 | 258,2 | 251,5 | 244,8 | 238,1 | 231,4 | 225,0 | 220,2 | 216,0 | 211,8 | 208,0 | 204,2 | 200,6 | 197,1 | 193,9 |
| 330 | 311,2 | 299,0 | 290,7 | 282,5 | 274,2 | 266,3 | 259,4 | 252,5 | 245,5 | 238,6 | 232,0 | 227,0 | 222,8 | 218,5 | 214,5 | 210,5 | 206,9 | 203,3 | 200,0 |
| 340 | 320,6 | 308,0 | 299,5 | 291,0 | 282,5 | 274,4 | 267,2 | 260,1 | 253,0 | 245,8 | 239,0 | 233,9 | 229,5 | 225,1 | 221,0 | 216,9 | 213,2 | 209,4 | 206,0 |
| 350 | 330,1 | 317,1 | 308,4 | 299,6 | 290,9 | 282,5 | 275,1 | 267,8 | 260,4 | 253,1 | 246,1 | 240,8 | 236,3 | 231,7 | 227,5 | 223,3 | 219,5 | 215,6 | 212,1 |
| 360 | 339,5 | 326,2 | 317,2 | 308,2 | 299,2 | 290,5 | 283,0 | 275,4 | 267,8 | 260,3 | 253,1 | 247,7 | 243,0 | 238,3 | 234,0 | 229,7 | 225,7 | 221,8 | 218,2 |
| 370 | 348,9 | 335,2 | 326,0 | 316,7 | 307,5 | 298,6 | 290,8 | 283,1 | 275,3 | 267,5 | 260,1 | 254,6 | 249,8 | 244,9 | 240,5 | 236,1 | 232,0 | 227,9 | 224,2 |
| 380 | 358,3 | 344,3 | 334,8 | 325,3 | 315,8 | 306,7 | 298,7 | 290,7 | 282,7 | 274,7 | 267,1 | 261,4 | 256,5 | 251,6 | 247,0 | 242,4 | 238,3 | 234,1 | 230,3 |
| 390 | 367,8 | 353,3 | 343,6 | 333,8 | 324,1 | 314,7 | 306,5 | 298,4 | 290,2 | 282,0 | 274,2 | 268,3 | 263,3 | 258,2 | 253,5 | 248,8 | 244,5 | 240,2 | 236,3 |
| 400 | 377,2 | 362,4 | 352,4 | 342,4 | 332,4 | 322,8 | 314,4 | 306,0 | 297,6 | 289,2 | 281,2 | 275,2 | 270,0 | 264,8 | 260,0 | 255,2 | 250,8 | 246,4 | 242,4 |
| 1 | 2 | 3 | 4 | 5 | 6 | 7 | 8 | 9 | 10 | 11 | 12 | 13 | 14 | 15 | 16 | 17 | 18 | 19 | 20 |

# ANNEXE #8 - FORMULE DE WILKS

## Hommes (de 40 à 79 kg)

| Poids de corps (kg) | 0 | 0.1 | 0.2 | 0.3 | 0.4 | 0.5 | 0.6 | 0.7 | 0.8 | 0.9 |
|---|---|---|---|---|---|---|---|---|---|---|
| 40 | 1.3354 | 1.3311 | 1.3268 | 1.3225 | 1.3182 | 1.3140 | 1.3098 | 1.3057 | 1.3016 | 1.2975 |
| 41 | 1.2934 | 1.2894 | 1.2854 | 1.2814 | 1.2775 | 1.2736 | 1.2697 | 1.2658 | 1.2620 | 1.2582 |
| 42 | 1.2545 | 1.2507 | 1.2470 | 1.2433 | 1.2397 | 1.2360 | 1.2324 | 1.2289 | 1.2253 | 1.2218 |
| 43 | 1.2183 | 1.2148 | 1.2113 | 1.2079 | 1.2045 | 1.2011 | 1.1978 | 1.1944 | 1.1911 | 1.1878 |
| 44 | 1.1846 | 1.1813 | 1.1781 | 1.1749 | 1.1717 | 1.1686 | 1.1654 | 1.1623 | 1.1592 | 1.1562 |
| 45 | 1.1531 | 1.1501 | 1.1471 | 1.1441 | 1.1411 | 1.1382 | 1.1352 | 1.1323 | 1.1294 | 1.1266 |
| 46 | 1.1237 | 1.1209 | 1.1181 | 1.1153 | 1.1125 | 1.1097 | 1.1070 | 1.1042 | 1.1015 | 1.0988 |
| 47 | 1.0962 | 1.0935 | 1.0909 | 1.0882 | 1.0856 | 1.0830 | 1.0805 | 1.0779 | 1.0754 | 1.0728 |
| 48 | 1.0703 | 1.0678 | 1.0653 | 1.0629 | 1.0604 | 1.0580 | 1.0556 | 1.0532 | 1.0508 | 1.0484 |
| 49 | 1.0460 | 1.0437 | 1.0413 | 1.0390 | 1.0367 | 1.0344 | 1.0321 | 1.0299 | 1.0276 | 1.0254 |
| 50 | 1.0232 | 1.0210 | 1.0188 | 1.0166 | 1.0144 | 1.0122 | 1.0101 | 1.0079 | 1.0058 | 1.0037 |
| 51 | 1.0016 | 0.9995 | 0.9975 | 0.9954 | 0.9933 | 0.9913 | 0.9893 | 0.9873 | 0.9853 | 0.9833 |
| 52 | 0.9813 | 0.9793 | 0.9773 | 0.9754 | 0.9735 | 0.9715 | 0.9696 | 0.9677 | 0.9658 | 0.9639 |
| 53 | 0.9621 | 0.9602 | 0.9583 | 0.9565 | 0.9547 | 0.9528 | 0.9510 | 0.9492 | 0.9474 | 0.9457 |
| 54 | 0.9439 | 0.9421 | 0.9404 | 0.9386 | 0.9369 | 0.9352 | 0.9334 | 0.9317 | 0.9300 | 0.9283 |
| 55 | 0.9267 | 0.9250 | 0.9233 | 0.9217 | 0.9200 | 0.9184 | 0.9168 | 0.9152 | 0.9135 | 0.9119 |
| 56 | 0.9103 | 0.9088 | 0.9072 | 0.9056 | 0.9041 | 0.9025 | 0.9010 | 0.8994 | 0.8979 | 0.8964 |
| 57 | 0.8949 | 0.8934 | 0.8919 | 0.8904 | 0.8889 | 0.8874 | 0.8859 | 0.8845 | 0.8830 | 0.8816 |
| 58 | 0.8802 | 0.8787 | 0.8773 | 0.8759 | 0.8745 | 0.8731 | 0.8717 | 0.8703 | 0.8689 | 0.8675 |
| 59 | 0.8662 | 0.8648 | 0.8635 | 0.8621 | 0.8608 | 0.8594 | 0.8581 | 0.8568 | 0.8555 | 0.8542 |
| 60 | 0.8529 | 0.8516 | 0.8503 | 0.8490 | 0.8477 | 0.8465 | 0.8452 | 0.8439 | 0.8427 | 0.8415 |
| 61 | 0.8402 | 0.8390 | 0.8378 | 0.8365 | 0.8353 | 0.8341 | 0.8329 | 0.8317 | 0.8305 | 0.8293 |
| 62 | 0.8281 | 0.8270 | 0.8258 | 0.8246 | 0.8235 | 0.8223 | 0.8212 | 0.8200 | 0.8189 | 0.8178 |
| 63 | 0.8166 | 0.8155 | 0.8144 | 0.8133 | 0.8122 | 0.8111 | 0.8100 | 0.8089 | 0.8078 | 0.8067 |
| 64 | 0.8057 | 0.8046 | 0.8035 | 0.8025 | 0.8014 | 0.8004 | 0.7993 | 0.7983 | 0.7973 | 0.7962 |
| 65 | 0.7952 | 0.7942 | 0.7932 | 0.7922 | 0.7911 | 0.7901 | 0.7891 | 0.7881 | 0.7872 | 0.7862 |
| 66 | 0.7852 | 0.7842 | 0.7832 | 0.7823 | 0.7813 | 0.7804 | 0.7794 | 0.7785 | 0.7775 | 0.7766 |
| 67 | 0.7756 | 0.7747 | 0.7738 | 0.7729 | 0.7719 | 0.7710 | 0.7701 | 0.7692 | 0.7683 | 0.7674 |
| 68 | 0.7665 | 0.7656 | 0.7647 | 0.7638 | 0.7630 | 0.7621 | 0.7612 | 0.7603 | 0.7595 | 0.7586 |
| 69 | 0.7578 | 0.7569 | 0.7561 | 0.7552 | 0.7544 | 0.7535 | 0.7527 | 0.7519 | 0.7510 | 0.7502 |
| 70 | 0.7494 | 0.7486 | 0.7478 | 0.7469 | 0.7461 | 0.7453 | 0.7445 | 0.7437 | 0.7430 | 0.7422 |
| 71 | 0.7414 | 0.7406 | 0.7398 | 0.7390 | 0.7383 | 0.7375 | 0.7367 | 0.7360 | 0.7352 | 0.7345 |
| 72 | 0.7337 | 0.7330 | 0.7322 | 0.7315 | 0.7307 | 0.7300 | 0.7293 | 0.7285 | 0.7278 | 0.7271 |
| 73 | 0.7264 | 0.7256 | 0.7249 | 0.7242 | 0.7235 | 0.7228 | 0.7221 | 0.7214 | 0.7207 | 0.7200 |
| 74 | 0.7193 | 0.7186 | 0.7179 | 0.7173 | 0.7166 | 0.7159 | 0.7152 | 0.7146 | 0.7139 | 0.7132 |
| 75 | 0.7126 | 0.7119 | 0.7112 | 0.7106 | 0.7099 | 0.7093 | 0.7086 | 0.7080 | 0.7074 | 0.7067 |
| 76 | 0.7061 | 0.7055 | 0.7048 | 0.7042 | 0.7036 | 0.7029 | 0.7023 | 0.7017 | 0.7011 | 0.7005 |
| 77 | 0.6999 | 0.6993 | 0.6987 | 0.6981 | 0.6975 | 0.6969 | 0.6963 | 0.6957 | 0.6951 | 0.6945 |
| 78 | 0.6939 | 0.6933 | 0.6927 | 0.6922 | 0.6916 | 0.6910 | 0.6905 | 0.6899 | 0.6893 | 0.6888 |
| 79 | 0.6882 | 0.6876 | 0.6871 | 0.6865 | 0.6860 | 0.6854 | 0.6849 | 0.6843 | 0.6838 | 0.6832 |

## Hommes (de 80 à 119 kg)

| Poids de corps (kg) | 0 | 0.1 | 0.2 | 0.3 | 0.4 | 0.5 | 0.6 | 0.7 | 0.8 | 0.9 |
|---|---|---|---|---|---|---|---|---|---|---|
| 80 | 0.6827 | 0.6822 | 0.6816 | 0.6811 | 0.6806 | 0.6800 | 0.6795 | 0.6790 | 0.6785 | 0.6779 |
| 81 | 0.6774 | 0.6769 | 0.6764 | 0.6759 | 0.6754 | 0.6749 | 0.6744 | 0.6739 | 0.6734 | 0.6729 |
| 82 | 0.6724 | 0.6719 | 0.6714 | 0.6709 | 0.6704 | 0.6699 | 0.6694 | 0.6689 | 0.6685 | 0.6680 |
| 83 | 0.6675 | 0.6670 | 0.6665 | 0.6661 | 0.6656 | 0.6651 | 0.6647 | 0.6642 | 0.6637 | 0.6633 |
| 84 | 0.6628 | 0.6624 | 0.6619 | 0.6615 | 0.6610 | 0.6606 | 0.6601 | 0.6597 | 0.6592 | 0.6588 |
| 85 | 0.6583 | 0.6579 | 0.6575 | 0.6570 | 0.6566 | 0.6562 | 0.6557 | 0.6553 | 0.6549 | 0.6545 |
| 86 | 0.6540 | 0.6536 | 0.6532 | 0.6528 | 0.6523 | 0.6519 | 0.6515 | 0.6511 | 0.6507 | 0.6503 |
| 87 | 0.6499 | 0.6495 | 0.6491 | 0.6487 | 0.6483 | 0.6479 | 0.6475 | 0.6471 | 0.6467 | 0.6463 |
| 88 | 0.6459 | 0.6455 | 0.6451 | 0.6447 | 0.6444 | 0.6440 | 0.6436 | 0.6432 | 0.6428 | 0.6424 |
| 89 | 0.6421 | 0.6417 | 0.6413 | 0.6410 | 0.6406 | 0.6402 | 0.6398 | 0.6395 | 0.6391 | 0.6388 |
| 90 | 0.6384 | 0.6380 | 0.6377 | 0.6373 | 0.6370 | 0.6366 | 0.6363 | 0.6359 | 0.6356 | 0.6352 |
| 91 | 0.6349 | 0.6345 | 0.6342 | 0.6338 | 0.6335 | 0.6331 | 0.6328 | 0.6325 | 0.6321 | 0.6318 |
| 92 | 0.6315 | 0.6311 | 0.6308 | 0.6305 | 0.6301 | 0.6298 | 0.6295 | 0.6292 | 0.6288 | 0.6285 |
| 93 | 0.6282 | 0.6279 | 0.6276 | 0.6272 | 0.6269 | 0.6266 | 0.6263 | 0.6260 | 0.6257 | 0.6254 |
| 94 | 0.6250 | 0.6247 | 0.6244 | 0.6241 | 0.6238 | 0.6235 | 0.6232 | 0.6229 | 0.6226 | 0.6223 |
| 95 | 0.6220 | 0.6217 | 0.6214 | 0.6211 | 0.6209 | 0.6206 | 0.6203 | 0.6200 | 0.6197 | 0.6194 |
| 96 | 0.6191 | 0.6188 | 0.6186 | 0.6183 | 0.6180 | 0.6177 | 0.6174 | 0.6172 | 0.6169 | 0.6166 |
| 97 | 0.6163 | 0.6161 | 0.6158 | 0.6155 | 0.6152 | 0.6150 | 0.6147 | 0.6144 | 0.6142 | 0.6139 |
| 98 | 0.6136 | 0.6134 | 0.6131 | 0.6129 | 0.6126 | 0.6123 | 0.6121 | 0.6118 | 0.6116 | 0.6113 |
| 99 | 0.6111 | 0.6108 | 0.6106 | 0.6103 | 0.6101 | 0.6098 | 0.6096 | 0.6093 | 0.6091 | 0.6088 |
| 100 | 0.6086 | 0.6083 | 0.6081 | 0.6079 | 0.6076 | 0.6074 | 0.6071 | 0.6069 | 0.6067 | 0.6064 |
| 101 | 0.6062 | 0.6060 | 0.6057 | 0.6055 | 0.6053 | 0.6050 | 0.6048 | 0.6046 | 0.6044 | 0.6041 |
| 102 | 0.6039 | 0.6037 | 0.6035 | 0.6032 | 0.6030 | 0.6028 | 0.6026 | 0.6024 | 0.6021 | 0.6019 |
| 103 | 0.6017 | 0.6015 | 0.6013 | 0.6011 | 0.6009 | 0.6006 | 0.6004 | 0.6002 | 0.6000 | 0.5998 |
| 104 | 0.5996 | 0.5994 | 0.5992 | 0.5990 | 0.5988 | 0.5986 | 0.5984 | 0.5982 | 0.5980 | 0.5978 |
| 105 | 0.5976 | 0.5974 | 0.5972 | 0.5970 | 0.5968 | 0.5966 | 0.5964 | 0.5962 | 0.5960 | 0.5958 |
| 106 | 0.5956 | 0.5954 | 0.5952 | 0.5950 | 0.5948 | 0.5946 | 0.5945 | 0.5943 | 0.5941 | 0.5939 |
| 107 | 0.5937 | 0.5935 | 0.5933 | 0.5932 | 0.5930 | 0.5928 | 0.5926 | 0.5924 | 0.5923 | 0.5921 |
| 108 | 0.5919 | 0.5917 | 0.5916 | 0.5914 | 0.5912 | 0.5910 | 0.5909 | 0.5907 | 0.5905 | 0.5903 |
| 109 | 0.5902 | 0.5900 | 0.5898 | 0.5897 | 0.5895 | 0.5893 | 0.5892 | 0.5890 | 0.5888 | 0.5887 |
| 110 | 0.5885 | 0.5883 | 0.5882 | 0.5880 | 0.5878 | 0.5877 | 0.5875 | 0.5874 | 0.5872 | 0.5870 |
| 111 | 0.5869 | 0.5867 | 0.5866 | 0.5864 | 0.5863 | 0.5861 | 0.5860 | 0.5858 | 0.5856 | 0.5855 |
| 112 | 0.5853 | 0.5852 | 0.5850 | 0.5849 | 0.5847 | 0.5846 | 0.5844 | 0.5843 | 0.5841 | 0.5840 |
| 113 | 0.5839 | 0.5837 | 0.5836 | 0.5834 | 0.5833 | 0.5831 | 0.5830 | 0.5828 | 0.5827 | 0.5826 |
| 114 | 0.5824 | 0.5823 | 0.5821 | 0.5820 | 0.5819 | 0.5817 | 0.5816 | 0.5815 | 0.5813 | 0.5812 |
| 115 | 0.5811 | 0.5809 | 0.5808 | 0.5806 | 0.5805 | 0.5804 | 0.5803 | 0.5801 | 0.5800 | 0.5799 |
| 116 | 0.5797 | 0.5796 | 0.5795 | 0.5793 | 0.5792 | 0.5791 | 0.5790 | 0.5788 | 0.5787 | 0.5786 |
| 117 | 0.5785 | 0.5783 | 0.5782 | 0.5781 | 0.5780 | 0.5778 | 0.5777 | 0.5776 | 0.5775 | 0.5774 |
| 118 | 0.5772 | 0.5771 | 0.5770 | 0.5769 | 0.5768 | 0.5766 | 0.5765 | 0.5764 | 0.5763 | 0.5762 |
| 119 | 0.5761 | 0.5759 | 0.5758 | 0.5757 | 0.5756 | 0.5755 | 0.5754 | 0.5753 | 0.5751 | 0.5750 |

## Hommes (de 120 à 159 kg)

| Poids de corps (kg) | 0 | 0.1 | 0.2 | 0.3 | 0.4 | 0.5 | 0.6 | 0.7 | 0.8 | 0.9 |
|---|---|---|---|---|---|---|---|---|---|---|
| 120 | 0.5749 | 0.5748 | 0.5747 | 0.5746 | 0.5745 | 0.5744 | 0.5743 | 0.5742 | 0.5740 | 0.5739 |
| 121 | 0.5738 | 0.5737 | 0.5736 | 0.5735 | 0.5734 | 0.5733 | 0.5732 | 0.5731 | 0.5730 | 0.5729 |
| 122 | 0.5728 | 0.5727 | 0.5726 | 0.5725 | 0.5724 | 0.5723 | 0.5722 | 0.5721 | 0.5720 | 0.5719 |
| 123 | 0.5718 | 0.5717 | 0.5716 | 0.5715 | 0.5714 | 0.5713 | 0.5712 | 0.5711 | 0.5710 | 0.5709 |
| 124 | 0.5708 | 0.5707 | 0.5706 | 0.5705 | 0.5704 | 0.5703 | 0.5702 | 0.5701 | 0.5700 | 0.5699 |
| 125 | 0.5698 | 0.5698 | 0.5697 | 0.5696 | 0.5695 | 0.5694 | 0.5693 | 0.5692 | 0.5691 | 0.5690 |
| 126 | 0.5689 | 0.5688 | 0.5688 | 0.5687 | 0.5686 | 0.5685 | 0.5684 | 0.5683 | 0.5682 | 0.5681 |
| 127 | 0.5681 | 0.5680 | 0.5679 | 0.5678 | 0.5677 | 0.5676 | 0.5675 | 0.5675 | 0.5674 | 0.5673 |
| 128 | 0.5672 | 0.5671 | 0.5670 | 0.5670 | 0.5669 | 0.5668 | 0.5667 | 0.5666 | 0.5665 | 0.5665 |
| 129 | 0.5664 | 0.5663 | 0.5662 | 0.5661 | 0.5661 | 0.5660 | 0.5659 | 0.5658 | 0.5658 | 0.5657 |
| 130 | 0.5656 | 0.5655 | 0.5654 | 0.5654 | 0.5653 | 0.5652 | 0.5651 | 0.5651 | 0.5650 | 0.5649 |
| 131 | 0.5648 | 0.5647 | 0.5647 | 0.5646 | 0.5645 | 0.5644 | 0.5644 | 0.5643 | 0.5642 | 0.5642 |
| 132 | 0.5641 | 0.5640 | 0.5639 | 0.5639 | 0.5638 | 0.5637 | 0.5636 | 0.5636 | 0.5635 | 0.5634 |
| 133 | 0.5634 | 0.5633 | 0.5632 | 0.5631 | 0.5631 | 0.5630 | 0.5629 | 0.5629 | 0.5628 | 0.5627 |
| 134 | 0.5627 | 0.5626 | 0.5625 | 0.5624 | 0.5624 | 0.5623 | 0.5622 | 0.5622 | 0.5621 | 0.5620 |
| 135 | 0.5620 | 0.5619 | 0.5618 | 0.5618 | 0.5617 | 0.5616 | 0.5616 | 0.5615 | 0.5614 | 0.5614 |
| 136 | 0.5613 | 0.5612 | 0.5612 | 0.5611 | 0.5610 | 0.5610 | 0.5609 | 0.5609 | 0.5608 | 0.5607 |
| 137 | 0.5607 | 0.5606 | 0.5605 | 0.5605 | 0.5604 | 0.5603 | 0.5603 | 0.5602 | 0.5602 | 0.5601 |
| 138 | 0.5600 | 0.5600 | 0.5599 | 0.5598 | 0.5598 | 0.5597 | 0.5597 | 0.5596 | 0.5595 | 0.5595 |
| 139 | 0.5594 | 0.5593 | 0.5593 | 0.5592 | 0.5592 | 0.5591 | 0.5590 | 0.5590 | 0.5589 | 0.5589 |
| 140 | 0.5588 | 0.5587 | 0.5587 | 0.5586 | 0.5586 | 0.5585 | 0.5584 | 0.5584 | 0.5583 | 0.5583 |
| 141 | 0.5582 | 0.5582 | 0.5581 | 0.5580 | 0.5580 | 0.5579 | 0.5579 | 0.5578 | 0.5578 | 0.5577 |
| 142 | 0.5576 | 0.5576 | 0.5575 | 0.5575 | 0.5574 | 0.5573 | 0.5573 | 0.5572 | 0.5572 | 0.5571 |
| 143 | 0.5571 | 0.5570 | 0.5570 | 0.5569 | 0.5568 | 0.5568 | 0.5567 | 0.5567 | 0.5566 | 0.5566 |
| 144 | 0.5565 | 0.5564 | 0.5564 | 0.5563 | 0.5563 | 0.5562 | 0.5562 | 0.5561 | 0.5561 | 0.5560 |
| 145 | 0.5560 | 0.5559 | 0.5558 | 0.5558 | 0.5557 | 0.5557 | 0.5556 | 0.5556 | 0.5555 | 0.5555 |
| 146 | 0.5554 | 0.5554 | 0.5553 | 0.5552 | 0.5552 | 0.5551 | 0.5551 | 0.5550 | 0.5550 | 0.5549 |
| 147 | 0.5549 | 0.5548 | 0.5548 | 0.5547 | 0.5547 | 0.5546 | 0.5546 | 0.5545 | 0.5544 | 0.5544 |
| 148 | 0.5543 | 0.5543 | 0.5542 | 0.5542 | 0.5541 | 0.5541 | 0.5540 | 0.5540 | 0.5539 | 0.5539 |
| 149 | 0.5538 | 0.5538 | 0.5537 | 0.5537 | 0.5536 | 0.5536 | 0.5535 | 0.5535 | 0.5534 | 0.5533 |
| 150 | 0.5533 | 0.5532 | 0.5532 | 0.5531 | 0.5531 | 0.5530 | 0.5530 | 0.5529 | 0.5529 | 0.5528 |
| 151 | 0.5528 | 0.5527 | 0.5527 | 0.5526 | 0.5526 | 0.5525 | 0.5525 | 0.5524 | 0.5524 | 0.5523 |
| 152 | 0.5523 | 0.5522 | 0.5522 | 0.5521 | 0.5521 | 0.5520 | 0.5520 | 0.5519 | 0.5519 | 0.5518 |
| 153 | 0.5518 | 0.5517 | 0.5516 | 0.5516 | 0.5515 | 0.5515 | 0.5514 | 0.5514 | 0.5513 | 0.5513 |
| 154 | 0.5512 | 0.5512 | 0.5511 | 0.5511 | 0.5510 | 0.5510 | 0.5509 | 0.5509 | 0.5508 | 0.5508 |
| 155 | 0.5507 | 0.5507 | 0.5506 | 0.5506 | 0.5505 | 0.5505 | 0.5504 | 0.5504 | 0.5503 | 0.5503 |
| 156 | 0.5502 | 0.5502 | 0.5501 | 0.5501 | 0.5500 | 0.5500 | 0.5499 | 0.5499 | 0.5498 | 0.5498 |
| 157 | 0.5497 | 0.5497 | 0.5496 | 0.5496 | 0.5495 | 0.5495 | 0.5494 | 0.5494 | 0.5493 | 0.5493 |
| 158 | 0.5492 | 0.5492 | 0.5491 | 0.5491 | 0.5490 | 0.5490 | 0.5489 | 0.5489 | 0.5488 | 0.5488 |
| 159 | 0.5487 | 0.5487 | 0.5486 | 0.5486 | 0.5485 | 0.5485 | 0.5484 | 0.5484 | 0.5483 | 0.5483 |

| Poids de corps (kg) | 0 | 0.1 | 0.2 | 0.3 | 0.4 | 0.5 | 0.6 | 0.7 | 0.8 | 0.9 |
|---|---|---|---|---|---|---|---|---|---|---|
| 160 | 0.5482 | 0.5482 | 0.5481 | 0.5481 | 0.5480 | 0.5480 | 0.5479 | 0.5479 | 0.5478 | 0.5478 |
| 161 | 0.5477 | 0.5477 | 0.5476 | 0.5476 | 0.5475 | 0.5475 | 0.5474 | 0.5474 | 0.5473 | 0.5472 |
| 162 | 0.5472 | 0.5471 | 0.5471 | 0.5470 | 0.5470 | 0.5469 | 0.5469 | 0.5468 | 0.5468 | 0.5467 |
| 163 | 0.5467 | 0.5466 | 0.5466 | 0.5465 | 0.5465 | 0.5464 | 0.5464 | 0.5463 | 0.5463 | 0.5462 |
| 164 | 0.5462 | 0.5461 | 0.5461 | 0.5460 | 0.5460 | 0.5459 | 0.5459 | 0.5458 | 0.5458 | 0.5457 |
| 165 | 0.5457 | 0.5456 | 0.5456 | 0.5455 | 0.5455 | 0.5454 | 0.5454 | 0.5453 | 0.5453 | 0.5452 |
| 166 | 0.5452 | 0.5451 | 0.5451 | 0.5450 | 0.5450 | 0.5449 | 0.5449 | 0.5448 | 0.5448 | 0.5447 |
| 167 | 0.5447 | 0.5446 | 0.5446 | 0.5445 | 0.5445 | 0.5444 | 0.5444 | 0.5443 | 0.5443 | 0.5442 |
| 168 | 0.5442 | 0.5441 | 0.5441 | 0.5440 | 0.5440 | 0.5439 | 0.5439 | 0.5438 | 0.5438 | 0.5437 |
| 169 | 0.5436 | 0.5436 | 0.5435 | 0.5435 | 0.5434 | 0.5434 | 0.5433 | 0.5433 | 0.5432 | 0.5432 |
| 170 | 0.5431 | 0.5431 | 0.5430 | 0.5430 | 0.5429 | 0.5429 | 0.5428 | 0.5428 | 0.5427 | 0.5427 |
| 171 | 0.5426 | 0.5426 | 0.5425 | 0.5425 | 0.5424 | 0.5424 | 0.5423 | 0.5423 | 0.5422 | 0.5422 |
| 172 | 0.5421 | 0.5421 | 0.5420 | 0.5420 | 0.5419 | 0.5419 | 0.5418 | 0.5418 | 0.5417 | 0.5417 |
| 173 | 0.5416 | 0.5416 | 0.5415 | 0.5415 | 0.5414 | 0.5414 | 0.5413 | 0.5413 | 0.5412 | 0.5412 |
| 174 | 0.5411 | 0.5411 | 0.5410 | 0.5410 | 0.5409 | 0.5409 | 0.5408 | 0.5408 | 0.5407 | 0.5407 |
| 175 | 0.5406 | 0.5406 | 0.5405 | 0.5405 | 0.5404 | 0.5404 | 0.5403 | 0.5403 | 0.5402 | 0.5402 |
| 176 | 0.5401 | 0.5401 | 0.5400 | 0.5400 | 0.5399 | 0.5399 | 0.5398 | 0.5398 | 0.5397 | 0.5397 |
| 177 | 0.5396 | 0.5396 | 0.5395 | 0.5395 | 0.5394 | 0.5394 | 0.5393 | 0.5393 | 0.5392 | 0.5392 |
| 178 | 0.5391 | 0.5391 | 0.5390 | 0.5390 | 0.5389 | 0.5389 | 0.5388 | 0.5388 | 0.5387 | 0.5387 |
| 179 | 0.5387 | 0.5386 | 0.5386 | 0.5385 | 0.5385 | 0.5384 | 0.5384 | 0.5383 | 0.5383 | 0.5382 |
| 180 | 0.5382 | 0.5381 | 0.5381 | 0.5380 | 0.5380 | 0.5379 | 0.5379 | 0.5378 | 0.5378 | 0.5377 |
| 181 | 0.5377 | 0.5377 | 0.5376 | 0.5376 | 0.5375 | 0.5375 | 0.5374 | 0.5374 | 0.5373 | 0.5373 |
| 182 | 0.5372 | 0.5372 | 0.5371 | 0.5371 | 0.5371 | 0.5370 | 0.5370 | 0.5369 | 0.5369 | 0.5368 |
| 183 | 0.5368 | 0.5367 | 0.5367 | 0.5366 | 0.5366 | 0.5366 | 0.5365 | 0.5365 | 0.5364 | 0.5364 |
| 184 | 0.5363 | 0.5363 | 0.5362 | 0.5362 | 0.5362 | 0.5361 | 0.5361 | 0.5360 | 0.5360 | 0.5359 |
| 185 | 0.5359 | 0.5359 | 0.5358 | 0.5358 | 0.5357 | 0.5357 | 0.5356 | 0.5356 | 0.5356 | 0.5355 |
| 186 | 0.5355 | 0.5354 | 0.5354 | 0.5353 | 0.5353 | 0.5353 | 0.5352 | 0.5352 | 0.5351 | 0.5351 |
| 187 | 0.5351 | 0.5350 | 0.5350 | 0.5349 | 0.5349 | 0.5349 | 0.5348 | 0.5348 | 0.5347 | 0.5347 |
| 188 | 0.5347 | 0.5346 | 0.5346 | 0.5345 | 0.5345 | 0.5345 | 0.5344 | 0.5344 | 0.5344 | 0.5343 |
| 189 | 0.5343 | 0.5342 | 0.5342 | 0.5342 | 0.5341 | 0.5341 | 0.5341 | 0.5340 | 0.5340 | 0.5340 |
| 190 | 0.5339 | 0.5339 | 0.5338 | 0.5338 | 0.5338 | 0.5337 | 0.5337 | 0.5337 | 0.5336 | 0.5336 |
| 191 | 0.5336 | 0.5335 | 0.5335 | 0.5335 | 0.5334 | 0.5334 | 0.5334 | 0.5333 | 0.5333 | 0.5333 |
| 192 | 0.5332 | 0.5332 | 0.5332 | 0.5332 | 0.5331 | 0.5331 | 0.5331 | 0.5330 | 0.5330 | 0.5330 |
| 193 | 0.5329 | 0.5329 | 0.5329 | 0.5329 | 0.5328 | 0.5328 | 0.5328 | 0.5327 | 0.5327 | 0.5327 |
| 194 | 0.5327 | 0.5326 | 0.5326 | 0.5326 | 0.5326 | 0.5325 | 0.5325 | 0.5325 | 0.5325 | 0.5324 |
| 195 | 0.5324 | 0.5324 | 0.5324 | 0.5323 | 0.5323 | 0.5323 | 0.5323 | 0.5322 | 0.5322 | 0.5322 |
| 196 | 0.5322 | 0.5322 | 0.5321 | 0.5321 | 0.5321 | 0.5321 | 0.5321 | 0.5320 | 0.5320 | 0.5320 |
| 197 | 0.5320 | 0.5320 | 0.5319 | 0.5319 | 0.5319 | 0.5319 | 0.5319 | 0.5319 | 0.5318 | 0.5318 |
| 198 | 0.5318 | 0.5318 | 0.5318 | 0.5318 | 0.5318 | 0.5317 | 0.5317 | 0.5317 | 0.5317 | 0.5317 |
| 199 | 0.5317 | 0.5317 | 0.5317 | 0.5317 | 0.5316 | 0.5316 | 0.5316 | 0.5316 | 0.5316 | 0.5316 |

## Hommes (de 160 à 199 kg)

## Femmes (de 40 à 79 kg)

| Poids de corps (lb) | 0 | 0.1 | 0.2 | 0.3 | 0.4 | 0.5 | 0.6 | 0.7 | 0.8 | 0.9 |
|---|---|---|---|---|---|---|---|---|---|---|
| 40 | 1.4936 | 1.4915 | 1.4894 | 1.4872 | 1.4851 | 1.4830 | 1.4809 | 1.4788 | 1.4766 | 1.4745 |
| 41 | 1.4724 | 1.4702 | 1.4681 | 1.4660 | 1.4638 | 1.4617 | 1.4595 | 1.4574 | 1.4552 | 1.4531 |
| 42 | 1.4510 | 1.4488 | 1.4467 | 1.4445 | 1.4424 | 1.4402 | 1.4381 | 1.4359 | 1.4338 | 1.4316 |
| 43 | 1.4295 | 1.4273 | 1.4252 | 1.4231 | 1.4209 | 1.4188 | 1.4166 | 1.4145 | 1.4123 | 1.4102 |
| 44 | 1.4081 | 1.4059 | 1.4038 | 1.4017 | 1.3995 | 1.3974 | 1.3953 | 1.3932 | 1.3910 | 1.3889 |
| 45 | 1.3868 | 1.3847 | 1.3825 | 1.3804 | 1.3783 | 1.3762 | 1.3741 | 1.3720 | 1.3699 | 1.3678 |
| 46 | 1.3657 | 1.3636 | 1.3615 | 1.3594 | 1.3573 | 1.3553 | 1.3532 | 1.3511 | 1.3490 | 1.3470 |
| 47 | 1.3449 | 1.3428 | 1.3408 | 1.3387 | 1.3367 | 1.3346 | 1.3326 | 1.3305 | 1.3285 | 1.3265 |
| 48 | 1.3244 | 1.3224 | 1.3204 | 1.3183 | 1.3163 | 1.3143 | 1.3123 | 1.3103 | 1.3083 | 1.3063 |
| 49 | 1.3043 | 1.3023 | 1.3004 | 1.2984 | 1.2964 | 1.2944 | 1.2925 | 1.2905 | 1.2885 | 1.2866 |
| 50 | 1.2846 | 1.2827 | 1.2808 | 1.2788 | 1.2769 | 1.2750 | 1.2730 | 1.2711 | 1.2692 | 1.2673 |
| 51 | 1.2654 | 1.2635 | 1.2616 | 1.2597 | 1.2578 | 1.2560 | 1.2541 | 1.2522 | 1.2504 | 1.2485 |
| 52 | 1.2466 | 1.2448 | 1.2429 | 1.2411 | 1.2393 | 1.2374 | 1.2356 | 1.2338 | 1.2320 | 1.2302 |
| 53 | 1.2284 | 1.2266 | 1.2248 | 1.2230 | 1.2212 | 1.2194 | 1.2176 | 1.2159 | 1.2141 | 1.2123 |
| 54 | 1.2106 | 1.2088 | 1.2071 | 1.2054 | 1.2036 | 1.2019 | 1.2002 | 1.1985 | 1.1967 | 1.1950 |
| 55 | 1.1933 | 1.1916 | 1.1900 | 1.1883 | 1.1866 | 1.1849 | 1.1832 | 1.1816 | 1.1799 | 1.1783 |
| 56 | 1.1766 | 1.1750 | 1.1733 | 1.1717 | 1.1701 | 1.1684 | 1.1668 | 1.1652 | 1.1636 | 1.1620 |
| 57 | 1.1604 | 1.1588 | 1.1572 | 1.1556 | 1.1541 | 1.1525 | 1.1509 | 1.1494 | 1.1478 | 1.1463 |
| 58 | 1.1447 | 1.1432 | 1.1416 | 1.1401 | 1.1386 | 1.1371 | 1.1355 | 1.1340 | 1.1325 | 1.1310 |
| 59 | 1.1295 | 1.1281 | 1.1266 | 1.1251 | 1.1236 | 1.1221 | 1.1207 | 1.1192 | 1.1178 | 1.1163 |
| 60 | 1.1149 | 1.1134 | 1.1120 | 1.1106 | 1.1092 | 1.1078 | 1.1063 | 1.1049 | 1.1035 | 1.1021 |
| 61 | 1.1007 | 1.0994 | 1.0980 | 1.0966 | 1.0952 | 1.0939 | 1.0925 | 1.0911 | 1.0898 | 1.0884 |
| 62 | 1.0871 | 1.0858 | 1.0844 | 1.0831 | 1.0818 | 1.0805 | 1.0792 | 1.0779 | 1.0765 | 1.0753 |
| 63 | 1.0740 | 1.0727 | 1.0714 | 1.0701 | 1.0688 | 1.0676 | 1.0663 | 1.0650 | 1.0638 | 1.0625 |
| 64 | 1.0613 | 1.0601 | 1.0588 | 1.0576 | 1.0564 | 1.0551 | 1.0539 | 1.0527 | 1.0515 | 1.0503 |
| 65 | 1.0491 | 1.0479 | 1.0467 | 1.0455 | 1.0444 | 1.0432 | 1.0420 | 1.0408 | 1.0397 | 1.0385 |
| 66 | 1.0374 | 1.0362 | 1.0351 | 1.0339 | 1.0328 | 1.0317 | 1.0306 | 1.0294 | 1.0283 | 1.0272 |
| 67 | 1.0261 | 1.0250 | 1.0239 | 1.0228 | 1.0217 | 1.0206 | 1.0195 | 1.0185 | 1.0174 | 1.0163 |
| 68 | 1.0153 | 1.0142 | 1.0131 | 1.0121 | 1.0110 | 1.0100 | 1.0090 | 1.0079 | 1.0069 | 1.0059 |
| 69 | 1.0048 | 1.0038 | 1.0028 | 1.0018 | 1.0008 | 0.9998 | 0.9988 | 0.9978 | 0.9968 | 0.9958 |
| 70 | 0.9948 | 0.9939 | 0.9929 | 0.9919 | 0.9910 | 0.9900 | 0.9890 | 0.9881 | 0.9871 | 0.9862 |
| 71 | 0.9852 | 0.9843 | 0.9834 | 0.9824 | 0.9815 | 0.9806 | 0.9797 | 0.9788 | 0.9779 | 0.9769 |
| 72 | 0.9760 | 0.9751 | 0.9742 | 0.9734 | 0.9725 | 0.9716 | 0.9707 | 0.9698 | 0.9689 | 0.9681 |
| 73 | 0.9672 | 0.9663 | 0.9655 | 0.9646 | 0.9638 | 0.9629 | 0.9621 | 0.9613 | 0.9604 | 0.9596 |
| 74 | 0.9587 | 0.9579 | 0.9571 | 0.9563 | 0.9555 | 0.9547 | 0.9538 | 0.9530 | 0.9522 | 0.9514 |
| 75 | 0.9506 | 0.9498 | 0.9491 | 0.9483 | 0.9475 | 0.9467 | 0.9459 | 0.9452 | 0.9444 | 0.9436 |
| 76 | 0.9429 | 0.9421 | 0.9414 | 0.9406 | 0.9399 | 0.9391 | 0.9384 | 0.9376 | 0.9369 | 0.9362 |
| 77 | 0.9354 | 0.9347 | 0.9340 | 0.9333 | 0.9326 | 0.9318 | 0.9311 | 0.9304 | 0.9297 | 0.9290 |
| 78 | 0.9283 | 0.9276 | 0.9269 | 0.9263 | 0.9256 | 0.9249 | 0.9242 | 0.9235 | 0.9229 | 0.9222 |
| 79 | 0.9215 | 0.9209 | 0.9202 | 0.9195 | 0.9189 | 0.9182 | 0.9176 | 0.9169 | 0.9163 | 0.9156 |

| Poids de corps (kg) | 0 | 0.1 | 0.2 | 0.3 | 0.4 | 0.5 | 0.6 | 0.7 | 0.8 | 0.9 |
|---|---|---|---|---|---|---|---|---|---|---|
| 80 | 0.9150 | 0.9144 | 0.9137 | 0.9131 | 0.9125 | 0.9119 | 0.9112 | 0.9106 | 0.9100 | 0.9094 |
| 81 | 0.9088 | 0.9082 | 0.9076 | 0.9070 | 0.9064 | 0.9058 | 0.9052 | 0.9046 | 0.9040 | 0.9034 |
| 82 | 0.9028 | 0.9023 | 0.9017 | 0.9011 | 0.9005 | 0.9000 | 0.8994 | 0.8988 | 0.8983 | 0.8977 |
| 83 | 0.8972 | 0.8966 | 0.8961 | 0.8955 | 0.8950 | 0.8944 | 0.8939 | 0.8933 | 0.8928 | 0.8923 |
| 84 | 0.8917 | 0.8912 | 0.8907 | 0.8902 | 0.8896 | 0.8891 | 0.8886 | 0.8881 | 0.8876 | 0.8871 |
| 85 | 0.8866 | 0.8861 | 0.8856 | 0.8851 | 0.8846 | 0.8841 | 0.8836 | 0.8831 | 0.8826 | 0.8821 |
| 86 | 0.8816 | 0.8811 | 0.8807 | 0.8802 | 0.8797 | 0.8792 | 0.8788 | 0.8783 | 0.8778 | 0.8774 |
| 87 | 0.8769 | 0.8765 | 0.8760 | 0.8755 | 0.8751 | 0.8746 | 0.8742 | 0.8737 | 0.8733 | 0.8729 |
| 88 | 0.8724 | 0.8720 | 0.8716 | 0.8711 | 0.8707 | 0.8703 | 0.8698 | 0.8694 | 0.8690 | 0.8686 |
| 89 | 0.8681 | 0.8677 | 0.8673 | 0.8669 | 0.8665 | 0.8661 | 0.8657 | 0.8653 | 0.8649 | 0.8645 |
| 90 | 0.8641 | 0.8637 | 0.8633 | 0.8629 | 0.8625 | 0.8621 | 0.8617 | 0.8613 | 0.8609 | 0.8606 |
| 91 | 0.8602 | 0.8598 | 0.8594 | 0.8590 | 0.8587 | 0.8583 | 0.8579 | 0.8576 | 0.8572 | 0.8568 |
| 92 | 0.8565 | 0.8561 | 0.8558 | 0.8554 | 0.8550 | 0.8547 | 0.8543 | 0.8540 | 0.8536 | 0.8533 |
| 93 | 0.8530 | 0.8526 | 0.8523 | 0.8519 | 0.8516 | 0.8513 | 0.8509 | 0.8506 | 0.8503 | 0.8499 |
| 94 | 0.8496 | 0.8493 | 0.8489 | 0.8486 | 0.8483 | 0.8480 | 0.8477 | 0.8473 | 0.8470 | 0.8467 |
| 95 | 0.8464 | 0.8461 | 0.8458 | 0.8455 | 0.8452 | 0.8449 | 0.8446 | 0.8443 | 0.8440 | 0.8437 |
| 96 | 0.8434 | 0.8431 | 0.8428 | 0.8425 | 0.8422 | 0.8419 | 0.8416 | 0.8413 | 0.8410 | 0.8407 |
| 97 | 0.8405 | 0.8402 | 0.8399 | 0.8396 | 0.8393 | 0.8391 | 0.8388 | 0.8385 | 0.8382 | 0.8380 |
| 98 | 0.8377 | 0.8374 | 0.8372 | 0.8369 | 0.8366 | 0.8364 | 0.8361 | 0.8359 | 0.8356 | 0.8353 |
| 99 | 0.8351 | 0.8348 | 0.8346 | 0.8343 | 0.8341 | 0.8338 | 0.8336 | 0.8333 | 0.8331 | 0.8328 |
| 100 | 0.8326 | 0.8323 | 0.8321 | 0.8319 | 0.8316 | 0.8314 | 0.8311 | 0.8309 | 0.8307 | 0.8304 |
| 101 | 0.8302 | 0.8300 | 0.8297 | 0.8295 | 0.8293 | 0.8291 | 0.8288 | 0.8286 | 0.8284 | 0.8282 |
| 102 | 0.8279 | 0.8277 | 0.8275 | 0.8273 | 0.8271 | 0.8268 | 0.8266 | 0.8264 | 0.8262 | 0.8260 |
| 103 | 0.8258 | 0.8256 | 0.8253 | 0.8251 | 0.8249 | 0.8247 | 0.8245 | 0.8243 | 0.8241 | 0.8239 |
| 104 | 0.8237 | 0.8235 | 0.8233 | 0.8231 | 0.8229 | 0.8227 | 0.8225 | 0.8223 | 0.8221 | 0.8219 |
| 105 | 0.8217 | 0.8215 | 0.8214 | 0.8212 | 0.8210 | 0.8208 | 0.8206 | 0.8204 | 0.8202 | 0.8200 |
| 106 | 0.8198 | 0.8197 | 0.8195 | 0.8193 | 0.8191 | 0.8189 | 0.8188 | 0.8186 | 0.8184 | 0.8182 |
| 107 | 0.8180 | 0.8179 | 0.8177 | 0.8175 | 0.8173 | 0.8172 | 0.8170 | 0.8168 | 0.8167 | 0.8165 |
| 108 | 0.8163 | 0.8161 | 0.8160 | 0.8158 | 0.8156 | 0.8155 | 0.8153 | 0.8152 | 0.8150 | 0.8148 |
| 109 | 0.8147 | 0.8145 | 0.8143 | 0.8142 | 0.8140 | 0.8139 | 0.8137 | 0.8135 | 0.8134 | 0.8132 |
| 110 | 0.8131 | 0.8129 | 0.8128 | 0.8126 | 0.8124 | 0.8123 | 0.8121 | 0.8120 | 0.8118 | 0.8117 |
| 111 | 0.8115 | 0.8114 | 0.8112 | 0.8111 | 0.8109 | 0.8108 | 0.8106 | 0.8105 | 0.8103 | 0.8102 |
| 112 | 0.8101 | 0.8099 | 0.8098 | 0.8096 | 0.8095 | 0.8093 | 0.8092 | 0.8090 | 0.8089 | 0.8088 |
| 113 | 0.8086 | 0.8085 | 0.8083 | 0.8082 | 0.8081 | 0.8079 | 0.8078 | 0.8077 | 0.8075 | 0.8074 |
| 114 | 0.8072 | 0.8071 | 0.8070 | 0.8068 | 0.8067 | 0.8066 | 0.8064 | 0.8063 | 0.8062 | 0.8060 |
| 115 | 0.8059 | 0.8058 | 0.8056 | 0.8055 | 0.8054 | 0.8052 | 0.8051 | 0.8050 | 0.8049 | 0.8047 |
| 116 | 0.8046 | 0.8045 | 0.8043 | 0.8042 | 0.8041 | 0.8040 | 0.8038 | 0.8037 | 0.8036 | 0.8034 |
| 117 | 0.8033 | 0.8032 | 0.8031 | 0.8029 | 0.8028 | 0.8027 | 0.8026 | 0.8024 | 0.8023 | 0.8022 |
| 118 | 0.8021 | 0.8020 | 0.8018 | 0.8017 | 0.8016 | 0.8015 | 0.8013 | 0.8012 | 0.8011 | 0.8010 |
| 119 | 0.8009 | 0.8007 | 0.8006 | 0.8005 | 0.8004 | 0.8003 | 0.8001 | 0.8000 | 0.7999 | 0.7998 |

## Femmes (de 123 à 150 kg)

| Poids de corps (kg) | 0 | 0.1 | 0.2 | 0.3 | 0.4 | 0.5 | 0.6 | 0.7 | 0.8 | 0.9 |
|---|---|---|---|---|---|---|---|---|---|---|
| 120 | 0.7997 | 0.7995 | 0.7994 | 0.7993 | 0.7992 | 0.7991 | 0.7989 | 0.7988 | 0.7987 | 0.7986 |
| 121 | 0.7985 | 0.7984 | 0.7982 | 0.7981 | 0.7980 | 0.7979 | 0.7978 | 0.7977 | 0.7975 | 0.7974 |
| 122 | 0.7973 | 0.7972 | 0.7971 | 0.7970 | 0.7969 | 0.7967 | 0.7966 | 0.7965 | 0.7964 | 0.7963 |
| 123 | 0.7962 | 0.7960 | 0.7959 | 0.7958 | 0.7957 | 0.7956 | 0.7955 | 0.7954 | 0.7953 | 0.7951 |
| 124 | 0.7950 | 0.7949 | 0.7948 | 0.7947 | 0.7946 | 0.7945 | 0.7943 | 0.7942 | 0.7941 | 0.7940 |
| 125 | 0.7939 | 0.7938 | 0.7937 | 0.7936 | 0.7934 | 0.7933 | 0.7932 | 0.7931 | 0.7930 | 0.7929 |
| 126 | 0.7928 | 0.7927 | 0.7926 | 0.7924 | 0.7923 | 0.7922 | 0.7921 | 0.7920 | 0.7919 | 0.7918 |
| 127 | 0.7917 | 0.7915 | 0.7914 | 0.7913 | 0.7912 | 0.7911 | 0.7910 | 0.7909 | 0.7908 | 0.7907 |
| 128 | 0.7905 | 0.7904 | 0.7903 | 0.7902 | 0.7901 | 0.7900 | 0.7899 | 0.7898 | 0.7897 | 0.7895 |
| 129 | 0.7894 | 0.7893 | 0.7892 | 0.7891 | 0.7890 | 0.7889 | 0.7888 | 0.7887 | 0.7886 | 0.7884 |
| 130 | 0.7883 | 0.7882 | 0.7881 | 0.7880 | 0.7879 | 0.7878 | 0.7877 | 0.7876 | 0.7875 | 0.7873 |
| 131 | 0.7872 | 0.7871 | 0.7870 | 0.7869 | 0.7868 | 0.7867 | 0.7866 | 0.7865 | 0.7864 | 0.7862 |
| 132 | 0.7861 | 0.7860 | 0.7859 | 0.7858 | 0.7857 | 0.7856 | 0.7855 | 0.7854 | 0.7853 | 0.7852 |
| 133 | 0.7850 | 0.7849 | 0.7848 | 0.7847 | 0.7846 | 0.7845 | 0.7844 | 0.7843 | 0.7842 | 0.7841 |
| 134 | 0.7840 | 0.7838 | 0.7837 | 0.7836 | 0.7835 | 0.7834 | 0.7833 | 0.7832 | 0.7831 | 0.7830 |
| 135 | 0.7829 | 0.7828 | 0.7827 | 0.7825 | 0.7824 | 0.7823 | 0.7822 | 0.7821 | 0.7820 | 0.7819 |
| 136 | 0.7818 | 0.7817 | 0.7816 | 0.7815 | 0.7814 | 0.7813 | 0.7812 | 0.7811 | 0.7809 | 0.7808 |
| 137 | 0.7807 | 0.7806 | 0.7805 | 0.7804 | 0.7803 | 0.7802 | 0.7801 | 0.7800 | 0.7799 | 0.7798 |
| 138 | 0.7797 | 0.7796 | 0.7795 | 0.7794 | 0.7793 | 0.7792 | 0.7791 | 0.7790 | 0.7789 | 0.7787 |
| 139 | 0.7786 | 0.7785 | 0.7784 | 0.7783 | 0.7782 | 0.7781 | 0.7780 | 0.7779 | 0.7778 | 0.7777 |
| 140 | 0.7776 | 0.7775 | 0.7774 | 0.7773 | 0.7772 | 0.7771 | 0.7770 | 0.7769 | 0.7768 | 0.7767 |
| 141 | 0.7766 | 0.7765 | 0.7764 | 0.7763 | 0.7762 | 0.7761 | 0.7760 | 0.7759 | 0.7759 | 0.7758 |
| 142 | 0.7757 | 0.7756 | 0.7755 | 0.7754 | 0.7753 | 0.7752 | 0.7751 | 0.7750 | 0.7749 | 0.7748 |
| 143 | 0.7747 | 0.7746 | 0.7745 | 0.7744 | 0.7744 | 0.7743 | 0.7742 | 0.7741 | 0.7740 | 0.7739 |
| 144 | 0.7738 | 0.7737 | 0.7736 | 0.7736 | 0.7735 | 0.7734 | 0.7733 | 0.7732 | 0.7731 | 0.7730 |
| 145 | 0.7730 | 0.7729 | 0.7728 | 0.7727 | 0.7726 | 0.7725 | 0.7725 | 0.7724 | 0.7723 | 0.7722 |
| 146 | 0.7721 | 0.7721 | 0.7720 | 0.7719 | 0.7718 | 0.7717 | 0.7717 | 0.7716 | 0.7715 | 0.7714 |
| 147 | 0.7714 | 0.7713 | 0.7712 | 0.7712 | 0.7711 | 0.7710 | 0.7709 | 0.7709 | 0.7708 | 0.7707 |
| 148 | 0.7707 | 0.7706 | 0.7705 | 0.7705 | 0.7704 | 0.7703 | 0.7703 | 0.7702 | 0.7702 | 0.7701 |
| 149 | 0.7700 | 0.7700 | 0.7699 | 0.7699 | 0.7698 | 0.7698 | 0.7697 | 0.7696 | 0.7696 | 0.7695 |
| 150 | 0.7695 | 0.7694 | 0.7694 | 0.7693 | 0.7693 | 0.7692 | 0.7692 | 0.7691 | 0.7691 | 0.7691 |

| 1 RM (kg) | Poids de corps (kg) | | | | | | | | | | | | | | | |
|---|---|---|---|---|---|---|---|---|---|---|---|---|---|---|---|---|
| | 50 | 55 | 60 | 65 | 70 | 75 | 80 | 85 | 90 | 95 | 100 | 105 | 110 | 115 | 120 | 125 |
| 20 | 0,40 | 0,36 | 0,33 | 0,31 | 0,29 | 0,27 | 0,25 | 0,24 | 0,22 | 0,21 | 0,20 | 0,19 | 0,18 | 0,17 | 0,17 | 0,16 |
| 25 | 0,50 | 0,45 | 0,42 | 0,38 | 0,36 | 0,33 | 0,31 | 0,29 | 0,28 | 0,26 | 0,25 | 0,24 | 0,23 | 0,22 | 0,21 | 0,20 |
| 30 | 0,60 | 0,55 | 0,50 | 0,46 | 0,43 | 0,40 | 0,38 | 0,35 | 0,33 | 0,32 | 0,30 | 0,29 | 0,27 | 0,26 | 0,25 | 0,24 |
| 35 | 0,70 | 0,64 | 0,58 | 0,54 | 0,50 | 0,47 | 0,44 | 0,41 | 0,39 | 0,37 | 0,35 | 0,33 | 0,32 | 0,30 | 0,29 | 0,28 |
| 40 | 0,80 | 0,73 | 0,67 | 0,62 | 0,57 | 0,53 | 0,50 | 0,47 | 0,44 | 0,42 | 0,40 | 0,38 | 0,36 | 0,35 | 0,33 | 0,32 |
| 45 | 0,90 | 0,82 | 0,75 | 0,69 | 0,64 | 0,60 | 0,56 | 0,53 | 0,50 | 0,47 | 0,45 | 0,43 | 0,41 | 0,39 | 0,38 | 0,36 |
| 50 | 1,00 | 0,91 | 0,83 | 0,77 | 0,71 | 0,67 | 0,63 | 0,59 | 0,56 | 0,53 | 0,50 | 0,48 | 0,45 | 0,43 | 0,42 | 0,40 |
| 55 | 1,10 | 1,00 | 0,92 | 0,85 | 0,79 | 0,73 | 0,69 | 0,65 | 0,61 | 0,58 | 0,55 | 0,52 | 0,50 | 0,48 | 0,46 | 0,44 |
| 60 | 1,20 | 1,09 | 1,00 | 0,92 | 0,86 | 0,80 | 0,75 | 0,71 | 0,67 | 0,63 | 0,60 | 0,57 | 0,55 | 0,52 | 0,50 | 0,48 |
| 65 | 1,30 | 1,18 | 1,08 | 1,00 | 0,93 | 0,87 | 0,81 | 0,76 | 0,72 | 0,68 | 0,65 | 0,62 | 0,59 | 0,57 | 0,54 | 0,52 |
| 70 | 1,40 | 1,27 | 1,17 | 1,08 | 1,00 | 0,93 | 0,88 | 0,82 | 0,78 | 0,74 | 0,70 | 0,67 | 0,64 | 0,61 | 0,58 | 0,56 |
| 75 | 1,50 | 1,36 | 1,25 | 1,15 | 1,07 | 1,00 | 0,94 | 0,88 | 0,83 | 0,79 | 0,75 | 0,71 | 0,68 | 0,65 | 0,63 | 0,60 |
| 80 | 1,60 | 1,45 | 1,33 | 1,23 | 1,14 | 1,07 | 1,00 | 0,94 | 0,89 | 0,84 | 0,80 | 0,76 | 0,73 | 0,70 | 0,67 | 0,64 |
| 85 | 1,70 | 1,55 | 1,42 | 1,31 | 1,21 | 1,13 | 1,06 | 1,00 | 0,94 | 0,89 | 0,85 | 0,81 | 0,77 | 0,74 | 0,71 | 0,68 |
| 90 | 1,80 | 1,64 | 1,50 | 1,38 | 1,29 | 1,20 | 1,13 | 1,06 | 1,00 | 0,95 | 0,90 | 0,86 | 0,82 | 0,78 | 0,75 | 0,72 |
| 95 | 1,90 | 1,73 | 1,58 | 1,46 | 1,36 | 1,27 | 1,19 | 1,12 | 1,06 | 1,00 | 0,95 | 0,90 | 0,86 | 0,83 | 0,79 | 0,76 |
| 100 | 2,00 | 1,82 | 1,67 | 1,54 | 1,43 | 1,33 | 1,25 | 1,18 | 1,11 | 1,05 | 1,00 | 0,95 | 0,91 | 0,87 | 0,83 | 0,80 |
| 105 | 2,10 | 1,91 | 1,75 | 1,62 | 1,50 | 1,40 | 1,31 | 1,24 | 1,17 | 1,11 | 1,05 | 1,00 | 0,95 | 0,91 | 0,88 | 0,84 |
| 110 | 2,20 | 2,00 | 1,83 | 1,69 | 1,57 | 1,47 | 1,38 | 1,29 | 1,22 | 1,16 | 1,10 | 1,05 | 1,00 | 0,96 | 0,92 | 0,88 |
| 115 | 2,30 | 2,09 | 1,92 | 1,77 | 1,64 | 1,53 | 1,44 | 1,35 | 1,28 | 1,21 | 1,15 | 1,10 | 1,05 | 1,00 | 0,96 | 0,92 |
| 120 | 2,40 | 2,18 | 2,00 | 1,85 | 1,71 | 1,60 | 1,50 | 1,41 | 1,33 | 1,26 | 1,20 | 1,14 | 1,09 | 1,04 | 1,00 | 0,96 |
| 125 | 2,50 | 2,27 | 2,08 | 1,92 | 1,79 | 1,67 | 1,56 | 1,47 | 1,39 | 1,32 | 1,25 | 1,19 | 1,14 | 1,09 | 1,04 | 1,00 |
| 130 | 2,60 | 2,36 | 2,17 | 2,00 | 1,86 | 1,73 | 1,63 | 1,53 | 1,44 | 1,37 | 1,30 | 1,24 | 1,18 | 1,13 | 1,08 | 1,04 |
| 135 | 2,70 | 2,45 | 2,25 | 2,08 | 1,93 | 1,80 | 1,69 | 1,59 | 1,50 | 1,42 | 1,35 | 1,29 | 1,23 | 1,17 | 1,13 | 1,08 |
| 140 | 2,80 | 2,55 | 2,33 | 2,15 | 2,00 | 1,87 | 1,75 | 1,65 | 1,56 | 1,47 | 1,40 | 1,33 | 1,27 | 1,22 | 1,17 | 1,12 |
| 145 | 2,90 | 2,64 | 2,42 | 2,23 | 2,07 | 1,93 | 1,81 | 1,71 | 1,61 | 1,53 | 1,45 | 1,38 | 1,32 | 1,26 | 1,21 | 1,16 |
| 150 | 3,00 | 2,73 | 2,50 | 2,31 | 2,14 | 2,00 | 1,88 | 1,76 | 1,67 | 1,58 | 1,50 | 1,43 | 1,36 | 1,30 | 1,25 | 1,20 |
| 155 | 3,10 | 2,82 | 2,58 | 2,38 | 2,21 | 2,07 | 1,94 | 1,82 | 1,72 | 1,63 | 1,55 | 1,48 | 1,41 | 1,35 | 1,29 | 1,24 |
| 160 | 3,20 | 2,91 | 2,67 | 2,46 | 2,29 | 2,13 | 2,00 | 1,88 | 1,78 | 1,68 | 1,60 | 1,52 | 1,45 | 1,39 | 1,33 | 1,28 |
| 165 | 3,30 | 3,00 | 2,75 | 2,54 | 2,36 | 2,20 | 2,06 | 1,94 | 1,83 | 1,74 | 1,65 | 1,57 | 1,50 | 1,43 | 1,38 | 1,32 |
| 170 | 3,40 | 3,09 | 2,83 | 2,62 | 2,43 | 2,27 | 2,13 | 2,00 | 1,89 | 1,79 | 1,70 | 1,62 | 1,55 | 1,48 | 1,42 | 1,36 |
| 175 | 3,50 | 3,18 | 2,92 | 2,69 | 2,50 | 2,33 | 2,19 | 2,06 | 1,94 | 1,84 | 1,75 | 1,67 | 1,59 | 1,52 | 1,46 | 1,40 |
| 180 | 3,60 | 3,27 | 3,00 | 2,77 | 2,57 | 2,40 | 2,25 | 2,12 | 2,00 | 1,89 | 1,80 | 1,71 | 1,64 | 1,57 | 1,50 | 1,44 |
| 185 | 3,70 | 3,36 | 3,08 | 2,85 | 2,64 | 2,47 | 2,31 | 2,18 | 2,06 | 1,95 | 1,85 | 1,76 | 1,68 | 1,61 | 1,54 | 1,48 |
| 190 | 3,80 | 3,45 | 3,17 | 2,92 | 2,71 | 2,53 | 2,38 | 2,24 | 2,11 | 2,00 | 1,90 | 1,81 | 1,73 | 1,65 | 1,58 | 1,52 |
| 195 | 3,90 | 3,55 | 3,25 | 3,00 | 2,79 | 2,60 | 2,44 | 2,29 | 2,17 | 2,05 | 1,95 | 1,86 | 1,77 | 1,70 | 1,63 | 1,56 |

| 1 RM [kg] | Poids de corps (kg) | | | | | | | | | | | | | | | |
|---|---|---|---|---|---|---|---|---|---|---|---|---|---|---|---|---|
| | 50 | 55 | 60 | 65 | 70 | 75 | 80 | 85 | 90 | 95 | 100 | 105 | 110 | 115 | 120 | 125 |
| 200 | 4,00 | 3,64 | 3,33 | 3,08 | 0,29 | 2,67 | 2,50 | 2,35 | 2,22 | 2,11 | 2,00 | 1,90 | 1,82 | 1,74 | 1,67 | 1,60 |
| 205 | 4,10 | 3,73 | 3,42 | 3,15 | 2,93 | 2,73 | 2,56 | 2,41 | 2,28 | 2,16 | 2,05 | 1,95 | 1,86 | 1,78 | 1,71 | 1,64 |
| 210 | 4,20 | 3,82 | 3,50 | 3,23 | 3,00 | 2,80 | 2,63 | 2,47 | 2,33 | 2,21 | 2,10 | 2,00 | 1,91 | 1,83 | 1,75 | 1,68 |
| 215 | 4,30 | 3,91 | 3,58 | 3,31 | 3,07 | 2,87 | 2,69 | 2,53 | 2,39 | 2,26 | 2,15 | 2,05 | 1,95 | 1,87 | 1,79 | 1,72 |
| 220 | 4,40 | 4,00 | 3,67 | 3,38 | 3,14 | 2,93 | 2,75 | 2,59 | 2,44 | 2,32 | 2,20 | 2,10 | 2,00 | 1,91 | 1,83 | 1,76 |
| 225 | 4,50 | 4,09 | 3,75 | 3,46 | 3,21 | 3,00 | 2,81 | 2,65 | 2,50 | 2,37 | 2,25 | 2,14 | 2,05 | 1,96 | 1,88 | 1,80 |
| 230 | 4,60 | 4,18 | 3,83 | 3,54 | 3,29 | 3,07 | 2,88 | 2,71 | 2,56 | 2,42 | 2,30 | 2,19 | 2,09 | 2,00 | 1,92 | 1,84 |
| 235 | 4,70 | 4,27 | 3,92 | 3,62 | 3,36 | 3,13 | 2,94 | 2,76 | 2,61 | 2,47 | 2,35 | 2,24 | 2,14 | 2,04 | 1,96 | 1,88 |
| 240 | 4,80 | 4,36 | 4,00 | 3,69 | 3,43 | 3,20 | 3,00 | 2,82 | 2,67 | 2,53 | 2,40 | 2,29 | 2,18 | 2,09 | 2,00 | 1,92 |
| 245 | 4,90 | 4,45 | 4,08 | 3,77 | 3,50 | 3,27 | 3,06 | 2,88 | 2,72 | 2,58 | 2,45 | 2,33 | 2,23 | 2,13 | 2,04 | 1,96 |
| 250 | 5,00 | 4,55 | 4,17 | 3,85 | 3,57 | 3,33 | 3,13 | 2,94 | 2,78 | 2,63 | 2,50 | 2,38 | 2,27 | 2,17 | 2,08 | 2,00 |
| 255 | 5,10 | 4,64 | 4,25 | 3,92 | 3,64 | 3,40 | 3,19 | 3,00 | 2,83 | 2,68 | 2,55 | 2,43 | 2,32 | 2,22 | 2,13 | 2,04 |
| 260 | 5,20 | 4,73 | 4,33 | 4,00 | 3,71 | 3,47 | 3,25 | 3,06 | 2,89 | 2,74 | 2,60 | 2,48 | 2,36 | 2,26 | 2,17 | 2,08 |
| 265 | 5,30 | 4,82 | 4,42 | 4,08 | 3,79 | 3,53 | 3,31 | 3,12 | 2,94 | 2,79 | 2,65 | 2,52 | 2,41 | 2,30 | 2,21 | 2,12 |
| 270 | 5,40 | 4,91 | 4,50 | 4,15 | 3,86 | 3,60 | 3,38 | 3,18 | 3,00 | 2,84 | 2,70 | 2,57 | 2,45 | 2,35 | 2,25 | 2,16 |
| 275 | 5,50 | 5,00 | 4,58 | 4,23 | 3,93 | 3,67 | 3,44 | 3,24 | 3,06 | 2,89 | 2,75 | 2,62 | 2,50 | 2,39 | 2,29 | 2,20 |
| 280 | 5,60 | 5,09 | 4,67 | 4,31 | 4,00 | 3,73 | 3,50 | 3,29 | 3,11 | 2,95 | 2,80 | 2,67 | 2,55 | 2,43 | 2,33 | 2,24 |
| 285 | 5,70 | 5,18 | 4,75 | 4,38 | 4,07 | 3,80 | 3,56 | 3,35 | 3,17 | 3,00 | 2,85 | 2,71 | 2,59 | 2,48 | 2,38 | 2,28 |
| 290 | 5,80 | 5,27 | 4,83 | 4,46 | 4,14 | 3,87 | 3,63 | 3,41 | 3,22 | 3,05 | 2,90 | 2,76 | 2,64 | 2,52 | 2,42 | 2,32 |
| 295 | 5,90 | 5,36 | 4,92 | 4,54 | 4,21 | 3,93 | 3,69 | 3,47 | 3,28 | 3,11 | 2,95 | 2,81 | 2,68 | 2,57 | 2,46 | 2,36 |
| 300 | 6,00 | 5,45 | 5,00 | 4,62 | 4,29 | 4,00 | 3,75 | 3,53 | 3,33 | 3,16 | 3,00 | 2,86 | 2,73 | 2,61 | 2,50 | 2,40 |
| 305 | 6,10 | 5,55 | 5,08 | 4,69 | 4,36 | 4,07 | 3,81 | 3,59 | 3,39 | 3,21 | 3,05 | 2,90 | 2,77 | 2,65 | 2,54 | 2,44 |
| 310 | 6,20 | 5,64 | 5,17 | 4,77 | 4,43 | 4,13 | 3,88 | 3,65 | 3,44 | 3,26 | 3,10 | 2,95 | 2,82 | 2,70 | 2,58 | 2,48 |
| 315 | 6,30 | 5,73 | 5,25 | 4,85 | 4,50 | 4,20 | 3,94 | 3,71 | 3,50 | 3,32 | 3,15 | 3,00 | 2,86 | 2,74 | 2,63 | 2,52 |
| 320 | 6,40 | 5,82 | 5,33 | 4,92 | 4,57 | 4,27 | 4,00 | 3,76 | 3,56 | 3,37 | 3,20 | 3,05 | 2,91 | 2,78 | 2,67 | 2,56 |
| 325 | 6,50 | 5,91 | 5,42 | 5,00 | 4,64 | 4,33 | 4,06 | 3,82 | 3,61 | 3,42 | 3,25 | 3,10 | 2,95 | 2,83 | 2,71 | 2,60 |
| 330 | 6,60 | 6,00 | 5,50 | 5,08 | 4,71 | 4,40 | 4,13 | 3,88 | 3,67 | 3,47 | 3,30 | 3,14 | 3,00 | 2,87 | 2,75 | 2,64 |
| 335 | 6,70 | 6,09 | 5,58 | 5,15 | 4,79 | 4,47 | 4,19 | 3,94 | 3,72 | 3,53 | 3,35 | 3,19 | 3,05 | 2,91 | 2,79 | 2,68 |
| 340 | 6,80 | 6,18 | 5,67 | 5,23 | 4,86 | 4,53 | 4,25 | 4,00 | 3,78 | 3,58 | 3,40 | 3,24 | 3,09 | 2,96 | 2,83 | 2,72 |
| 345 | 6,90 | 6,27 | 5,75 | 5,31 | 4,93 | 4,60 | 4,31 | 4,06 | 3,83 | 3,63 | 3,45 | 3,29 | 3,14 | 3,00 | 2,88 | 2,76 |
| 350 | 7,00 | 6,36 | 5,83 | 5,38 | 5,00 | 4,67 | 4,38 | 4,12 | 3,89 | 3,68 | 3,50 | 3,33 | 3,18 | 3,04 | 2,92 | 2,80 |
| 355 | 7,10 | 6,45 | 5,92 | 5,46 | 5,07 | 4,73 | 4,44 | 4,18 | 3,94 | 3,74 | 3,55 | 3,38 | 3,23 | 3,09 | 2,96 | 2,84 |
| 360 | 7,20 | 6,55 | 6,00 | 5,54 | 5,14 | 4,80 | 4,50 | 4,24 | 4,00 | 3,79 | 3,60 | 3,43 | 3,27 | 3,13 | 3,00 | 2,88 |
| 365 | 7,30 | 6,64 | 6,08 | 5,62 | 5,21 | 4,87 | 4,56 | 4,29 | 4,06 | 3,84 | 3,65 | 3,48 | 3,32 | 3,17 | 3,04 | 2,92 |
| 370 | 7,40 | 6,73 | 6,17 | 5,69 | 5,29 | 4,93 | 4,63 | 4,35 | 4,11 | 3,89 | 3,70 | 3,52 | 3,36 | 3,22 | 3,08 | 2,96 |

Il est étonnant de remarquer que la majorité des entraîneurs ignorent l'existence du tableau de Prilepin, un outil essentiel dans la planification d'un entraînement en force musculaire. Ce tableau a été créé par **Alexander Prilepin**, un entraîneur soviétique en haltérophilie qui a évolué entre 1975 et 1985. Les athlètes qu'il a suivis ont remporté au total 85 médailles (incluant 5 médailles d'or olympiques) et 27 records du monde.

Son tableau a été créé après l'analyse des livres d'entraînement de plus de mille champions nationaux et internationaux en haltérophilie afin de déterminer l'intensité avec laquelle un athlète devrait s'entraîner, le nombre de répétitions par entraînement ainsi que le nombre de séries à accomplir sans trop placer de stress sur leur système nerveux. Les analyses d'Alexander Prilepin ont alors donné le tableau suivant :

| Pourcentage (1 RM) | Nombre de répétitions par série | Nombre total de répétitions | Nombre total de répétitions (optimal) |
|---|---|---|---|
| 55-65 | 3-6 | 18-30 | 24 |
| 70-80 | 3-6 | 12-24 | 18 |
| 80-90 | 2-4 | 10-20 | 15 |
| 90 et plus | 1-2 | 4-10 | 4 |

Voici comment lire le tableau de Prilepin :

1. La colonne **pourcentage (1 RM)** représente le pourcentage à utiliser selon votre maximum (1 RM).
2. La colonne **nombre de répétitions par série** représente le nombre de répétitions que vous devriez faire par série.
3. La colonne **nombre total de répétitions** représente les nombres minimal et maximal de répétitions que vous devriez faire par entraînement. Il détermine du même coup le nombre de séries à accomplir. Par exemple, pour un effort à 85 % et pour des séries de 4 répétitions, vous pourriez faire entre 3 et 5 séries (12 et 20 répétitions totales).
4. La colonne **nombre total de répétitions (optimal)** représente le nombre de répétitions optimal à accomplir pour un entraînement. Par exemple, pour un effort à 85 %, 5 séries de 3 répétitions seraient optimales (15 répétitions au total).

# ANNEXE #11 - CHARTE DU DROPSET CLUSTER

## Dropset cluster (100 à 150 kg)

| 100 % | | 100 | | 103 | | 105 | | 108 |
|---|---|---|---|---|---|---|---|---|
| 95 % | 95,0 | 20 + 10 + 5 + 2,5 | 97,5 | 20 + 10 + 1,25 + 5 + 2,5 | 100,0 | 20 + 10 + 5 + 5 | 102,5 | 20 + 10 + 5 + 2,5 + 1,25 + 2,5 |
| 90 % | 90,0 | 20 + 10 + 5 | 92,4 | 20 + 10 + 1,25 + 5 | 94,7 | 20 + 10 + 5 + 2,5 | 97,1 | 20 + 10 + 5 + 2,5 + 1,25 |
| 85 % | 85,0 | 20 + 10 + 2,5 | 87,2 | 20 + 10 + 1,25 + 2,5 | 89,5 | 20 + 10 + 5 | 91,7 | 20 + 10 + 5 |
| 80 % | 80,0 | 20 + 10 | 82,1 | 20 + 10 + 1,25 | 84,2 | 20 + 10 + 2,5 | 86,3 | 20 + 10 + 2,5 |

| 100 % | | 111 | | 113 | | 116 | | 118 |
|---|---|---|---|---|---|---|---|---|
| 95 % | 105,0 | 20 + 15 + 5 + 2,5 | 107,5 | 20 + 15 + 5 + 1,25 + 2,5 | 110,0 | 20 + 15 + 5 + 5 | 112,5 | 20 + 15 + 5 + 5 + 1,25 |
| 90 % | 99,5 | 20 + 15 + 5 | 101,8 | 20 + 15 + 5 + 1,25 | 104,2 | 20 + 15 + 5 + 2,5 | 106,6 | 20 + 15 + 5 + 2,5 |
| 85 % | 93,9 | 20 + 15 + 2,5 | 96,2 | 20 + 15 + 2,5 | 98,4 | 20 + 15 + 5 | 100,7 | 20 + 15 + 5 |
| 80 % | 88,4 | 20 + 15 | 90,5 | 20 + 15 | 92,6 | 20 + 15 + 1,25 | 94,7 | 20 + 15 + 2,5 |

| 100 % | | 121 | | 124 | | 126 | | 129 |
|---|---|---|---|---|---|---|---|---|
| 95 % | 115,0 | 20 + 15 + 2,5 + 5 + 5 | 117,5 | 20 + 20 + 5 + 2,5 + 1,25 | 120,0 | 20 + 20 + 2,5 + 5 + 2,5 | 122,5 | 20 + 20 + 1,25 + 2,5 + 5 + 2,5 |
| 90 % | 108,9 | 20 + 15 + 2,5 + 5 + 1,25 | 111,3 | 20 + 20 + 5 | 113,7 | 20 + 20 + 2,5 + 5 | 116,1 | 20 + 20 + 1,25 + 2,5 + 5 |
| 85 % | 102,9 | 20 + 15 + 2,5 + 2,5 | 105,1 | 20 + 20 + 2,5 | 107,4 | 20 + 20 + 2,5 + 1,25 | 109,6 | 20 + 20 + 1,25 + 2,5 + 1,25 |
| 80 % | 96,8 | 20 + 15 + 2,5 + 1,25 | 98,9 | 20 + 20 | 101,1 | 20 + 20 | 103,2 | 20 + 20 + 1,25 |

| 100 % | | 132 | | 134 | | 137 | | 139 |
|---|---|---|---|---|---|---|---|---|
| 95 % | 125,0 | 20 + 20 + 5 + 2,5 + 5 | 127,5 | 20 + 20 + 2,5 + 10 + 1,25 | 130,0 | 20 + 20 + 5 + 2,5 + 5 + 2,5 | 132,5 | 20 + 20 + 5 + 5 + 5 + 1,25 |
| 90 % | 118,4 | 20 + 20 + 5 + 2,5 + 1,25 | 120,8 | 20 + 20 + 2,5 + 10 | 123,2 | 20 + 20 + 5 + 2,5 + 5 | 125,5 | 20 + 20 + 5 + 5 + 2,5 |
| 85 % | 111,8 | 20 + 20 + 5 | 114,1 | 20 + 20 + 2,5 + 5 | 116,3 | 20 + 20 + 5 + 2,5 | 118,6 | 20 + 20 + 5 + 5 |
| 80 % | 105,3 | 20 + 20 + 2,5 | 107,4 | 20 + 20 + 2,5 + 1,25 | 109,5 | 20 + 20 + 5 | 111,6 | 20 + 20 + 5 |

| 100 % | | 142 | | 145 | | 147 | | 150 |
|---|---|---|---|---|---|---|---|---|
| 95 % | 135,0 | 20 + 20 + 5 + 5 + 2,5 + 5 | 137,5 | 20 + 20 + 5 + 5 + 5 + 2,5 + 1,25 | 140,0 | 20 + 20 + 5 + 10 + 5 | 142,5 | 20 + 20 + 10 + 10 + 1,25 |
| 90 % | 127,9 | 20 + 20 + 5 + 5 + 2,5 + 1,25 | 130,3 | 20 + 20 + 5 + 5 + 5 | 132,6 | 20 + 20 + 5 + 10 + 1,25 | 135,0 | 20 + 20 + 10 + 2,5 + 5 |
| 85 % | 120,8 | 20 + 20 + 5 + 5 | 123,0 | 20 + 20 + 5 + 5 + 1,25 | 125,3 | 20 + 20 + 5 + 2,5 + 5 | 127,5 | 20 + 20 + 10 + 2,5 + 1,25 |
| 80 % | 113,7 | 20 + 20 + 5 + 1,25 | 115,8 | 20 + 20 + 5 + 2,5 | 117,9 | 20 + 20 + 5 + 2,5 + 1,25 | 120,0 | 20 + 20 + 10 |

Les séquences présentées sont les différents disques de plaque en fonte (en kg) à placer de chaque côté d'une barre de 20 kg.

## Dropset cluster (150 à 200 kg)

| 100% | | 150 | | 153 | | 155 | | 158 |
|---|---|---|---|---|---|---|---|---|
| 95 % | 142,5 | 20 + 20 + 10 + 10 + 1,25 | 145,0 | 20 + 20 + 10 + 5 + 2,5 + 5 | 147,5 | 20 + 20 + 10 + 10 + 2,5 + 1,25 | 150,0 | 20 + 20 + 10 + 10 + 5 |
| 90 % | 135,0 | 20 + 20 + 10 + 2,5 + 5 | 137,4 | 20 + 20 + 10 + 5 + 2,5 + 1,25 | 139,7 | 20 + 20 + 10 + 10 | 142,1 | 20 + 20 + 10 + 10 + 1,25 |
| 85 % | 127,5 | 20 + 20 + 10 + 2,5 + 1,25 | 129,7 | 20 + 20 + 10 + 5 | 132,0 | 20 + 20 + 10 + 5 + 1,25 | 134,2 | 20 + 20 + 10 + 2,5 + 5 |
| 80 % | 120,0 | 20 + 20 + 10 | 122,1 | 20 + 20 + 10 + 1,25 | 124,2 | 20 + 20 + 10 + 2,5 | 126,3 | 20 + 20 + 10 + 2,5 |

| 100% | | 161 | | 163 | | 166 | | 168 |
|---|---|---|---|---|---|---|---|---|
| 95 % | 152,5 | 20 + 20 + 10 + 2,5 + 10 + 2,5 + 1,25 | 155,0 | 20 + 20 + 10 + 10 + 2,5 + 5 | 157,5 | 20 + 20 + 10 + 5 + 10 + 2,5 + 1,25 | 160,0 | 20 + 20 + 10 + 5 + 10 + 5 |
| 90 % | 144,5 | 20 + 20 + 10 + 2,5 + 10 | 146,8 | 20 + 20 + 10 + 10 + 2,5 + 1,25 | 149,2 | 20 + 20 + 10 + 5 + 10 | 151,6 | 20 + 20 + 10 + 5 + 10 |
| 85 % | 136,4 | 20 + 20 + 10 + 2,5 + 5 | 138,7 | 20 + 20 + 10 + 10 | 140,9 | 20 + 20 + 10 + 5 + 5 | 143,2 | 20 + 20 + 10 + 5 + 5 + 1,25 |
| 80 % | 128,4 | 20 + 20 + 10 + 2,5 + 1,25 | 130,5 | 20 + 20 + 10 + 5 | 132,6 | 20 + 20 + 10 + 5 + 1,25 | 134,7 | 20 + 20 + 10 + 5 + 2,5 |

| 100% | | 171 | | 174 | | 176 | | 179 |
|---|---|---|---|---|---|---|---|---|
| 95 % | 162,5 | 20 + 20 + 10 + 2,5 + 10 + 5 + 2,5 + 1,25 | 165,0 | 20 + 20 + 10 + 5 + 2,5 + 1,25 + 10 + 2,5 + 1,25 | 167,5 | 20 + 20 + 20 + 10 + 2,5 + 1,25 | 170,0 | 20 + 20 + 20 + 1,25 + 10 + 2,5 + 1,25 |
| 90 % | 153,9 | 20 + 20 + 10 + 2,5 + 10 + 5 | 156,3 | 20 + 20 + 10 + 5 + 2,5 + 1,25 + 10 | 158,7 | 20 + 20 + 20 + 10 | 161,1 | 20 + 20 + 20 + 1,25 + 10 |
| 85 % | 145,4 | 20 + 20 + 10 + 2,5 + 10 | 147,6 | 20 + 20 + 10 + 5 + 2,5 + 1,25 + 5 | 149,9 | 20 + 20 + 20 + 5 | 152,1 | 20 + 20 + 20 + 1,25 + 5 |
| 80 % | 136,8 | 20 + 20 + 10 + 2,5 + 5 + 1,25 | 138,9 | 20 + 20 + 10 + 5 + 2,5 + 1,25 | 141,1 | 20 + 20 + 20 | 143,2 | 20 + 20 + 20 + 1,25 |

| 100% | | 182 | | 184 | | 187 | | 189 |
|---|---|---|---|---|---|---|---|---|
| 95 % | 172,5 | 20 + 20 + 20 + 2,5 + 10 + 2,5 + 1,25 | 175,0 | 20 + 20 + 20 + 2,5 + 1,25 + 10 + 2,5 + 1,25 | 177,5 | 20 + 20 + 20 + 10 + 5 + 2,5 + 1,25 | 180,0 | 20 + 20 + 20 + 10 + 10 |
| 90 % | 163,4 | 20 + 20 + 20 + 2,5 + 10 | 165,8 | 20 + 20 + 20 + 2,5 + 1,25 + 10 | 168,2 | 20 + 20 + 20 + 10 + 5 | 170,5 | 20 + 20 + 20 + 10 + 5 |
| 85 % | 154,3 | 20 + 20 + 20 + 2,5 + 5 | 156,6 | 20 + 20 + 20 + 2,5 + 1,25 + 5 | 158,8 | 20 + 20 + 20 + 10 | 161,1 | 20 + 20 + 20 + 10 |
| 80 % | 145,3 | 20 + 20 + 20 + 2,5 | 147,4 | 20 + 20 + 20 + 2,5 + 1,25 | 149,5 | 20 + 20 + 20 + 5 | 151,6 | 20 + 20 + 20 + 5 + 1,25 |

| 100% | | 192 | | 195 | | 197 | | 200 |
|---|---|---|---|---|---|---|---|---|
| 95 % | 182,5 | 20 + 20 + 20 + 1,25 + 10 + 10 | 185,0 | 20 + 20 + 20 + 5 + 2,5 + 10 + 5 | 187,5 | 20 + 20 + 20 + 5 + 2,5 + 1,25 + 10 + 5 | 190,0 | 20 + 20 + 20 + 10 + 10 + 5 |
| 90 % | 172,9 | 20 + 20 + 20 + 1,25 + 10 + 5 | 175,3 | 20 + 20 + 20 + 5 + 2,5 + 10 | 177,6 | 20 + 20 + 20 + 5 + 2,5 + 1,25 + 10 | 180,0 | 20 + 20 + 20 + 10 + 10 |
| 85 % | 163,3 | 20 + 20 + 20 + 1,25 + 10 | 165,8 | 20 + 20 + 20 + 5 + 2,5 + 5 | 167,8 | 20 + 20 + 20 + 5 + 2,5 + 1,25 + 5 | 170,0 | 20 + 20 + 20 + 10 + 5 |
| 80 % | 153,7 | 20 + 20 + 20 + 1,25 + 5 | 155,8 | 20 + 20 + 20 + 5 + 2,5 | 157,9 | 20 + 20 + 20 + 5 + 2,5 + 1,25 | 160,0 | 20 + 20 + 20 + 10 |

Les séquences présentées sont les différents disques de plaque en fonte (en kg) à placer de chaque côté d'une barre de 20 kg.

# ANNEXE #12 - CLASSIFICATION DES TECHNIQUES D'ENTRAÎNEMENT SELON L'EXPÉRIENCE

## NIVEAU 1

### Méthodes d'accumulation

| | | | |
|---|---|---|---|
| Puissance aérobie maximale (PAM) | Postactivation | Série brûlante | Entraînement 5-10-20 |
| Endurance aérobie limite | Trisérie | Série forcée | Four-rep system |
| Endurance aérobie longue durée | Pré-postfatigue | Série à la triche | Speed-set training |
| Split tout le corps | Mechanical dropset | Série super-pompe version longue | Four-minute muscle |
| Split 2 jours | Trisérie uniangulaire | Série super-pompe version courte | Power circuit training |
| Split haut et bas du corps | Les 21 | Série super-pompe version régressive | Small-angle training |
| Push-pull training | Série organique géante 1 | Méthode double progression | Bookend training |
| Split 3 jours | Série organique géante 2 | Contraction maximale | Entraînement avec élastiques |
| Push-pull-isolation training | Fatigue maximale | Tension continue | En résistance variable |
| Split 4 jours | Contraction iso post-effort | Séries descendantes version 1 | Musculation à la machine |
| Entraînement unilatéral | Repos incomplet | Séries descendantes version 2 | Contraction isométrique (posing) |
| Split 5 jours | Pause-repos 7 RM | Séries descendantes version 3 | Isométrie d'une durée maximale |
| Série sous-maximale | Pause-repos alternée | German volume phase I | Isométrie balistique |
| Série jusqu'à l'échec | Répétitions UL 5E-5C | German volume phase II | Isométrie avec secousses |
| Hypertrophie 12-10-8-6 | Répétitions UL 10E-4C | Concentrique/isométrique régressif | Excentriques quasi isométriques |
| Supersérie agoniste | Répétitions négatives | Contraste excentrique/concentrique | Excentrique isolimite |
| Supersérie antagoniste | Excentrique super-lent | Contraste excentrique/isométrique version I | Normes générales 13-30 RM |
| Supersérie synergiste | Répétitions excentriques régressives | Contraste excentrique/isométrique version II | Palier 20-20-20-30-30 RM |
| Dropset | Mouvement et demi | Stato-dynamique concentrique | 20-15-12-20 RM |
| Double dropset | 4 x 10 à la minute | Contraste en vitesse intrasérie (tempo contrast) | Circuit |
| Série holistique | Surcharge par grosses vagues | Système 6 x 6 x 6 | Minicircuit |
| Préfatigue | Palier 10-6 RM | Méthode du même poids | Les 100 répétitions (I go, you go) |
| Postfatigue | Palier 6-10 RM | Méthode des 10 x 1/1 x 10 | Méthode des 70 rép. |
| Travail métabolique | Méthode pyramidale interne | Entraînement ciblé sur la densité | Force intermittente |
| Prémétabolique | Méthode pyramidale externe | Utilisation d'exercices unilatéraux | Intermittent court à 60 % |
| Postmétabolique | Rack pyramid method | Méthode EX/F/OU | Intermittent long à 60 % |
| Préactivation | Concentrique pur | Nubret pro-set | Travail continu à 40 % |
| Pause-repos 15 RM | Méthode Tabata en musculation | Powerwalking | Évolution 16 semaines |

### Méthodes d'intensification

| | | | |
|---|---|---|---|
| Stato-dynamique explosif | Exercices balistiques | 5 x 5 RM | Intervalles à la minute à 85 % |
| Variantes des mouvements d'haltérophilie | Répétition du geste avec surcharge | 5 x 5 higher strength | Squat-développé-deadlift split |
| Exercices réguliers avec puissance maximale | Metabolic training | | |

## NIVEAU 2

### Méthodes d'accumulation

| | | |
|---|---|---|
| Puissance anaérobie alactique | Charges décroissantes interséries | Entraînement choc (depth jump) |
| Capacité anaérobie alactique | Par groupement régressif | Excentrique en survitesse |
| Accélération | Par groupement | Échappe et attrape |
| Vitesse maximale (vitesse vélocité) | Intervalles à la minute à 90 % | Échappe, attrape et soulève |
| Endurance-vitesse | Méthode Wendler 5/3/1 | Pliométrie avec ou sans charge |
| Sprint avec sled, pneu ou parachute | Méthode 5-3-2 | Contraste accentué et orienté |
| Sprint avec sled, pneu ou parachute en contraste | Méthode Westside | Accélération maximale (avec superbands) |
| Survitesse assistée avec élastique | Soulevées lourdes + isométries manuelles | Capacité à répéter des sauts, impulsions, lancers |
| Sprints en contraste avec un partenaire | Méthode Kulesza | Entraînement ascendant-descendant canadien |
| Accélération en montée | Méthode bulgare | Entraînement en complexe russe |
| Vitesse maximale en montée | Surcharge par petites vagues 6-1 RM | Entraînement en complexe russe (accent force) |
| Vitesse maximale contrastée en montée | Entraînement 5 par 10 | Entraînement en complexe russe (accent vitesse) |
| Vitesse maximale en descente | Force limite en résistance variable | Entraînement en complexe bulgare |
| Vitesse maximale contrastée en descente | Force isométrique | Big Kahuna - version standard |
| Capacité à répéter des sprints | Extended 5s (cluster) | Big Kahuna - version paresseuse |
| Agilité de cône à cône | Classic cluster | Big Kahuna - version douloureuse |
| Puissance anaérobie lactique | Antagonist cluster | Circuit intermittent en pliométrie |
| Capacité anaérobie lactique | Mentzer cluster | Circuit continu en pliométrie |
| Normes générales 1-5 RM | Isométrie d'une intensité maximale | Force-vitesse intermittente |
| Force en split multiple | Électrostimulation | Circuit 45 secondes |
| Poids maximaux I | Technique 2/1 | Circuit landmine |
| Poids maximaux II | Techniques des 2 mouvements | Multiforme |
| Palier 5-3 RM | Atterrissage d'altitude (depth landing) | Potentialisation + métabolique |
| Répétitions partielles en force limite | | |

### Méthodes d'intensification

| | | |
|---|---|---|
| Back-to-back training | Série organique géante 5 | German volume phase III |
| Twice-a-day training | Série organique géante complète | German volume phase IV |
| Prépotentialisation | Répétitions super-négatives | Dropset à répétitions progressives |
| Postpotentialisation | Le non-stop | Méthode d'overreaching |
| Série organique géante 3 | Breathing squat | HSS-100 |
| Série organique géante 4 | | |

## NIVEAU 3

### Méthodes d'intensification

| | | |
|---|---|---|
| Super-Pletnev | Functional isometric cluster | Supramaximal cluster |
| The inch program | Maximum contraction cluster | Contraste avec weight releasers |
| Dropset cluster | The layer system | Méthode 120/80 |
| Accentuated eccentric cluster | Excentriques purs (maximaux et supra-maximaux) | En dépassement/overshoot avec weight releasers |

# ANNEXE #13 - TABLE DE CONVERSION DES LIVRES EN KILOGRAMMES

| Livres (lbs) | Kilogramme (kg) | Livres (lbs) | Kilogramme (kg) | Livres (lbs) | Kilogramme (kg) |
|---|---|---|---|---|---|
| 5 | 2,3 | 205 | 93,0 | 405 | 183,7 |
| 10 | 4,5 | 210 | 95,3 | 410 | 186,0 |
| 15 | 6,8 | 215 | 97,5 | 415 | 188,2 |
| 20 | 9,1 | 220 | 99,8 | 420 | 190,5 |
| 25 | 11,3 | 225 | 102,1 | 425 | 192,8 |
| 30 | 13,6 | 230 | 104,3 | 430 | 195,0 |
| 35 | 15,9 | 235 | 106,6 | 435 | 197,3 |
| 40 | 18,1 | 240 | 108,9 | 440 | 199,6 |
| 45 | 20,4 | 245 | 111,1 | 445 | 201,8 |
| 50 | 22,7 | 250 | 113,4 | 450 | 204,1 |
| 55 | 24,9 | 255 | 115,7 | 455 | 206,4 |
| 60 | 27,2 | 260 | 117,9 | 460 | 208,7 |
| 65 | 29,5 | 265 | 120,2 | 465 | 210,9 |
| 70 | 31,8 | 270 | 122,5 | 470 | 213,2 |
| 75 | 34,0 | 275 | 124,7 | 475 | 215,5 |
| 80 | 36,3 | 280 | 127,0 | 480 | 217,7 |
| 85 | 38,6 | 285 | 129,3 | 485 | 220,0 |
| 90 | 40,8 | 290 | 131,5 | 490 | 222,3 |
| 95 | 43,1 | 295 | 133,8 | 495 | 224,5 |
| 100 | 45,4 | 300 | 136,1 | 500 | 226,8 |
| 105 | 47,6 | 305 | 138,3 | 505 | 229,1 |
| 110 | 49,9 | 310 | 140,6 | 510 | 231,3 |
| 115 | 52,2 | 315 | 142,9 | 515 | 233,6 |
| 120 | 54,4 | 320 | 145,1 | 520 | 235,9 |
| 125 | 56,7 | 325 | 147,4 | 525 | 238,1 |
| 130 | 59,0 | 330 | 149,7 | 530 | 240,4 |
| 135 | 61,2 | 335 | 152,0 | 535 | 242,7 |
| 140 | 63,5 | 340 | 154,2 | 540 | 244,9 |
| 145 | 65,8 | 345 | 156,5 | 545 | 247,2 |
| 150 | 68,0 | 350 | 158,8 | 550 | 249,5 |
| 155 | 70,3 | 355 | 161,0 | 555 | 251,7 |
| 160 | 72,6 | 360 | 163,3 | 560 | 254,0 |
| 165 | 74,8 | 365 | 165,6 | 565 | 256,3 |
| 170 | 77,1 | 370 | 167,8 | 570 | 258,5 |
| 175 | 79,4 | 375 | 170,1 | 575 | 260,8 |
| 180 | 81,6 | 380 | 172,4 | 580 | 263,1 |
| 185 | 83,9 | 385 | 174,6 | 585 | 265,4 |
| 190 | 86,2 | 390 | 176,9 | 590 | 267,6 |
| 195 | 88,5 | 395 | 179,2 | 595 | 269,9 |
| 200 | 90,7 | 400 | 181,4 | 600 | 272,2 |

# ANNEXE #14 - TABLE DE CONVERSION DES POUCES EN CENTIMÈTRES

| Pouce (po) | Centimètres (cm) | Pouces (po) | Centimètres (cm) | Pouces (po) | Centimètres (cm) |
|---|---|---|---|---|---|
| 1 | 2,5 | 41 | 104,1 | 81 | 205,7 |
| 2 | 5,1 | 42 | 106,7 | 82 | 208,3 |
| 3 | 7,6 | 43 | 109,2 | 83 | 210,8 |
| 4 | 10,2 | 44 | 111,8 | 84 (7 pi) | 213,4 |
| 5 | 12,7 | 45 | 114,3 | 85 | 215,9 |
| 6 | 15,2 | 46 | 116,8 | 86 | 218,4 |
| 7 | 17,8 | 47 | 119,4 | 87 | 221,0 |
| 8 | 20,3 | 48 (4 pi) | 121,9 | 88 | 223,5 |
| 9 | 22,9 | 49 | 124,5 | 89 | 226,1 |
| 10 | 25,4 | 50 | 127,0 | 90 | 228,6 |
| 11 | 27,9 | 51 | 129,5 | 91 | 231,1 |
| 12 (1 pi) | 30,5 | 52 | 132,1 | 92 | 233,7 |
| 13 | 33,0 | 53 | 134,6 | 93 | 236,2 |
| 14 | 35,6 | 54 | 137,2 | 94 | 238,8 |
| 15 | 38,1 | 55 | 139,7 | 95 | 241,3 |
| 16 | 40,6 | 56 | 142,2 | 96 (8 pi) | 243,8 |
| 17 | 43,2 | 57 | 144,8 | 97 | 246,4 |
| 18 | 45,7 | 58 | 147,3 | 98 | 248,9 |
| 19 | 48,3 | 59 | 149,9 | 99 | 251,5 |
| 20 | 50,8 | 60 (5 pi) | 152,4 | 100 | 254,0 |
| 21 | 53,3 | 61 | 154,9 | 101 | 256,5 |
| 22 | 55,9 | 62 | 157,5 | 102 | 259,1 |
| 23 | 58,4 | 63 | 160,0 | 103 | 261,6 |
| 24 (2 pi) | 61,0 | 64 | 162,6 | 104 | 264,2 |
| 25 | 63,5 | 65 | 165,1 | 105 | 266,7 |
| 26 | 66,0 | 66 | 167,6 | 106 | 269,2 |
| 27 | 68,6 | 67 | 170,2 | 107 | 271,8 |
| 28 | 71,1 | 68 | 172,7 | 108 (9 pi) | 274,3 |
| 29 | 73,7 | 69 | 175,3 | 109 | 276,9 |
| 30 | 76,2 | 70 | 177,8 | 110 | 279,4 |
| 31 | 78,7 | 71 | 180,3 | 111 | 281,9 |
| 32 | 81,3 | 72 (6 pi) | 182,9 | 112 | 284,5 |
| 33 | 83,8 | 73 | 185,4 | 113 | 287,0 |
| 34 | 86,4 | 74 | 188,0 | 114 | 289,6 |
| 35 | 88,9 | 75 | 190,5 | 115 | 292,1 |
| 36 (3 pi) | 91,4 | 76 | 193,0 | 116 | 294,6 |
| 37 | 94,0 | 77 | 195,6 | 117 | 297,2 |
| 38 | 96,5 | 78 | 198,1 | 118 | 299,7 |
| 39 | 99,1 | 79 | 200,7 | 119 | 302,3 |
| 40 | 101,6 | 80 | 203,2 | 120 (10 pi) | 304,8 |

1 po = 2,54 cm et 1 cm = 0,3937 po.

# INDEX DES TECHNIQUES

A : annexes

| | | | |
|---|---|---|---|
| FNP, inversion lente | 230 | 9 | 286 |
| FNP, inversion lente + tenue | 231 | 9 | 287 |
| FNP, inversion lente, tiens, relaxe | 235 | 9 | 291 |
| FNP, stabilisation rythmique | 232 | 9 | 288 |
| FNP, tiens, relaxe | 234 | 9 | 290 |
| Force de démarrage ou de détente | 190 | 6 | 232 |
| Force en splits multiples | 24 | 2 | 48 |
| Force intermittente | 216 | 8 | 266 |
| Force isométrique | 43 | 2 | 67 |
| Force limite avec résistance variable | 42 | 2 | 66 |
| Force-vitesse intermittente | 203 | 7 | 249 |
| Formule de Wilks | A8 | A | 341 |
| Four-minute muscle | 154 | 3 | 183 |
| Four-rep system | 152 | 3 | 181 |
| Functional isometric cluster | 55 | 2 | 79 |
| German volume phase I | 132 | 3 | 161 |
| German volume phase II | 133 | 3 | 162 |
| German volume phase III | 134 | 3 | 163 |
| German volume phase IV | 135 | 3 | 164 |
| HSS-100 | 161 | 3 | 190 |
| Hypertrophie 12-10-8-6 | 70 | 3 | 99 |
| Indice de force | A9 | A | 348 |
| Intermittent court à 60 % | 217 | 8 | 267 |
| Intermittent long à 60 % | 218 | 8 | 268 |
| Intervalles à la minute à 85 % | 34 | 2 | 58 |
| Intervalles à la minute à 90 % | 35 | 2 | 59 |
| Isométrie avec secousses | 167 | 4 | 199 |
| Isométrie balistique | 166 | 4 | 198 |
| Isométrie d'une durée maximale | 164 | 4 | 196 |
| Isométrie d'une intensité maximale | 165 | 4 | 197 |
| Le non-stop | 109 | 3 | 138 |
| Les 100 répétitions (I go, you go) | 214 | 8 | 264 |
| Les 21 | 90 | 3 | 119 |
| Maximum contraction cluster | 56 | 2 | 80 |
| Mechanical dropset | 88 | 3 | 117 |
| Mentzer cluster | 52 | 2 | 76 |
| Metabolic training | 207 | 7 | 251 |
| Méthode 120/80 | 181 | 5 | 218 |
| Méthode 5-3-2 | 46 | 2 | 70 |
| Méthode bulgare | 39 | 2 | 63 |
| Méthode d'overreaching | 149 | 3 | 178 |
| Méthode des 10 x 1/1 x 10 | 145 | 3 | 174 |
| Méthode des 70 rép. | 215 | 8 | 265 |
| Méthode double progression | 124 | 3 | 153 |
| Méthode du même poids | 144 | 3 | 173 |
| Méthode EX-F-OU | 148 | 3 | 177 |
| Méthode Kulesza | 38 | 2 | 62 |

| | | | |
|---|---|---|---|
| Méthode pyramidale externe | 115 | 3 | 144 |
| Méthode pyramidale interne | 114 | 3 | 143 |
| Méthode Tabata en musculation | 221 | 8 | 271 |
| Méthode Wendler 5/3/1 | 45 | 2 | 69 |
| Méthode Westside | 47 | 2 | 71 |
| Minicircuit | 213 | 8 | 263 |
| Mouvement et demi | 108 | 3 | 137 |
| Multiforme | 206 | 7 | 252 |
| Musculation à la machine | 160 | 3 | 189 |
| Normes générales 1-5 RM | 22 | 2 | 46 |
| Normes générales 13-30 RM | 209 | 8 | 259 |
| Nubret pro-set | 150 | 3 | 179 |
| Palier 10-6 RM | 112 | 3 | 141 |
| Palier 20-20-20-30-30 RM | 210 | 8 | 260 |
| Palier 5-3 RM | 29 | 2 | 53 |
| Palier 6-10 RM | 113 | 3 | 142 |
| Par groupement | 33 | 2 | 57 |
| Par groupement régressif | 32 | 2 | 56 |
| Pause-repos 15 RM | 220 | 8 | 270 |
| Pause-repos 7 RM | 100 | 3 | 129 |
| Pause-repos alternée | 101 | 3 | 130 |
| Pliométrie avec ou sans charge | 184 | 6 | 226 |
| Poids maximaux I | 25 | 2 | 49 |
| Poids maximaux II | 26 | 2 | 50 |
| Postactivation | 83 | 3 | 112 |
| Postfatigue | 78 | 3 | 107 |
| Postmétabolique | 81 | 3 | 110 |
| Postpotentialisation | 85 | 3 | 114 |
| Potentialisation + métabolique | 208 | 7 | 254 |
| Power circuit training | 155 | 3 | 184 |
| Powerwalking | 222 | 8 | 272 |
| Pré-postfatigue | 87 | 3 | 116 |
| Préactivation | 82 | 3 | 111 |
| Prédiction du maximum absolu à partir d'un nombre de répétitions | A7 | A | 340 |
| Préfatigue | 77 | 3 | 106 |
| Prémétabolique | 80 | 3 | 109 |
| Prépotentialisation | 84 | 3 | 113 |
| Puissance aérobie maximale (PAM) | 19 | 1 | 39 |
| Puissance anaérobie alactique | 1 | 1 | 21 |
| Puissance anaérobie lactique | 17 | 1 | 37 |
| Push-pull training | 60 | 3 | 89 |
| Push-pull-isolation training | 62 | 3 | 91 |
| Rack pyramid method | 116 | 3 | 145 |
| Répétition du geste avec surcharge | 189 | 6 | 231 |
| Répétitions excentriques régressives | 107 | 3 | 136 |
| Répétitions négatives | 104 | 3 | 104 |

A : annexes

A : annexes

# RÉFÉRENCES

## Articles scientifiques

1. Adams K., O'Shea J. P., O'Shea K. L., Climstein M. « The Effect of Six Weeks of Squat, Plyometric and Squat-Plyometric Training on Power Production », *Journal of Applied Sports Science Research*, 1992, 6(1) : 36-41.

2. Ahtiainen J. P., Pakarinen A., Kraemer W. J., Häkkinen K. « Acute Hormonal and Neuromuscular Responses and Recovery to Forced vs Maximum Repetitions Multiple Resistance Exercises », *Int J Sports Med*, août 2003, 24(6) : 410-8.

3. Behm D. G., Blazevich A. J., Kay A. D., McHugh M. « Acute Effects of Muscle Stretching on Physical Performance, Range of Motion, and Injury Incidence in Healthy Active Individuals: a Systematic Review », *Appl Physiol Nutr Metab*, janv. 2016, 41(1) : 1-11.

4. Cini A., de Vasconcelos G. S., Lima C. S. « Acute Effect of Different Time Periods of Passive Static Stretching on the Hamstring Flexibility », *J Back Musculoskelet Rehabil*, 2017, 30(2) : 241-246.

5. Costa P. B., Herda T. J., Herda A. A., Cramer J. T. « Effects of Dynamic Stretching on Strength, Muscle Imbalance, and Muscle Activation », *Med Sci Sports Exerc*, mars 2014, 46(3) : 586-93.

6. Douglas J., Pearson S., Ross A., McGuigan M. « Chronic Adaptations to Eccentric Training: A Systematic Review », *Sports Med*, mai 2017, 47(5) : 917-941.

7. Drinkwater E. J., Lawton T. W., Lindsell R. P., Pyne D. B., Hunt P. H., McKenna M. J. « Training Leading to Repetition Failure Enhances Bench Press Strength Gains in Elite Junior Athletes », *J Strength Cond Res*, mai 2005 ; 19(2) : 382-8.

8. Goto K., Nagasawa M., Yanagisawa O., Kizuka T., Ishii N., Takamatsu K. « Muscular Adaptations to Combinations of High- and Low-Intensity Resistance Exercises », *J Strength Cond Res*, nov. 2004, 18(4) : 730-7.

9. Hernandez J. P., Nelson-Whalen N. L., Franke W. D., McLean S. P. « Bilateral Index Expressions and iEMG Activity in Older Versus Young Adults », *J Gerontol A Biol Sci Med Sci*, juin 2003, 58(6) : 536-41.

10. Kraemer W. J., Ratamess N. A., Volek J. S., Häkkinen K., Rubin M. R., French D. N., Gómez A. L., McGuigan M. R., Scheett T. P., Newton R. U., Spiering B. A., Izquierdo M., Dioguardi F. S. « The Effects of Amino Acid Supplementation on Hormonal Responses to Resistance Training Overreaching », *Metabolism*, mars 2006, 55(3) : 282-91.

11. Lempke L., Wilkinson R., Murray C., Stanek J. « The Effectiveness of PNF Versus Static Stretching on Increasing Hip-Flexion Range of Motion », *J Sport Rehabil*, 1er mai 2018, 27(3) : 289-294.

12. Marek S. M., Cramer J. T., Fincher A. L., Massey L. L., Dangelmaier S. M., Purkayastha S., Fitz K. A., Culbertson J. Y. « Acute Effects of Static and Proprioceptive Neuromuscular Facilitation Stretching on Muscle Strength and Power Output », *J Athl Train*, juin 2005, 40(2) : 94-103.

13. Medeiros D. M., Cini A., Sbruzzi G., Lima C. S. « Influence of Static Stretching on Hamstring Flexibility in Healthy Young Adults: Systematic Review and Meta-Analysis », *Physiother Theory Pract*, août 2016, 32(6) : 438-445. Epub le 26 juill. 2016.

14. Milanović Z., Sporiš G., Weston M. « Effectiveness of High-Intensity Interval Training (HIT) and Continuous Endurance Training for VO$_2$max Improvements: A Systematic Review and Meta-Analysis of Controlled Trials », *Sports Med*, oct. 2015, 45(10) : 1469-81.

15. Nóbrega S. R., Libardi C. A. « Is Resistance Training to Muscular Failure Necessary? », *Front Physiol*, 29 janv. 2016, 7 : 10.

16. Odunaiya N. A., Hamzat T. K., Ajayi O. F. « The Effects of Static Stretch Duration on the Flexibility of Hamstring Muscles », *African Journal of Biomedical Research*, 2006, 8(2).

17. Opplert J., Babault N. « Acute Effects of Dynamic Stretching on Muscle Flexibility and Performance: An Analysis of the Current Literature », *Sports Med*, févr. 2018, 48(2) : 299-325.

18. Peck E., Chomko G., Gaz D. V., Farrell A. M. « The Effects of Stretching on Performance », *Curr Sports Med Rep*, mai-juin 2014, 13(3) : 179-85.

19. Peck E., Chomko G., Gaz D. V., Farrell A. M. « The Effects of Stretching on Performance », *Curr Sports Med Rep*, mai-juin 2014, 13(3) : 179-85.

20. Robbins D. W., Young W. B., Behm D. G., Payne W. R. « Agonist-Antagonist Paired Set Resistance Training: a Brief Re-

view », *J Strength Cond Res*, oct. 2010, 24(10) : 2873-82.

21. Robbins D. W., Young W. B., Behm D. G. « The Effect of an Upper-Body Agonist-Antagonist Resistance Training Protocol on Volume Load and Efficiency », *J Strength Cond Res*, oct. 2010, 24(10) : 2632-40.

22. Roig M., O'Brien K., Kirk G., Murray R., McKinnon P., Shadgan B. et Reid W.D. « The Effects of Eccentric Versus Concentric Resistance Training on Muscle Strength and Mass in Healthy Adults: a Systematic Review with Meta-Analysis », *Br J Sports Med*, 43 : 556-568, 2009.

23. Schoenfeld B. J., Ogborn D. I., Vigotsky A. D., Franchi M. V, Krieger J. W. « Hypertrophic Effects of Concentric vs. Eccentric Muscle Actions: A Systematic Review and Meta-analysis », *J Strength Cond Res*, sept. 2017, 31(9) : 2599-2608.

24. Sharman M. J., Cresswell A. G., Riek S. « Proprioceptive Neuromuscular Facilitation Stretching : Mechanisms and Clinical Implications », *Sports Med*, 2006, 36(11) : 929-39.

25. Small K., Mc Naughton L., Matthews M. « A Systematic Review into the Efficacy of Static Stretching as Part of a Warm-Up for the Prevention of Exercise-Related Injury », *Res Sports Med*, 2008, 16(3) : 213-31.

26. Tabata I., Irisawa K., Kouzaki M., Nishimura K., Ogita F., Miyachi M. « Metabolic Profile of High Intensity Intermittent Exercises », *Med Sci Sports Exerc*, mars 1997, 29(3) : 390-5.

27. Tabata I., Nishimura K., Kouzaki M., Hirai Y., Ogita F., Miyachi M., Yamamoto K. « Effects of Moderate-Intensity Endurance and High-Intensity Intermittent Training on Anaerobic Capacity and VO$_2$max », *Med Sci Sports Exerc*, oct. 1996, 28(10) : 1327-30.

28. Thacker S. B,. Gilchrist J,. Stroup D. F., Kimsey C. D. Jr. « The Impact of Stretching on Sports Injury Risk: a Systematic Review of the Literature », *Med Sci Sports Exerc*, mars 2004, 36(3) : 371-8.

29. Thomas E., Bianco A., Paoli A., Palma A. « The Relation Between Stretching Typology and Stretching Duration: The Effects on Range of Motion », *Int J Sports Med*, avr. 2018, 39(4) : 243-254.

30. Vanderburgh P. M., Batterham A. M. « Validation of the Wilks Powerlifting Formula », *Med Sci Sports Exerc*, déc. 1999, 31(12) : 1869-75.

31. Weldon S. M, Hill R. H. « The Efficacy of Stretching for Prevention of Exercise-Related Injury: a Systematic Review of the Literature », *Man Ther*, août 2003, 8(3) : 141-50.

32. Yarrow J. F., Borsa P. A., Borst S. E., Sitren H. S., Stevens B. R., White L. J. « Neuroendocrine Responses to an Acute Bout of Eccentric-Enhanced Resistance Exercise », *Med Sci Sports Exerc*, juin 2007, 39(6) : 941-7.

33. Zehr E. P et Sale D. G. « Ballistic movement: Muscle Activation and Neuromuscular Adaptation », *Canadian Journal of Applied Physiology*, 19(4), 363-378.

## Livres

34. ALTER M. J. *Science of flexibility*, troisième édition, Human Kinetics, 2004.

35. ANDRICH V., *Sports Supplement Review*, nº 4, Mile high publishing, 2001.

36. BOMPA T. O., HAFF G. G. *Periodization: Theory and Methodology of Training*, cinquième édition, Human Kinetics, 2009.

37. BROWN L. E. et Ferrigno V. A. *Training for Speed, Agility and Quickness*, deuxième édition, Human Kinetics, 2005.

38. CHOUINARD R., LACOMBE N. *Course à pied : le guide d'entraînement et de nutrition*, Guide Kmag, 2013.

39. CHU D. A. *Jumping into Plyometrics*, deuxième édition, Human Kinetics, 1998.

40. CROISETIÈRE R. *Musculation*, édition RC, 2004.

41. DELAVIER F. et GUNDILL M. *La Méthode Delavier : musculation, exercices et programmes pour s'entraîner chez soi*, Éditions Vigot, 2009.

42. LE GALLAIS D. et MILLET G. *La Préparation physique : optimisation et limites de la performance sportive*, Éditions Masson, 2007.

43. MATTES A. L. *Flexibility: Active and Assisted Stretching*, Aaron Mattes Therapy, 1990.

44. PHILLIPS B. *Sports Supplement Review*, nº 3, Mile high publishing, 1997.

45. POLIQUIN C. *Méthode d'entraînement en force*, tiré d'un document de Charles Poliquin.

46. SHULER L. et COSGROVE A. *The New Rules of Lifting*, Penguin Group, 2006.

47. SIFF M. C. *Supertraining*, sixième édition, Supertraining Institute, 2003.

48. SIMMONS L. *Strength Manual for Running*, Westside Barbell, 2017.

49. SIMMONS L. *The Rule of Three*, Westside Barbell, 2018.

50. SIMMONS L. *The Westside Barbell Book of Methods*, Westside Barbell, 2007.

51. TATE D. *Elitefts Bench Manual*, Elite Fitness Systems, 2018. Disponible en format e-book au : https://www.elitefts.com/wp/wp-content/uploads/2018/09/EFSBenchManual.pdf

52. THÉPAUT-MATHIEU C., MILLER C. et QUIÈVRE J. *Entraînement de la force : spécificité et planification*, INSEP, 1997.

53. THIBAUDEAU C. *Théorie et application de méthodes modernes de force et de puissance*, Éditions F. Lepine, 2008.

54. THIBAUDEAU C. *Le Livre noir des secrets d'entraînement*, édition augmentée, Tony Schwartz, 2007.

55. THIBAUDEAU C. *Musculation à haut seuil d'activation*, Tony Schwartz, 2007.

56. THIBAULT G. *Entraînement cardio : sports d'endurance et performance*, Édition Tricycle, 2009.

57. TSATSOULINE P. *Super joints*, Dragon Door, 2001.

58. VEILLETTE R. *Méthodes d'entraînement*, tiré du cours « Bases scientifiques de la performance au baccalauréat en kinésiologie de l'université Laval », 2007.

59. WEIDER J. et REYNOLDS B. *Le Système Weider de musculation*, Éditions Québécor, 1992.

60. WEINECK J. *Manuel d'entraînement*, quatrième édition, éditions Vigot, 1997.

61. WENDLER J. *5/3/1. The Simplest and Most Effective Training System for Raw Strength*, 2009.

62. WHARTON J et WHARTON P. *The Whartons' Stretch Book: Featuring the Breakthrough Method of Active-Isolated Stretching*, TimesBook (Random House), 1996.

63. WILLEY W. *Better than Steroids*, Trafford, 2007.

64. ZACHAZEWSKI J. E. « Flexibility for sports », *Sports Physical Therapy*, ed. B. Sanders, 201-238, Appleton & Lange, 1988.

65. ZATSIORSKY V. M., KRAEMER W. J. *Science and practice of strength training*, deuxième édition, Human Kinetics, 2006.

## Vidéos

66. NSCA, « Metabolic Training for Fat Loss - HIT Millenium Style ».

67. THIBAUDEAU C., « Cluster training ».

68. THIBAUDEAU C., « Mechanical Dropset ».

69. VEILLETTE R., « Exercices d'agilité et de renforcement musculaire ».

## Internet

70. http://www.crossgymstore.com.

71. http://www.fitnessentrepot.com.

72. http://www.roguecanada.ca.

73. http://www.roguecanada.ca/rogue-monster-bands.php, http://www.crossgymstore.com/pro/elastic-bands.html ou www.fitnessentrepot.com.

74. http://www.roguecanada.ca/rogue-chain-kits.php, http://www.crossgymstore.com/pro/chains.html ou www.fitnessentrepot.com.

75. http://www.roguefitness.com/rogue-fractional-plates-lbs.php ou http://www.roguefitness.com/rogue-metric-fractional-plates-kgs.php.

76. https://www.roguefitness.com/rogue-weight-releasers

77. http://www.theplatemate.com.

78. Nuckols G. [Consulté le 13 décembre 2019], « Who's the most impressive powerlifter? ». Lien URL : https://www.strongerbyscience.com/whos-the-most-impressive-powerlifter.

79. T-Nation [Consulté le 2 décembre 2019], « Most Powerful Program Ever? ». Lien URL : https://www.t-nation.com/workouts/most-powerful-program-ever.

80. T-Nation [Consulté le 2 décembre 2019], « The Layer System ». Lien URL : https://www.t-nation.com/workouts/layer-system.

81. Westside Barbell [Consulté le 13 décembre 2019], « Cultivators of strength ». Lien URL : https://www.westside-barbell.com.

# GLOSSAIRE

**Activation** : mouvement caractérisé par son milieu instable propice au recrutement des fibres rapides afin de stabiliser celui-ci.

**Backpedal** : course rapide (sprint) à reculons.

**Cluster** : synonyme français d'entraînement groupé.

**Dynamophilie** : la dynamophilie, ou *powerlifting* en anglais, est un sport de force. Elle consiste à exécuter trois levées : le squat, le soulevé de terre et le développé couché. Ce sport est aussi appelé force athlétique.

**Haltérophilie** : l'haltérophilie, ou *olympic weightlifting* en anglais, est un sport de force et de puissance. Elle consiste à exécuter deux levées : l'épaulé-jeté (*clean and jerk*) et l'arraché (*snatch*).

**Isométrie concentrique** : aussi appelée « isométrie surmontoire ».

**Isométrie excentrique** : aussi appelée « isométrie freinatrice ».

**Métabolique** : mouvement caractérisé par ses répétitions explosives à l'aide d'élastiques et sur une durée généralement longue (30-60 secondes).

**PAM** : puissance aérobie maximale, c'est-à-dire la puissance de travail que vous atteignez lorsque votre consommation d'oxygène atteint son maximum.

**Potentialisation** : mouvement caractérisé par la grande puissance qu'il génère propice au recrutement de fibres rapides (unités motrices à haut seuil d'activation) et à la création d'un effet de facilitation.

**Rép.** : répétitions.

**RM** : répétitions maximales.

**Shuffle** : déplacement latéral rapide sous forme de pas chassés.

**SNC** : système nerveux central.

**Tempo** : (*ex : 3-0-1-0*) Les 4 chiffres signifient : phase excentrique (3 secondes), transition excentrique/concentrique (0 seconde, soit rapide), phase concentrique (1 seconde), transition concentrique/excentrique (0 seconde, soit rapide).

**Unité motrice** : une unité motrice est composée d'un motoneurone et d'un regroupement de fibres musculaires toutes innervées par ce motoneurone. Le nombre de fibres par unité motrice peut toutefois varier. Par exemple, une unité motrice d'un muscle de l'œil peut contenir 5 à 10 fibres musculaires tandis qu'une unité motrice du quadriceps peut comprendre environ 150 fibres.

**VAM** : vitesse aérobie maximale, c'est-à-dire la vitesse de course que vous atteignez lorsque votre consommation d'oxygène atteint son maximum.

**Vmax** : vitesse maximale, c'est-à-dire la plus grande vitesse que vous pouvez atteindre selon le sport (course à pied, vélo, natation).

## REMERCIEMENTS

Je tiens à remercier tous ceux et toutes celles ayant participé de près ou de loin à ce projet qui est devenu enfin une réalité. Je parle, entre autres, de ma femme Marie-Maude et de mes filles Lyvia et Maxym. Ces trois femmes m'ont accompagné dans ce parcours en m'encourageant tout en comprenant les moments d'écriture dans lesquels je devais m'absenter afin de poursuivre l'avancement de ce livre. Merci pour votre support; merci aux trois femmes de ma vie.

Je tiens également à souligner les modèles qu'ont été pour moi Christian Thibaudeau, Richard Chouinard, Noël Decloître et Raymond Veillette en tant que mentors dans le domaine du conditionnement physique et de la préparation physique. Vous n'avez fait qu'alimenter ma flamme pour ce domaine qui est aujourd'hui mon métier et ma passion.

Merci à Renaud Dubois d'Amphora pour avoir cru en mon projet et m'avoir appuyé dans la création d'un ouvrage qui, selon moi, deviendra un incontournable dans les licences en kinésiologie et dans le domaine de la préparation physique. Merci aussi à Candice Roger pour nos multiples échanges afin de donner à ce livre l'appréciation visuelle qu'il mérite.

À vous tous et à vous toutes, je vous suis grandement reconnaissant.

## CRÉDITS PHOTOS INTÉRIEURES

Page 5, 66 : Kzenon/Adobestock ; page 10, 16-17 : sportpoint/Adobestock ; page 15, 294-295 : maxoidos/Adobestock ; page 26 : kegfire/Adobestock ; page 27 : coachwood/Adobestock ; page 28 : Prostock-studio/Adobestock ; page 29 : Carlos Die Ben R/Adobestock ; page 30 : robot Dean/Adobestock ; page 31 : Mak/Adobestock ; page 33 : baranq/Adobestock ; page 41 : chalabala/Adobestock ; page 42-43 : Rido/Adobestock ; page 66, 187, 188, 229 : Scvos/Adobestock ; page 82-83 : bnenin/Adobestock ; page 187 : bjphotographs/Adobestock ; page 192-193 : Yakobchuk Olena/Adobestock ; page 202 : Fotos 593/Adobestock ; page 204-205 : torsakh/Adobestock ; page 217 : wabeno/Adobestock ; page 220-221, 244-245 : Leika production/Adobestock ; page 225 : Paul/Adobestock ; page 226 : matimix/Adobestock ; page 226 (gauche) : matimix/Adobestock ; page 226 (droite) : Phawat Topaisan/Adobestock ; page 229 : Mix and Match Studio/Adobestock ; page 230 : Maridav/Adobestock ; page 248 : matimix/Adobestock ; page 256-257 : torwaiphoto/Adobestock ; page 274-275 : deniskomarov/Adobestock ; page 279 : Drobot Dean/Adobestock ; page 280 : nazarovsergey/Adobestock ; page 281 (gauche) : moodboard/Adobestock ; page 281 (droite) : undrey/Adobestock ; page 282 : WavebreakmediaMicro/Adobestock ; page 283 : Robert Kneschke/Adobestock ; page 284 : Gelpi/Adobestock ; page 312-313 : dusanpetkovic1/Adobestock ; page 324-325 : WavebreakMediaMicro/Adobestock.

Éditrice : Candice Roger - Amphora
Couverture : Dessine-moi un Gangster
Concept de maquette : Lionel Rousseau - Amphora
Mise en page : Artemishqc.com
Relecture : Sandrine Harbonnier
Photo de couverture : ©bondarchik/Adobestock

Imprimé en Europe par Sagraphic - Pasaje Carsi, 6 - Barcelona
© Éditions Amphora - Juillet 2020
ISBN 978 275 760 459 5

BIBLIOTHÈQUES DE LA
VILLE DE
SHERBROOKE